LE FÉDÉRALISME
CANADIEN CONTEMPORAIN
FONDEMENTS, TRADITIONS, INSTITUTIONS

paramètres ▽

Sous la direction
d'Alain-G. Gagnon

LE FÉDÉRALISME
CANADIEN CONTEMPORAIN

FONDEMENTS, TRADITIONS, INSTITUTIONS

Les Presses de l'Université de Montréal

Catalogage avant publication de Bibliothèque et Archives Canada

Vedette principale au titre :
   Le fédéralisme canadien contemporain. Fondements, traditions, institutions
   (Paramètres)
   Comprend des réf. bibliogr.

   ISBN-10 2-7606-2020-4
   ISBN-13 978-2-7606-2020-9

   1. Fédéralisme – Canada. 2. Relations fédérales-provinciales (Canada) – Québec
(Province). 3. Multiculturalisme – Aspect politique – Canada. 4. Gouvernement
fédéral – Canada. 5. Fédéralisme. I. Gagnon, Alain-G. (Alain-Gustave), 1954- .
II. Collection.

JL27.R439 2006   320.471'049   C2006-940771-1

Dépôt légal : 3ᵉ trimestre 2006
Bibliothèque et Archives nationales du Québec
© Les Presses de l'Université de Montréal, 2006

Les Presses de l'Université de Montréal remercient de leur soutien financier le
ministère du Patrimoine canadien, le Conseil des Arts du Canada et la Société de
développement des entreprises culturelles du Québec (SODEC).

Imprimé au Canada en juillet 2006

REMERCIEMENTS

Nombreuses sont les personnes qui ont contribué à la préparation de ce livre. En plus des auteurs du présent ouvrage, j'en profite aussi pour remercier Enric Fossas, Jocelyn Maclure, Jacques Léonard, Pierre Serré et Brian Tanguay pour leur participation aux symposiums qui ont alimenté les auteurs au moment d'amorcer la rédaction de leurs analyses. Un merci tout à fait spécial va à Joseph Facal de l'École des hautes études commerciales et à Alain Noël du Département de science politique de l'Université de Montréal qui se sont joints au collectif dans le dernier droit. L'appui de Jacques Hérivault, au moment où il agissait à titre de coordonnateur à la Chaire de recherche du Canada en études québécoises et canadiennes de l'Université du Québec à Montréal, a été fort apprécié dans l'organisation des symposiums, de même que celui d'Olivier De Champlain, chargé de projets à la CREQC.

Mes remerciements vont aussi à Florence Noyer et Yzabelle Martineau, des Presses de l'Université de Montréal, pour leur professionnalisme à chacune des étapes de la préparation de cet ouvrage.

INTRODUCTION

REGARDS CROISÉS
SUR LE FÉDÉRALISME CANADIEN

Alain-G. Gagnon

Le fédéralisme tel que pratiqué au Canada n'a jamais eu la cote auprès des Québécois. Non pas que les Québécois soient opposés au fédéralisme en soi mais plutôt parce qu'ils se refusent à accepter la façon dont il est mis en application par les instances politiques à Ottawa. On retrouve deux notions clés au centre de l'interprétation québécoise : l'autonomie des États membres et la non-subordination des pouvoirs entre les deux ordres de gouvernement.

La conception du fédéralisme prévalant aujourd'hui au Canada et selon laquelle le gouvernement central doit être dominant sur les autres instances pose un problème à toutes les formations politiques à Québec. En effet, ces dernières remettent en question le principe du fédéralisme territorial selon lequel toutes les ententes s'appliquent de façon identique à travers le pays et ce, sans égards pour la présence des communautés nationales à la base même de l'État canadien.

Au Québec, la conception privilégiée est celle du fédéralisme communautaire ou du fédéralisme multinational reconnaissant aux communautés nationales un rôle clé, d'une part, en tant que pôle d'identification et, d'autre part, en tant que pilier de l'État fédéral.

Plusieurs ouvrages ont été publiés depuis les années 1950 sur la question mais la plupart se sont limités à l'étude du partage des pouvoirs et des questions constitutionnelles et juridiques. Parmi ces ouvrages, mentionnons les deux tomes du juriste Gil Rémillard : le premier paru, en 1980, *Le fédéralisme canadien : éléments constitutionnels de formation et d'évolution*, suivi en 1985 de *Le fédéralisme canadien : éléments constitutionnels de réalisations*[1]. En 1980, le constitutionnaliste Gérald Beaudoin publiait un livre sur *Le partage des pouvoirs* au Canada dans lequel le juriste faisait le point sur le fédéralisme canadien et le fonctionnement des institutions fédérales[2]. Ce livre a été revu et augmenté à quelques reprises par la suite. Sa plus récente mouture présente une analyse de la Constitution canadienne, des pouvoirs exécutif, législatif et judiciaire et des conférences constitutionnelles.

D'autres auteurs ont fait progressé la réflexion dans ce champ d'études, pensons entre autres aux travaux de Richard Simeon et de Ian Robinson dans le cadre des travaux de la Commission Macdonald[3]. On note par ailleurs une très faible représentation des politologues québécois[4] qui semblent avoir été ignorés par les directeurs de recherche au moment d'établir la programmation de recherche. Cela a eu pour conséquence de garder dans l'ombre les travaux des chercheurs québécois.

En 1994, ont paru les deux ouvrages remarquables de Jacques-Yvan Morin et de José Woehrling : *Les Constitutions du Canada et du Québec, du Régime français à nos jours*[5] et *Demain le Québec. Choix politiques et constitutionnels d'un pays en devenir*. Ces ouvrages ont jeté un éclairage important sur la possibilité pour le Québec de se doter de sa propre constitution, tout en prenant soin d'inscrire les rapports de force dans la longue durée.

Il y a une exception importante au biais juridique qui s'est instauré dans la littérature existante et qui mérite notre attention. Il s'agit en l'occurrence de l'ouvrage de Maurice Lamontagne, publié dès 1954, sous le titre de *Le fédéralisme canadien*[6]. Tout en se faisant le promoteur du fédéralisme canadien, l'auteur innove en proposant une lecture inspirée de l'économie politique. Cette interprétation se démarque des autres travaux sur le sujet et, à certains égards, Lamontagne ouvre une piste porteuse pour les chercheurs dans le domaine des sciences sociales au Canada et au Québec. D'autres étudiants du fédéralisme explorèrent plus à fond cette carrière : pensons aux travaux de Christopher Armstrong, *The Politics of Federalism : Ontario's Relations with the Federal Government 1867-1942*[7] et à ceux de Garth Stevenson, dont *Unfulfilled Union : Canadian Federalism and National Unity*. Au Québec, le sentier ouvert par Lamontagne en économie politique sera peu parcouru ; en fait, encore moins que la piste juridique.

Dans le but de trouver une réponse aux revendications québécoises au sein de la fédération canadienne, la préoccupation principale des chercheurs au Québec a surtout résidé du côté des réformes constitutionnelles. À titre d'illustration, l'ouvrage collectif de François Rocher est publié en 1992 sous le titre *Le bilan québécois du fédéralisme canadien*[8] où les auteurs mettent l'accent sur les conflits de compétence. La même année, Charles Taylor publia *Rapprocher les solitudes. Écrits sur le fédéralisme et le nationalisme au Canada*[9] où le philosophe jette un éclairage riche sur les identités en présence au Canada et sur les voies de solution pour inscrire le pluralisme national.

Notons aussi l'ouvrage dirigé par les comparativistes Michael Burgess et Alain-G. Gagnon, *Comparative Federalism and Federation. Competing Traditions and Future Directions* où les auteurs faisaient le point en 1993 sur les usages du fédéralisme et les diverses traditions sur lesquelles les débats politiques se fondent au Canada et dans les principales fédérations[10]. Soulignons la parution en 1998 de *Sortir de l'impasse. Vers la réconciliation*[11] sous la direction de Guy Laforest et de Roger Gibbins, au lendemain de l'échec référendaire d'octobre 1995, et dans lequel nous trouvons plusieurs études fines portant sur la réconciliation Québec-Canada et les questions constitutionnelles sans que l'option de la sécession du Québec ne soit prise sérieusement en compte par l'un ou l'autre des collaborateurs.

Nous avons eu droit aussi à des témoignages de la part de leaders politiques. En 1995, Claude Ryan livrait son témoignage dans *Regards sur le fédéralisme canadien* ; en 1999, Stéphane Dion faisait part de ses états d'âme dans *Le pari de la franchise. Discours et écrits sur l'unité canadienne* ; et, en 2001, Joseph Facal publiait *Le déclin du fédéralisme canadien*[12].

Plusieurs chantiers ont été ouverts dans des domaines ciblés depuis le début des années 1990. Pensons à l'important ouvrage, *Trudeau et la fin d'un rêve canadien*[13], de Guy Laforest sur les conséquences de la Charte canadienne des droits et libertés sur l'affaiblissement des pratiques fédérales au Canada. En 1996, Gilles Bourque et Jules Duchastel prennent en quelque sorte le relais avec *L'identité fragmentée. Nation et citoyenneté dans les débats constitutionnels canadiens 1941-1992*[14] alors qu'ils font la démonstration que la Charte canadienne contribue à ethniciser les rapports sociaux au pays. Ce travail interprétatif sera poursuivi et enrichi en 2005 par Eugénie Brouillet dans *La négation de la nation. L'identité culturelle québécoise et le fédéralisme canadien*[15] où la juriste revient sur la vision du pacte fondateur, mariant en quelque sorte deux grandes traditions fédérales.

Un autre chantier important fut ouvert à la fin des années 1990 dans le dossier de l'union sociale canadienne. C'est ainsi qu'en 1999, à la suite d'une invitation lancée par le ministère québécois des Affaires intergouvernementales canadiennes, plusieurs spécialistes analysèrent les répercussions qu'aurait pour le Québec le projet d'union sociale canadienne avancé par le gouvernement central et relevèrent de nouveaux empiètements dans un champ de compétence exclusif aux provinces[16].

Il faut aussi souligner plusieurs recherches qui sont en cours sur la notion de fédéralisme multinational comme voie possible de sortie de la crise constitutionnelle pour les pays traversés par la diversité nationale. Aussi, Alain-G. Gagnon et James Tully, dans le cadre des travaux du Groupe de recherche sur les sociétés plurinationales, ont dirigé le collectif *Multinational Democracies*[17] où les auteurs discutent à fond de nouvelles formes d'associations politiques pour les pays fédéraux en quête de légitimité et de stabilité dont le Canada et la Belgique, et les pays en voie de fédéralisation dont l'Espagne et le Royaume-Uni.

Une analyse exhaustive du fédéralisme canadien menée par des chercheurs québécois est attendue depuis longtemps. En fait, aucun ouvrage d'envergure n'a été publié en français au cours de la dernière décennie. C'est pour combler ce vide que la Chaire de recherche du Canada en études québécoises et canadiennes (CREQC) de l'Université du Québec à Montréal a tenu plusieurs symposiums de 2004 à 2006 en vue de regrouper les travaux les plus avancés dans le champ du fédéralisme au Canada.

Aussi, ce livre de référence ouvre-t-il ses pages aux principaux spécialistes du fédéralisme au Canada, tout en proposant une lecture plurielle et actualisée des enjeux politiques qui sous-tendent les rapports Québec-Canada. Le livre se déploie autour de quatre grands axes et lui sert d'armature principale. Dans la première partie, les auteurs discutent des fondements et des traditions sous-tendant le fédéralisme à partir d'une démarche comparative.

Dans la deuxième partie, les auteurs analysent les dynamiques fédérales-provinciales au Canada en mettant l'accent sur les rapports Québec-Canada, le déficit fédératif, les rapports entre minorités et le gouvernement central, la mondialisation, de même que les répercussions de l'application de la Charte canadienne des droits et libertés sur l'évolution du fédéralisme canadien.

Puis, dans la troisième partie, les auteurs explorent à fond les relations fédérales-provinciales et intergouvernementales au Canada. Au cœur des discussions, on trouve plusieurs clés d'interprétation de ces relations de pouvoir entre les deux ordres de gouvernement, ce qui nous amène sur le terrain du fédéralisme asymétrique, car le déséquilibre fiscal, l'union sociale canadienne, l'économie sociale et l'arrivée d'un nouvel acteur, les villes, viennent compliquer davantage les relations fédérales-provinciales au Canada.

Dans la quatrième partie, les lecteurs trouveront des études riches en enseignement sur la gestion de la diversité dans les États fédéraux. Les tensions entre la citoyenneté et le fédéralisme et celles entre les Premières Nations et le gouvernement central sont explorées à fond. Les auteurs traitent des approches conceptuelles et des perspectives comparatives dans des États fédéraux ou en voie de fédéralisation comme l'Allemagne, les États-Unis, l'Espagne et le Canada.

Les chercheurs ont souvent tendance à ignorer les acteurs politiques. Il nous a paru utile dans cet ouvrage de donner la parole au ministre québécois responsable des relations intergouvernementales canadiennes. Aussi, reprenons-nous en annexe la conférence inaugurale prononcée par le ministre Benoît Pelletier à l'Université du Québec à Montréal le 1er octobre 2004 dans le cadre des travaux de la Chaire de recherche du Canada en études québécoises et canadiennes. Lors de cette conférence, le ministre Pelletier a offert une lecture politique qui se veut au diapason des principales revendications québécoises en matière de partage et de respect des compétences entre le gouvernement central et le gouvernement du Québec, d'où son intérêt pour le présent ouvrage.

Ce livre constitue, selon nous, une avancée de premier plan pour les travaux sur le fédéralisme au Canada et se démarque tant par son caractère exhaustif que par la démarche analytique et la richesse théorique des divers exposés.

NOTES ET RÉFÉRENCES

1. Gil Rémillard, *Le fédéralisme canadien : éléments constitutionnels de formation et d'évolution*, Montréal, Québec Amérique, 1980 ; Gil Rémillard, *Le fédéralisme canadien : éléments constitutionnels de réalisations*, Montréal, Québec Amérique, 1985 ; Gérald A. Beaudoin, *Le partage des pouvoirs*, Ottawa, Presses de l'Université d'Ottawa, 1980. Pour sa plus récente version, voir Gérald A. Beaudoin et Pierre Thibault, *La Constitution du Canada. Institutions, partage des pouvoirs, Charte canadienne des droits et libertés*, 3ᵉ édition, Montréal, Wilson & Lafleur, 2004.

2. Gérald A. Beaudoin, *Le partage des pouvoirs*, Ottawa, Presses de l'Université d'Ottawa, 1980. Pour sa plus récente version, voir Gérald A. Beaudoin et Pierre Thibault, *La Constitution du Canada. Institutions, partage des pouvoirs, Charte canadienne des droits et libertés*, 3ᵉ édition, Montréal, Wilson & Lafleur, 2004.

3. Richard Simeon et Ian Robinson, *L'État, la société et l'évolution du fédéralisme canadien*, Commission royale sur l'union économique et les perspectives de développement du Canada, Ottawa, Ministre des Approvisionnements et Services Canada, 1990.

4. On trouve quelques très rares études dont celle du politologue Daniel Latouche, *Le Canada et le Québec. Un essai rétrospectif et prospectif*, Commission royale sur l'union économique et les perspectives de développement du Canada, Ottawa, Ministre des Approvisionnements et Services Canada, 1986.

5. Jacques-Yvan Morin et José Woehrling, *Les Constitutions du Canada et du Québec, du Régime français à nos jours*, Montréal, Éditions Thémis, 1992 ; *Demain le Québec. Choix politiques et constitutionnels d'un pays en devenir*, Québec, Septentrion, 1994.

6. Maurice Lamontagne, *Le fédéralisme canadien. Évolution et problèmes*, Québec, Presses de l'Université Laval, 1954.

7. Christopher Armstrong, *The Politics of Federalism : Ontario's Relations with the Federal Government 1867-1942*, Toronto, University of Toronto Press, 1981 ; Garth Stevenson [1979], *Unfulfilled Union : Canadian Federalism and National Unity*, 4ᵉ édition, Montréal et Kingston, McGill-Queens University Press, 2004.

8. François Rocher, *Le bilan québécois du fédéralisme canadien*, Montréal, VLB éditeur, 1992.

9. Charles Taylor, *Rapprocher les solitudes. Écrits sur le fédéralisme et le nationalisme au Canada* (textes rassemblés et présentés par Guy Laforest), Sainte-Foy, Presses de l'Université Laval, 1992.

10. Michael Burgess et Alain-G. Gagnon (dir.), *Comparative Federalism and Federation. Competing Traditions and Future Directions*, Londres et Toronto, Harvester and Wheatsheaf et University of Toronto Press, 1993.

11. Guy Laforest et Roger Gibbins, dir. *Sortir de l'impasse. Vers la réconciliation*, Montréal, Institut de recherche en politiques publiques, 1998.

12. Claude Ryan, *Regards sur le fédéralisme canadien*, Montréal, Boréal, 1995 ; Stéphane Dion, *Le pari de la franchise. Discours et écrits sur l'unité* canadienne, Montréal, McGill-Queen's University Press, 1999 ; Joseph Facal, *Le déclin du fédéralisme canadien*, Montréal, Boréal, 2001.

13. Guy Laforest, *Trudeau et la fin d'un rêve canadien*, Québec, Septentrion, 1992.

14. Gilles Bourque et Jules Duchastel avec la collaboration de Victor Armony, *L'identité fragmentée. Nation et citoyenneté dans les débats constitutionnels canadiens 1941-1992*, Montréal, Fides, 1996.
15. Eugénie Brouillet, *La négation de la nation. L'identité culturelle québécoise et le fédéralisme canadien*, Québec, Septentrion, 2005.
16. Alain-G. Gagnon (dir.), *L'union sociale canadienne sans le Québec. Huit études sur l'entente cadre*, Montréal, Les Éditions Saint-Martin, 2000. Cet ouvrage a été repris en anglais sous la direction conjointe d'Alain-G. Gagnon et de Hugh Segal, voir *The Canadian Social Union Without Quebec. 8 Critical Analyses*, Montréal, Institut de recherche en politiques publiques, 2000.
17. Alain-G. Gagnon et James Tully (dir.), *Multinational Democracies*, Cambridge, Cambridge University Press, 2001. De même que Alain-G. Gagnon, Montserrat Guibernau et François Rocher (dir.), *The Conditions of Diversity in Multinational Democracies*, Montréal, Institut de recherche en politiques publiques/McGill-Queen's University Press, 2003; Alain-G. Gagnon et Raffaele Iacovino, *Federalism, Citizenship, and Québec. Debating Multinationalism*, Toronto, University of Toronto Press, à paraître en 2006. Pour les travaux du GRSP, on peut consulter le site de l'équipe : <www. creqc.uquam.ca>.

PREMIÈRE PARTIE

FONDEMENTS ET TRADITIONS

C omprendre le fédéralisme canadien, c'est cerner les fondements et les traditions à l'origine du pacte fédératif au Canada. Dans un renvoi appelé à faire époque dans le cas du droit du Québec de faire sécession, la Cour suprême du Canada établissait en août 1998 quatre principes de base devant être respectés par tous les partenaires au sein de la fédération. Il s'agit de la démocratie, du fédéralisme, de la règle de droit et du constitutionnalisme et, enfin, du respect des droits des minorités. Ces quatre principes établissent les fondements mêmes de l'ordre constitutionnel canadien sur lesquels les traditions fédérales viennent s'inscrire, s'alimenter et se projeter dans le temps.

Dans le premier chapitre, Marc Chevrier explore la genèse de l'idée fédérale chez les Pères fondateurs américains et canadiens. Si les Américains voient d'emblée leur Constitution de 1787 comme une véritable fondation politique et en perfectionnent la compréhension par une longue tradition d'exégèse, les Canadiens n'accordent à leur Constitution ni la même étude ni le même prestige. L'auteur met dos à dos les deux moments fondateurs qu'il définit comme deux entreprises commensurables en valeur et en idées. Dans le but d'établir comment les Pères fondateurs américains et canadiens ont conceptualisé le fédéralisme, Chevrier met en relief le contexte de naissance des deux collectivités, le processus même de leur création et leurs horizons idéologiques. L'auteur soumet l'idée que, en 1787, tout comme en 1867, la nature du nouvel État créé a dépassé les intentions initiales des constituants pour aboutir à un régime inédit.

Dans le deuxième chapitre, Dimitrios Karmis propose un retour aux principales conceptions normatives du fédéralisme qui marquent l'histoire de la pensée politique moderne, de manière à prendre un peu de distance et à apporter un éclairage souvent négligé sur les fondements de la crise du fédéralisme canadien. L'exposé est divisé en trois temps, chacun servant à exposer les bases de l'un des trois grands courants qui animent la tradition fédérale moderne : le fédéralisme universaliste, le fédéralisme communautarien et le fédéralisme pluraliste. Bien que l'histoire de la pensée politique moderne soit dominée par la discussion et la défense des États unitaires, nous rappelle l'auteur, elle recèle néanmoins de multiples et d'illustres voix engagées dans la défense de diverses conceptions normatives du fédéralisme. Se référant aux discussions entourant l'entente du lac Meech (1987-1990) ou celle de Charlottetown (1992), Karmis signale que même au plus fort des discussions constitutionnelles qui ont marqué la scène politique canadienne au cours des quarante dernières années, les acteurs politiques ont souvent eu tendance à nier la multiplicité des conceptions normatives du fédéralisme et à s'ériger en défenseurs du seul « vrai » fédéralisme. Or, la question des fondements normatifs des arrangements fédéraux repose sur un fait trop souvent oublié dans les débats sur la pertinence de maintenir ou d'établir un système fédéral : l'existence d'un arrangement institutionnel, quel qu'il soit, ne peut jamais être une fin en soi.

1

LA GENÈSE DE L'IDÉE FÉDÉRALE CHEZ LES PÈRES FONDATEURS AMÉRICAINS ET CANADIENS

Marc Chevrier

> *Tout n'est pas faux dans ce qui fut abandonné.*
> *Tout n'est pas vrai dans ce qui se révèle.*
>
> Paul Valéry, *Tel quel II*

Les sociétés modernes ont généralement pris leur élan d'un moment fondateur qu'elles se remémorent telle une fête dont la célébration cyclique ravive la ferveur des citoyens et donne corps au vivre-ensemble. Parmi toutes celles-ci, les États-Unis apparaissent comme l'exemple archétypal d'une société démocratique dont l'acte de naissance fait saillie sur la ligne des temps modernes. Cette naissance est le fruit d'une entreprise constituante menée par ceux-là mêmes qui avaient chassé le pouvoir britannique par les armes et dont l'ambition était de fonder un régime politique inédit. Cette fondation, qui a réuni la volonté, les idéaux démocratiques et les ingrédients de la fortune politique, s'est acquis l'aura d'un mythe. Fascinante pour les Américains comme pour les étrangers à la recherche de modèles, la fondation américaine a engendré une riche tradition d'exégèse historique et de réflexions politiques sur les idées et les influences qui ont façonné la fabrique du moment fondateur de 1787. Et naturellement, quand il s'agissait d'élargir les termes de l'étude pour y inclure d'autres moments fondateurs comparables en portée, on faisait de la Révolution américaine la matrice de toutes les révolutions modernes.

On s'est toutefois montré moins curieux de comparer la fondation américaine avec le moment fondateur de son voisin immédiat. Cela tient pour beaucoup à l'attitude des Canadiens eux-mêmes vis-à-vis de leur propre entreprise constituante. Il y a toujours eu une certaine gêne, du moins jusqu'à récemment[1], à considérer la création du Canada en 1867 comme le fruit d'une entreprise intellectuelle comparable en valeur à celle qu'ont présidée les auteurs du *Fédéraliste*. Le sentiment le plus répandu au Canada était que le pays résultait d'un arrangement *ad hoc* que des politiciens pragmatiques avaient concocté sans trop s'embarrasser de subtilités de philosophie politique. Une bonne part de cette gêne provenait aussi du fait que les Pères fondateurs de 1867 n'ont justement pas fondé grand-chose, tout d'abord parce qu'ils n'ont pas inventé de régime politique nouveau et ensuite, parce que s'étant contentés d'imiter la constitution britannique, ils n'ont guère envisagé de jeter les bases d'une science politique nouvelle[2]. De plus, la science politique canadienne, sous l'influence de l'analyse systémique et du fonctionnalisme, s'est montrée peu encline à l'idée d'intégrer la tradition politique dans sa boîte à outils. Et la préférence affirmée des historiens pour l'histoire sociale et économique à partir des années 1960 a porté quelque peu ombrage à l'histoire politique. Tant au Canada anglais qu'au Québec, on assiste toutefois depuis quelques années au retour de l'histoire politique, ce qui remet au centre de l'analyse la genèse intellectuelle du Dominion canadien.

La présente étude de la pensée politique sous-jacente aux régimes canadien et américain insistera sur l'idée fédérale, telle qu'elle est apparue aux constituants et telle qu'ils l'ont transformée pour solutionner certains problèmes qui se posaient à eux. Or, pour saisir le sens de l'idée fédérale, la meilleure méthode consiste moins à faire la stricte exégèse des documents où figurent nommément les concepts de fédération ou de fédéralisme qu'à insérer cette idée dans le contexte de l'époque, notamment dans la philosophie politique générale qui inspirait les fondateurs. On pourra objecter que ce genre d'étude, hors sa contribution à l'histoire des idées et des régimes, apporte bien peu à l'intelligence des régimes fédéraux actuels, fort éloignés des antiques rivages où baignaient leurs fondateurs. Cependant, n'oublions pas qu'une idée régulatrice régit toute fédération : celle d'un pacte fondateur. Règle générale, la fédération se définit par rapport à ce pacte originel, qui façonne la pensée des acteurs politiques et trace une ligne d'horizon – à maintenir ou à dépasser. La fédération est donc la mémoire, fixée par les institutions et le droit constitutionnel, d'un acte constituant. Les pactes fédéraux n'acquièrent pas tous la dignité d'une véritable fondation, au sens où l'entendait Hannah Arendt, c'est-à-dire l'établissement d'un ordre politique par lequel des hommes érigent de concert un édifice matériel stable où logera leur action commune et qui vaudra le commencement d'une ère nouvelle. Certains diront que le Canada est issu d'un pacte fédéral qui n'a pas réussi à instaurer une véritable fondation. Si le pays a raté son élan initial, cela ne nous dispense pas de retourner aux origines, bien au contraire.

LA NAISSANCE DES ÉTATS-UNIS D'AMÉRIQUE ET DU DOMINION DU CANADA

Il serait trop long de détailler ici les circonstances historiques qui ont abouti aux régimes de 1787 et de 1867. Une longue tradition historique a largement étudié ces faits. Les Américains retinrent le régime de la « république fédérative » à la fois pour fonder une démocratie appelée à s'élargir au continent et pour corriger les défauts qu'avait révélés le régime de la Confédération de 1777 pendant la guerre d'indépendance. Les Canadiens, par contre, virent dans leur union un rempart contre des attaques américaines appréhendées, le moyen de l'expansion du chemin de fer d'un océan à l'autre, la perspective d'une union économique prospère et la fin du mariage forcé de Canadiens anglais loyalistes et de Canadiens français au sein d'une union législative instable et bicéphale. Dans les deux cas, l'adoption d'une formule fédérale servit de tremplin à la constitution d'un État devant s'élargir pour englober les régions non colonisées du continent de part et d'autre du quarante-cinquième parallèle. Les États-Unis d'Amérique regroupèrent en 1787 l'ensemble des colonies révoltées qui s'étaient promues au rang d'États souverains sous le régime de la Confédération. Toutefois, bien qu'aux pourparlers à l'origine du Dominion canadien aient pris part des représentants des colonies du Canada-Uni et de l'ensemble des Maritimes, seules les « provinces » du Canada-Uni, de la Nouvelle-Écosse et du Nouveau-Brunswick approuvèrent en 1867 les résolutions adoptées à la conférence de Québec de 1864 sur la base desquelles les légistes londoniens rédigèrent l'Acte de l'Amérique du Nord britannique (AANB). L'Île-du-Prince-Édouard fit bande à part, avant de se raviser en 1873, et Terre-Neuve reviendra sur sa première décision seulement en 1949.

Les Américains ont frappé l'imagination politique moderne par le processus même d'adoption de leur constitution. La convocation par le Congrès américain en février 1787 d'une convention à Philadelphie chargée de réviser les articles de la Confédération amorça un processus constituant sans égal qui s'acheva par la ratification en juin 1788 du projet de constitution adopté par 39 des 42 délégués en septembre 1787. Cette réussite cristallisera l'idée politique de la constitution moderne, à savoir qu'il n'est de constitution légitime qui n'ait été voulue et approuvée par le peuple. De plus, elle faisait apparaître les États comme les titulaires originaires du pouvoir constituant que le texte de 1787 leur conserverait, à l'étape de la ratification des projets d'amendement constitutionnel.

La formation du Dominion canadien a suivi un autre chemin. Les colonies fondatrices demeuraient des « provinces », au sens du droit public anglais, c'est-à-dire des possessions de la Couronne anglaise dotées d'une assemblée législative locale et d'un gouverneur exerçant au nom du monarque britannique les prérogatives du souverain. Si ces provinces dépendaient encore de Londres pour la conduite de leur politique étrangère et la réforme de leur loi constitutionnelle, elles se comportaient comme de véritables « petits pays » en matière de leur politique intérieure et jouissaient depuis plusieurs années déjà de la responsabilité ministérielle. Bien que des opposants à la Confédération aient réclamé la tenue d'une convention constitutionnelle sur le modèle américain pour former la future union, les dirigeants des colonies ont préféré une voie qui leur semblait plus conforme à la tradition britannique. Après les conférences intercoloniales de Charlottetown et de Québec en 1864, chacune des colonies associées au projet d'union tint un débat dans son assemblée suivi d'un vote. Cela fait, une dernière conférence se déroula à Londres pour mettre au point des résolutions finales que le Parlement de Westminster reprendrait sous forme législative. Juridiquement, ce fut Londres qui détenait le pouvoir constituant, mais en raison du processus même de création du Dominion, les assemblées législatives des colonies se comportèrent comme si elles détenaient une part dans ce pouvoir. N'ayant pas eu à mener une campagne de ratification devant leurs commettants, les architectes des résolutions de Québec ont dû néanmoins défendre leur projet d'Union devant leur assemblée respective et devant l'opinion publique. Ils ne laissèrent pas toutefois d'écrits de la nature des chroniques regroupées dans *Le Fédéraliste* ni de procès-verbaux complets de leurs délibérations.

Dans les deux pays, l'idée fédérale a précédé par une longue gestation la naissance comme telle du régime fédéral. Les auteurs américains font remonter jusqu'à la période coloniale l'éclosion de l'idée fédérale. De 1643 à 1684, quatre colonies américaines tentèrent de former une confédération pour contenir les attaques indiennes. Une autre tentative d'union fédérale naquit sous les auspices de Benjamin Franklin afin d'inviter neuf colonies américaines à former un gouvernement intercolonial garant de la sécurité des membres et arbitre du commerce[3]. Selon Walter Bennett, les Américains se seraient accoutumés à l'idée fédérale par la manière même dont ils conçurent le statut des colonies au sein de l'Empire britannique. En fait, les habitants de ces colonies ne voyaient pas vraiment l'Empire britannique comme un ensemble dominé par un État unitaire mais plutôt comme la juxtaposition d'entités politiques à chacune desquelles ressortissait une sphère d'autonomie en vertu des lois fondamentales de l'Empire. La théorie de la souveraineté absolue du Parlement sur ses colonies américaines eut certes des adeptes des deux côtés de l'Atlantique ; cependant, les leaders coloniaux furent également nombreux à s'appuyer sur les principes généraux du droit naturel et des contrats pour concevoir leurs relations avec Londres dans le cadre d'un empire fédéralisé possédant plusieurs configurations : 1) Londres jouirait d'une suprématie sur ses colonies quoique seulement dans certains domaines ; 2) l'Empire constituerait une union personnelle entre différentes communautés politiques – ou Commonwealth – placées sous l'autorité commune du roi, à l'exclusion du Parlement de Westminster[4] ; 3) les colonies seraient souveraines à tous égards, mais auraient consenti tacitement à ce que Londres réglemente leur commerce[5]. Cette vision des choses est implicitement contenue dans la Déclaration d'indépendance de 1776 qui concevait l'Empire comme le regroupement de communautés politiques égales unies sous l'autorité du roi. Devenue dominante à la fin de l'époque coloniale américaine, cette vision explique en partie, selon Bennett, le succès subséquent du fédéralisme aux États-Unis[6].

Ce fut la Guerre d'indépendance qui précipita la marche des États-Unis vers une union fédérale. Ils y arrivèrent toutefois par le détour du confédéralisme, soit par le régime instauré par les articles de la Confédération de 1777 qui créèrent les États-Unis d'Amérique. Les traités sur le fédéralisme donnent souvent ce régime en exemple de confédération classique. Or, à l'époque, comme nous le verrons plus loin, les distinctions faites aujourd'hui entre fédération et confédération ne l'étaient pas encore tout à fait. La constitution de 1787 trouve une grande partie de sa raison d'être dans les défauts que les fédéralistes prêtaient à ce régime devenu vite impraticable au lendemain de la guerre. Les lettres 15 à 23 du *Fédéraliste* traitent en détail des vices de la Confédération de 1777. Parmi les principales lacunes de ce régime, les auteurs du *Fédéraliste* insistent sur l'insuffisance des pouvoirs cœrcitifs. La confédération ne possédait ni véritable exécutif doté de moyens d'action propres, ni corps de représentants autonomes, indépendants des États. Les pouvoirs du congrès étaient restreints, ses pouvoirs fiscaux, inexistants. Il ne pouvait édicter de politique douanière commune, ni former une union économique, ni lever les obstacles aux échanges. Inapte à faire exécuter ses décisions par ses tribunaux, le congrès était contraint de prendre ses décisions à la majorité qualifiée. Les fédéralistes, en particulier Madison, présentèrent ainsi leur formule d'union fédérale comme un compromis entre la confédération et le gouvernement national – l'État unitaire.

Il est plus malaisé de faire remonter la source de l'idée fédérale au Canada à la conception que se faisaient les anciens Canadiens et loyalistes de leur rapport à la Grande-Bretagne. Edmond Orban signale le cas de la Ligue des nations iroquoises, qui regroupa cinq tribus du XVIe siècle à la deuxième moitié du XVIIe, parmi les ancêtres des régimes de confédération[7]. Il n'apparaît pas que cette ligue, à supposer qu'elle leur fût connue, ait inspiré les concepteurs canadiens du Dominion. Ce furent plutôt les Américains qui se réclamèrent d'une filiation avec cette ligue. Un Canadien, Pierre de Sales Laterrière, se fit en 1831 l'apôtre d'une fédération impériale qui accorderait aux colonies une représentation directe à Westminster[8]. Chez les Patriotes du Bas-Canada, on voit se dessiner progressivement une conception fédérative des relations entre la colonie et Londres. Les 92 résolutions de 1834 esquissèrent un régime colonial où Londres reconnaîtrait à sa colonie un droit de regard sur la réforme de sa constitution et une autonomie dans les affaires internes[9]. Londres balaya du revers de la main cette vision d'un empire fédéralisé par la voix de son parlement et de ses généraux en 1837-1838.

Il faut retourner à l'histoire américaine pour trouver un plan précurseur du Dominion canadien. Le juge William Smith, de l'État de New York, esquissa vers 1763-1764 un plan de fédération des colonies britanniques américaines pour contrer la menace révolutionnaire[10]. Le loyaliste Joseph Galloway dépose au congrès continental de 1774 un plan de fédération impériale pour les colonies américaines. Celles-ci éliraient leur parlement, flanqué toutefois d'une chambre haute composée de sénateurs nommés à vie par un « président général » aux larges prérogatives, lui-même nommé par Londres. Cette union hiérarchisée devait permettre de canaliser les ambitions des politiciens locaux, frustrés de ne pouvoir entrer dans le gouvernement colonial. D'autres loyalistes firent des propositions semblables à celles de Galloway. En Grande-Bretagne, Adam Smith proposa dans *The Wealth of Nations* une union impériale entre la métropole et les colonies américaines en assurant à ces dernières une représentation minoritaire au Parlement britannique et de bons postes aux ambitieux des colonies. Comme l'a établi Peter Smith, les loyalistes du Haut-Canada reprirent les idées des loyalistes américains pour proposer des unions fédérales très centralisées, tels les plans de Jonathan Sewell[11]. Lord Durham, dans son célèbre rapport de 1839, entrevit l'union des colonies britanniques d'Amérique du Nord sous un régime fédéral. Au Canada français, la presse se mit à évoquer une union fédérale vers 1847, et avant 1850, Étienne Parent fut la principale figure intellectuelle à avoir préconisé le fédéralisme[12]. En 1858, Joseph-Charles Taché publia un ouvrage esquissant une union fédérale sur la base d'un conservatisme républicain[13]. L'idée prit vraiment son envol quand se forma une grande coalition sous l'autorité d'Étienne-Pascal Taché, premier ministre, de John A. Macdonald et de Georges-Étienne Cartier, chefs respectivement des conservateurs dans le Haut et le Bas-Canada, ainsi que de George Brown, chef des réformistes du Haut-Canada.

Les architectes du Dominion canadien donnent l'impression d'être moins versés dans l'histoire du fédéralisme que leurs prédécesseurs américains. En fait, ils connaissent à peu près les mêmes précédents que ceux qui s'offraient aux Américains, et, au surplus, ils avaient sous les yeux les exemples des États-Unis et de la Suisse, ainsi que celui de la Nouvelle-Zélande, constituée en quasi-fédération centralisée de 1852 à 1876[14]. Tout indique que plusieurs des Pères fondateurs canadiens n'ignoraient pas les écrits du *Fédéraliste*, et que parmi ces derniers, ceux de Hamilton avaient en particulier leur faveur[15].

INVENTION RÉVOLUTIONNAIRE ET TRANSPLANTATION CONTRE-RÉVOLUTIONNAIRE

Les fondations américaine et canadienne diffèrent l'une de l'autre par leur portée et leur ambition. Issue d'une révolution, la fondation américaine est animée par un esprit d'invention qui résulte de la volonté de ses architectes de se départir des institutions héritées de la métropole. Ce fut une révolution tout d'abord parce que la Guerre d'indépendance renversa l'ordre légal imposé par la métropole et le remplaça par un ordre nouveau ; et ensuite, cette rupture entraîna d'autres ruptures avec le passé et la culture des colonies américaines[16]. L'expérience américaine rompit avec la vision classique de la révolution, entendue comme un retour aux origines, à un état perdu de félicité et de liberté. Bien que les révolutionnaires américains eussent pu penser que leur lutte visait la restauration de leurs anciennes libertés coloniales, le cours des événements a transformé leur révolte en véritable révolution, c'est-à-dire en l'avènement, par l'action concertée, fût-elle violente, d'un corps politique nouveau, d'un *novo ordo sæclorum*[17].

Déterminante pour la Constitution fédérale de 1787, la Guerre d'indépendance nourrit chez les Américains la crainte du despotisme et donna naissance à un radicalisme démocratique qui laissa présager le retour en force de l'anarchie et des mouvements « factieux ». Ce qui explique pourquoi la principale tâche que devaient résoudre les fondateurs américains, devant le vide d'autorité laissé par l'éviction du pouvoir anglais, consistait en la constitution même d'un pouvoir stable, et non seulement en sa limitation. Tel que l'écrivait Arendt : « La principale question pour eux [les fondateurs américains] ne fut certainement pas de savoir comment limiter le pouvoir, mais comment en fonder un nouveau[18]. » Ce point est central pour la compréhension du fédéralisme américain. On associe habituellement le fédéralisme à une technique de séparation des pouvoirs ; il serait le pendant vertical ou territorial de la séparation classique des pouvoirs de type horizontal[19]. Or, comme nous le verrons plus loin, les auteurs de la Constitution américaine virent dans le fédéralisme une technique d'engendrement du pouvoir.

La fondation canadienne est plus singulière et plus difficile à qualifier que l'américaine. Le Canada est le seul pays des Amériques qui n'ait pas largué le système politique hérité de sa métropole pour y substituer le sien. Les pays latino-américains se délestèrent vite de leurs institutions vice-royales après leur indépendance, et le Brésil, après la chute de la maison de Bragance lors de sa révolution de 1891, se dota d'une constitution républicaine fédérale. Le Canada a donc refusé la rupture novatrice. Sa fondation procède de la volonté de préserver auprès des colonies restées loyales à la couronne anglaise le génie du parlementarisme britannique. Les Pères fondateurs canadiens sont des contre-révolutionnaires qui appréhendent deux grandes menaces aux libertés, l'anarchie républicaine, dont la guerre de Sécession leur fournissait le déplorable mais probant exemple, et la « tyrannie » catholique, bien que l'élément canadien-français, privé de sa liberté politique en 1840 et encerclé par l'immigration britannique, se mît à jouer le jeu des libertés anglaises. Plusieurs des Pères fondateurs canadiens sont des admirateurs d'Edmund Burke et se méfient ainsi de la doctrine abstraite et universaliste des droits de l'homme[20]. Les droits sont un héritage que la nation anglaise laisse à ses enfants et dont il faut préserver les coutumes pour la postérité. Ils exècrent le radicalisme en politique et lui préfèrent la réforme ; pour eux, le Parlement, par le biais de la représentation, est le corps habilité, du fait des hommes de talent et d'exception qu'il réunit, à parler en lieu et place du peuple. La délibération parlementaire est ainsi mieux à même de parvenir à une décision éclairée que la démocratie directe, soumise à la fureur des foules[21].

La création du Dominion canadien constituerait donc une fondation contre-révolutionnaire, sans être pour autant une restauration, l'ordre colonial anglais ayant réussi à mater une rébellion d'esprit républicain en 1837-1838 pour se maintenir par la suite. Il serait plus juste de dire que le Canada fut la reconduction d'une transplantation politique qui s'était voulue fidèle aux acquis de la Glorieuse Révolution anglaise de 1689, qui scella l'union des libertés politiques et de la monarchie constitutionnelle[22]. Mais cette dernière révolution n'en fut pas une au sens moderne du terme, car si elle fit entrer le concept dans le langage politique, elle tira son éclat et son prestige de la restauration du pouvoir monarchique dans sa splendeur et sa force d'origine[23]. Cette fidélité au génie politique de la métropole ne veut pas dire que la fondation canadienne fut une entreprise sereine. Les débats fondateurs du Canada révèlent un univers inquiet, peuplé de menaces d'insurrection et d'attaques à la frontière, où la liberté politique chèrement acquise dans chacune des colonies s'expose aux périls de la tyrannie et des complots ourdis par les adversaires de l'ordre public. La fondation canadienne encapsule cette vérité peu exaltante qu'a parfaitement exprimée Hannah Arendt : « Nous savons aussi à notre regret que la liberté a été mieux préservée dans les pays où aucune révolution n'a jamais éclaté, si excessif que puisse être le pouvoir des autorités constituées, qu'il y a plus de libertés dans les pays où la révolution a été vaincue que dans ceux où elle l'a emporté[24]. »

L'antipathie déclarée des Pères fondateurs au républicanisme et leur fidélité à la Constitution britannique ont ainsi conditionné la conception même qu'ils se firent de la structure fédérale du Dominion. En premier lieu, cette fidélité avouée limita le champ des possibles offert à l'imagination politique. Peu avant 1867, la Grande-Bretagne et ses colonies recelaient peu d'exemples d'unions politiques – hors le cas néo-zélandais. En deuxième lieu, cette fidélité contraignit les Pères fondateurs à régler la structure du fédéralisme sur la forme canonique du parlementarisme anglais, qui répartit le pouvoir législatif selon la trilogie *King-Lords-Commons*. Ensuite, pour rester fidèle à l'esprit de la monarchie anglaise, ils conçurent un système de gouvernement qui concentre le pouvoir dans les mains de l'exécutif. Selon Frederick Vaughan, les politologues ont eu tendance à surestimer l'importance que les Pères fondateurs accordaient au principe fédéral, alors que le principe monarchique devait être la base substantielle de leur nouvelle constitution[25]. De plus, la souveraineté devait demeurer la prérogative absolue du Parlement et non glisser dans les mains du peuple.

Il n'est ainsi pas surprenant que la nature de chacune des fondations ait influé sur le choix des références historiques usitées dans les délibérations

fondatrices. Les Américains, qui étaient placés dans une expérience iné-
dite, virent autour d'eux un grand vide. Peu pressés de puiser dans la vieille
Europe encore absolutiste un modèle politique, ils glanèrent une bonne partie de leurs modèles politiques dans l'Antiquité. Fait paradoxal, alors que la
Révolution consommait l'effondrement de la vieille trinité romaine formée
de l'alliance de la religion, de la tradition et de l'autorité, qui avait survécu
jusqu'aux temps modernes, les Pères fondateurs américains aspiraient rien
de moins qu'à égaler la vertu antique. Sans l'exemple éclatant de la grandeur
antique, dit Arendt, les Américains n'auraient pas eu « le courage d'entre-
prendre ce qui devait se révéler une action sans précédent[26] ». Les Pères fondateurs canadiens n'allèrent pas chercher si loin leurs références, même si
leurs débats en assemblée furent émaillés de clins d'œil à l'Antiquité[27]. L'histoire d'Angleterre est plus omniprésente, et des renvois à la situation politique en Europe abondent. De plus, l'ombre des États-Unis plana sur les débats.
Ce sont en fait les Patriotes, petit à petit gagnés au républicanisme dans les
années 1830, qui célébrèrent les vertus antiques[28].

LES HORIZONS IDÉOLOGIQUES DES DEUX FONDATIONS

L'historiographie de la Révolution aux États-Unis semble en avoir décou-
vert tardivement la dimension proprement philosophique[29]. L'œuvre pion-
nière de Bernard Bailyn et de Gordon Wood mit en lumière que les clivages
politiques qui avaient divisé l'Angleterre après la Glorieuse Révolution de
1689 s'étaient reproduits dans les colonies[30]. L'idéologie whig, opposée à
l'absolutisme royal pendant la première révolution contre les Stuarts, se
divisa en deux fractions antagonistes sous Walpole : le Court Whig et le
Country Party[31]. Inspiré des Lumières écossaises, le premier prône la collaboration étroite du Parlement avec l'exécutif. La Couronne doit se subordonner les parlementaires par les faveurs et les bonnes places qu'elle distribue
afin de garantir un gouvernement stable et efficace. Favorable à l'essor d'une
société civile marchande, le Court Whig voit d'un bon œil que l'État use de
son crédit pour financer les entreprises capitalistes et entretenir une armée
permanente. Le Country Party incarne plutôt les intérêts de l'arrière-pays ; il
défend jalousement l'indépendance des parlementaires contre la Couronne,
accusée de corrompre les élus et le peuple, et ainsi de miner la politique

anglaise. Les franges les plus radicales du Court Party dénoncent les effets délétères du commerce sur le citoyen et insistent sur la vertu, ressort essentiel du Commonwealth – ou république.

Depuis les travaux entrepris par Peter Smith et Stéphane Kelly, il est clair que l'influence respective de ces deux courants se manifesta de façon différente dans les colonies britanniques et aux États-Unis[32]. Alors que l'imaginaire des révolutionnaires américains se rattacha aux arguments du Country Party pour dépeindre le pouvoir royal comme corrompu et menaçant, les défenseurs d'une union canadienne s'inscrivirent plutôt dans l'idéologie du Court Party qui avait pris racine au Canada avec l'immigration des loyalistes fuyant la Révolution. En d'autres termes, aux États-Unis, le Country Party des révolutionnaires triompha du Court Party, défendu par l'opposition loyaliste, bien qu'une fois faite la Révolution, les révolutionnaires dussent réinventer leur langage politique pour établir un nouveau régime de pouvoir. Au Canada, l'inverse survint : la Grande Coalition réussit à déjouer les critiques qui, venant d'aussi bien des colonies maritimes que du Canada-Uni, empruntèrent plusieurs de leurs thèmes au répertoire du Country Party. Cet éclairage idéologique illustre comment les fondations américaine et canadienne sont intimement liées en ce que l'une exauce ce que l'autre réprime.

LA NATURE COMPOSÉE DES UNIONS FÉDÉRALES

Ni en 1787, ni en 1867, la doctrine sur le fédéralisme n'était clairement définie. En 1787, les Américains, inventeurs d'une forme de « république fédérative », conçurent en fait un système de gouvernement sans équivalent, que ne pouvaient décrire les concepts politiques disponibles à l'époque. Quatre-vingts ans plus tard, les Canadiens employèrent une diversité de concepts pour désigner la nature du Dominion, sans parvenir à s'entendre ni sur les termes, ni sur la nature du régime ainsi fondé. En fait, pour les Pères fondateurs des deux pays, la fédération n'était pas encore un régime distinct des formes alors connues d'État composé ou fragmenté.

Regardons tout d'abord le cas américain. À la fin du xviiie siècle, les hommes politiques entendaient le terme « fédération » dans son acception classique, c'est-à-dire comme un synonyme de confédération, et ils employaient, partant, les deux concepts de façon interchangeable. La confédération renvoyait clairement pour les Américains au régime instauré par les articles de 1777. Or, le contraire de la confédération était l'État unitaire, nommé l'État national[33]. La question qui se pose est de savoir si en établissant leur république fédérative d'après Montesquieu, les Américains avaient en tête trois régimes d'État distincts – confédération, fédération et État unitaire – ou deux seuls – confédération et État unitaire.

Selon Martin Diamond, les Pères fondateurs américains ne faisaient pas la triple distinction tombant aujourd'hui sous le sens. Ils entrevoyaient deux régimes opposés : l'État fédéral ou confédéral, qui désignait une association volontaire d'États souverains qui poursuivaient ensemble certains buts, et l'État national ou unitaire[34]. La fédération ou confédération formait une ligue qui conservait la souveraineté de chacun des États membres jouissant de l'égalité de statut, exprimée par la prise à l'unanimité des décisions communes. Le compromis de Philadelphie, soutient Diamond, ne mettait pas en place une fédération véritablement au sens moderne. Il s'agit plutôt d'une union mixte qui reprenait des éléments tirés de l'État unitaire, et d'autres, de la confédération. Martin préfère recourir au concept tocquevillien de « gouvernement national » incomplet qui tient plus d'un gouvernement unitaire décentralisé que d'une fédération. La décentralisation implique un centre à partir duquel des entités périphériques sont constituées, par opposition au fédéralisme qui n'autorise pas de centre, puisqu'il juxtapose des ordres de gouvernement ayant part à la souveraineté.

Il est vrai, lorsqu'on examine l'argumentation déployée par Madison pour convaincre le lecteur que la constitution proposée se conformait aux principes du républicanisme, que cette dernière présente un amalgame d'éléments « fédéraux » et unitaires. Ainsi, selon Madison, le processus d'adoption même de la Constitution – initiative d'une convention de délégués suivie d'une ratification par les États – revêt une dimension fédérale. Par contre, la Chambre des représentants possède une dimension nationale, alors que le Sénat, composé de délégués des États, se démarque par sa dimension fédérale. L'élection du président, médiatisée par un collège de grands électeurs, combine à la fois un volet fédéral et unitaire. Une fois en vigueur, la Constitution s'applique à l'ensemble du pays telle la loi d'un État unitaire. Dans la mesure où la compétence législative du Congrès s'arrête à certains objets et que la pleine souveraineté lui échappe, le gouvernement des États-

Unis ne peut prétendre être un gouvernement national. Enfin, parce qu'à la procédure d'amendement participent ensemble le Congrès et les États, cette procédure mélange les aspects fédéral et national. Ce qui fait dire à Madison que « la Constitution proposée n'est, strictement, ni une Constitution nationale ni une Constitution fédérale ; c'est un composé des deux[35] ».

La thèse de Diamond n'emporte pas l'adhésion de tous les politologues et les historiens[36]. S'il est loisible de penser que fédération et confédération étaient confondues avant la rédaction de la Constitution américaine, plusieurs sont d'avis que le concept de fédéralisme acquit un sens nouveau lors des délibérations de la convention de Philadelphie et de la campagne de ratification qui s'ensuivit. Les Pères fondateurs américains auraient, par nécessité de conclure un compromis entre les projets du New Jersey et de Virginie, contourné l'alternative entre la confédération et l'État unitaire en faisant abstraction du concept de souveraineté qui avait « contaminé » le discours politique des révolutionnaires américains. Ce qui leur avait permis de concevoir un système politique inédit sans souveraineté reconnaissable – c'est-à-dire sans suprématie – qui parvient à marier des traits confédéraux à une logique nationale.

Le cas canadien révèle également une ambiguïté fondatrice dans le choix des concepts. À l'instar de la Constitution américaine, l'Acte de l'Amérique du Nord britannique (AANB) est plutôt laconique sur la question du fédéralisme. Le concept apparaît une seule fois dans le texte, en fait dans le préambule où il est écrit : « *Whereas the Provinces of Canada, Nova Scotia and New Brunswick have expressed their desire to be federally united into one Dominion.* » Les Pères fondateurs canadiens coiffèrent leur projet de plusieurs concepts : confédération, fédération, union fédérale ou fédérative, union législative, Provinces fédérées du Canada. Des Pères fondateurs employèrent tour à tour certaines de ces appellations, sans s'embarrasser du contresens et de la confusion ainsi produits. Ainsi John A. Macdonald, lors du débat à l'Assemblée législative du Canada-Uni de février 1865, déclara : « Je suis heureux de croire que nous avons trouvé un plan de gouvernement qui possède le double avantage de nous donner la puissance d'une union législative et la liberté d'une union fédérale[37]. » S'agissant de la clause résiduaire attribuée au Parlement fédéral, il affirme : « [P]ar elle, nous concentrons la force dans le Parlement central et faisons de la confédération un seul peuple et un seul gouvernement au lieu de cinq peuples et cinq gouvernements à peine liés entre eux sous l'autorité de la Grande-Bretagne[38]. » George Brown, chef des réformistes du Canada-Ouest, tint un langage pas moins ambigu. D'un côté, il affirme : « L'essence de notre convention est que l'union sera fédérale et nullement législative[39] », et de l'autre : « En vérité, le projet à l'étude offre tous les avantages d'une union législative joints à ceux d'une fédération[40]. »

Cette ambiguïté du langage politique de l'époque tient à plusieurs facteurs. On oublie souvent le poids que fit peser le régime d'Union de 1840 sur les débats fondateurs. Cette union législative vint à acquérir *de facto* des traits quasi fédéraux, avec l'adoption de lois applicables séparément aux deux divisions du Canada-Uni, une dualité d'administration et de système judiciaire, une dualité de système éducatif et de régime municipal, ainsi que l'habitude de confier la direction du gouvernement à un tandem composé d'un francophone et d'un anglophone[41]. L'Union de 1840 n'offrait pas un exemple pur d'État unitaire, puisque dépourvue de la souveraineté et inapte à modifier elle-même sa loi constitutive, quoiqu'elle acquît la capacité en 1856 d'instaurer elle-même la représentation proportionnelle à la population[42]. L'Union de 1840, selon John A. Macdonald, avait réussi à reconnaître, en dépit de ses visées assimilatrices, le peuple du Canada-Est comme une nationalité distincte, ce que les Bas-Canadiens risquaient de perdre si la représentation proportionnelle à la population était introduite sans autre changement du régime d'union. S'agissant de la loi constitutionnelle créant l'Union de 1840, Macdonald parla de traité d'union, idée qui annonce la théorie du pacte confédératif qui connaîtrait une faveur grandissante après 1867. L'Union de 1840 était selon Macdonald une pseudo-fédération dont il fallait sortir pour solutionner les problèmes qu'elle avait accumulés. Ainsi : « Mais nous ne pouvons nous dissimuler que, quoique nous ayons nominalement une union législative [...] nous avons eu une union fédérale[43]. » On comprend mieux l'insistance avec laquelle Macdonald désirait établir une union législative, dans la mesure où elle paraissait le contraire d'un régime inadéquat qui s'était révélé fédéral.

Il est aussi utile de considérer les divers concepts utilisés par les Pères fondateurs canadiens à la lumière de l'union politique anglo-écossaise, qui se fit en deux temps[44]. Dans une première étape, en 1603, Jacques VI, roi d'Écosse

et fils de Marie Stuart, monte sur le trône d'Angleterre, succédant à Éliza-
beth 1re. Ce faisant, les deux couronnes sont réunies, et le nouveau roi prend
le nom de Jacques 1er. L'union des deux couronnes préserve le Parlement
écossais, l'Église presbytérienne et le système juridique écossais. Le roi installé à Londres gouverne l'Écosse à distance, flanqué notamment de l'assemblée générale de l'Église presbytérienne. Interrompue pendant la révolution
anglaise sous Cromwell en 1652, l'autonomie écossaise renaît à la restauration de 1660. Puis, dans une deuxième étape, en 1707, l'union des deux cou-
ronnes se double d'une union politique, consacrée par un traité d'union,
qui entérina la dissolution du Parlement écossais « acheté » par la corruption du Court Party[45]. L'Écosse obtint toutefois des garanties en échange de
sa renonciation à une représentation nationale distincte : le libre-échange
avec l'Angleterre et le maintien de l'Église d'Écosse ou Kirk presbytérienne,
gouvernée par son assemblée générale annuelle, ainsi que la protection de
son système éducatif et de son système juridique, formé d'un droit resté
proche du droit romain, d'un système judiciaire et d'un barreau, tous trois
séparés de la *Common Law* anglaise[46]. Devant la menace révolutionnaire
grondant des États-Unis et de la France, l'Angleterre apeurée céda une
autonomie législative à l'Irlande en 1783 pour aussitôt la remplacer en 1801,
après une insurrection durement réprimée en 1798, par une union législative moins avantageuse que celle dont jouissait l'Écosse[47].

Le cas écossais éclaire à la fois l'Union de 1840 et celle de 1867. Dans la
culture politique anglaise du XIXe siècle, l'union législative n'équivalait pas
automatiquement à l'État unitaire strict. Cette union, qui concentre la souveraineté dans une seule assemblée, était compatible avec la reconnaissance à
une minorité nationale de protections et d'une forme d'autonomie interne
que la minorité exerce par le truchement de ses députés au Parlement central.
En fait d'union politique, l'Angleterre connaissait deux approches : l'union
assimilationniste, destinée à abolir l'autonomie et l'identité d'une population par la fusion de ses institutions avec l'État anglais sans garantie com-
pensatoire ; l'union de nationalités, qui amalgame les institutions mais en
garantissant à la minorité certains droits qui accommodent sa nationalité.
C'était ce qu'était devenue à la longue l'Union de 1840 et peut-être ce qu'envi-
sageaient MacDonald et Brown en parlant de l'union législative qu'ils auraient
désirée pour la « Confédération » de 1867. C'était pour eux un État quasi uni-

taire incorporant la tradition anglaise de l'union politique, en ce qu'elle comprenait l'octroi d'une autonomie interne subordonnée en faveur d'une minorité avec des garanties légales offertes à cette dernière pour la conservation de ses institutions civiles, religieuses et juridiques[48]. En somme, que MacDonald et Brown aient vu dans le Dominion de 1867 une union législative présentant certains des avantages d'une union fédérale n'était pas si incongru ; il leur était concevable de penser, au regard de l'histoire britannique, que le Dominion était une forme d'union à l'écossaise, à la différence que ses sociétés constituantes avaient chacune son assemblée[49]. Une bonne partie des Pères fondateurs, dont MacDonald, était d'ailleurs d'origine écossaise[50].

Le débat autour de l'octroi au Parlement fédéral d'un pouvoir d'uniformisation des lois civiles dans les États provinciaux autres que le Québec – l'article 94 – accrédite l'hypothèse d'un arrangement à l'écossaise en faveur du Québec. La protection du système juridique du Québec, qui était sur le point de codifier à la surprise de tous son droit civil, aurait été à ce point essentielle aux yeux des Pères fondateurs et des dirigeants britanniques qu'elle justifiait des garanties spéciales contre la centralisation fédérale. Indépendamment du degré d'autonomie politique réelle acquis par le Québec, il importait donc qu'il conservât l'intégrité de son système juridique ; c'est à cette condition, reconnut Lord Carnavon au Parlement de Westminster en février 1867, que « le Bas-Canada consent maintenant à entrer dans cette confédération[51] ». Plusieurs opposants au projet confédératif ont regimbé devant le caractère asymétrique du pouvoir d'uniformisation prévu à l'article 94 ; c'était, selon eux, accorder au Québec un statut unique qui interdit, *ab initio*, que l'on touche à ses lois civiles[52]. Le député Cauchon, favorable au projet, partageait cette interprétation[53]. De plus, selon Hector-Louis Langevin, solliciteur général, l'octroi de la compétence sur l'administration de la justice aux États provinciaux, de même que la garantie que les juges du Québec proviendraient du barreau québécois, s'avéraient des exceptions faites expressément pour protéger les Bas-Canadiens[54].

Pas plus que la doctrine à l'époque des Pères fondateurs américains, la doctrine anglaise au milieu du XIXe siècle n'établissait clairement de distinction entre confédération, fédération et État unitaire[55]. Les deux premières étaient souvent confondues. On en trouve un exemple dans le traité publié par John Stuart Mill en 1861, ses *Considerations on Representative Govern-ment*. Avec Edmund Burke et John Locke, Mill compte parmi les philosophes les plus souvent cités par les Pères fondateurs[56]. Au dix-septième chapitre de son traité, Mill traite du gouvernement représentatif dans les régimes fédéraux. La première phrase du chapitre s'ouvre ainsi : « *Portions of man-kind who are not fitted, or not disposed, to live under the same internal govern-ment, may often with advantage be federally united as to their relations with foreigners* [...] » Voilà, probablement, l'origine de l'expression qui émaille le préambule de l'AANB, ajoutée dans la version finale du texte, en remplace-ment de l'expression « *federal union* » présente dans les résolutions de Québec et de Londres.

Loin de distinguer la confédération de la fédération, Mill décline plutôt diverses variantes de l'union fédérale – des unions confédérales aux unions fédérales plus intégrées. Au nombre des confédérations, Mill range la Con-fédération allemande, la Suisse confédérale d'avant 1847 et les États-Unis des articles de la Confédération. Dans tous ces régimes, note-t-il, l'État cen-tral ne représente pas les États membres et ses décisions sont opposables à ces derniers et non aux citoyens. Ensuite, vient la forme plus achevée de fédé-ration, ce que devinrent les États-Unis après 1787 et la Suisse après 1848, où les citoyens sont soumis simultanément aux lois de deux ordres de gouverne-ment, selon des limites constitutionnelles que sanctionne une cour suprême. La première forme d'union fédérale, admet Mill, succombe plus facilement à des conflits internes, alors que la deuxième ne coexiste qu'avec des régimes républicains. Il est intéressant d'observer que selon Mill, l'union des cou-ronnes écossaise et anglaise pendant environ un siècle offrait l'exemple d'une fédération de type confédéral, bien qu'elle ne possédât pas d'institu-tions fédérales véritablement, sauf un roi unique qui donnait à la politique étrangère des deux royaumes une cohérence efficace. Mill ne traite pas du cas de l'Écosse d'après l'Acte d'union de 1707, sauf pour indiquer qu'un par-lement unique est compatible avec différents systèmes juridiques dans le pays, assortis d'administrations distinctes. Dans le chapitre suivant de son livre, Mill traite du gouvernement des colonies. Il conçoit le rapport des colonies avec leur métropole comme une fédération d'un caractère plutôt lâche, qui leur accorde une autonomie plus large encore que celle que la

Constitution américaine réserve à ses États. C'est, écrit-il, « *the slightest kind of federal union*[57] ».

Si l'on s'aide du texte de Mill pour saisir l'intention des Pères fondateurs canadiens, on s'aperçoit que leur projet est une hydre à multiples têtes dont chacune renvoie à sa propre réalité : une union législative assortie d'un bijuridisme et d'une autonomie locale, une forme confédérale lâche, une fédération intégrée et une union impériale du Dominion canadien avec la Grande-Bretagne. La moins probable de toutes ces avenues était la fédération intégrée puisque les États-Unis ravagés à l'époque par la guerre de Sécession en fournissaient l'exemple repoussoir. Ni les Pères fondateurs ni un philosophe politique de la trempe de Mill ne s'embarrassèrent de définir trois régimes précis d'État – la confédération, la fédération et l'État unitaire. Le fédéralisme, selon eux, participe des trois, c'est un régime flexible qui regroupe des collectivités, voire des nationalités, par des mécanismes compatibles avec l'État unitaire. Les Pères fondateurs auraient-ils pu envisager une forme confédérale lâche pour le Canada ? Beaucoup s'en fallait que MacDonald et Brown fussent de cet avis. Mais la persistance avec laquelle s'est maintenue l'idée que le Canada serait né d'un pacte confédéral entre deux peuples fondateurs ou entre des colonies constituantes s'explique en partie par la large acception que recevait au XIXe siècle le concept de fédéralisme, qui recouvrait à vrai dire tous les régimes d'États fragmentés opposés à l'État unitaire strict[58].

LA QUESTION DE LA SOUVERAINETÉ

La réconciliation de la souveraineté étatique, généralement conçue comme une et indivisible, avec la théorie du fédéralisme, prompte à la partager entre deux ordres de gouvernement égaux, a longtemps posé un problème insoluble. La théorie classique de la souveraineté, depuis Jean Bodin, postule l'indivisibilité du pouvoir suprême[59]. La souveraineté étant la capacité de trancher une question ou un conflit en dernier ressort, elle est donc impartageable. Chez William Blackstone, la souveraineté n'est pas identifiée à la volonté absolue du monarque. Comme l'anarchie et l'absolutisme royal menacent la liberté, Blackstone lie la souveraineté au pouvoir de faire des lois, qui ressortit au seul parlement[60]. Si Blackstone déplace le *locus* de la souveraineté vers un organe composé tel que le parlement, il demeure qu'il préserve de cette capacité son caractère absolu et indivisible et laisse peu de place au jeu du droit naturel[61].

La controverse autour du fédéralisme et de la souveraineté vient de la distinction à établir entre l'État fédéral et la confédération. Au regard de la vision classique de la souveraineté, celle-ci appartient ou bien exclusivement à l'union, ou bien aux États membres de l'ensemble confédéral. Un ordre politique où la souveraineté serait partagée ne saurait longtemps se maintenir, vulnérable qu'il serait au moindre conflit. Reste bien sûr le recours à un tiers souverain, qui arbitre le conflit en dernier ressort, et donc réintroduit une souveraineté impartageable dans l'ordre politique.

Aux États-Unis, la question de la souveraineté domina les débats politiques depuis la période pré-révolutionnaire jusqu'à la ratification de la Constitution de 1787[62]. Chez les Pères fondateurs canadiens, la question de la souveraineté s'est posée certes, mais autrement. Les Américains contournèrent la difficulté qu'elle soulevait en définissant la fédération comme un ordre politique sans souverain qui se maintient par l'équilibre concurrentiel des pouvoirs, et si cet équilibre venait à être rompu, par insuffisance des freins et contrepoids, on en référerait alors au juge subsidiairement. Sauf exception, promoteurs et pourfendeurs de la Confédération canadienne épousèrent la conception classique de la souveraineté. Cependant, si l'on se fie à la thèse de Robert Vipond, les réformistes du Canada-Ouest, plusieurs années déjà avant les débats de 1865, avaient commencé à envisager une union fédérale juxtaposant deux ordres de gouvernement indépendants et autonomes, sous l'autorité ultime du Parlement de Westminster.

Les Américains ne sont certes pas arrivés à la solution d'un ordre politique sans souveraineté du premier coup. Au début de la Révolution, les leaders américains demeuraient attachés à la doctrine classique de la souveraineté et « n'envisagèrent pas vraiment d'un point de vue théorique en 1776 la possibilité d'une souveraineté divisée[63] ». Les fédéralistes qui en voulaient au régime de la Confédération d'États de 1777 ambitionnaient à l'origine d'établir un véritable gouvernement national lors de la convention de Philadelphie. Ainsi, pour Hamilton, le nouveau régime devait impérativement octroyer la souveraineté à un gouvernement national des États-Unis. Il déclare, entre autres : « *We must establish a general and national govern-*

ment, completely sovereign, and annihilate the state distinctions and state operations[64]. » Selon Thierry Chopin : « La plupart des fédéralistes avaient bel et bien l'intention de supprimer entièrement les États [...] au nom du principe suivant lequel dans toute communauté politique, il doit y avoir un pouvoir suprême unique[65]. » Devant la Convention, Madison plaida pour l'octroi au gouvernement national d'un pouvoir de veto sur les lois des États, au motif que l'immixtion des États dans les affaires de l'État national était beaucoup plus grave que l'inverse[66]. Le plan de la Virginie auquel prit part Madison prévoyait qu'il serait loisible à la législature nationale d'annuler toute loi d'un État que la législature jugerait contraire aux articles de l'Union[67]. Quant aux antifédéralistes, ils étaient persuadés qu'un nouveau pouvoir fédéral finirait tôt ou tard par installer un pouvoir absolu et illimité qui ferait litière de la souveraineté des États[68]. Au plan de la Virginie répliqua le plan du New Jersey. Les antifédéralistes brandirent ce dernier, convaincus eux-mêmes de se conformer au fédéralisme[69]. Les deux visions paraissaient donc irréconciliables ; ou bien les treize États demeuraient des nations indépendantes soumises au seul droit international, ou bien ils étaient relégués, comme l'admet l'un des délégués, au statut « de simples comtés d'une république unifiée, soumis à une seule loi commune[70] ».

Les fédéralistes parvinrent à répondre à l'objection des défenseurs de la souveraineté des États en transformant le sens du concept classique de souveraineté. Pour ce faire, ils critiquèrent le concept de souveraineté parlementaire de Blackstone et insistèrent plutôt sur l'idée que tout ordre politique doit tirer sa légitimité de la souveraineté du peuple. Cette acception démocratique de la souveraineté doit beaucoup aux écrits de James Wilson, auteur prolifique, un des six signataires de la Déclaration d'indépendance de 1776 et promoteur actif de la ratification de la Constitution de 1787. Wilson s'en prit à la toute-puissance du Parlement britannique sur les colonies ; selon lui, elle ne pouvait enfreindre la loi naturelle divine, suivant laquelle le consentement des gouvernés est à la base de l'obligation politique avec les gouvernants[71]. Les Américains se convainquirent aisément que la doctrine de la souveraineté défendue par Blackstone était impropre au gouvernement libre des États-Unis et posèrent plutôt sur cette conception populaire de la souveraineté les fondations de leur État nouveau. Comme le disait Madison dans *Le Fédéraliste* : « Nous définissons une république [...], un gouvernement qui tire tous ses pouvoirs directement ou indirectement de la grande masse du peuple, et qui est administré par des personnes qui tiennent leurs fonctions d'une manière précaire pour un temps limité, ou tant qu'ils se conduisent bien[72]. » Le transfert de la souveraineté d'un parlement omnicompétent vers le peuple américain implique dès lors que ce dernier est investi du pouvoir constituant. En invoquant l'autorité souveraine du peuple, les fédéralistes ont pu déjouer les objections des antifédéralistes contre le processus de ratification de la Constitution qui recourait à des conventions convoquées dans les États, alors que les articles de la Confédération réservaient le pouvoir constituant aux législatures des États[73].

Grâce au transfert de la souveraineté du Parlement au peuple américain, les fédéralistes purent également concevoir un ordre politique sans véritable souverain au sens classique, c'est-à-dire sans tiers arbitre qui tranche en dernier ressort les conflits. Il devient dès lors concevable que le pouvoir législatif, indivisible dans la théorie anglaise, soit divisé entre deux ordres de gouvernement distincts, disposant chacun de l'autorité définitive de légiférer relativement à certaines matières. Ainsi sont-ils considérés comme « souverains » dans leur sphère de compétence respective, au sens second du terme, puisqu'au sens premier, la souveraineté ressortit au peuple constituant. Nul besoin d'en appeler à un tiers qui surplombe de sa majesté les conflits : par la vertu des freins et contrepoids, qui réalise la fragmentation du pouvoirs en organes interdépendants, la fédération se maintient. « La grande innovation, des Américains dans le domaine politique écrivait Arendt, fut l'abolition uniforme de l'autorité à l'intérieur du corps politique de la république[74]. » Mais qu'arrive-t-il lorsque l'équilibre est brisé ? Si la « nécessité de deux autorités rivales dans certains cas résulte de la division souveraine[75] », comment s'assurer que le dualisme sera préservé dans l'ordre fédéral ?

Madison avance différents arguments pour expliquer comment les freins et contrepoids garantiront le dualisme. Tout d'abord, la Constitution américaine prévoit une asymétrie dans l'influence qu'exerce un ordre de gouvernement sur l'autre. Ainsi, écrit Madison, « [l]es gouvernements des États peuvent être regardés comme parties constituantes et essentielles du gouvernement fédéral, tandis que celui-ci n'est nullement essentiel au fonctionnement ou à l'organisation des premiers[76] ». Ensuite, avantage certain des États sur le gouvernement de l'Union, ils bénéficieront directement de la faveur du peuple et l'esprit local dominera sur les deux ordres de gouvernement. « L'esprit local aura infailliblement plus de force chez les membres du Congrès que l'esprit national parmi les législateurs des États particuliers[77]. » De plus, estime Madison, la crainte de la tyrannie fédérale induira chez le peuple américain le même esprit de résistance et de vigilance qu'avait provoqué l'ancien joug britannique. En somme, les ambitions du gouvernement fédéral de s'impatroniser dans les affaires des États seront naturellement arrêtées par l'attachement spontané du peuple aux États. Inutile alors de recourir à un tiers arbitre.

Le jeu des freins et contrepoids et la vigilance du peuple excluent-ils dès lors le recours au juge ? S'il est clair pour Madison que les tribunaux ont la charge d'appliquer la Constitution, loi suprême du pays[78], il demeure plus évasif sur le rôle du juge dans la solution des conflits intergouvernementaux. Dans *Le Fédéraliste* n° 39, Madison admet qu'il doit y avoir un « tribunal qui doit juger en dernier ressort » et qu'un « tribunal de ce genre est évidemment essentiel pour prévenir un appel aux armes et une dissolution du pacte[79] ». Cependant, il semble que Madison, de même que Jefferson, aient été réticents à reconnaître au juge quelque supériorité sur le législatif, alors que Hamilton ne voyait pas dans le contrôle judiciaire des lois l'affirmation d'une telle supériorité, mais bien la supériorité du peuple, dont la volonté est exprimée dans la Constitution, sur la volonté du législateur[80]. Vers 1787-1788, Madison pensait plutôt que les tribunaux avaient, à l'instar des deux autres pouvoirs, un droit concurrent d'interpréter la Constitution[81]. Il entrevoyait l'intervention du juge dans les cas ordinaires de violation du pacte constitutionnel, les cas extrêmes étant laissés aux peuples des États[82]. Plus tard dans sa carrière politique, il se rangera derrière le contrôle judiciaire des lois dans tous les cas[83].

Au Canada, toutefois, le langage des Pères fondateurs est resté largement redevable de l'idée de la souveraineté, qui sous-tend également le discours des opposants à la Confédération. Les Pères fondateurs ne conçurent pas leur projet d'union à partir d'une *tabula rasa*. Attachés au lien colonial, ils ne posèrent pas d'équivalence entre la souveraineté parlementaire et la tyrannie. Ils crurent plutôt aux vertus du gouvernement mixte anglais, un glorieux héritage qu'il leur fallait préserver. La tyrannie qu'ils craignaient était celle des masses, qui menaçait les institutions et fomentait la zizanie.

Ce fut en s'aidant du langage de la souveraineté que les Pères fondateurs canadiens observèrent la réalité américaine. Ainsi, pour John A. Macdonald, l'erreur fatale de la Constitution américaine a été de réserver la souveraineté aux États. Lors de la Conférence de Québec, il déclara :

> [...] *the various States of the adjoining Republic had always acted as separate sovereignties. The New England States, New York State and the Southern States had no sympathies in common. They were thirteen sovereignties, quite distinct the one from the other. The primary error at the formation of their constitution was that each state reserved to itself sovereign rights, save the same portion delegated. We must reverse this process by strenghthening the General Government and conferring on the Provincial bodies only such powers as may be required for local purposes*[84].

Macdonald déploiera la même analyse devant l'assemblée législative du Canada-Uni, allant jusqu'à soutenir que l'attribution de la souveraineté aux États plutôt qu'à l'Union serait cause de la guerre de Sécession[85]. Toujours est-il que pour lui le principe de souveraineté régissait les États-Unis ; seulement, il était mal attribué. D'autres parlementaires furent du même avis que Macdonald[86].

La stabilité du Dominion ne reposerait donc pas sur l'équilibre des pouvoirs entre deux ordres de gouvernement également « souverains » mais plutôt sur l'attribution de la souveraineté au gouvernement central. Ce qui explique pourquoi, selon Macdonald, il fallait conférer à ce dernier « tous les pouvoirs inhérents à la souveraineté » ainsi que, par la clause résiduaire, « tous les sujets d'un intérêt général non délégués aux gouvernements provinciaux[87] » . Les conflits de compétence seraient partant éliminés. « Par ce moyen, dit-il, [...] nous avons évité cette grande source de faiblesse qui a été la cause de la rupture entre les États-Unis, c'est-à-dire, les conflits de juridiction (*sic*) et d'autorité[88]. » Pour Galt et D'Arcy McGee, les conflits de souveraineté trouveront leur solution dans le fait que c'est Westminster qui la possède[89]. Selon Macdonald et plusieurs autres[90], la souveraineté fédérale est d'autant mieux établie que les résolutions de Québec projettent de subordonner les gouvernements provinciaux au gouvernement central et d'investir ce dernier d'un droit de veto sur les lois provinciales et d'un droit d'appel en matière d'école confessionnelle. De plus, aux yeux de Macdonald, la souveraineté fédérale serait comparable à la compétence absolue qu'une métropole exerce sur ses colonies[91]. L'emprise qu'aurait le gouvernement central sur les États provinciaux et dont se félicitaient plusieurs députés se présentait ainsi comme l'inverse de celle qu'exerçaient les États américains sur le gouvernement de l'Union et sur la base de laquelle les fédéralistes avaient fondé l'équilibre des pouvoirs.

Le langage des opposants au projet confédératif procède aussi de l'idée de souveraineté. Il leur est clair que la souveraineté appartient aux États dans le régime américain[92]. Pour Antoine Aimé-Dorion, le Parlement fédéral du Dominion projeté « exercera le pouvoir souverain, car il pourra toujours empiéter sur les droits des gouvernements locaux, sans qu'aucune autorité puisse l'en empêcher [...] Nous serons [...] encore à sa merci parce qu'il pourra exercer son droit véto (sic) sur toute la législation des parlements, – et encore là nous n'aurons aucun remède. Dans un cas de conflit entre pouvoir fédéral et les gouvernements locaux, quelle autorité interviendra pour régler leur différend ?[93] » Pour Henri Joly, autre opposant au projet confédératif, la souveraineté ne connaît pas de moyen terme entre la confédération et l'État unitaire[94]. MacDonald et Dorion s'entendent donc sur le principe qui gouverne le nouveau régime, bien que les allégeances et les doctrines politiques les divisent.

Ce serait toutefois simplifier la réalité historique que de soutenir que promoteurs et pourfendeurs du projet confédératif se ralliaient en bloc à une interprétation souverainiste du projet[95]. Tout d'abord, comme l'a souligné Robert Vipond, le Parti réformiste, appuyé par la presse torontoise autour du journal *Globe*, aurait commencé, dès 1864, à épouser une conception moins souverainiste d'une éventuelle union fédérale[96]. Le cadre colonial plaçant la souveraineté dans le Parlement britannique, il devenait plausible de penser qu'une telle union reposerait sur des attributions de compétences entre deux paliers de gouvernement que garantirait la loi impériale, qui jouerait alors un rôle équivalent à celui de la Constitution américaine. Les États provinciaux tireraient donc leurs pouvoirs directement de la loi impériale, et non par délégation du Parlement fédéral. Autrement dit, de même que chez les fédéralistes américains le peuple est investi du pouvoir constituant, de même est-il exercé chez les réformistes du Canada-Ouest par le Parlement impérial. Par ailleurs, une majorité des articles et des brochures de la presse « bleue » dans le Canada-Est tenait un discours semblable à la presse réformiste et se persuadait que les États provinciaux ne seraient en rien inférieurs ou subordonnés au gouvernement fédéral[97]. À l'Assemblée législative du Canada-Uni, le conservateur Joseph Cauchon répliqua en ces termes aux protestations de Dorion contre la souveraineté fédérale :

> Mais qu'est-ce donc que cette souveraineté sur les attributions des législatures provinciales ? [...] Il n'y aura pas de souveraineté absolue, chaque législature ayant des attributs distincts et indépendants et ne procédant pas des autres par délégation, ni d'en haut, ni d'en bas. Le Parlement fédéral aura la souveraineté législative pour toutes les questions soumises à son contrôle dans la constitution. De même les législatures locales seront souveraines pour toutes les choses qui leur seront spécifiquement attribuées[98].

En vain cherchera-t-on de grands exposés théoriques sur la souveraineté et le fédéralisme dans la pensée des réformistes bas-canadiens. Marquée par une profonde méfiance à l'égard du politique, cette pensée est restée rébarbative aux théories constitutionnelles et aux discussions de principe sur les régimes politiques[99].

Sur la question du rôle d'arbitrage des tribunaux, les fondateurs canadiens sont beaucoup moins diserts que les Américains. En réponse aux critiques de Dorion sur la souveraineté fédérale et sur l'absence de remède pour arbitrer les conflits, Cartier soutient tout d'abord que c'est le gouvernement impérial qui entendra les doléances coloniales[100]. Et puis, raillé par Dorion sur cette réponse, lequel doutait de l'efficacité de ce recours, Cartier précise que « ce seront les cours de justice qui trancheront les conflits à l'égard desquels il y aura conflit entre les deux pouvoirs [...] Quand la législature générale passera une loi qui sortira de ses attributions, elle sera nulle de plein droit[101]. » Dorion doute que les droits des Bas-Canadiens soient bien défendus, quand bien même une cour fédérale suprême, « composée de juges de toutes provinces », devrait arbitrer les conflits de compétences. La pensée de John A. Macdonald à l'égard de cette question ne brille pas par sa clarté. Sa conception souverainiste du Dominion semble en effet exclure tout recours au juge. Par contre, lors d'une intervention à la Conférence de Québec, il déclara :

> *The people of every section must feel that they are protected, and by no overstraining of central authority should such guarantees be overrriden. Our constitution must be based on an Act of the Imperial Parliament, and any question as to over-*

riding sectional matters determined by « Is it legal or not ? » the judicial tribunals of Great Britain would settle on such difficulties should they occur[102].

LE FÉDÉRALISME ET LE GOUVERNEMENT MIXTE

Les fondateurs américains et canadiens ont voulu mettre sur pied un régime stable qui fût à l'abri de la tyrannie de la majorité comme des pressions populaires. Leur grande bête noire, c'est la démocratie, régime qui met au pouvoir la foule, aveugle et soumise aux manœuvres des factions. À la démocratie menaçante, les fédéralistes opposèrent la République, identifiée chez eux au gouvernement représentatif, et les promoteurs de la Confédération, la monarchie à l'anglaise, combinant le gouvernement responsable et un fort principe d'autorité. Pour les uns et les autres, il n'est de gouvernement qui n'ait, imbriqué en lui-même, de tampon, de contrepouvoir ou d'instance modératrice qui filtre, ralentit ou contrecarre la décision politique. Ce qui explique la volonté des Américains comme des Canadiens d'établir un gouvernement mixte.

Aux États-Unis, l'idée ancienne du gouvernement mixte s'est traduite par le concept de balance des pouvoirs, dont Madison offre ici une définition : « dans la république composée d'Amérique, le pouvoir délégué par le peuple est tout d'abord partagé entre les deux gouvernements distincts [...] Les différents gouvernements se contrôleront les uns les autres, en même temps que chacun se contrôlera lui-même[103]. » Selon Thierry Chopin, l'un des principaux inspirateurs de la formule de la « balance des pouvoirs » serait John Adams qui, sans avoir participé à la convention de Philadelphie ou à la campagne de ratification, a néanmoins tracé la voie par ses réflexions à un tel aménagement des pouvoirs[104]. Dans ses écrits, Adams défendit la nécessité pour un gouvernement libre de diviser ses pouvoirs par une série de contrepoids et de « balances » afin de prévenir l'anarchie et la tyrannie dans lesquelles avaient fini jadis les démocraties antiques[105]. Le nouveau gouvernement américain devait naître de l'opposition de trois pouvoirs, correspondant chacun à trois classes d'hommes dotés de pouvoirs, de prérogatives et de privilèges qui leur seront propres, de telle manière que les trois divisions du pouvoir se surveillent et s'empêchent mutuellement[106]. Madison s'est appuyé sur cette théorie d'Adams pour concevoir son propre système, quoique en y apportant deux modifications significatives[107]. *Primo*, il a dépouillé le modèle de gouvernement mixte classique, tel qu'Adams l'avait repris de Polybe[108], de la hiérarchie sociologique qu'il supposait, c.-à-d., la démocratie, l'aristocratie et la royauté. Chez Madison, ces déterminations sociologiques disparaissent : au regard de la Constitution américaine, il n'existe ni aristocratie, ni monarchie, mais un seul peuple, d'où procède la légitimité démocratique. Il s'ensuit que tous légitimés par le peuple, les trois pouvoirs reçoivent de lui des attributions particulières qu'ils exercent dans leur sphère respective. Les trois sont donc, en théorie du moins, sociologiquement identiques[109]. *Secundo*, le fédéralisme apparaît comme une technique de séparation des pouvoirs qui se greffe à la séparation classique entre les trois pouvoirs. Ainsi, selon Madison : « Dans la république composée d'Amérique, le pouvoir délégué par le peuple est tout d'abord partagé entre les deux gouvernements distincts, et ensuite la portion assignée à chacun d'eux est subdivisée entre des départements distincts et séparés. De là résulte une double sécurité pour les droits du peuple[110]. »

Convaincus que la Constitution américaine, mal conçue, a dégénéré en tyrannie du président ou précipité la guerre civile, les Pères canadiens célébrèrent la Constitution mixte anglaise. Leur aspiration est simple : ils voulurent reproduire au Canada la trilogie *King-Lords-Commons*, rêve ancien qui remonte à l'introduction du parlementarisme au Canada en 1791[111]. Cette entreprise buta sur un obstacle de taille : les colonies britanniques d'Amérique du Nord sont dépourvues d'aristocratie terrienne ; le nouveau Dominion ne pourra donc y recruter les membres de son Sénat, l'équivalent de la Chambre Haute anglaise. Tenant à ce que le Parlement du Dominion fût à l'image de Westminster, les Pères fondateurs envisagèrent plusieurs scénarios : Sénat élu, comme l'avait été le Conseil législatif du Canada-Uni depuis 1856, Sénat nommé par les États provinciaux, Sénat nommé par la Couronne fédérale. Ce fut la troisième avenue qui l'emporta.

Lors du débat de 1865 à l'Assemblée législative, Macdonald constata l'impossibilité de transplanter dans le Dominion une aristocratie foncière. La société canadienne ne comporte aucune classe séparée du peuple. Le seul moyen de suppléer à l'absence d'aristocratie était de confier à la Couronne le pouvoir de nommer des sénateurs à vie. Est-ce à dire que Macdonald renonçait à l'ambition de reproduire au Canada des ordres sociologiques distincts ?

Lors de la Conférence de Québec, il avait été plus clair. En parlant des conditions d'admission au futur sénat, il s'exprima comme suit :

> A large qualification should be necessary for membership of the Upper House, in order to represent the principle of property. The rights of the minority must be protected, and the rich are always fewer in number than the poor[112].

Il ajoute :

> « The Upper house [...] is then the representative of property[113]. »

Ces propos contrastent avec ce qu'il déclarera en 1865 s'agissant des sénateurs :

> [...] les personnes nommées au Conseil législatif occuperont une position toute différente de celle des pairs d'Angleterre. Ils [les sénateurs] n'auront pas, par exemple, de liens de famille ou de position imposés par l'histoire, non plus cette influence directe sur les citoyens ou sur les communes que donnent à ces derniers la richesse, les domaines territoriaux, le nombre de fermiers et le prestige que les siècles ont attaché à leur nom [...] Ils seront, comme ceux de la chambre basse, hommes du peuple et tirés du peuple[114].

Il n'empêche que nombre de Pères fondateurs justifient l'existence d'un sénat nommé par le fait qu'il est indépendant du peuple et composé des « meilleurs hommes[115] » du pays. Ce qui suppose que seule la Couronne, et non le peuple, est en mesure de repérer des hommes de talent. De plus, délaissant le mode électif pour le mode nominatif, les Pères fondateurs s'inscrivirent dans la tradition de pensée du Court Whig, qui voyait d'un bon œil que l'exécutif étende son emprise sur le législatif par la distribution des bonnes places et des honneurs, comme le recommanda Lord Durham dans son rapport de 1839. Quant aux opposants à la Confédération, ils se gaussaient des tirades égalitaires de ses promoteurs et soupçonnaient dans le projet un semblant d'ordre aristocratique[116].

Au contraire des Américains, les Pères fondateurs canadiens n'allient pas le fédéralisme avec le gouvernement mixte. Leur est étrangère l'idée que l'équilibre concurrentiel des pouvoirs étaie les libertés. Plutôt persuadés que c'est un ordre fondé sur la souveraineté qui garantira la paix, l'ordre et le bon gouvernement, ils ne font pas entrer le conflit permanent dans la composition d'un régime stable. Les avocats de la formule fédérale cherchèrent plus à l'assigner à la protection de l'autonomie locale ou des minorités qu'à en étendre la logique à l'État tout entier. Cet inachèvement de la formule fédérale au Canada est illustré par le fait que les États provinciaux ne participent en aucune manière aux décisions fédérales et que, notamment, le Sénat n'arrive pas à incarner le principe fédéral[117]. Et même Alexander Galt estimait que la répartition régionale des sièges prévue pour le Sénat serait neutralisée par le pouvoir nominatif fédéral[118] (voir Tableau comparatif 1.1).

LE FÉDÉRALISME ET LA PUISSANCE

On a coutume de penser que le fédéralisme sert les libertés en ce qu'il limite la puissance de l'État. Cependant, le fédéralisme, sitôt combiné avec le gouvernement représentatif, rompait avec la pensée classique, voire avec la pensée moderne jusqu'à Montesquieu, pour lesquelles il n'est d'association fédérale qu'entre des États de petite taille, de préférence des républiques. Les fédéralistes américains requirent la technique fédérale pour édifier un État animé d'un mouvement continu d'expansion : le territoire, la population et la richesse n'en finiraient pas de croître au xixe siècle. Les fédéralistes craignaient certes l'absolutisme mais pas au point de vouloir annihiler la puissance de l'État, et ils savaient que la société américaine, émancipée de lui, irait aussi s'accroissant en lumières et en capacités. La question qui se pose est de savoir si fédéralisme, une fois sorti du cadre restreint des petites républiques, achemine l'État vers l'acquisition de la puissance, bref vers l'empire, ou s'il a pour vertu de la contenir.

La guerre contre la Grande-Bretagne gagnée, la Confédération de 1777 en lambeaux, il importait aux fédéralistes américains de résoudre un certain nombre de problèmes. En premier lieu, ils devaient s'atteler à la construction d'un État étendu, appelé à s'élargir à l'ensemble du continent. Ensuite, craintifs de la démocratie anarchique et instable, il lui préféraient la république. Or, dans la théorie de l'État telle qu'ils la connaissaient, hors les petits États, la république n'était guère possible ; la monarchie s'accommodait mieux des grands ensembles. Les fédéralistes solutionnèrent la difficulté par deux voies : 1) par la représentation ; la création d'un corps d'élus interpose entre la population et l'État un filtre qui amortit les demandes les plus radicales et autorise l'élargissement territorial de l'État ; 2) par le fédéralisme. C'est à cette dernière étape qu'entre en jeu la fameuse théorie des factions développée par Madison. Dans son exposé célèbre, Madison constate que la division de la société en factions opposées est un fait inéluctable et qu'il en coûterait plus de vouloir les abolir par la force que de les tolérer. Si donc elles sont là pour rester, aussi bien alors les jouer les unes contres les autres, en espérant que leur influence sur la collectivité s'amenuise, en proportion de leur opposition. Plus la collectivité s'agrandit, par la logique combinatoire du fédéralisme, plus faiblit la capacité des factions d'atteindre l'ensemble, du fait qu'elles s'empêchent et se nuisent d'autant plus. Ainsi, comme le note Gordon Wood, « le nouveau gouvernement fédéral était destiné à empêcher l'émergence, chez un grand nombre de personnes, de toute passion commune ou de tout sentiment d'unité animés par des principes autres que ceux de la justice et du bien général[119] ». Par sa théorie des factions qui produit du positif avec les divisions intestines de la société, Madison rompt également avec la pensée antique jusqu'avant Machiavel[120].

La théorie madisonnienne fait voir que ce que les Américains recherchent par la méthode fédérale, ce n'est pas tellement d'empêcher le pouvoir que d'en rendre possible la création, voire l'augmentation, continue. Autrement dit, le fédéralisme produit de la puissance en neutralisant les factions qui résultent de la diversité des passions et des intérêts humains. La neutralisation implique que les factions soient maîtrisées, et non pas éradiquées. Ainsi disciplinée, la division agit dans la société comme une main invisible qui autorise l'accroissement du pouvoir, dans la société et dans l'État. Comme le rappelle Arendt : « Il est évident que l'objectif véritable de la Constitution américaine n'était pas de limiter le pouvoir, mais de créer un pouvoir plus fort et en fait d'établir et de constituer dûment un centre de pouvoir entièrement nouveau[121]. » La séparation des pouvoirs empruntée à Montesquieu, dit Arendt, est « réellement une sorte de mécanisme, placé au sein même du gouvernement, grâce auquel le pouvoir est constamment produit, sans qu'il puisse, toutefois, devenir envahissant, se développer au détriment des autres centres ou sources de pouvoirs[122] ». Ce fut dans le même esprit que le fédéralisme fournit également un mécanisme de production du pouvoir, par l'endiguement des factions dans la société et la création d'un gouvernement fédéral lointain, d'atteinte difficile et donc peu influençable[123].

Plusieurs des Pères fondateurs américains et de leurs contemporains n'hésitaient pas à voir dans les États-Unis la naissance d'un nouvel empire[124]. Après avoir traité des faiblesses des différentes expériences connues de confédération, Hamilton écrit dans *Le Fédéraliste* n° 22 : « L'édifice de l'Empire américain doit reposer sur la base solide du consentement du peuple[125]. » Les Pères fondateurs américains avaient conscience que l'Union connaîtrait une grande expansion. Dans *Le Fédéraliste* n° 43, Madison se réjouit de ce que la Constitution de 1787, au contraire des articles de 1777, prévoit l'admission de nouveaux États, sur le consentement du Congrès et des États concernés. Pour républicain qu'il soit, le régime constitutionnel américain ne consacre pas pour autant de *res publica* déterminée ; cette indétermination laisse ouverte la porte à l'entrée de nouvelles collectivités. Ce que souligne Dick Howard :

> La présence de la frontière sur un immense continent forçait les Américains à intégrer l'avenir dans leurs perspectives présentes [...] L'originalité des Américains, en effet, c'est que leur vision se fondait sur un fédéralisme qui accueillait les nouveaux territoires sur un pied d'égalité[126].

L'un des ressorts de l'expansion territoriale des États-Unis était le républicanisme agraire : devant la croissance de la population, il fallait offrir sans cesse plus de nouveaux territoires à la colonisation afin de maintenir le primat de l'agriculture sur les autres activités économiques et ainsi satisfaire l'ambition des colons de cultiver un lopin de terre en citoyens indépendants. Certains des architectes de la Constitution de 1787 auraient voulu freiner cet exode de la population et ériger en territoires les espaces sauvages en dehors des treize États fondateurs. Mais finalement, après quelques hésitations, ce fut le républicanisme agraire qui s'imposa lors de l'acquisition de la Louisiane[127].

Tout comme leurs homologues américains, les Pères fondateurs canadiens ambitionnaient de fonder un empire. En février 1865, George Brown déclara : « Sept mois à peine se sont écoulés depuis la formation du ministère coalisé, et voilà que nous soumettons au pays un projet bien considéré et bien mûri pour la création d'un nouvel empire[128]. » On se souviendra aussi de la fameuse déclaration par Macdonald sur l'empire « intérieur » que serait le Canada, le gouvernement fédéral jouissant à l'égard des États provinciaux d'une prépondérance de type colonial[129]. Les Pères fondateurs canadiens se bercèrent d'un grand rêve – participer à la grandeur de l'Empire britannique – sans toutefois renoncer au projet de créer un « *Kingdom of Canada* » autonome faisant contrepoids à l'empire disloqué des États-Unis. L'ambition impériale canadienne se distingue de celle des Américains et lui ressemble tout à la fois. Tout d'abord, si le Canada doit connaître l'expansion, c'est un empire dans l'empire. Si Londres continuera d'exercer sa souveraineté sur le Dominion, le processus d'élargissement sera en partie maîtrisé par le gouvernement et le Parlement d'Ottawa. En effet, pour les colonies de l'Île-du-Prince-Édouard, de Colombie-Britannique, de Terre-Neuve, ainsi que pour les Territoires du Nord (Nord-Ouest et Rupert), l'entrée dans le Dominion dépendra des colonies ou territoires concernés et des institutions fédérales canadiennes, ces dernières étant placées dans une position équivalente à celle du Parlement de Westminster[130]. Ensuite, les Pères fondateurs canadiens n'ont pas développé l'équivalent d'une théorie des factions ou de la production de la puissance par la méthode fédérale. Plutôt fidèles à une conception souverainiste de la puissance, ils n'entrevoyaient guère que la fragmentation de l'État contribue à sa puissance. Tout au plus adhèrent-ils à la vision classique du gouvernement mixte anglais, dont la division tripartite assure la stabilité et l'autorité de l'État. Chez certains Pères fondateurs est vaguement exprimée l'idée que l'accroissement de la dimension du pays fera décroître d'autant « l'acrimonie et les divergences d'opinion[131] ».

Il reste que la perspective de l'expansion territoriale du Dominion dominait les pourparlers préconfédératifs qui s'étaient engagés entre les quatre provinces maritimes et le Canada-Uni. Après 1867, les débats s'animent en Colombie-Britannique et dans la colonie de la rivière rouge. En 1870, celle-ci sera constituée en État provincial du Manitoba, et les territoires du Nord-Ouest, administrés par la Compagnie de la Baie d'Hudson, seront annexés. À vrai dire, ce qui démarque la pensée des fondateurs canadiens de celle des Américains, c'est la place qu'occupe la maîtrise des nouvelles techniques de transport et de communication. La construction d'un réseau de chemin de fer continental est la grande affaire qui préoccupe les Pères fondateurs, dont plusieurs sont liés aux intérêts des compagnies[132]. Les résolutions de Québec confèrent à l'autorité fédérale tous les pouvoirs nécessaires au contrôle des infrastructures de transport. Le Parlement fédéral jouira donc d'une compétence exclusive sur les lignes de bateaux à vapeur, les chemins de fer, les traversiers, les canaux, les compagnies interprovinciales de télégraphie, la navigation, les brevets et les découvertes. Bref, ce n'est pas le fédéralisme lui-même qui garantit la puissance, mais la mainmise de la souveraineté fédérale sur les moyens de transport et de communication. Cette façon de penser, qui rend omniprésentes la technique et les infrastructures dans les discussions constitutionnelles, remonte à Lord Durham lui-même, convaincu que le changement technique unifie les populations et induit à son tour le changement constitutionnel[133]. En cela, cette vision des choses annoncera l'importance que prendra la technique au XXe siècle comme facteur de centralisation et d'uniformité sociale dans les régimes fédéraux.

L'histoire politique est un terreau fertile en idées et en pratiques que les Québécois et les Canadiens, longtemps convaincus du peu de valeur de l'acte constituant à la base de leur pays, ont laissé en friche. C'est aussi une boîte à surprise ; du moment qu'on ne se contente plus de lire la lettre des textes juridiques pour plonger dans l'inextricable tissu des discours, des influences et des événements, des énigmes se posent sans cesse plus au chercheur à mesure que progresse la connaissance. Les Américains ont compris cela depuis longtemps déjà ; ils savent maintenant que si leurs ancêtres ont fait la révolution avec des concepts anglais, ils ont dû, une fois rompu le lien colonial, faire preuve d'invention, notamment pour établir une république fédérative qui, à la fin du processus de ratification de la Constitution de 1787, ne ressemblait en rien aux intentions initiales de ses auteurs. Le régime politique ainsi posé donnait des acceptions nouvelles aux concepts de souveraineté, de république et de fédéralisme. C'est l'imprévu de l'histoire. D'imprévu, la fondation du Dominion canadien n'en manqua pas non plus. À plusieurs égards, elle s'apparente à une revanche loyaliste sur la pensée révolutionnaire américaine : elle exalte ce que l'autre avait honni et demeure fidèle au langage politique anglais. Mais l'imprévu réside dans ce que à trop vouloir se démarquer des Américains et reproduire le génie constitutionnel anglais, les Pères fondateurs ont créé une étrange structure politique dont le sens leur a peut-être échappé ; elle combine fédéralisme et monarchie à l'anglaise, répartition symétrique des pouvoirs et arrangement asymétrique à l'écossaise pour fonder un nouvel « empire ». C'est un polyèdre dont les facettes reflètent tantôt le confédéralisme, tantôt le fédéralisme, tantôt l'union législative. Ce n'était donc ni strictement l'État quasi fédéral que pronostiquera K. C. Wheare, ni un pacte entre « provinces » autonomes de Sa Majesté. Quelles sont les implications de ce curieux mélange ? C'est ce qu'il reste maintenant à comprendre, pour hier et aujourd'hui.

TABLEAU COMPARATIF 1.1

	Américains	Canadiens
Le processus de création du régime	Révolution.	Reconduction d'une transplantation contre-révolutionnaire.
Les horizons idéologiques dominants	Humanisme civique ; Country Party.	Monarchie commerciale : Court Whig.
La nature composée des unions fédérales	Confusion des concepts de fédéralisme et de confédéralisme. Débat sur la nature du régime : combinaison d'éléments confédéraux et du gouvernement national ou régime nouveau ?	Confusion des termes de fédéralisme et de confédéralisme. L'Union anglo-écossaise de 1707 et l'Union de 1840 assimilées à des régimes fédéraux. Débat sur la nature du régime : union fédérale intégrale ou union législative partiellement fédéralisée ?
La question de la souveraineté	Évolution de la conception classique – la souveraineté est une et indivisible – à un ordre politique fondé sur la concurrence des pouvoirs et la souveraineté de principe du peuple. Au début, les tribunaux sont appelés à jouer un rôle minimal dans l'équilibre des pouvoirs. Les freins et contrepoids et la vigilance du peuple doivent y suffire.	Partisans et adversaires de l'union fédérale partagent la vision classique de la souveraineté ; quelques-uns toutefois entrevoient un ordre qui la divise. Les tribunaux (canadiens ou britanniques ?) sont appelés à arbitrer les conflits de compétence entre les deux ordres de gouvernement.
Le fédéralisme et le gouvernement mixte	Le fédéralisme s'intègre au gouvernement mixte, lequel est fondé sur la division de pouvoirs représentant tout le peuple, sans hiérarchie sociologique (vision dominante).	Le fédéralisme n'est pas vraiment intégré au gouvernement mixte à l'anglaise, resté fidèle au modèle Westminster unitaire. Le Canada, société sans aristocratie ?
Le fédéralisme et la puissance	Le fédéralisme est un dispositif d'augmentation continue du pouvoir tablant sur la neutralisation des factions. L'État fédéral américain était dès ses débuts envisagé comme un commencement d'empire, appelé à connaître une expansion territoriale par l'admission de nouveaux États. Le républicanisme agraire, ressort de l'expansion territoriale.	Le Canada aussi, considéré comme le début d'un nouvel empire, appelé à croître sur décision des autorités soit canadiennes, soit britanniques. La mainmise de la souveraineté fédérale sur les moyens de transport et de communication est garante de la puissance de l'État. La technique unifie la population et prépare la centralisation.

NOTES ET RÉFÉRENCES

1. La publication d'une anthologie des débats fondateurs du Canada par Janet Ajzenstat, Paul Romney, Ian Gentles et William D. Gairdner en 1999 a sans doute marqué un tournant. Dans leur introduction, les auteurs signalent leur ambition de rehausser la dignité intellectuelle de ces débats. Janet Ajzenstat, Paul Romney, Ian Gentles et William D. Gairdner (dir.), *Débats sur la fondation du Canada*, Québec, Les Presses de l'Université Laval, 2004, p.1.

2. Robert C. Vipond, *Liberty & Community. Canadian Federalism and the Failure of the Constitution*, Albany, State University of New York Press, 1991, p. 20.

3. Edmond Orban, *Fédéralisme. Super État fédéral ? Association d'États souverains ?*, Montréal, Hurtubise HMH, 1992, p. 42-43.

4. James Wilson écrivit en 1774 : « *[A]ll the different members of the British Empire are distincts States, independent of each other, but connected together under the same sovereign right of the same crown* » ; cité dans Michael Zuckert, « Natural Rights and Imperial Constitutionalism : The American Revolution and the Development of the American Amalgam », *Social Philosophy & Policy*, vol. 22, n° 1, hiver 2005, p. 42.

5. Walter H. Bennett, *American Theories of Federalism*, Tuscaloosa, Alabama, University of Alabama Press, 1964, p. 24.

6. *Ibid.*, p. 37.

7. Orban, déjà cité, p. 31. James Tully fait aussi allusion aux alliances confédérales nouées par les nations autochtones dès avant l'arrivée des Européens en Amérique. Voir James Tully, *Une étrange multiplicité. Le constitutionnalisme à une époque de diversité*, Sainte-Foy/Bordeaux, Les Presses de l'Université Laval/Les Presses universitaires de Bordeaux, 1999, p. 119.

8. Louis Nourry, « L'idée de fédération chez Étienne Parent », *Revue d'histoire de l'Amérique française*, vol. 26, n° 4, 1973, p. 535.

9. Voir aussi les douze résolutions de l'Assemblée de Saint-Ours, 1837, dans Andrée Ferretti et Gaston Miron (dir.), *Les grands textes indépendantistes, Écrits, discours et manifestes québécois*, 1774-1992, Montréal, L'Hexagone, 1992, p. 44-51.

10. Jean-Charles Bonenfant, *La naissance de la Confédération*, Montréal, Les éditions Leméac, 1969, p. 25.

11. Peter J. Smith, « The Dream of Political Union : Loyalism, Toryism and the Federal Idea in Pre-Confederation Canada », dans Ged Martin (dir.), *The Causes of Canada Confederation*, Fredericton, Acadiensis Press, 1990, p. 148-171.

12. Voir Louis Nourry, déjà cité, p. 533-557.

13. *Des provinces de l'Amérique du Nord et d'une Union fédérale*, Québec, Presses à vapeur de J. T. Brouseau, 1858.

14. En fait, à part le cas néo-zélandais, l'histoire ne fournissait aux parlementaires aucun exemple de monarchie fédérale. Dans une étude publiée en 1865 dans laquelle il fait un survol des exemples d'associations confédérales depuis l'Antiquité, D'arcy McGee voit dans la « confédération de la Nouvelle-Zélande » un modèle inspirant, d'autant qu'il réconcilie monarchie et statut colonial et semble avoir garanti la prospérité aux Néo-Zélandais. Westminster avait divisé la colonie en six « provinces », gouvernées par un « superintendant » local élu et dotées d'une assemblée législative. Le gouvernement fédéral, dont le chef est le gouverneur, comprend aussi deux cham-

bres ; les sénateurs de la chambre haute sont nommés à vie. Une liste de compétences précise les attributions fédérales ; les pouvoirs provinciaux ne sont pas énumérés. Le gouverneur en conseil peut annuler l'élection d'un superintendant local, lui donner des instructions ou désavouer une loi provinciale. Voir Thomas D'arcy McGee, *Notes sur les gouvernements fédéraux*, Saint-Hyacinthe, Des presses à pouvoir du Courrier de Saint-Hyacinthe », 1865, 62 p. Voir aussi Alexander Morris, *Débats parlementaires sur la question de la Confédération des provinces de l'Amérique britannique du Nord*, Québec, Parlement provincial du Canada, Hunter, Rose et Lemieux, imprimeurs parlementaires, 1865, p. 440.

15. Frederick Vaughan, *The Canadian Federalist Experiment, From Defiant Monarchy to Reluctant Republic*, Montréal et Kingston, McGill-Queen's University Press, 2003, p. 107 ; Jean-Charles Bonenfant, déjà cité, p. 49.

16. Frank L. Shoell, *Histoire des États-Unis*, Paris, Payot, 1985, p. 109.

17. Hannah Arendt, *Essai sur la révolution*, Paris, Gallimard, 1967, p. 46 et 60.

18. *Ibid.*, p. 216.

19. Carl J. Friedrich, *La démocratie constitutionnelle*, Paris, Presses universitaires de France, 1958, p. 163.

20. Donald Creighton, *John A. Macdonald. Le Haut et le Bas-Canada*, Montréal, Éditions de l'Homme, 1981, tome 1, p. 101.

21. Voir les débats colligés dans les chapitres 11 et 12 des *Débats sur la fondation du Canada*, déjà cité.

22. John A. Macdonald décrivit l'entreprise constituante en train de s'opérer en 1865 de « grande et paisible révolution constitutionnelle » après avoir loué la connexion du Canada avec la Grande-Bretagne grâce à laquelle « nous jouirons sous sa protection des privilèges de la liberté constitutionnelle ». Hector Louis Langevin alla dans le même sens : « Nous sommes au milieu d'une grande révolution, mais une révolution pacifique », dans *Débats parlementaires*, déjà cité, p. 44 et 370.

23. Arendt, déjà citée, p. 58.

24. *Ibid.*, p. 166.

25. Frederick Vaughan, *The Canadian Federalist Experiment*, p. 111. Le député Joly, opposant au projet confédératif, soutint la thèse qu'il ne saurait y avoir de fédération que républicaine, dans *Débats parlementaires*, déjà cité, p. 353-356.

26. Arendt, p. 291.

27. Le sénateur John Ross liquida en ces termes les références à l'Antiquité : « Inutile de citer les anciennes républiques. Elles ont cessé d'exister : C'est une preuve que leurs constitutions n'étaient pas adaptées à leurs besoins », dans *Débats parlementaires*, déjà cité, p. 73.

28. Louis-Georges Harvey, *Le printemps de l'Amérique française*, Montréal, Boréal, 2005.

29. Dick Howard, *Naissance de la pensée politique américaine 1763-1787*, Paris, Éditions Ramsay, 1987, p. 23-24.

30. Gordon S. Wood, *La création de la République américaine*, Paris, Belin, 1991. Voir aussi Bernard Bailyn, *The Ideological Origins of the American Revolution*, Cambridge (MA), Harvard University Press, 1967.

31. Voir aussi John G. Pocock, *Virtue, Commerce and History*, Cambridge, Cambridge University Press, 1985.

32. Stéphane Kelly, *La petite loterie. Comment la Couronne a obtenu la collaboration du Canada français après 1837*, Montréal, Boréal, 1997. Peter Smith, *The Ideological Genesis of Canadian Confederation*, Thèse de doctorat, Ottawa, Carleton University, 1983.
33. Voir Catherine Drinker Bowen, *Miracle at Philadelphia*, Boston, Atlantic Monthly Press Book, 1966, chapitre 4, p. 40-53.
34. Martin Diamond, « What the Framers Meant by Federalism », dans William A. Schambra (dir.), *As Far Republican Principles Will Admit : Essays by Martin Diamond*, Washington (D.C.), AEI Press, 1992, p. 93-107. Voir aussi Thierry Chopin, *La république « une et divisible ». Les fondements de la fédération américaine*, Paris, Plon, 2002, p. 24-31.
35. *Le Fédéraliste* n° 39, dans Alexander Hamilton, John Jay et James Madison, *Le Fédéraliste*, traduction de Gaston Jèse, Paris, Economica, p. 319.
36. Voir Chopin, déjà cité, p. 28-29.
37. *Débats parlementaires*, p. 33.
38. *Ibid.*, p. 41-42.
39. *Ibid.*, p. 87.
40. Ajzenstat, p. 320.
41. Dans sa description du régime de l'Union, James Careless parla à plusieurs reprises de quasi-fédéralisme ou de structure quasi fédérale. Voir *The Union of the Canadas*, Toronto, McClelland and Stewart, 1967, p. 209-210.
42. De plus, dès l'établissement de la responsabilité ministérielle, la politique au Canada a pris une forme *consociationnelle*, au sens des théories développées par le politologue néerlandais Arend Lijphart. Voir Garth Stevenson, *Community Besieged : The Anglophone Minority and the Politics of Quebec*, Montréal et Kingston, McGill-Queen's University Press, 1999, p. 14.
43. *Débats parlementaires*, p. 31. Pour Dunkin, adversaire du projet confédératif, l'Union s'est fédéralisée à partir de 1848, *ibid.*, p. 503.
44. Voir Moya Jones, *Le royaume désuni*, Paris, Ellipses, 2003.
45. Voir T. M. Devine, *The Scottish Nation 1700-2000*, Londres, Penguin Books, 1999, p. 11-14.
46. Sur les termes du traité d'Union de 1707, voir Jacques Leruez, *L'Écosse, vieille nation, jeune État*, Crozon, Éditions Armeline, 2000, p. 32-33 et l'article « Union of 1707 », dans Michael Lynch (dir.), *The Oxford Companion to Scottish History*, Oxford, Oxford University Press, 2001, p. 604-608. Voir aussi Lindsay Paterson, *The Autonomy of Modern Scotland*, Édinbourg, Edinburgh University Press, 1994, p. 22-45.
47. Gagnée elle aussi par la corruption du Court Party, l'union anglo-irlandaise de 1801 réalisa une union moins achevée que l'écossaise. L'Irlande conserva son lord lieutenant et sa cour, mais perdit son parlement. En contrepartie, elle n'obtint ni le libre-échange, ni aucune protection pour les catholiques, exclus de l'État. Voir Roy F. Foster, *Modern Ireland 1600-1972*, Londres, Penguin Books, 1988, p. 282-286.
48. Sur l'Écosse, Macdonald parla éloquemment : « La position de l'Angleterre et de l'Écosse est à peu près analogue à celle du Canada. L'union de ces deux pays, en matière de législation, est d'un caractère fédéral, pour la raison que l'acte d'union stipule qu'aucune loi écossaise ne sera changée qu'à l'avantage évident des Écossais [...]. Nous trouvons donc en Angleterre un exemple frappant du fonctionnement et

des effets d'une union fédérale, et nous pouvons nous attendre à voir les mêmes effets se produire dans notre confédération. » Macdonald va même jusqu'à dire que les députés écossais à Westminster ont un droit de veto sur les lois touchant à l'Écosse. Voir *Débats parlementaires*, p. 31. Voir aussi Alexander Mackenzie, p. 432-433. Pour D'Arcy McGee, les îles britanniques donnaient l'exemple d'une confédération, p. 147. Par ailleurs, Ged Martin soutient que Lord Durham aurait vu dans le Traité d'Union de 1707 un précédent justifiant le maintien des institutions canadiennes-françaises au sein d'une union législative et qu'il n'était pas incongru en Grande-Bretagne d'envisager cette union comme une union fédérale en esprit. Voir Ged Martin, *Britain and the Origins of Canadian Confederation, 1837-1867*, Vancouver, University of British Columbia Press, 1995, p. 148. Après 1867, les idées anglaises sur le fédéralisme et le statut de l'Écosse vont évoluer. Par exemple, Albert V. Dicey, en 1885, va distinguer l'union politique réalisée par l'État fédéral de l'unité politique qui est le propre de l'État unitaire sous le régime duquel vit l'Écosse depuis 1707. Voir *Introduction to the Study of the Constitution*, Londres, MacMillan & Co, 1961, p. 141-142.

49. Joseph Perreault, opposant à la Confédération, assimila aussi le projet à l'union anglo-écossaise, voire anglo-irlandaise, quoique pour considérer l'Union de 1707 comme un suicide imposé au peuple écossais par la corruption, *Débats parlementaires*, p. 603-605. On lira aussi l'intervention de Matthew Cameron du 18 mars 1865, qui brossa un parallèle intéressant entre le processus de formation des unions écossaise et irlandaise et celui du projet de Confédération, *ibid.*, p. 970-972.

50. Arthur Herman, *How The Scots Invented the Modern World*, New York, Three Rivers Press, 2001, p. 368.

51. Lord Carnavon déclara en effet : « Le Bas-Canada est jaloux et fier à bon droit, de ses coutumes et de ses traditions ancestrales, il est attaché à ses institutions particulières et n'entrera dans l'union qu'avec la claire entente qu'il les conservera. [...] La coutume de Paris est encore le fondement de leur Code civil et leurs institutions nationales ont été pareillement respectées par leurs compatriotes anglais et chéries par eux-mêmes. Et c'est avec ces sentiments et à ces conditions que le Bas-Canada consent maintenant à entrer dans cette confédération. » Cité par Bernard Bissonnette, *Essai sur la constitution du Canada*, Montréal, Les Éditions du Jour, 1963, p. 47. Ces déclarations confirment en fait le principe établi dès l'Acte de Québec de 1774, qui réintroduisit le droit privé français et assura donc la continuité des institutions juridiques de la colonie interrompue par la Proclamation royale de 1763. Cependant, il ne faut pas exagérer la portée de l'Acte de 1774, qui ne rétablit pas l'intégralité du droit privé français et prévoyait des exceptions permettant d'appliquer le droit anglais dans la colonie. Ces dispositions mettaient en place les éléments d'une politique d'assimilation à long terme de la population française. Voir Evelyn Kolish, *Nationalismes et conflits de droit : le débat du droit privé au Québec, 1760-1840*, Montréal, Hurtubise, 1994, p. 45-46.

52. Voir Matthew Cameron, p. 467, et Christopher Dunkin, p. 514-515, dans *Débats parlementaires*.

53. Il déclare : « Et le Canada a tellement tenu à son code civil que le projet dit expressément que le Parlement fédéral ne pourra même pas suggérer de législation qui l'affecte, comme il lui sera permis de le faire pour les autres provinces », dans *Débats parlementaires*, p. 581.

54. *Ibid.*, p. 394.
55. La doctrine française, également, ne distinguait pas encore les régimes de fédération et de confédération. Voir Dimitrios Karmis, « Pourquoi lire Proudhon aujourd'hui ? Le fédéralisme et le défi de la solidarité dans les sociétés divisées », *Politique et Sociétés*, vol. 21, n° 1, 2002, p. 47.
56. Bien sûr, à part Mill, plusieurs textes théoriques sur le fédéralisme ont pu influencer les Pères fondateurs. Un autre texte disponible était le traité de Freeman, *History of Federal Government*, Londres, MacMillan & Co, 1863. Voir là-dessus Frederick Vaughan, *The Canadian Federalist Experiment*, déjà cité, p. 94-97.
57. John Stuart Mill, *Utilitarianism, Liberty, Representative Government*, Londres, J. M. Dents & Sons Ltd, 1972, p. 378.
58. Même Macdonald décrivit les résolutions de Québec comme un « traité passé entre les différentes provinces ». Voir *Débats parlementaires*, p. 32. Voir aussi John Rose, p. 409.
59. Jean Bodin, *Les six livres de la République (1576)*, rééd., Paris, Fayard, 1986, I, p. 10 et 11. Voir aussi Olivier Beaud, *La puissance de l'État*, Paris, Presses universitaires de France, 1994, p. 144-147.
60. Voir le deuxième chapitre, William Blackstone, « Of the Parliament », du premier tome du *Commentaries on the Laws of England*, Fac-similé de la première édition de 1765-1769, Chicago, The University of Chicago Press, 1979, p. 142-182.
61. Voir Thomas Grey, « Origins of the Unwritten Constitution : Fundamental Law in American Revolutionary Thought », *Stanford Law Review*, 1978, p. 858-859.
62. Gordon S. Wood, *La création de la République américaine*, déjà cité, p. 402. Voir aussi Bernard Bailyn, *The Ideological Origins of the American Revolution*, déjà cité, p. 198.
63. Gordon Wood, *La création de la République américaine*, p. 411.
64. Hamilton, intervention du 18 juin 1787, *in* Max Farrand (dir.), *The Records of the Federal Convention of 1787*, vol. 1, New Haven, Yale University Press, 1966, p. 297.
65. Chopin, p. 73.
66. Madison, interventions du 21 juin 1878, *in* Max. Farrand (dir.), déjà cité, p. 356-358 et 363-364.
67. Chopin, p. 77.
68. *Ibid.*, p. 113.
69. Ralph Kitcham (dir.), *The Anti-Federalist Papers and the Constitutional Convention Debates*, New York, Penguin Books, 2003, p. 63.
70. Chopin, p. 147.
71. *Ibid.*, p. 149.
72. *Le Fédéraliste*, n° 39, p. 311.
73. Chopin, p. 168.
74. Arendt, p. 224.
75. *Le Fédéraliste*, n° 32, p. 251-252.
76. *Le Fédéraliste*, n° 42, p. 382-383.
77. *Le Fédéraliste*, n° 46, p. 390.
78. *Le Fédéraliste*, n° 44.
79. *Le Fédéraliste*, n° 39, p. 318.
80. *Le Fédéraliste*, n° 78, p. 649.

81. Chopin, p. 301-302.

82. *Ibid.*, p. 303.

83. *Ibid.*, p. 304-306.

84. Gerald P. Browne, *Documents on the Confederation of British North America*, Toronto, McClelland and Stewart, 1969, p. 94-95.

85. *Débats parlementaires*, p. 34.

86. John Rose : « Il ne pourra donc surgir aucune difficulté entre les diverses parties de la confédération, aucun conflit de pouvoir entre les gouvernements provinciaux et l'autorité centrale ainsi que la chose a eu lieu aux États-Unis. Les attributions des premiers étant très distinctement définies les empêcheront de réclamer des droits de souveraineté, de même que dans la république voisine », dans *Débats parlementaires*, p. 410-411. Rose se réclame en outre de Madison et de son appui initial à l'octroi au Congrès américain d'un veto sur les lois des États. Voir aussi Alexander Mackenzie, p. 437 et John Scoble, p. 912.

87. *Débats parlementaires*, p. 34.

88. *Ibid.*

89. Jennifer Smith, « Canadian Confederation and the Influence of American Federalism », *Revue canadienne de science politique*, vol. 21, n° 3, 1988, p. 450-451.

90. Georges Brown et son journal *Globe* de Toronto, après avoir défendu en 1859-1860 un plan d'union fédérale qui ferait des États provinciaux les premiers dépositaires de la souveraineté, se sont ravisés pour préconiser en 1864 une union qui accorderait au gouvernement central la souveraineté et aux États des pouvoirs limités et délégués. Voir James Careless, *Brown of the Globe*, vol. II, Toronto, The MacMillan Company of Canada, 1963, p. 167-168.

91. « Le gouvernement général occupera envers les gouvernements provinciaux exactement la même position que l'impérial occupe maintenant à l'égard des colonies. »

92. Joseph Perreault, *Débats parlementaires*, p. 630.

93. *Débats parlementaires*, p. 692. Il déclare aussi : « Fédéralisme veut dire union de certains États qui conservent leur pleine souveraineté en tout ce qui les concerne immédiatement, mais qui soumettent à un gouvernement général les questions de la paix, de la guerre, des relations étrangères, du commerce extérieur, des douanes et des postes », p. 859.

94. *Débats parlementaires*, p. 356.

95. En fait, la doctrine politique disponible à l'époque dans le monde anglo-saxon commençait déjà à considérer que le fédéralisme implique une division de la souveraineté entre deux ordres de gouvernement séparés. Voir note 56.

96. Vipond, p. 24-36.

97. Arthur I. Silver, *The French Canadian Idea of the Confederation 1864-1900*, Toronto, University of Toronto Press, 1982, p. 43.

98. *Débats parlementaires*, p. 700. Cauchon comprenait les États-Unis de la même façon.

99. Éric Bédard, *Le moment réformiste. La pensée d'une élite canadienne-française au milieu du xixᵉ siècle*, Thèse (Ph. D.) en histoire, Université McGill, 2004, p. 90-146.

100. *Débats parlementaires*, p. 692.

101. *Ibid.*, p. 693. Voir aussi Cauchon, p. 700.

102. Gerald P. Browne, déjà cité, p. 95.

103. *Le Fédéraliste*, n° 51, p. 432.

104. Chopin, p. 293. Voir aussi Gordon Wood, p. 659-665.

105. Russell Kirk, dont l'ouvrage *The Conservative Mind* a marqué l'éclosion de la pensée néo-conservatrice aux États-Unis, présente Adams comme le digne héritier d'Edmund Burke dans son pays. Sur le concept de balance des pouvoirs préconisé par Adams, Kirk écrit : « *Thus power is distributed justly among the chief interests in society ; the ineradicable natural aristocracy, [...] is recognized and to some extent moulded into a separate body by the institution of a senate ; the passion of the moment and the tyranny of the omnipotent legislative organ are checked by constitutional devices.* » Voir Russell Kirk, *The Conservative Mind*, Chicago, Henry Regnery Company, 1953, p. 93-94.

106. Chopin, p. 296.

107. *Ibid.*, p. 297.

108. Voir le célèbre chapitre VI de l'*Histoire* de Polybe qui postule la supériorité de la constitution mixte, qui emprunte à la royauté, à l'aristocratie et à la démocratie, aux constitutions procédant d'un principe homogène. Voir Polybe, *Histoire*, Paris, Gallimard, coll. « La Pléiade », 1970, p. 468-477.

109. Voir Gordon Wood, p. 693 et 695.

110. *Le Fédéraliste*, p. 432.

111. Pierre Tousignant, « L'acte de naissance de la démocratie représentative au Canada », *Revue Forces*, n° 96, hiver 1991-1992, p. 4-10.

112. Gerald P. Browne, déjà cité, p. 98.

113. *Ibid.*, p. 133.

114. *Débats parlementaires*, p. 37.

115. George Brown, *Débats parlementaires*, p. 88.

116. Voir Dorion, *Débats parlementaires*, p. 865.

117. Voir Christopher Dunkin, *Débats parlementaires*, p. 499 et 501, et Jennifer Smith, déjà cité, p. 456.

118. Jennifer Smith, « Intrastate Federalism and Confederation », dans Stephen Brooks (dir.), *Political Thought in Canada, Contemporary Perspectives*, Toronto, Irwin Publishing, 1984, p. 270.

119. Gordon Wood, *La création de la République américaine*, p. 699-700.

120. Laurent Bouvet et Thierry Chopin, *Le Fédéraliste. La Démocratie apprivoisée*, Paris, Michalon, 1997, p. 32-33.

121. Arendt, p. 225.

122. *Ibid.*, p. 221.

123. Comme le fit remarquer l'historien Daniel Boostin, les fédéralistes voyaient dans l'éloignement du gouvernement fédéral, dans sa mise à distance par une immense géographie, une sauvegarde pour le fédéralisme américain. Voir Daniel Boostin, *L'esprit d'exploration. L'Amérique et le monde, jadis et maintenant*, Paris, Gallimard, 1979, p. 85-87.

124. Niall Ferguson, *Colossus. The Rise and Fall of the American Empire*, Londres, Penguin Books, 2004, p. 33-35.

125. *Le Fédéraliste*, p. 177.

126. Dick Howard, déjà cité, p. 325-326.

127. Forrest McDonald, *Novus Ordo Seclorum. The Intellectual Origins of the Constitution*, Lawrence, Kansas, University Press of Kansas, 1985, p. 282-284.

128. *Débats parlementaires*, p. 83. Hector Louis Langevin parle d'un « des plus grands empires du monde », p. 399, alors que Joseph Perreault reproche à ses opposants de vouloir établir un nouvel empire concurrent de la « puissante république voisine », p. 603.

129. Position aussi partagée par George Brown, voir James Careless, *Brown of the Globe*, déjà cité, p. 232.

130. Article 146, *Loi constitutionnelle de 1867*.

131. Charles Tupper, chambre d'Assemblée de Nouvelle-Écosse, 28 mars 1864, cité dans Ajzenstat *et al.*, *Débats sur la fondation du Canada*, p. 139.

132. Selon John A. Macdonald : « L'hon. M. Holton s'est trompé en disant que ce projet formait partie prenante de la constitution ; il n'est qu'une des conditions auxquelles les provinces d'en bas ont consenti à se joindre à nous dans les changements constitutionnels projetés », dans *Débats parlementaires*, p. 19.

133. John A. Rohr, « Current Canadian Constitutionalism and the 1865 Confederation Debates », *The American Review of Canadian Studies*, vol. 28, n° 4, 1998, p. 428-429.

2
LES MULTIPLES VOIX DE LA TRADITION FÉDÉRALE ET LA TOURMENTE DU FÉDÉRALISME CANADIEN *

Dimitrios Karmis

Être en « crise perpétuelle », telle est l'une des grandes tendances des fédérations que John Agnew identifiait, il a une dizaine d'années, dans la conclusion d'un ouvrage comparatif sur le fédéralisme. L'auteur, qui faisait nommément référence au Canada, expliquait cette tendance, par trois facteurs principaux : 1) le fait que les fédérations soient le résultat d'un compromis, ce qui implique qu'elles ne correspondent pas au premier choix d'un grand nombre d'acteurs qui en font partie[1] ; 2) l'existence d'une tension, inhérente à la structure même des fédérations, entre l'imposition de valeurs communes par un gouvernement central et la protection de leurs pouvoirs par les entités fédérées ; 3) la croissance « de l'État – particulièrement de l'État central – dans la plupart des fédérations[2] ».

L'analyse d'Agnew est intéressante, mais comme beaucoup de travaux récents, elle néglige un facteur très important dans le cas canadien, celui des tensions entre différentes conceptions normatives du fédéralisme. Depuis le rejet de l'entente de Charlottetown et le référendum de 1995, un bon nombre d'observateurs et d'acteurs politiques canadiens ont soutenu qu'il fallait délaisser les discussions normatives et choisir une approche fonctionnelle, pragmatique et non constitutionnelle du fédéralisme, axée sur les ententes administratives et la « collaboration » entre les différents ordres de gouvernement[3]. *A contrario*, on peut penser que les discussions normatives sont nécessaires à la fois pour la compréhension et pour le bon fonctionnement du fédéralisme canadien. D'une part, comme le notent Samuel LaSelva et Richard Vernon, le fait que les arrangements fédéraux résultent largement de rapports de pouvoir et de compromis pragmatiques n'exclut en rien qu'on puisse les analyser sous l'angle des valeurs qui y sont associées. Autrement dit, « on peut faire la distinction entre *origine* et *valeur*[4] ». D'autre part, souligne Wayne Norman, un arrangement fédéral strictement basé sur des avantages matériels ou pratiques risquera de dépérir dès que ces avantages seront perçus comme moins intéressants par un ou plusieurs des partenaires[5]. Plus généralement, on pourrait ajouter que les positions de négociation des composantes d'une fédération sont toujours sous-tendues par des présupposés normatifs, par exemple sur l'identité de chacune des composantes et le type de rapports qu'elles doivent entretenir entre elles. En conséquence, il est illusoire de penser qu'on peut, à long terme et peut-être même à moyen terme, faire l'économie d'une réflexion sur les fondements normatifs des arrangements fédéraux[6].

Or, même au plus fort des discussions constitutionnelles qui ont marqué la scène politique canadienne depuis les années 1960, quand les débats sur les bases normatives du fédéralisme n'étaient pas frappés d'anathème, les acteurs politiques ont souvent eu tendance à nier la multiplicité des conceptions normatives du fédéralisme et à s'ériger en défenseurs d'un « vrai » fédéralisme. On en trouve un exemple fort révélateur chez Lester B. Pearson, dans l'énoncé destiné à guider son gouvernement lors de la conférence constitutionnelle de 1968 :

> Le gouvernement du Canada croit et, nous en sommes sûrs, presque tous les Canadiens le croient aussi, que le pays peut atteindre ses objectifs seulement sous un régime fédéral. [...] Le gouvernement du Canada rejette à la fois la centralisation et la fragmentation, comme *solutions de rechange au fédéralisme* [nous soulignons]. [...] Le fédéralisme canadien doit être un juste milieu entre ces extrêmes, et ce juste milieu, nous devrions en attendre l'expression dans nos dispositions constitutionnelles[7].

De tels propos sont problématiques pour au moins trois raisons. Premièrement, ils affirment le caractère inévitable du choix de la formule fédérale au Canada, alors que c'est plutôt la participation même au Canada ou le type de fédéralisme qu'on y pratique qui sont remis en question par certains acteurs québécois. Deuxièmement, de manière pour le moins partiale et arbitraire, Pearson définit le fédéralisme comme un juste milieu qui serait incarné par la position du gouvernement canadien, et du même coup disqualifie injustement la position des provinces revendicatrices – et particulièrement celle du Québec dans le contexte de cette conférence – en l'associant au camp extrémiste et non fédéraliste de la « fragmentation ». Troisièmement, et plus fondamentalement, les propos de Pearson nient la pluralité des conceptions normatives du fédéralisme qui sont au cœur de la tourmente canadienne depuis les débuts de la fédération. En confondant fédéralisme et position du gouvernement central, Pearson utilise un procédé qui deviendra monnaie courante sous le règne subséquent de son influent lieutenant d'alors, Pierre Elliott Trudeau. Un tel procédé est douteux non seulement parce qu'il nie la multiplicité des voix qui animent la tradition fédérale, mais aussi parce qu'il empêche de prendre la mesure réelle de la crise du fédéralisme canadien et d'en imaginer les voies de sortie les plus fructueuses[8].

La question des fondements normatifs des arrangements fédéraux, ou de ce qu'on peut aussi appeler l'éthique des arrangements fédéraux, repose sur une idée souvent oubliée dans les débats sur la pertinence de maintenir ou d'établir un système fédéral : un arrangement institutionnel, quel qu'il soit, n'est jamais une fin en soi. Outre les considérations pragmatiques, ce qui fait la valeur de l'établissement ou du maintien d'institutions de type fédéral, c'est leur capacité à réaliser certains objectifs normatifs. Quelles sont donc les fins normatives principales que l'on peut associer aux arrangements fédéraux ? Bien que l'histoire de la pensée politique moderne soit dominée par la discussion et la défense des États unitaires, elle recèle néanmoins de multiples et d'illustres voix engagées dans la défense de diverses conceptions normatives du fédéralisme. Pour l'essentiel, cette histoire présente trois grands courants de réponses à la question des fins normatives des arrangements fédéraux : le fédéralisme universaliste, le fédéralisme communautarien et le fédéralisme pluraliste[9]. En dépit de différences très importantes, on peut dire que ces trois courants participent d'une même tradition fédérale, notamment parce qu'ils sont engagés dans la recherche commune d'une solution de rechange au modèle de l'État unitaire qui domine la modernité.

Ce chapitre propose un retour sur les principales conceptions normatives du fédéralisme qui marquent l'histoire de la pensée politique moderne, de manière à prendre un peu de distance et à apporter un éclairage souvent négligé sur les fondements de la crise du fédéralisme canadien. L'exposé sera divisé en trois temps, chacun servant à exposer les bases de l'un des trois grands courants qui animent la tradition fédérale moderne.

LE FÉDÉRALISME UNIVERSALISTE

Sur le plan historique, le fédéralisme universaliste trouve ses origines dans deux idées développées au xvIIIᵉ siècle. Ces développements convergent vers l'attribution d'une supériorité morale aux institutions centrales communes sur les institutions des États fédérés. Premièrement, au début du xvIIIᵉ siècle, le *Projet pour rendre la paix perpétuelle en Europe* de l'abbé de Saint-Pierre popularise l'idée selon laquelle les pays dont les intérêts sont liés et dont les différends sont débattus à l'intérieur d'institutions communes sont moins susceptibles de se faire la guerre[10]. Sous les multiples formes qu'elle prendra par la suite, cette idée de base attribue, plus ou moins explicitement, une supériorité morale aux institutions communes au sens où ce sont ces dernières qui permettent de pacifier les relations entre des entités constituantes porteuses de tendances particularistes et belliqueuses. Deuxièmement, le passage des Articles de Confédération de 1781 à la nouvelle Constitution américaine de 1787 (entrée en vigueur en 1789) donne naissance à une nouvelle forme d'arrangement fédéral plus intégré[11]. Parmi les défenseurs les plus influents de ce nouveau modèle, James Madison, Alexander Hamilton et John Jay insistent sur l'importance d'un gouvernement central fort pour promouvoir la liberté individuelle. Encore là, sous les multiples formes qu'elle prendra, notamment chez Tocqueville et chez Trudeau, cette idée attribue, plus ou moins explicitement, une supériorité morale à des institutions communes fortes, celles d'une fédération. Aux yeux des fédéralistes universalistes, laissées à elles-mêmes dans un arrangement de nature confédérale ou dans une fédération trop décentralisée, les entités fédérées sont en proie aux particularismes, à la fragmentation, au désordre et aux factions qui favorisent la tyrannie.

D'une manière simplifiée, on peut dire que les fédéralistes universalistes mettent davantage l'accent sur l'importance morale des institutions communes parce qu'ils attribuent à ces dernières des valeurs et une identité plus universelles. Cependant, cette formulation est probablement trop simple, car elle peut laisser entendre que les fédéralistes universalistes visent ultimement l'intégration complète dans un État unitaire. Or, bien qu'un tel fédéralisme transitoire existe, il ne s'agit pas de la position dominante des tenants du courant du fédéralisme universaliste. Pour ces derniers, la pluralité des ordres de gouvernement et la dynamique du jeu des poids et contrepoids entre les institutions centrales et les institutions des entités fédérées seraient essentielles aux valeurs et à l'identité qu'ils privilégient. En fait, si les fédéralistes universalistes donnent souvent l'impression d'être des unitaristes déguisés, c'est notamment parce qu'ils considèrent que les particularismes – associés selon eux aux entités fédérées – sont historiquement et sociologiquement dominants. De cette tendance « naturelle » à la fragmentation découlerait la nécessité rhétorique d'insister davantage sur les vertus des institutions centrales et la nécessité politique et institutionnelle de leur subordonner – à des degrés variables selon les auteurs – les institutions des entités fédérées. Un bref retour à Madison, Hamilton et Jay[12], ainsi qu'à Tocqueville et Trudeau, permet de mieux comprendre cette position.

Les fédéralistes universalistes sont généralement des libéraux individualistes[13]. La thèse centrale des fédéralistes universalistes fait un lien entre la fédération et la défense d'une valeur universelle première, la liberté individuelle. Sous sa formulation initiale dans *Le Fédéraliste*, cette thèse stipule que tout gouvernement, parce que susceptible d'être investi par les intérêts d'une faction, est un danger potentiel pour la liberté individuelle. Selon Publius, pour contrer cette tyrannie potentielle qui accompagne tout gouvernement, il faut aller plus loin que la séparation fonctionnelle des pouvoirs. Il faut aussi procéder à une séparation territoriale en multipliant les ordres de gouvernement : « De là résulte une double sécurité pour les droits du peuple. Les différents gouvernements se contrôleront les uns les autres, en même temps que chacun se contrôlera lui-même[14]. » Près d'un demi-siècle plus tard, Tocqueville reformulera ce raisonnement en dépeignant le

« fractionnement de la souveraineté » comme l'un des grands avantages de la fédération. Les gouvernements y étant nécessairement moins forts, puisque aucun ne possède tous les pouvoirs, toute attaque gouvernementale contre les libertés s'expose à rencontrer la résistance organisée d'un autre ordre de gouvernement, notamment à travers le système fédéral de justice prévu à cette fin. Pour Tocqueville, il s'agit d'un contrepoids potentiel à forte valeur dissuasive[15]. Pour sa part, en droite ligne avec Publius et Tocqueville, Trudeau croit « au fédéralisme comme forme supérieure de gouvernement », car il permet de « faire contrepoids » et, ainsi, « en règle générale, la liberté s'y trouve mieux assise[16] ». Cela dit, si c'est le mécanisme de poids et contrepoids entre plusieurs ordres de gouvernement qui est important pour les libertés fondamentales, pourquoi les fédéralistes universalistes insistent-ils davantage sur l'importance morale des institutions communes et ont-ils tendance à leur subordonner les institutions des entités fédérées ?

La formulation de la subordination des entités fédérées par le fédéralisme universaliste est très souvent implicite. On en trouve cependant une version explicite et classique sous la plume de Hamilton. Répondant aux critiques des adversaires de la nouvelle Constitution de 1787 qui soutiennent qu'elle institue une « consolidation » plutôt qu'un arrangement fédéral, Hamilton donne une définition très minimaliste de la « république fédérative » :

> La définition d'une *République fédérative* me semble être simplement un « assemblage de sociétés », ou une association de deux ou de plusieurs États en un seul État. L'étendue, les modifications et les objets de l'autorité fédérale, sont choses purement arbitraires. Tant que l'organisation particulière de chacun des membres ne sera pas détruite, tant qu'elle existera, en vertu des lois constitutionnelles, pour tous les objets d'administration locale, *quoique dans une subordination absolue à l'autorité générale de l'Union* [nous soulignons], il en résultera, en pratique et en théorie, une association d'États ou une Confédération[17].

Autrement dit, pour Hamilton, « dans son sens le plus raisonnable », « l'idée qu'on se forme d'un gouvernement fédéral[18] » ne requiert rien de plus que la présence de deux ordres de gouvernement constitutionnellement définis qui ne peuvent s'abolir l'un l'autre. Le fait qu'ils soient subordonnés ou coordonnés dans la répartition et dans l'exercice de leurs pouvoirs n'est absolument pas un critère à considérer[19]. Quelles sont les bases d'une telle définition ?

Pour l'essentiel, cette définition repose sur trois prémisses. Premièrement, elle reflète l'idée selon laquelle les particularismes – qui menacent la liberté individuelle – représentent une tendance historique et sociologique dominante. Dans les arrangements fédéraux, cette tendance dominante serait renforcée par les institutions des entités fédérées (qui accroissent la tendance « naturelle » à s'attacher plus facilement à des communautés plus restreintes) et atténuée par les institutions centrales (qui génèrent un attachement plus difficile à une communauté plus large). De là découleraient, d'une part, la nécessité rhétorique d'insister davantage sur les vertus des institutions centrales et, d'autre part, la nécessité politique et institutionnelle de leur subordonner les institutions des entités fédérées. Par exemple, écrit Hamilton,

> C'est un fait reconnu dans la nature humaine, que l'affection s'affaiblit en proportion de la distance ou de l'étendue de l'objet ; c'est le même principe qui fait qu'un homme est plus attaché à sa famille qu'à ses voisins ; à ses voisins qu'à tous les habitants du pays ; le peuple de chaque État sera donc disposé à éprouver une affection plus forte pour son gouvernement local, que pour le gouvernement de l'Union ; il n'en serait autrement que si l'effet de ce principe était détruit par une administration bien meilleure de l'Union[20].

De plus, selon Hamilton, cette tendance est renforcée par le fait que les arrangements fédéraux attribuent toujours aux gouvernements des entités fédérées les pouvoirs dans les matières liées aux intérêts locaux, alors que le gouvernement central se retrouve avec la compétence dans les matières plus générales et éloignées des intérêts immédiats des citoyens[21]. Dans le style élégant et limpide qui lui est propre, Tocqueville reformule cette idée et écrit que le « patriotisme étatique » est naturellement plus fort que le « patriotisme fédéral », parce que « l'Union est un corps immense qui offre au patriotisme un objet vague à embrasser », alors que « l'État a des formes arrêtées et des bornes circonscrites ; il représente un certain nombre de choses connues et chères à ceux qui l'habitent[22] ». Pour Tocqueville, il y a là une tendance inévitable au démembrement des fédérations ou, à tout le moins, à l'affaiblissement des gouvernements centraux et à l'instabilité[23]. Plus près de nous, Trudeau considère que « l'histoire de la civilisation, c'est l'histoire de la subordination du "nationalisme" tribal à des appartenances plus larges[24] ». Or ces appartenances plus larges sont générées par les institutions centrales.

Il va sans dire que le fédéralisme universaliste est hostile au fédéralisme asymétrique. Reconnaître un statut particulier à une entité fédérée, c'est céder à l'expression de son particularisme qui constitue une menace à la fois pour les libertés individuelles et pour l'« unité nationale » garante de ces libertés.

C'est précisément la conception de la nation ou du peuple qui constitue la deuxième prémisse sur laquelle repose la définition hamiltonienne de la fédération. De manière à contrebalancer la tendance aux particularismes, les fédéralistes universalistes conçoivent la fédération comme étant mononationale et insistent sur le fait que les institutions centrales sont les seules à pouvoir représenter cette nation dans son entièreté. Par exemple, pour Jay, le « peuple d'Amérique » est composé d'« habitants issus des mêmes ancêtres, parlant la même langue, professant la même religion, attachés aux mêmes principes de gouvernement, avec des mœurs et des manières semblables [...] [25] ». Jay exagère évidemment l'homogénéité de la population des treize États de l'époque et il passe notamment sous silence les tensions entre le Nord et le Sud, la question des Noirs et la résistance des peuples indigènes. Comme le note Will Kymlicka, les Pères fondateurs étasuniens et leurs successeurs chercheront à s'assurer, particulièrement durant la période de l'expansion territoriale vers le Sud et l'Ouest, que chaque État fédéré est dominé par la nation majoritaire c'est-à-dire, selon Jay, la nation WASP. « Résultat, écrit Kymlicka : aucun des cinquante États américains ne représente pour une minorité nationale un foyer d'autonomie politique analogue à celui que le Québec offre aux Québécois [26]. » Bien qu'un peu plus nuancé sur la soi-disant homogénéité du « peuple » ou de la « nation » étasunienne, Tocqueville n'en épouse pas moins la volonté des Pères fondateurs de renforcer l'unité nationale et d'éviter une asymétrie importante dans la composition culturelle et linguistique des États comme c'était le cas en Suisse à l'époque [27]. Pour sa part, devant une telle asymétrie au Canada, Trudeau s'engage, à partir des années 1960, dans la construction d'une nation canadienne bilingue et multiculturelle d'un océan à l'autre. Faisant référence aux multiples minorités qui forment la nation canadienne, il refuse « toute identification entre [une de ces minorités] et un gouvernement en particulier [28] », considérant qu'une telle identification correspond à une conception collectiviste des droits et à une conception ethnique de l'État qui mèneraient inévitablement au « chauvinisme et à l'intolérance », ainsi qu'au « démembrement du territoire canadien[29] ». Trudeau préfère donc des droits « assignés directement aux personnes plutôt qu'aux collectivités[30] ». Une telle conception des droits, strictement individuels et reconnus d'un océan à l'autre, implique une nation pancanadienne composée d'individus porteurs de droits et dont le gouvernement fédéral est le meilleur représentant et le plus sûr protecteur contre les particularismes émanant des provinces.

La troisième et dernière prémisse de la définition hamiltonienne de la fédération que partagent les fédéralistes universalistes est une conception moniste et impérialiste de l'identité. Pour Trudeau comme pour Publius et Tocqueville, la subordination politique et institutionnelle des entités fédérées au gouvernement central traduit la volonté de subordonner les identités fédérées – considérées trop particularistes – à une identité nationale qui émane des institutions centrales. L'idée d'une coexistence réelle entre des identités qui, sans avoir nécessairement le même poids, ont toutes une importance catégorique pour les citoyennes et citoyens, leur conférant une valeur morale qui doit être prise au sérieux, est étrangère aux fédéralistes universalistes.

LE FÉDÉRALISME COMMUNAUTARIEN

Sans être une stricte inversion du fédéralisme universaliste, le fédéralisme communautarien est cependant son opposé à plusieurs égards. Sur le plan historique, il émerge dans les confédérations de républiques dont Montesquieu fait l'éloge et, au cours de la première moitié du xixᵉ siècle, dans la réponse de certains États des États-Unis – surtout ceux du Sud – à la domination croissante du fédéralisme universaliste, réponse dont John C. Calhoun fut le principal théoricien. Qu'il soit axé davantage sur la défense de la vertu républicaine, comme chez Montesquieu et certains défenseurs ultérieurs de la théorie du pacte, ou sur la défense des intérêts communautaires entendus dans un sens large, comme chez Calhoun et d'autres défenseurs de la théorie du pacte, le fédéralisme communautarien tend à attribuer une supériorité morale aux institutions des États fédérés. La subordination politique et constitutionnelle des institutions centrales en découle donc[31].

Chez Montesquieu, la confédération sert essentiellement à préserver le caractère républicain des entités qui la composent. Elle permet en effet le maintien de petites républiques – les entités fédérées – qui, sans elle, seraient détruites par une force extérieure supérieure, qui, par ailleurs, ne peuvent pas s'agrandir au-delà d'un certain seuil sans, l'histoire en témoigne, se pervertir de l'intérieur. Autrement dit, la confédération est une « société de sociétés » dont la fin est de préserver le caractère républicain de ses composantes[32]. Dans cette perspective, les institutions centrales – le « conseil commun » – émanent d'un pacte entre les entités fédérées, elles sont composées de représentants des entités fédérées[33] et leurs attributions sont en conséquence peu nombreuses et délimitées par ces mêmes entités. Quand on sait l'importance que Montesquieu attachait à « l'esprit général » de chaque nation, on comprend que pour lui une confédération pouvait être asymétrique, sauf en ce qui concerne le caractère républicain de ses composantes.

Au Canada, ce fédéralisme communautarien de type républicain a longtemps été négligé. Cependant, depuis quelques années, il resurgit dans les travaux d'un nombre croissant de chercheurs, notamment dans ceux de Louis-Georges Harvey qui portent sur le républicanisme des Patriotes. Par exemple, Harvey conclut son dernier ouvrage en soulignant que « les analyses dominantes du fédéralisme ne puisent certes pas au Québec dans la tradition du parlementarisme britannique qui n'offre que des précédents d'union législative[34] ». Selon lui, les analyses québécoises du fédéralisme empruntent largement à la doctrine des droits des États, élaborée par des démocrates jeffersoniens, qui « avait alimenté la représentation patriote d'un fédéralisme étatsunien très décentralisé[35] » et dont on trouve les racines chez Montesquieu. Dans les années 1850 et 1860, cette conception du fédéralisme s'exprime principalement à travers les discours des rouges au Bas-Canada et des réformistes au Haut-Canada[36].

Pour sa part, Calhoun accepte une intégration plus poussée des entités constituantes et conçoit les arrangements fédéraux de manière moins strictement instrumentale que ne le fait Montesquieu[37] et la plupart des fédéralistes républicains, mais il n'en élabore pas moins une critique radicale du fédéralisme universaliste de Madison, Hamilton et Jay. À la différence de ces derniers, pour qui les risques de tyrannie viennent principalement des États fédérés, Calhoun met l'accent sur les droits des États afin de protéger les minorités territorialisées contre la tyrannie de la majorité représentée par les institutions centrales. Résumer la vision de Calhoun permettra de mieux comprendre les bases d'un fédéralisme communautarien fondé sur ce qu'il appelle des « intérêts » – entendus dans un sens très large qui inclut l'identité –, qu'ils soient définis en termes culturels, linguistiques, nationaux, économiques ou territoriaux.

Calhoun est un penseur généralement négligé par la tradition fédérale. Originaire de la Caroline du Sud, défenseur à la fois de la doctrine des droits des États et de l'esclavage, sa place dans l'histoire des idées s'est en quelque sorte jouée avec la défaite des États du Sud lors de la guerre de Sécession. Son œuvre représente néanmoins l'un des exposés les plus approfondis du fédéralisme communautarien. Nationaliste étatsunien à ses débuts en politique, ayant passé presque toute sa carrière politique – de 1810 à sa mort, en 1850 – dans les institutions centrales, notamment comme vice-président de 1825 à 1832, Calhoun peut difficilement être accusé de voir la fédération comme un simple instrument des États. Pourtant, ses discours politiques et ses deux ouvrages insistent essentiellement sur les droits des États.

Cette insistance de Calhoun est fondée sur un constitutionnalisme communautarien dont il expose les bases dans *A Disquisition on Government*, traité général où il n'est pas spécifiquement question de fédéralisme. Calhoun considère que la création d'un gouvernement est liée à la fois à la conscience sociale et aux sentiments individuels des êtres humains. D'une part, les humains se sont toujours regroupés parce qu'ils avaient besoin les uns des autres pour développer leurs facultés. D'autre part, ils ont tendance à sentir plus intensément ce qui les affecte directement que ce qui les affecte indirectement à travers la vie de leurs congénères. De là découlent des conflits et donc la nécessité d'avoir un gouvernement pour imposer la paix et permettre à une société de se développer. Toutefois, la tâche de l'édification d'un gouvernement est complexifiée par deux autres tendances. Premièrement, on constate aussi entre les différentes communautés linguistiques, territoriales et autres, une tendance au conflit. En fait, selon Calhoun, la tendance au conflit entre communautés est encore plus poussée que celle qui existe entre individus d'une même communauté, « parce que les sentiments ou les sympathies sociales entre différentes communautés ne sont pas aussi forts que ceux entre les individus d'une même communauté[38] ». Deuxièmement, les gouvernants ne sont pas immunisés contre la prégnance des sentiments individuels et ont tendance à abuser de leurs pouvoirs. Ce sont donc là les prémisses de base qui amènent Calhoun à s'interroger sur ce qui différencie les « gouvernements constitutionnels » des « gouvernements absolus »[39].

Pour Calhoun, le gouvernement constitutionnel se distingue principalement en ce qu'il donne aux gouvernés les moyens de résister aux gouvernants. Plus précisément, il se distingue par deux principes. Tout d'abord, par le droit de vote, que de manière conventionnelle l'auteur présente comme « le principe premier et indispensable[40] ». À lui seul, ce principe ne suffit pas à former des gouvernements constitutionnels. Il ne fait que transférer le siège de l'autorité du gouvernement à l'ensemble de la communauté souveraine, sans réfréner la tendance à l'oppression et à l'abus de pouvoir. Si l'ensemble de cette communauté avait les mêmes intérêts, le premier principe serait suffisant. Cependant, écrit Calhoun, plus un pays est étendu et peuplé, plus ses habitants vivent des situations différentes, présentent des caractéristiques diverses et manifestent des intérêts divergents, ce qui conduit à la lutte pour constituer une majorité. Or, Calhoun innove ici et introduit un deuxième principe, celui de « majorité concurrente », qu'il distingue du principe de « majorité numérique ». Selon ce dernier principe, la communauté politique forme un tout et cet ensemble a un intérêt commun, mais on confond ainsi l'intérêt du plus grand nombre avec celui de l'ensemble. Par contre, le principe de majorité concurrente considère la communauté politique « comme étant constituée par des intérêts différents et conflictuels pour ce qui concerne l'action du gouvernement[41] ». Il permet donc de prendre des décisions qui tiennent compte des principaux intérêts collectifs en conflit dans cette communauté. En d'autres mots, le principe de majorité concurrente permet de considérer un pays comme une communauté de communautés. Ce constitutionnalisme communautarien est appliqué au système fédéral des États-Unis dans le traité déjà mentionné, *A Discourse on the Constitution and Government of the United States*, et dans plusieurs discours de Calhoun. Il donne lieu à une théorie du pacte entre les États qui attribue à ces derniers une supériorité morale et constitutionnelle qui se veut notamment une réponse à Madison, Hamilton et Jay.

Dans le fédéralisme de Calhoun, la valeur première à préserver est celle de l'égalité entre les États constituants. Plus précisément, il s'agit de préserver les intérêts fondamentaux des communautés territorialisées qui constituent les États contre la tyrannie de la majorité qui pourrait s'exercer par la voie des institutions centrales. Comment Calhoun traduit-il son principe de majorité concurrente en principe fédéral ? Très préoccupé par la question des tarifs douaniers imposés par le gouvernement central et sur laquelle « jamais deux nations distinctes n'ont entretenu de visées politiques plus opposées[42] » – il s'agit des États du nord et du sud des États-Unis –, Calhoun soutient que le principe de majorité concurrente est à la base même de la constitution fédérale du pays, dans son pacte fondateur. Contre la thèse de Madison selon laquelle la Constitution de 1787 « n'est, strictement, ni une Constitution nationale ni une Constitution fédérale », mais « un composé des deux »[43], Calhoun élabore une théorie du pacte dont les conceptions de la souveraineté et de la nation s'opposent à celles des fédéralistes universalistes et ont pour objectif d'instituer le principe de majorité concurrente comme rempart contre la tyrannie de la majorité qui pourrait s'incarner dans le gouvernement central. Selon Calhoun, la Constitution de 1787 est strictement fédérale au sens où elle résulte d'un pacte entre États souverains qui ont créé un « gouvernement général », mais ont conservé l'autorité ultime. L'exercice de la souveraineté peut certes être divisé, mais pas la souveraineté elle-même. « La souveraineté, écrit Calhoun, est une chose entière ; la diviser est la détruire[44]. » Calhoun veut pour preuve de cette simple « délégation » de souveraineté la formule d'amendement constitutionnelle qui requiert le consentement des trois quarts des États. Par ailleurs, il rejette les accusations de particularisme contre les États et l'idée de nation américaine qui sont utilisées conjointement pour renforcer les attributions du gouvernement central. D'une part, Calhoun affirme que l'accusation de particularisme est injustifiée parce que les États ont volontairement délégué l'exercice d'une partie de leur souveraineté au gouvernement central – « Si l'on ne peut pas faire confiance à ceux qui ont volontairement créé le système pour le préserver, à quel pouvoir peut-on se fier ? » – et parce que les sentiments populaires les plus forts sont du côté de l'Union[45]. D'autre part, il rejette l'idée d'un peuple ou d'une nation étatsunienne :

> *Politiquement* parlant, il n'y a pas, en effet, de communauté que l'on puisse regarder comme le peuple des États-Unis, constituant un peuple ou une nation. [...] Pris dans son ensemble, le tout forme une communauté fédérale – une

communauté composée d'États unis par un pacte politique – et non une nation composée d'individus unis par ce que l'on appelle un pacte social[46].

Autrement dit, les États-Unis forment une communauté composée de communautés souveraines. Pour Calhoun, ce fédéralisme communautarien est par définition une incarnation du principe de majorité concurrente. En effet, selon l'auteur, le droit de la majorité numérique d'un pays est limité aussitôt que dans des groupes distincts et séparés de la communauté politique se manifeste, sur une longue durée, des intérêts divergents. Or, écrit Calhoun, aux États-Unis, la cause de cette diversité d'intérêts étant presque exclusivement géographique – « différences de climat, de sol, de situation, d'industrie et de production[47] » –, il en est résulté tout naturellement une division géographique du pouvoir. Sur la base d'un pacte, les États souverains se sont dotés d'un « gouvernement général », auquel ils ont délégué la conduite de leurs affaires communes. Ils ont gardé pour eux-mêmes les pouvoirs les plus directement liés à leur caractère particulier, qu'ils s'assurent ainsi de protéger contre toute intervention de la majorité numérique de l'ensemble du pays[48]. Cela dit, outre cette incarnation permanente du principe de majorité concurrente dans la structure fédérale des États-Unis, Calhoun considère qu'il existe aussi un « droit d'interposition » des États – qu'il appelle aussi « droit d'invalidation » ou « veto » – qui leur permet de résister aux empiétements qui menacent la répartition originale des pouvoirs, à laquelle il accorde un caractère « sacré »[49]. Rejetant l'idée que la Cour suprême des États-Unis puisse être l'arbitre des conflits entre le gouvernement général et les États, Calhoun propose un droit d'interposition qui peut prendre plusieurs formes et qui se prête à de nombreuses interprétations. Dans un premier cas de figure, un État qui se sent lésé peut en appeler au pouvoir constituant, c'est-à-dire aux États eux-mêmes, qui décident alors à la majorité des trois quarts : « un État, agissant en sa capacité souveraine comme l'une des parties du pacte constitutionnel, peut forcer le gouvernement créé par ce pacte à soumettre une question auxdites parties constitutives du pacte[50] ». Dans un second cas de figure, Calhoun soutient que chaque État demeure souverain et peut invalider une décision du gouvernement général qui empiète dans ses champs de compétence advenant le cas où l'assemblée des États errerait dans sa décision. Évidemment, l'utilisation d'un tel droit équivaudrait le plus probablement à une sécession *de facto*. Enfin, plus généralement, sur la même base de la souveraineté des États, Calhoun laisse entendre qu'un État ou un groupe d'États qui considère que ses intérêts fondamentaux – que le pacte fédéral *devait* préserver – sont durablement menacés par les empiétements du gouvernement général pourrait faire sécession[51]. Dans ces trois cas de figure, les États ont une supériorité morale fondée sur leur statut de constituant et sur ce que Calhoun appelle le « droit d'auto-protection » de leur caractère particulier contre la tyrannie de la majorité[52].

La pensée de Calhoun ayant servi à justifier la sécession des États du Sud, on comprendra aisément que son influence ait été assez limitée dans les débats canadiens sur la Confédération, tenus en plein cœur de la guerre de Sécession. En fait, lorsque Calhoun y est cité, c'est plutôt comme repoussoir[53]. Toutefois, sans nécessairement aller aussi loin que Montesquieu dans l'instrumentalisation des arrangements fédéraux ou que Calhoun sur l'indivisibilité de la souveraineté, certains défenseurs canadiens de la théorie du pacte se sont situés d'emblée dans le camp d'un fédéralisme communautarien de type nationaliste. Par exemple, dans son *Dossier sur le pacte fédératif de 1867*, Richard Arès rassemble un bon nombre de commentaires qui partagent la perspective selon laquelle « le fond et le cœur du problème [canadien], c'est le pacte entre les nationalités, leur association dans l'égalité de droits et de chances ». Cette vision de la Confédération, soit un pacte entre nationalités – « de la part surtout, mais pas uniquement, de Canadiens français »[54] –, n'exclut pas nécessairement un arrimage avec la théorie du pacte entre provinces, mais elle considère que, en dernière analyse, l'appartenance communautaire première – que ce soit à la province, à la communauté politique, à la nation – prévaut et détermine une vision prioritaire du pacte fondateur. Or, selon Arès, cette vision du « pacte entre les nationalités » est très clairement prioritaire chez les Canadiens français. On trouve une position similaire dans le *Rapport de la Commission royale d'enquête sur les problèmes constitutionnels* publié en 1956. Ainsi, sans rejeter la thèse du pacte entre provinces, la Commission soutient que, pour la province de Québec, « l'esprit qui a présidé à la rédaction de l'entente de 1864-1867 entre les deux nationalités maîtresses » est celui d'un pacte « non pas des vainqueurs et des vaincus, non pas une race supérieure et une race inférieure, mais des associés, des partenaires, ayant chacun des droits égaux quant à la survivance de leur groupe ethnique dans l'union canadienne »[55]. Cette thèse communautarienne des deux nations fondatrices perdra du terrain après les attaques de Pierre Elliott Trudeau contre la dimension biculturelle du mandat de la Commission royale d'enquête sur le bilinguisme et le biculturalisme, mais elle demeure très présente dans les débats politiques et universitaires. On en trouve notamment une reformulation récente sous la plume d'Eugénie Brouillet[56]. Cependant, malgré la persistance de ces diverses conceptions communautariennes de la théorie du pacte, on note depuis quelques années un nombre croissant d'interprétations pluralistes de la théorie du pacte et celle-ci devient plus résolument une théorie *des* pactes.

LE FÉDÉRALISME PLURALISTE

Le fédéralisme communautarien et le fédéralisme pluraliste sont souvent confondus en une même catégorie. Cette confusion n'est pas surprenante dans la mesure où ces deux conceptions normatives du fédéralisme reposent sur une position ontologique holistique et sur une théorie du pacte fédéral. Sur le plan historique, le fédéralisme pluraliste trouve sa source dans les confédérations d'Europe telles qu'interprétées par Johannes Althusius au début du XVIIe siècle[57], dans le fédéralisme intégral de Pierre-Joseph Proudhon[58] et dans les « constitutions cachées des sociétés contemporaines » telles qu'interprétées par James Tully. Si l'on s'arrête aux travaux de Tully, on peut identifier trois caractéristiques principales qui distinguent le fédéralisme pluraliste du fédéralisme communautarien.

Premièrement, le fédéralisme pluraliste rompt avec la conception moniste de la culture et de l'identité qui domine la modernité. À l'idée qu'« une culture est isolée, limitée et intérieurement uniforme », le fédéralisme pluraliste oppose « la perspective de cultures qui se superposent, sont interactives et font l'objet de négociations internes »[59]. Selon Tully, il découle de cette conception de la culture une conception plurielle de l'identité :

> Du fait de la superposition, de l'interaction et de la négociation des cultures, l'expérience de la différence culturelle est *interne* à une culture. [...] Dans l'ancienne conception, essentialiste, l'« autre » et l'expérience de l'altérité étaient par définition associés à une autre culture. La propre culture d'une personne fournissait une identité sous la forme d'une toile de fond ou d'un horizon homogène

sur lequel quelqu'un établissait la position de chacun sur des questions fonda-mentales (que cette identité fût « britannique », « moderne », « féminine » ou autre). Avoir une identité consistait à être orienté dans cet espace essentiel, attendu que la perte de cet horizon fixe était mise sur le même pied qu'une « crise d'identité », que la perte de tous les horizons. Dans une vision qui privilégie la perspective, les horizons culturels changent à mesure que quelqu'un se déplace, tout comme les horizons de la nature. L'expérience de l'altérité est interne à l'iden-tité de soi-même, qui consiste à être orienté dans un espace interculturel variable selon les perspectives, et formé par les trois caractéristiques que nous venons de mentionner[60].

Ainsi, à l'encontre d'une identification hégémonique à une petite répu-blique comme chez Montesquieu ou à un État fédéré au caractère et aux intérêts particuliers comme chez Calhoun, la superposition, l'interaction et la négociation croissantes des cultures favorisent l'affirmation et la recon-naissance non seulement d'une pluralité d'identités, mais d'une *pluralité d'identités qui sont elles-mêmes plurielles.*

Deuxièmement, cette conception pluraliste de la culture et de l'identité conduit à une théorie du pacte plus inclusive. En fait, le pacte fédéral plura-liste est élargi d'au moins trois façons. D'abord, sur le plan formel, il cherche à inclure non seulement les membres des communautés territorialisées qui peuvent bénéficier du principe de majorité concurrente, défendu par Calhoun, parce qu'ils forment la majorité dans une ou plusieurs des entités fédérées, mais également les membres des communautés que Tully qualifie de « plus vulnérables », « parce qu'ils ne peuvent faire valoir leurs propres institutions politiques pour protéger leurs cultures[61] ». C'est là une façon dont on peut interpréter les droits linguistiques et religieux minoritaires reconnus par la Confédération de 1867, ou encore la conception du fédéra-lisme contractuel d'Althusius, lui qui concevait la politique comme l'art de l'association, de l'alliance et du partage entre des citoyens aux appartenan-ces sociales multiples. Ensuite, sur un plan plus informel ou conventionnel, selon le fédéralisme pluraliste, la diversité culturelle est un bien qui doit être reconnu. Le fédéralisme pluraliste considère que la reconnaissance d'un statut fédéral aux membres de communautés territorialisées entraîne, pour des raisons morales et sociologiques, une préoccupation plus générale pour la reconnaissance culturelle incluant au premier chef la reconnaissance des minorités créées par la structure fédérale elle-même. Autrement dit, si l'on reconnaît par l'entremise d'un pacte fédéral certaines communautés territorialisées comment peut-on ne pas reconnaître les minorités créées par cette fédéralisation ? Comment justifier que les trois conventions du constitutionnalisme postimpérial dont parle Tully – la reconnaissance mutuelle, le consentement et la continuité culturelle – puissent s'appliquer à certaines cultures, mais pas aux autres ? C'est ce que veut dire Tully lorsqu'il écrit que « le bien d'une association constitutionnelle qui reconnaît la diversité culturelle dans sa vie publique, c'est évidemment le fait d'engendrer une attitude de sensibilité à la diversité chez ses citoyens[62] ». Cette attitude se traduit par de nouvelles luttes de reconnaissance dans « un processus continu », puisque les identités changent et que la reconnaissance quelle que soit sa forme, est nécessairement partielle[63]. Enfin, le pacte fédéral pluraliste est non seulement ouvert à une pluralité d'identités, mais aussi à une *pluralité d'identités plurielles* ou qui se pluraliseront davantage au fil du processus de fédéralisation. Encore là, pour le fédéralisme pluraliste, les citoyennes et les citoyens qui appartiennent formellement à plus d'une communauté politique sont susceptibles de développer une identité plurielle. Une telle identité ne suggère pas nécessairement un attachement égal à chaque communauté politique et à l'ordre institutionnel qui lui correspond, mais elle suppose un attachement catégorique, c'est-à-dire un attachement important dont on n'acceptera de faire son deuil qu'en des circonstances exceptionnelles.

Troisièmement, le fédéralisme pluraliste se caractérise par une ouverture sans ambiguïté au pluralisme politique et juridique. Le fédéralisme universaliste conçoit les demandes d'asymétrie comme une manifestation de particularisme qui contrevient à l'égalité entre les entités fédérées, qui menace les minorités et met en danger l'unité, alors que le fédéralisme communautarien oscille entre le fédéralisme classique et une asymétrie qui est souvent conçue de manière exclusive. Pour sa part, le fédéralisme pluraliste conçoit l'asymétrie plutôt comme une forme institutionnelle de reconnaissance nécessaire dans un monde caractérisé par la diversité culturelle. On ne dit pas que l'asymétrie est nécessaire dans tous les cas, mais qu'il faut être ouvert selon les demandes et les besoins de reconnaissance.

Au Canada, selon Tully, le fédéralisme pluraliste trouve l'un de ses pionniers et de ses plus habiles défenseurs en Thomas Jean-Jacques Loranger. En effet, bien que les *Lettres sur l'interprétation de la Constitution fédérale dite l'Acte de l'Amérique britannique du Nord, 1867*[64] aient souvent été interprétées comme une stricte formulation de la conception communautarienne du pacte entre provinces, pour Tully, elles sont plutôt l'expression d'un fédéralisme pluraliste fondé sur un multipacte entre nations, provinces, minorités et individus[65]. Pour sa part, Samuel LaSelva se tourne plutôt vers Georges-Étienne Cartier pour faire ressortir les fondements pluralistes du fédéralisme canadien[66].

Le Canada, malgré sa volonté grandissante de se présenter comme un modèle de fédération pour le monde, est enferré dans une crise existentielle et on ne sait plus quel mot inventer pour la nommer. Au cœur de cette crise, des conceptions normatives du fédéralisme profondément divergentes se font face, qui ont souvent tendance à s'attribuer le monopole du « vrai » fédéralisme. Ce survol des fondements des trois principaux courants normatifs de la tradition fédérale moderne permet certes de prendre la mesure des divergences en question, mais il permet également de comprendre en quoi chacun de ces courants peut légitimement se qualifier de fédéraliste. Plus fondamentalement, étant donné l'ampleur de ces divergences, il apparaît évident que tout multilogue sur la réforme de la fédération canadienne passe par un double engagement à reconnaître les multiples voix de la tradition fédérale et discuter ouvertement des fondements normatifs de la fédération d'hier, d'aujourd'hui et de demain. Cela apparaîtra sans doute à certains comme une bien faible garantie de succès, mais c'est là la seule voie qui puisse mener à un arrangement fédéral qui n'est pas construit sur un désaccord fondamental.

NOTES ET RÉFÉRENCES

*   Je remercie Alain-G. Gagnon, Linda Cardinal, Guy Laforest, Jocelyn Maclure, Frédéric Nolet et Jean Rousseau pour leurs commentaires et suggestions sur la première version de ce chapitre.

1.   Pensons, par exemple, à la position de John A. Macdonald lors des débats parlementaires de 1865 au Canada-Uni. Voir particulièrement les interventions de Macdonald reproduites dans Janet Ajzenstat, Paul Romney, Ian Gentles et William D. Gairdner (dir.), *Débats sur la fondation du Canada*, édition française préparée par Stéphane Kelly et Guy Laforest, Québec, Presses de l'Université Laval, 2004, p. 309-311.

2. John Agnew, « Postscript : Federalism in the Post-Cold War Era », dans Graham Smith (dir.), *Federalism : The Multiethnic Challenge*, Londres, Longman, 1995, p. 300 (traduction de l'auteur).

3. Sur le fédéralisme de collaboration, voir notamment Harvey Lazar, « Non-Constitutional Renewal : Towards a New Equilibrium in the Federation », dans Harvey Lazar (dir.), *Canada : The State of the Federation 1997*, Kingston, Institute of Intergovernmental Relations, 1998, p. 3-35 ; et Richard Simeon et Ian Robinson, « The Dynamics of Canadian Federalism », dans James Bickerton et Alain-G. Gagnon (dir.), *Canadian Politics*, 4ᵉ édition, Peterborough, Broadview Press, 2004, p. 117-122.

4. Samuel LaSelva et Richard Vernon, « Liberty, Equality, Fraternity... and Federalism », dans Martin Westmacott et Hugh Mellon (dir.), *Challenges to Canadian Federalism*, Scarborough, Prentice Hall, 1998, p. 30 (traduction de l'auteur).

5. Wayne Norman, « Towards a Philosophy of Federalism », dans Judith Baker (dir.), *Group Rights*, Toronto, University of Toronto Press, 1994, p. 85-86.

6. Sur le retour récent de la réflexion normative sur les arrangements fédéraux et sur les arguments qui l'appuient, voir Dimitrios Karmis et Wayne Norman, « The Revival of Federalism in Normative Political Theory », dans Dimitrios Karmis et Wayne Norman (dir.), *Theories of Federalism*, New York, Palgrave Macmillan, 2005, p. 3-21 ; Alain-G. Gagnon, « The Moral Foundations of Asymmetrical Federalism : A Normative Exploration of the Case of Quebec and Canada », dans Alain-G. Gagnon et James Tully (dir.), *Multinational Democracies*, Cambridge, Cambridge University Press, 2001, p. 319-337 ; et Samuel LaSelva, *The Moral Foundations of Canadian Federalism : Paradoxes, Achievements, and Tragedies of Nationhood*, Montréal et Kingston, McGill-Queen's University Press, 1996.

7. Lester B. Pearson, *Le fédéralisme et l'avenir. Déclaration de principe et exposé de la politique du Gouvernement du Canada*, Ottawa, Gouvernement du Canada, 1968, p. 17.

8. On ne suprendra personne en mentionnant que certains souverainistes québécois utilisent le même procédé en l'inversant – à savoir que le gouvernement central canadien n'est pas « vraiment » fédéraliste –, dans le but de justifier leur option (mais sans jamais proposer pour autant un Québec souverain dont la structure et l'esprit seraient « vraiment » fédéraux).

9. Il importe de préciser qu'il n'y a pas de typologie universellement acceptée des conceptions normatives du fédéralisme. Pour des typologies différentes, voir Will Kymlicka, *La voie canadienne*, Montréal, Boréal, 2003, chap. 10 ; et Thomas Hueglin, « Federalism at the Crossroads : Old Meanings, New Significance », *Canadian Journal of Political Science/Revue canadienne de science politique*, vol. 36, nº 2, 2003, p. 275-294. Tout en comportant des similitudes importantes avec ces typologies, la typologie présentée dans le présent chapitre comporte trois types au lieu de deux, permettant ainsi une distinction, négligée par les typologies existantes, entre fédéralisme communautarien et fédéralisme pluraliste. Par ailleurs, il faut souligner que chacun des trois grands courants identifiés s'exprime de plusieurs façons, notamment en fonction des différents contextes historiques et culturels.

10. Voir Abbé Charles de Saint-Pierre, *Projet pour rendre la paix perpétuelle en Europe*, Paris, Fayard, [1712], 1986.

11. Il est important de mentionner que c'est cette nouvelle forme d'arrangement fédéral qui donnera lieu ultérieurement à la distinction terminologique – aujourd'hui conventionnelle – entre fédération et confédération. Fait trop souvent méconnu, les auteurs des xviiie et xixe siècles utilisent généralement les termes fédération, confédération et leurs dérivés de manière interchangeable. Tocqueville résume bien le caractère novateur de la Constitution américaine de 1787 et l'absence de vocabulaire précis pour en rendre compte en écrivant que cette constitution « repose [...] sur une théorie entièrement nouvelle, et qui doit marquer comme une grande découverte dans la science politique de nos jours » (Alexis de Tocqueville, *De la démocratie en Amérique*, Paris, Gallimard, 1986, tome 1, p. 241). Il déplore ensuite que « l'esprit humain invente plus facilement les choses que les mots », soulignant que « le mot nouveau qui doit exprimer la chose nouvelle n'existe point encore » (*ibid.*, p. 243-244). Il faut attendre la fin du xixe siècle pour que la distinction terminologique actuelle entre fédération et confédération commence à prendre forme (sur l'histoire du langage du fédéralisme, voir Dimitrios Karmis, « Fédéralisme et relations intercommunautaires chez Tocqueville : entre prudence et négation des possibles », *Politique et sociétés*, vol. 17, n° 3, 1998, p. 67-72). Aujourd'hui, cette distinction prend place dans une typologie plus sophistiquée. Selon Ronald Watts, la fédération et la confédération sont les types les plus répandus d'un ensemble plus vaste d'arrangements institutionnels, à savoir les « systèmes fédéraux ». Selon Watts, le terme « système politique fédéral » désigne « une vaste catégorie de systèmes à deux ou plusieurs niveaux de gouvernement, où l'autonomie gouvernementale des unités constituantes se combine avec des éléments de partage par le biais d'institutions communes. Ce genre embrasse des espèces très diverses : unions constitutionnellement décentralisées, fédérations, confédérations, États libres associés (*Federacies*), États associés, condominiums, ligues, organismes fonctionnels intergouvernementaux. » La fédération est un type particulier de système fédéral, « où ni le gouvernement fédéral, ni le gouvernement des unités constituantes ne sont subordonnés l'un à l'autre sur le plan constitutionnel ou politique. Chacun exerce des pouvoirs souverains, qu'il tient de la Constitution elle-même et non pas d'un autre niveau de gouvernement. Chacun est habilité à traiter directement avec ses citoyens dans l'exercice de ses pouvoirs législatifs, exécutifs et fiscaux. Chacun, enfin, est directement élu par ses ressortissants » (Ronald Watts, « Sur quelques exemples de partenariats », dans Guy Laforest et Roger Gibbins (dir.), *Sortir de l'impasse : les voies de la réconciliation*, Montréal, Institut de recherche en politiques publiques, 1998, p. 391). La confédération se distingue principalement de la fédération par le fait que le « gouvernement commun dépend des gouvernements constituants : étant formé de délégués de ceux-ci, il ne possède qu'une base électorale et fiscale indirecte » (*ibid.*, p. 393).

12. Dans la suite de ce chapitre, on utilisera parfois le pseudonyme Publius pour désigner ces trois auteurs. C'est le pseudonyme collectif qu'ils utilisent pour signer les articles de journaux dans lesquels ils soutiennent l'option de la ratification de la nouvelle Constitution de 1787 dans l'État de New York. Cette série d'articles sera aussi publiée sous la forme de deux ouvrages successifs en 1788, avant d'être réunie dans un seul livre devenu aujourd'hui classique, *Le Fédéraliste*.

13. Cette généralisation mériterait d'importantes nuances que le cadre de ce chapitre ne permet pas, notamment en ce qui concerne la difficulté à classer la pensée de

Tocqueville. Sur le cas de Tocqueville, voir Dimitrios Karmis, « Fédéralisme et relations intercommunautaires chez Tocqueville : entre prudence et négation des possibles ».

14. James Madison, Alexander Hamilton et John Jay, *Le Fédéraliste*, Paris, Librairie générale de droit et de jurisprudence, 1957, n° 40, p. 432.

15. Alexis de Tocqueville, *De la démocratie en Amérique*, tome 1, p. 255-256.

16. Pierre Elliott Trudeau, « Des valeurs d'une société juste », dans Thomas S. Axworthy et Pierre Elliott Trudeau (dir.), *Les années Trudeau : la recherche d'une société juste*, Montréal, Le Jour, 1990, p. 384. Il convient de souligner que Trudeau ajoute aux libertés fondamentales classiques de Publius et Tocqueville une conception de l'« égalité des chances » qui leur était étrangère, justifiant à la fois une redistribution économique régionale et des droits linguistiques individuels importants dans l'ensemble canadien. Voir *ibid.*, p. 382-383.

17. James Madison, Alexander Hamilton et John Jay, *Le Fédéraliste*, n° 9, p. 64.

18. *Ibid.*

19. Pour une critique de cette définition considérée comme étant une rupture dissimulée avec la définition du principe fédéral élaborée antérieurement par Althusius et Montesquieu – alors que Hamilton se présente comme un disciple de Montesquieu –, voir Thomas Hueglin, « Federalism at the Crossroads : Old Meanings, New Significance ».

20. James Madison, Alexander Hamilton et John Jay, *Le Fédéraliste*, n° 17, p. 128.

21. *Ibid.*, p. 128-129.

22. Alexis de Tocqueville, *De la démocratie en Amérique*, tome 1, p. 535.

23. Dans le cas des États-Unis, c'est précisément cette tendance qui explique, selon lui, l'affaiblissement graduel du gouvernement central en proportion directe avec son succès face aux nécessités qui l'avaient fait naître. Voir *ibid.*, p. 561-562.

24. Pierre Elliott Trudeau, *Le fédéralisme et la société canadienne-française*, Paris, Robert Laffont, 1968, p. 165.

25. James Madison, Alexander Hamilton et John Jay, *Le Fédéraliste*, n° 2, p. 7 et 9.

26. Will Kymlicka, *La voie canadienne*, p. 220. C'est ce type de fédéralisme mononational que Kymlicka appelle un « fédéralisme territorial » et qu'il distingue du « fédéralisme multinational ».

27. Pour une analyse plus détaillée de la position de Tocqueville sur cette question, voir Dimitrios Karmis, « Fédéralisme et relations intercommunautaires chez Tocqueville : entre prudence et négation des possibles ».

28. Pierre Elliott Trudeau, « Des valeurs d'une société juste », p. 389.

29. *Ibid.*, p. 389-390.

30. *Ibid.*, p. 391.

31. Il est important de noter que l'influence ultérieure de ces deux grands courants communautariens n'est pas forcément exclusive.

32. Montesquieu, *De l'esprit des lois*, dans *Œuvres complètes*, texte présenté et annoté par Roger Caillois, Paris, Gallimard, coll. « La Pléiade », 1951, tome II, p. 369-370.

33. *Ibid.*, p. 372.

34. Louis-Georges Harvey, *Le printemps de l'Amérique française. Américanité, anticolonialisme et républicanisme dans le discours politique québécois, 1805-1837*, Montréal, Boréal, 2005, p. 247.

35. *Ibid.*, p. 247.
36. Pour un exemple du fédéralisme républicain des rouges, voir la conception de la « vraie confédération » défendue par Antoine-Aimé Dorion lors des débats parlementaires de 1865 dans Janet Ajzenstat, Paul Romney, Ian Gentles et William D. Gairdner (dir.), *Débats sur la fondation du Canada*, p. 326-327. Sur le fédéralisme républicain des réformistes, voir Paul Romney, *Getting It Wrong: How Canadians Forgot Their Past and Imperilled Confederation*, Toronto, University of Toronto Press, 1999.
37. À la difference de Montesquieu, Calhoun parle d'un pacte entre États qui donne naissance à un « gouvernement général » plutôt qu'à un « congrès » ou un « conseil » s'apparentant essentiellement à une « assemblée de diplomates ». C'est pour Calhoun la différence majeure entre les Articles de Confédération de 1781 et la nouvelle constitution américaine en vigueur depuis 1789 (John C. Calhoun, « A Discourse on the Constitution and Government of the United States », dans *Union and Liberty: The Political Philosophy of John C. Calhoun*, Indianapolis, Liberty Fund, 1992, p. 116-117).
38. John C. Calhoun, « A Disquisition on Government », dans *Union and Liberty: The Political Philosophy of John C. Calhoun*, Indianapolis, Liberty Fund, 1992, p. 11 (traduction de l'auteur).
39. *Ibid.*, p. 12.
40. *Ibid.*, p. 13. Précisons qu'il s'agit d'un droit de vote limité aux hommes blancs propriétaires et que Calhoun est loin d'être un précurseur sur ce plan (traduction de l'auteur).
41. *Ibid.*, p. 23-24 (traduction de l'auteur).
42. John C. Calhoun, « The Fort Hill Address : On the Relations of the States and Federal Government », dans *Union and Liberty: The Political Philosophy of John C. Calhoun*, Indianapolis, Liberty Fund, 1992, p. 386 (traduction de l'auteur).
43. James Madison, Alexander Hamilton et John Jay, *Le Fédéraliste*, nº 39, p. 319.
44. John C. Calhoun, *A Discourse on the Constitution and Government of the United States*, p. 105 (traduction de l'auteur).
45. John C. Calhoun, « The Fort Hill Address : On the Relations of the States and Federal Government », p. 377 (traduction de l'auteur).
46. John C. Calhoun, « A Discourse on the Constitution and Government of the United States », p. 116 (traduction de l'auteur).
47. John C. Calhoun, « The Fort Hill Address : On the Relations of the States and Federal Government », p. 374 (traduction de l'auteur).
48. *Ibid.*, p. 375.
49. *Ibid.*, p. 375-376.
50. *Ibid.*, p. 378 (traduction de l'auteur).
51. John C. Calhoun, « A Discourse on the Constitution and Government of the United States », p. 211-212.
52. John C. Calhoun, « The Fort Hill Address : On the Relations of the States and Federal Government », p. 374.
53. Voir notamment Robert Vipond, *Liberty & Community: Canadian Federalism and the Failure of the Constitution*, Albany, State University of New York Press, 1991, p. 25-26.

54. Richard Arès, *Dossier sur le pacte fédératif de 1867. La Confédération : pacte ou loi ?*, Montréal, Bellarmin, 1967 [1941], p. 225 et 237.

55. Commission royale d'enquête sur les problèmes constitutionnels (Commission Tremblay), *Rapport de la Commission royale d'enquête sur les problèmes constitutionnels*, volume II, Québec, 1956, p. 141.

56. Voir Eugénie Brouillet, *La négation de la nation. L'identité culturelle québécoise et le fédéralisme canadien*, Québec, Septentrion, 2005, p. 148-150.

57. Sur les caractéristiques et les limites du pluralisme d'Althusius, voir Thomas Hueglin, *Early Modern Concepts for a Late Modern World : Althusius on Community and Federalism*, Waterloo, Wilfrid Laurier University Press, 1999.

58. Sur les caractéristiques et les limites du pluralisme de Proudhon, voir Dimitrios Karmis, « Pourquoi lire Proudhon aujourd'hui ? Le fédéralisme et le défi de la solidarité dans les sociétés divisées », *Politique et Sociétés*, vol. 21, n° 1, 2002, p. 43-65. Notons au passage que la pensée de Proudhon a généré une réelle « école » du fédéralisme intégral, particulièrement dans le contexte européen de l'entre-deux-guerres et de l'après-guerre. Pour un résumé des origines et de la conception du fédéralisme pluraliste de cette école, voir Bernard Voyenne, *Histoire de l'idée fédéraliste*, tome 3 : *Les lignées proudhoniennes*, Paris, Presses d'Europe, 1981.

59. James Tully, *Une étrange multiplicité. Le constitutionnalisme à une époque de diversité*, Québec, Presses de l'Université Laval, 1999, p. 9.

60. *Ibid.*, p. 12-13.

61. *Ibid.*, p. 161.

62. *Ibid.*, p. 173.

63. James Tully, « Liberté et dévoilement dans les sociétés multinationales », *Globe*, vol. 2, n° 2, 1999, p. 26.

64. Thomas Jean-Jacques Loranger, *Lettres sur l'interprétation de la Constitution fédérale dite l'Acte de l'Amérique britannique du Nord, 1867*, Québec, Imprimerie A. Côté et Cie, 1883.

65. Voir James Tully, *Une étrange multiplicité. Le constitutionnalisme à une époque de diversité*, chap. 5.

66. Voir Samuel LaSelva, *The Moral Foundations of Canadian Federalism : Paradoxes, Achievements, and Tragedies of Nationhood*, Montréal et Kingston, McGill-Queen's University Press, 1996.

DEUXIÈME PARTIE

LE FÉDÉRALISME CANADIEN

L e fédéralisme canadien est considéré comme un modèle par certains chercheurs et est dénoncé par d'autres qui n'y voient que de rares attributs fédéraux. Cela s'explique en partie par le fait que les institutions fédérales fonctionnent assez bien, mais que leurs ancrages démocratiques posent souvent un problème aux communautés sur lesquelles il se fonde. Les auteurs de cette deuxième partie apportent de riches éclairages sur les différends en présence de même que sur le déficit démocratique caractérisant le fédéralisme canadien.

Dans le troisième chapitre, François Rocher traite du refus de l'idéal fédéral chez les Canadiens anglophones. En s'appuyant sur une analyse normative, Rocher analyse l'articulation des notions d'autonomie et d'interdépendance à certains moments clés de l'histoire politique québécoise et canadienne. La thèse soutenue veut que la compréhension dominante dans la littérature d'expression anglaise et les pratiques du gouvernement central ont évacué toute référence à la notion d'autonomie au profit de celle d'efficacité, alors que celle que nous retrouvons au sein des travaux des chercheurs québécois francophones et les pratiques gouvernementales auxquelles ils renvoient a fait une place congrue à la notion d'interdépendance. Ainsi, si les analyses des problèmes institutionnels relatifs au fonctionnement du système fédéral qui sont soulevés dans la littérature sont le plus souvent pertinentes, leur logique s'inscrit dans un mode de pensée qui laisse peu de place à une compréhension fédérale de la nature des relations devant caractériser une fédération.

Le quatrième chapitre, rédigé par Jean-François Caron, Guy Laforest et Catherine Vallières-Roland, porte sur les fondements, la complexité et l'ampleur du déficit fédératif au Canada. Alors que le gouvernement de Stephen Harper laisse entrevoir des changements constitutionnels significatifs au Canada afin d'instaurer ce qu'il qualifie de fédéralisme ouvert, les auteurs mettent en lumière l'ampleur des défis que devra relever l'équipe conservatrice minoritaire au cours de son mandat. Les auteurs utilisent et adaptent le cadre conceptuel de Ronald Watts et de Raoul Blindenbacher, qui présente les caractéristiques structurelles et les dimensions relatives à la culture politique propres aux régimes fédéraux, et en dégagent l'idée-force du *déficit fédératif* dans le but de vérifier l'état de santé du régime politique canadien. En mesurant les impacts sur l'équilibre fédéral du Canada de la globalisation, des déficiences fédératives des Lois constitutionnelles de 1867 et de 1982, des faiblesses institutionnelles de la Chambre Haute et des mécanismes de coopération intergouvernementale, de l'émergence d'un corporatisme constitutionnel, de l'exacerbation des conflits entre les deux projets nationaux québécois et canadien et de la présence d'une culture politique canadienne niant la nature plurinationale du Canada, Caron, Laforest et Vallières-Roland font le constat de l'existence d'un déficit fédératif de moyenne à forte intensité au pays.

Andrée Lajoie prend le relais en explorant, dans le chapitre 5, la dynamique des provinces et des minorités par rapport à l'État central au Canada. L'auteure rappelle qu'au départ la centralisation des compétences et des pouvoirs dans la fédération canadienne a paru évoluer indépendamment du statut qu'y détiennent les minorités, sans doute en partie à cause du fait que ces deux contentieux constitutionnels respectifs se sont succédé dans le temps. Mais le résultat de la comparaison est pourtant différent et le fédéralisme canadien, tel qu'il se présente au terme de cet examen, paraît matérialiser l'efficacité des valeurs et des intérêts dominants aussi bien à l'égard des provinces que des minorités.

Dans le chapitre 6, Michel Seymour en arrive au constat qu'il est illusoire de vouloir réformer la fédération canadienne et que toutes les initiatives en ce sens sont appelées à échouer. Selon Seymour, quoi de plus sain pour les souverainistes que d'être capables de dire ce qui aurait constitué un compromis minimalement acceptable, raisonnable et honorable pour le Québec au sein de la fédération canadienne ? L'auteur se montre peu confiant que, à la suite de l'élection des conservateurs de Stephen Harper, le 23 janvier 2006, on puisse trouver une solution au déséquilibre fiscal, ou voir les compétences des provinces respectées, ou obtenir une représentation internationale significative à l'UNESCO pour le Québec. Seymour se demande si le gouvernement central ne vient pas de s'engager sur la voie d'un compromis raisonnable pour le Québec. L'auteur conclut plutôt que les apparences sont trompeuses et soutient non seulement que nous sommes encore très loin de la réforme envisagée, mais en fait que nous nous en éloignons.

Joseph Facal vient confirmer plusieurs des points avancés par Michel Seymour. Selon l'ancien ministre des Affaires intergouvernementales canadiennes, les acteurs aux commandes de l'État central canadien déploient depuis quelques années une stratégie de reconfiguration du système politique canadien qui vise, simultanément, à faire face aux exigences de la mondialisation et à minimiser les chances de voir le Québec faire sécession. Cette stratégie transforme progressivement le système politique canadien en un système unitaire, et entraîne un déclin de l'esprit, des principes et des pratiques du fédéralisme classique. Les transformations sociodémographiques en cours au Canada facilitent cette évolution. Selon Joseph Facal, il est peu probable que le nouveau gouvernement conservateur ait la force ou même la volonté de renverser cette tendance lourde.

José Woehrling vient clore la deuxième partie en faisant le point sur les conséquences de l'application de la Charte canadienne des droits et libertés pour la vie politique et démocratique et l'équilibre du système fédéral canadien. Après avoir examiné les oscillations de la Cour suprême entre l'activisme et la retenue judiciaire, l'auteur montre comment la mise en œuvre de la Charte canadienne des droits et libertés entraîne une *judiciarisation* et une *juridicisation* de la vie politique, c'est-à-dire la reformulation des débats politiques dans le langage du droit et leur transfert de l'arène politique vers l'arène judiciaire. Il examine ensuite les effets de l'application de la Charte sur le système fédéral et constate le transfert d'un certain pouvoir de décision des organes représentatifs provinciaux vers les organes judiciaires fédéraux et la consolidation, au moins au Canada anglais, de l'identité nationale au détriment de l'identité provinciale et régionale.

3
LA DYNAMIQUE QUÉBEC-CANADA OU LE REFUS DE L'IDÉAL FÉDÉRAL

François Rocher

Le fédéralisme canadien a été analysé sous presque tous les angles. Toutefois, la production savante se caractérise par trois phénomènes particuliers. D'abord, tout observateur le moindrement attentif notera que l'interprétation de l'évolution du fédéralisme canadien diffère grandement selon l'origine du chercheur. Les intellectuels québécois francophones ont, dans une très large mesure, cherché à démontrer que l'esprit qui a marqué l'adoption de la forme fédérative de l'État a été détourné. Sont mis au banc des accusés les différents gouvernements fédéraux qui ont utilisé le pouvoir fédéral de dépenser pour intervenir dans les champs de compétence provinciale, la centralisation des pouvoirs et des fonctions et, plus récemment, le rapatriement de la Constitution en 1982 et l'enchâssement de la Charte canadienne des droits et libertés. Les initiatives fédérales sont invariablement jugées à l'aune du respect de la division initiale des pouvoirs. Par contre, les chercheurs du Canada anglais se sont posé des questions plus pragmatiques. Le regard qu'ils ont porté sur les institutions politiques a été influencé par trois grandes questions : les liens entre fédéralisme et démocratie – par l'accroissement des occasions de participation pour les citoyens, par la multiplication des points d'entrée politique, par la mise en place de contrepoids au pouvoir pouvant être exercé par chaque gouvernement, diminuant ainsi les possibilités de comportements tyranniques ; la capacité des gouvernements de développer des politiques publiques qui répondent aux besoins des citoyens et les possibilités d'émulation qu'offre la présence de plusieurs États au sein de la fédération ; enfin, la gestion de la diversité constitutive du Canada et la diminution des tensions par le fait que les minorités territorialement concentrées peuvent disposer d'institutions politiques pouvant protéger et promouvoir leurs traits distinctifs – le Québec dans un premier temps et, plus récemment, la question des relations avec les Premières Nations[1]. Finalement, le troisième phénomène nous semble être l'absence de réflexion portant sur les principes fédéraux. Les analyses sont le plus souvent descriptives. Le fédéralisme est d'abord et avant tout appréhendé comme un mode d'organisation et de partage des compétences. Les principes fédéraux et les dimensions normatives qui s'y rattachent sont fort peu discutés et commentés comparativement aux études portant sur ses multiples dimensions politico-institutionnelles. Quelques auteurs font cependant exception[2].

Si l'analyse de l'évolution du fédéralisme canadien a depuis longtemps fait l'objet de nombreux travaux[3], les modes de représentation du fédéralisme, ses dimensions idéelles, n'ont pas vraiment retenu l'attention. Sans vouloir suggérer que l'idée du fédéralisme doive en déterminer la pratique, il n'en demeure pas moins que ses représentations comptent pour beaucoup dans l'évaluation que l'on a pu en faire. Par exemple, les analyses qui font état du caractère (dé)centralisé du fédéralisme reposent sur des conceptions particulières, le plus souvent implicites, du mode d'organisation politique optimal propre au Canada. De la même manière, l'accent mis sur la prise en compte des résultats, son « efficience » (ce que le fédéralisme produit comme politiques publiques en matière de santé, de protection de l'environnement, de régime de protection des droits, de formation de la main d'œuvre et d'éducation, de lutte contre la criminalité, pour ne donner que ces quelques exemples), présuppose une certaine conceptualisation, encore une fois le plus souvent implicite, non seulement du fédéralisme, mais aussi de la communauté qu'elle recoupe. Cette dernière n'est clairement identifiée que très rarement puisqu'elle est tenue pour acquise : l'État général agit au nom de « la » nation canadienne présentée comme un tout indifférencié[4] ; l'État québécois fait de même pour « la » nation québécoise.

C'est souvent sur cette base que repose l'évaluation du fédéralisme : produit-il de « bons » ou de « mauvais » fruits, de bonnes ou de mauvaises politiques publiques ? Il y a maintenant plus de quatre décennies, William Riker faisait remarquer que si cette approche était importante du point de vue du citoyen, elle n'était pas satisfaisante du point de vue du chercheur. Il proposait plutôt de répondre à des questions « existentielles » telles que les conditions d'adoption et de maintien de la forme fédérale[5]. Toutefois, pour Riker, il s'agissait toujours de tirer des leçons générales, de théoriser ce qui pouvait être observé dans les pratiques fédérales à une certaine époque. Pour les uns, la pratique du fédéralisme doit donc être le point de départ et d'arrivée de la recherche, son objet d'analyse. Pour d'autres, au contraire, le fédéralisme constitue aussi une philosophie générale de la société, une forme institutionnelle qui donne corps à une certaine conception des rapports sociaux, non seulement entre les citoyens, mais aussi entre les communautés constitutives (celles qui ont pu historiquement s'imposer à tout le moins) que l'on retrouve au sein de l'espace politique[6]. William S. Livingston, un des théoriciens les plus respectés du fédéralisme, rappelait pourtant le danger de vouloir dégager ce qui devrait en constituer les cinq, huit ou dix « caractéristiques institutionnelles fondamentales ». Celles-ci permettraient, par le fait même, de déclarer non fédéraux les États qui ne s'y conformeraient pas. Pareil ensemble de critères ignore que les institutions ne renvoient pas aux mêmes réalités dans des contextes sociaux et culturels différents[7]. Une approche plus sensible aux dimensions sociétales et culturelles du fédéralisme permet d'éviter cet écueil réductionniste.

Le présent chapitre se divise en deux grandes sections. Les questions qui sont au cœur de la première partie sont de nature théorique. Quels sont les points communs aux différentes définitions institutionnelles du fédéralisme ? Mais si les aspects institutionnels sont centraux pour distinguer les États fédéraux des autres formes étatiques (unitaires ou confédérales), ils cherchent aussi à donner vie à des principes qui sont d'abord et avant tout normatifs, qui renvoient à des concepts plus généraux portant sur la meilleure forme d'organisation politique. Il s'agira donc de dégager ces principes qui sont propres au fédéralisme. La deuxième partie se penchera plus spécifiquement sur le cas canadien. L'objectif sera moins de tracer les grandes lignes de l'évolution des pratiques fédérales depuis 1867 que de faire ressortir les différentes conceptions (ou leur absence) du fédéralisme qui ont marqué des moments clés de l'histoire politique canadienne. Cette approche permettra de mettre en évidence de quelle manière les principes fédéraux ont été (in)compris. Encore une fois, il ne s'agit pas de déterminer si le Canada s'est « conformé » ou non aux principes fédéraux, et d'en tirer des jugements de valeur sur l'absence ou la présence d'un fédéralisme bien compris et bien appliqué, mais d'examiner comment le fédéralisme a généralement été appréhendé par les élites politiques et intellectuelles.

FÉDÉRATION, FÉDÉRALISME, SOCIÉTÉ FÉDÉRALE : DU PRINCIPE D'ORGANISATION AU MODÈLE NORMATIF

Le fédéralisme est d'abord et surtout compris comme un mode ou un principe d'*organisation* institutionnelle[8]. Mais cette notion renvoie aussi à un principe, une idée, une pensée sur lesquels l'organisation s'érige. Notre analyse va combiner ces deux dimensions.

Sur la fédération comme principe d'organisation

Kenneth C. Wheare proposait une formule définissant le principe fédéral comme « la méthode de division des pouvoirs en fonction de laquelle les gouvernements général et régionaux sont, chacun dans leur sphère de pouvoir, coordonnés et indépendants[9] ». Daniel J. Elazar en offre une définition simple et maintenant quasi universelle : « les principes fédéraux s'intéressent à la combinaison de l'autonomie et de l'interdépendance[10] ». Au sens large, la fédération renvoie à une forme particulière de relations pouvant lier aussi bien des individus, des groupes ou des entités politiques dans une union limitée mais permanente visant la réalisation d'objectifs communs, tout en maintenant l'intégrité des parties respectives. Un système politique fédéral est constitué d'une multiplicité de gouvernements. On y trouve, conséquemment, une division des pouvoirs de façon à protéger l'existence, l'intégrité et l'autorité des gouvernements respectifs. Peu importe la définition retenue, la notion d'équilibre entre les éléments constitutifs de l'ensemble, ou des ordres de gouvernement, est au cœur de l'idée fédérale. Selon Frank Delmartino et Kris Deschouwer, « la fédération est une modalité de structuration politico-institutionnelle qui offre aux éléments constitutifs des garanties explicites d'autogestion de leurs propres affaires et de cogestion de celles de l'État et qui rend cet équilibre entre centre et périphérie inhérent à la conduite de la chose publique »[11]. La notion de *relations* entre les entités collectives, entre l'État fédéral et les entités fédérées, et entre les entités fédérées elles-mêmes, est donc centrale à la compréhension du fédéralisme[12]. Pour reprendre Carl Friedrich, « nous pouvons correctement parler de fédéralisme seulement si un ensemble d'entités politiques coexistent et interagissent de manière autonome, unies dans un ordre politique commun disposant de sa propre autonomie[13] ».

La reconnaissance et la préservation des diverses collectivités constitutives dans le cadre de la fédération doivent se traduire par des aménagements institutionnels spécifiques qui visent la réalisation de cet objectif initial. C'est la raison pour laquelle les travaux théoriques sur le fédéralisme font souvent référence au fait que celui-ci cherche à concilier l'unité et la diversité au sein d'un espace politique ou d'une société donnés. Ces deux idéaux, en apparence contradictoires, peuvent être réconciliés si le système politique, et les institutions qui lui donnent corps favorisent le maintien et la renégociation d'un équilibre jugé acceptable par les acteurs politiques entre les impératifs d'unité et de diversité. Peu importe la façon dont ces idéaux se matérialiseront, l'idée de départ est que les communautés différentes reconnaissent à la fois leur diversité et le besoin de solidarité, d'où la tension créatrice entre les dynamiques d'autonomie et de coopération : « autonomie réelle, avec la plus grande part de démocratie qui soit réalisable. Coopération sous l'égide d'organes fédéraux, responsables des tâches communes[14]. »

Dans un ouvrage devenu maintenant un classique, K. C. Wheare identifiait certaines institutions essentielles au bon fonctionnement d'un gouvernement fédéral : 1) une constitution écrite ; 2) la reconnaissance du principe de la suprématie de la Constitution ; 3) la présence d'une formule d'amendement garantissant qu'aucun ordre de gouvernement ne pourra modifier unilatéralement le statut et les pouvoirs aussi bien du gouvernement général que des entités fédérées ; 4) la présence d'une institution impartiale (une cour de justice) qui tranche les litiges portant sur la division des pouvoirs ; 5) la représentation des intérêts des entités constitutives au sein des institutions fédérales (cette fonction pouvant être exercée aussi bien au sein d'une seconde chambre, un Sénat où la représentation est préférablement égale, qu'à travers le système de partis)[15]. Plus récemment, reprenant à leur compte les caractéristiques identifiées par Wheare, Raoul Blindenbacher et Ronald L. Watts ont souligné l'importance de la distribution équitable des sources de revenus permettant aux gouvernements d'exercer leur autorité dans les secteurs qui leur sont reconnus constitutionnellement. Ils ont aussi mentionné la nécessité de la mise en place de processus et d'institutions facilitant la collaboration interprovinciale dans les secteurs où les responsabilités sont partagées ou se chevauchent[16]. Les systèmes politiques qui combinent des caractéristiques propres aux États unitaires et fédéraux (par exemple la subordination des États fédérés à l'État général, l'absence de représentation des intérêts des premiers dans les institutions fédérales) sont considérés comme des quasi-fédérations.

Du seul point de vue institutionnel, une fédération se distingue donc d'un État unitaire par un certain nombre de traits distinctifs. La création d'une autorité générale ayant des pouvoirs réels dans des domaines précis s'accompagne de son corollaire, à savoir la présence d'entités politiques constitutives (provinces ou États). C'est grâce à la division constitutionnelle des pouvoirs que les deux ordres de gouvernement se côtoient de manière autonome et distincte. Ils sont chacun en mesure d'exercer leur autorité sur leur territoire et leurs citoyens de manière indépendante et autonome dans des domaines généralement distincts, bien qu'il puisse aussi y avoir des responsabilités partagées[17]. Qui plus est, un système de prise de décision peut être considéré comme fédéraliste s'il s'agit d'une entité constituée de groupes territorialement définis, chacun d'entre eux jouissant d'un degré relativement élevé d'autonomie, et qui participent conjointement, de manière ordonnée et permanente, à la formation de la volonté collective exprimée par l'entité générale[18]. Il y a donc nécessité d'un certain niveau de participation des entités fédérées au processus de prise de décision au sein du gouvernement général. Par ailleurs, l'organisation de l'État est fédérale si la *division* des pouvoirs s'accompagne d'un certain niveau d'*autonomie* à la fois du gouvernement général et des entités fédérées dans leurs propres champs de compétence. Dit autrement, la division des pouvoirs perdrait son sens si les activités des deux ordres de gouvernement se chevauchaient totalement. Les citoyens sont donc gouvernés par plusieurs ordres de gouvernement, chacun étant *souverain* dans les domaines qui lui ont été dévolus par la Constitution.

Le fonctionnement d'un État fédéral implique le refus d'une attitude dogmatique au profit d'une approche pragmatique. Les sociétés fédérales combinent deux qualités indispensables à leur bon fonctionnement : la reconnaissance de l'hétérogénéité et la nécessité de construire des solidarités permettant de faire le pont entre les différences. Comme le faisait remarquer Brugmans, le régime de coexistence entre groupes divers ne peut réussir que si ces derniers recherchent constamment le *compromis*. En ce sens, le critère de la loi majoritaire ne saurait être le seul pris en considération dans les sociétés fédérales. Celui-ci doit être tempéré par l'ouverture au dialogue et à la compréhension mutuelle[19]. Ainsi, « la politique doit viser l'équilibre des pouvoirs autonomes, équilibre sans cesse perdu, sans cesse à rétablir. À la société reconnue hétérogène, doit correspondre une structure politique et administrative pluriforme. [...] [l]e problème est de faire coopérer le plus harmonieusement possible des pouvoirs qui, pour être souvent rivaux, ne doivent pas se neutraliser les uns les autres[20]. » Ces considérations générales sur le nécessaire compromis, la reconnaissance de la différence et l'ouverture au dialogue expliquent pourquoi la question de la distribution des pouvoirs ou, pour reprendre la formule de Wheare, des pouvoirs coordonnés et indépendants, est au cœur des arrangements institutionnels.

Dans une perspective étroitement institutionnelle, fixer définitivement les paramètres d'une fédération est problématique à plusieurs égards. Appréhendé comme une technique pragmatique et prudente de gouvernance[21], l'État fédéral doit changer au gré de l'évolution sociale, de l'émergence de nouveaux problèmes de tous ordres. Ainsi, la distribution des compétences doit aussi faire l'objet d'un réexamen constant. Il y a plus de cinquante ans, Maurice Lamontagne faisait remarquer qu'il était utopique de chercher à élaborer un système définitif de répartition des pouvoirs dans la mesure où les fonctions et les responsabilités de l'État changent et évoluent. Rappelant qu'il faut tenir compte de la complexité des problèmes humains et des exigences variées de leurs solutions, il ajoutait que « le fédéralisme ne saurait être enfermé dans des formules statiques et définitives qui pour autant manquent de réalisme. En tentant de le faire, on aboutit à une rigidité de la structure politique incompatible avec l'évolution économique et sociale[22]. » Cette rigidité est alimentée par une approche plus juridique que politique de la fédération dans la mesure où l'accent est mis sur les aménagements constitutionnels initiaux qui précisent les obligations des uns et des autres[23]. Si la flexibilité est présentée comme une vertu cardinale, ne sont pas précisées les conditions qui doivent présider à l'évolution de la forme fédérative de l'État. Si le principe d'efficience l'emporte sur tous les autres, cela suppose par contre qu'il y a consensus sur ce qui doit être fait, la façon de le faire et la manière d'en évaluer et mesurer les résultats. Il est facile de comprendre ici que la réponse à ces questions élémentaires est en grande partie conditionnée par les préférences politiques des acteurs et des analystes.

L'énumération de caractéristiques institutionnelles jugées indispensables à toute organisation fédérative (par exemple les cinq éléments de Wheare tels qu'ils sont bonifiés par Blindenbacher et Watts), le fait de les décréter exemplaires, et éventuellement d'en faire la promotion comme solution de sortie de crise, s'inscrivent dans une démarche davantage politique et idéologique qu'heuristique. Cela conduit soit à justifier ou condamner des politiques ou des orientations particulières à la lumière de l'idéal type théoriquement construit. L'élaboration d'une « liste de contrôle » des institutions présumément indispensables à la présence d'une « véritable » fédération relève d'un mode de raisonnement mécanique, instrumental, fonctionnel et, compte tenu de la complexité des formes d'organisation possibles, réductionniste. Cette démarche « présuppose l'existence d'un modèle normatif universel à l'aune duquel on cherche à mesurer les différences de situations entre pays qui apparaissent alors plus ou moins proches de ce modèle optimal à atteindre[24] ». Le problème tient au fait qu'une telle liste de contrôle contribue ironiquement à réduire le phénomène fédéral à une forme magnifiée d'expression possible au prix du rejet de toutes les autres formes. Non seulement cela conduit-il à nier la multiplicité des arrangements fédéraux, mais « témoigne également d'un déficit de théorisation du fédéralisme dans les sciences sociales[25] ». D'autre part, la célébration du pragmatisme tend à faire oublier que les rapports sociaux et politiques ne sont pas qu'harmonieux. Les arrangements institutionnels reflètent toujours la présence d'un rapport de force inégal entre les individus, les groupes et les collectivités. Un compromis n'est jamais autre chose qu'un arrangement, souvent bancal, rarement permanent, entre des acteurs politiques.

Bien qu'un système politique de type fédéral doive tout de même se définir à partir d'un certain nombre de caractéristiques institutionnelles, les formes et les modalités particulières adoptées varient d'une société à l'autre en fonction des réalités historiques, des rapports de pouvoir et des conditions économiques, sociales, culturelles et politiques du moment. Pour Bruno Théret, il n'existe cependant pas un modèle normatif du fédéralisme. Il s'agit plutôt d'une idée, d'un principe ou d'un phénomène qui s'exprime, dans la pratique, dans la variété des fédérations existantes[26]. Pour d'autres, le fédéralisme, au centre de l'organisation de la cité, ne peut se concevoir autrement que comme une idée morale tout comme l'est l'idée de démocratie. En ce sens, le fédéralisme se présente aussi comme une philosophie qui se matérialise dans des institutions concrètes. Comme se le demandait Brugmans : « Si le droit n'était que l'objectivation intellectuelle de l'intérêt et que l'intérêt change en entraînant la forfaiture, comment un pouvoir fédératif se maintiendrait-il[27] ?» C'est d'ailleurs à cette question que tente de répondre Samuel LaSelva lorsqu'il se penche sur les fondations morales du fédéralisme canadien. Il soutient que lorsque le fédéralisme est considéré comme une vertu politique, il est presque toujours associé à l'une des dimensions de la liberté et, ce faisant, néglige ou détourne l'attention des aspects moraux de la communauté. Comme vertu politique, le fédéralisme reconnaît que plusieurs identités communautaires puissent coexister sans s'exclure mutuellement. Toutefois, comme vertu morale, le fédéralisme dépasse l'agnosticisme exprimé à l'endroit de la communauté pour affirmer ses dimensions morales[28]. Ainsi, le fédéralisme appréhendé sous l'angle de la philosophie politique met de l'avant une certaine conception de la communauté et des conditions du vouloir vivre ensemble.

Le fédéralisme comme modèle normatif

La prise en compte des dimensions normatives du fédéralisme entraîne des conséquences pratiques qu'il importe de mentionner d'entrée de jeu. La notion de fédéralisme fait référence à la fois à un ensemble d'institutions, mais aussi à un ensemble de principes qui doivent présider à leur mise en place. À cet égard, le fédéralisme ne peut être analysé uniquement sous l'angle de l'organisation du pouvoir, mais impose un détour sur le chemin des idées, des représentations, des valeurs et des idéaux. C'est ce que le philosophe Daniel Weinstock appelle la justification normative du fédéralisme qui consiste à en fonder la désirabilité sur les valeurs que ce système de gouvernement permet de réaliser. Cette justification s'oppose à une autre, qualifiée de purement instrumentale, selon laquelle le choix de cette forme étatique ne serait que le fruit du calcul des avantages procurés et des rapports de force en présence[29]. En somme, il s'agit aussi d'une question d'attitude. Selon Elazar, alors que le fédéralisme est habituellement compris en fonction des structures politiques qu'il met en place, l'idée fédérale fait principalement référence au caractère des relations humaines[30]. Il n'est pas inutile de rappeler qu'à l'origine, le terme latin *fœdus* signifiait union, pacte, accord volontaire ou *covenant*. Il suppose l'existence d'individus autonomes et égaux. À la base de l'association se trouve donc le principe de consentement mutuel, de coopération, de partenariat dans le but de créer un cadre commun tout en préservant l'intégrité des parties constituantes. Cette alliance détermine le type d'agencement social privilégié, souhaité et visé par ceux qui ont pris part au contrat initial[31].

Nous allons nous attarder ici à identifier les principes qui sous-tendent le fédéralisme. Il s'agira moins de nous pencher sur l'organisation administrative fédérale, que nous avons évoquée plus haut, mais plutôt sur ses aspects moraux. Si ces principes peuvent apparaître relativement simples, leur application quant à elle ne l'est pas, ce qui faisait dire à Bergmans que « quiconque proclame qu'il n'y a qu'à appliquer le Fédéralisme n'a rien compris au problème[32] ». Les principes qui sont au cœur du fédéralisme sont peu nombreux et se déclinent sous forme de deux triptyques[33], l'élément principal de chacun d'eux se trouvant au centre[34] :

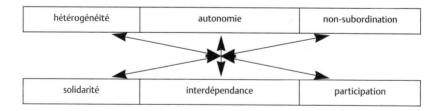

hétérogénéité	autonomie	non-subordination
solidarité	interdépendance	participation

Pourquoi une telle insistance sur la notion d'autonomie ? Une société fédérale repose sur la reconnaissance du pluralisme et de l'hétérogénéité de la société. Elle admet que la démocratie puisse s'épanouir dans un espace politique caractérisé par de nombreuses et profondes divergences de vues entre groupes sociaux territorialement constitués.

S'opposant à une vision unitaire, le pluralisme de la société peut donner lieu à un mode de fonctionnement qui repose non plus sur l'alternance des majorités mais sur le gouvernement conjoint des minorités. Appelée démocratie de pacification ou de consensus par Arend Lijphart, majorité composée pour Elazar, elle remet en question le postulat unitarien, seule source de stabilité et de cohésion sociale et politique, propre à la démocratie de type westminstérien[35]. Cette démocratie, que nous qualifierons ici de fédérale, rejette le principe de la prise de décision à majorité simple puisque les décisions les plus importantes sont prises en faisant appel à des mécanismes (formels ou non) de collaboration.

C'est le pluralisme social, peu importe son origine historique et la façon dont il s'est politiquement constitué, qui impose l'idée du partage des compétences. Le pouvoir d'une structure centrale ne peut et ne doit pas être absolu. Il doit coexister avec la marge d'autonomie des entités fédérées. L'autonomie ainsi reconnue doit être aussi large que possible, et permettre aux groupes participant à la fédération de gérer leurs propres affaires à l'aide des moyens mis à leur disposition. En somme, ce n'est plus la majorité qui gouverne la ou les minorités, mais les minorités qui s'autogouvernent conjointement. La fédération organise cette hétérogénéité et n'oblige pas les « minoritaires » à se plier aux exigences définies par le gouvernement général. Le partage des pouvoirs garantit l'autonomie à la fois des collectivités fédérées et du gouvernement général. Elle suppose qu'elles sont affranchies de toute tutelle ou de tout lien hiérarchique à l'égard du pouvoir général, d'où la notion de non-subordination, d'absence de lien tutélaire, de liberté dans les domaines où elles sont présumées autonomes. En d'autres termes, les entités fédérées disposent d'un ordre juridique et de compétences propres qu'elles peuvent exercer sans craindre l'ingérence du pouvoir central. Elles sont en cela égales à l'État général ou à la collectivité fédérale[36]. De plus, les systèmes fédéraux sont des ordres politiques non centrés du fait, d'une part, de l'absence de pouvoir absolu de l'un ou l'autre des ordres étatiques et, d'autre part, du fait que les domaines relevant des communautés fédérées ne peuvent être centralisés unilatéralement. Non-centralisation et décentralisation sont deux dimensions à la fois distinctes et opposées. La seconde présume une hiérarchie de pouvoir alors que la première présume la non-subordination[37]. Par ailleurs, l'autonomie, pour être en mesure de s'exercer, doit s'accompagner de moyens (financiers, administratifs, législatifs) pouvant lui donner vie, moyens à l'abri des décisions provenant des autres gouvernements[38]. Si les moyens importent dans la mise en œuvre du principe d'autonomie, cette question est moins problématique dans une société politique fédérale puisqu'elle se présente comme l'une des pierres angulaires du mode d'organisation politique[39].

Le principe d'autonomie, qui se justifie par l'hétérogénéité sociale et présuppose un rapport de non-subordination entre communautés constitutives, doit toutefois s'exercer de manière concrète. Affirmer le principe d'autonomie nous oblige à considérer la façon dont la souveraineté est conçue. Si la question de la souveraineté de l'État général ne pose pas vraiment de problème, celle de la souveraineté *dans* l'État fédéral est plus épineuse. Trois approches sont possibles. D'abord, la doctrine trinomique appréhende l'État fédéral comme un État des États, le premier se superposant aux collectivités étatiques qui seraient les États fédérés. La souveraineté repose donc sur l'ensemble du système tel qu'il est codifié par des normes légales. Le champ juridique personnifie l'État de telle sorte que dans la fédération les deux ordres de gouvernement sont décentralisés et disposent d'une partie de la souveraineté : un champ juridique partiel pour l'ensemble du territoire (le gouvernement général ou celui de l'Union) auquel se combinent plusieurs champs juridiques, tout aussi partiels, rattachés aux différents territoires. Les relations entre ces trois ordres (l'ordre juridique auquel s'ajoutent les deux ordres de gouvernement) se caractérisent théoriquement par la coordination (et donc une absence de subordination) puisqu'il y a absence de délégation de pouvoirs entre gouvernements. Celle-ci découle plutôt de l'ordre juridique pour ensuite se matérialiser dans les États. Selon cette première approche, la fédération ne peut être comprise que comme la somme des ordres de gouvernement.

Ensuite, la doctrine dualiste voudrait que la souveraineté au sein du système fédéral soit partagée entre l'État général et ses composantes, chaque ordre étatique agissant de manière autonome et souveraine dans les sphères qui lui ont été attribuées par la constitution. Cette position reconnaît la coexistence des ordres de gouvernement de telle sorte que la souveraineté peut être duale, mais elle peut aussi reposer sur des dispositions juridiques spéciales et circonstanciées.

Enfin, l'État fédéral peut être considéré comme la seule entité souveraine, les différentes composantes n'affichant pas cette qualité. Selon cette approche moniste, la souveraineté est indivisible puisqu'elle représente l'attribut essentiel définissant l'État moderne. Les entités fédérées seraient ainsi non souveraines, affichant un statut correspondant à de simples communautés décentralisées[40]. Dans cette dernière logique, les entités fédérées se voient déniées le statut d'État puisque leurs pouvoirs sont soumis à l'interprétation judiciaire de la constitution fédérale. En d'autres mots, le pouvoir « constituant » subordonne les communautés fédérées qui sont à la merci de l'interprétation de la constitution par le juge fédéral. L'État fédéral est ainsi, pour l'essentiel, un État unitaire décentralisé puisqu'en vertu de la constitution les entités fédérées sont subordonnées à l'État général[41]. Du point de vue juridique et politique, l'État fédéral devrait donc être analysé comme un « complexe de techniques ». Les entités fédérées ne peuvent être comparées à des États souverains parce que leurs pouvoirs découlent de la Constitution, celle-ci n'étant pas un traité international. Elles ne peuvent se retirer unilatéralement de la Constitution et il est souvent possible qu'elles se voient imposer certains amendements à la constitution fédérale sans leur consentement. Le raisonnement tient en fin de compte en peu de mots : les entités fédérées ne sont pas indépendantes en vertu du droit international et ne peuvent donc exercer leur souveraineté[42]. Cette façon de voir repose sur une conception juridique étroite de la souveraineté et oublie commodément de mentionner que l'État général est tout aussi subordonné à la constitution que peuvent l'être les entités fédérées.

Le premier triptyque ne doit pas être utilisé pour justifier le cloisonnement des ordres de gouvernement ou privilégier un fédéralisme exclusivement décentralisateur. L'autonomie et la multiplicité des pouvoirs, à la fois des États fédérés et de l'État général, doivent être équilibrées par la nécessité d'établir des contacts réciproques. Il ne faut pas oublier que la mise en place d'un État fédéral vise à créer un nouvel espace pluriforme où doit s'exprimer la solidarité entre des groupes hétérogènes. La fédération organise cette solidarité sous forme d'institutions communes[43]. Si la volonté de participer à un grand ensemble peut se justifier économiquement, politiquement, militairement et socialement, elle induit aussi certaines responsabilités des entités fédérées à l'endroit de l'espace plus large auquel elles participent. À l'impératif d'autonomie est accolé celui de coopération et de participation.

Qui plus est, les communautés fédérées doivent être conscientes du fait que les décisions qu'elles prennent, même dans leur sphère d'autonomie, peuvent affecter les autres communautés constitutives de l'espace fédéral. Cette interdépendance oblige en quelque sorte la mise en place de mécanismes assurant la concertation et la coopération des communautés entre elles (interdépendance horizontale), et entre les communautés et le gouvernement général (interdépendance verticale). La coopération peut prendre différentes formes et s'exprimer dans différents contextes. Cette nécessité demeure toutefois ambiguë dans la mesure où, par exemple, les communautés fédérées peuvent collaborer pour limiter la volonté du gouvernement général, tout comme celui-ci peut en appeler à la nécessaire coopération pour faire adopter des orientations qu'il juge importantes. En d'autres mots, le terme peut prendre des acceptions différentes selon les acteurs et les intérêts qu'ils promeuvent. Cette ambiguïté souligne que cette notion, utilisée de manière abstraite, est fortement teintée idéologiquement (qui s'oppose, en principe, à la coopération?) et est utilisée comme formule passe-partout pour justifier toutes les formes de collaboration, peu importe leur contenu réel[44]. C'est pourquoi il doit y avoir des mécanismes de collaboration qui donnent corps à ce principe général. De plus, la nécessaire collaboration n'impose pas une obligation de résultat. Celle-ci peut même contribuer à cristalliser les divergences exprimées par les différents gouvernements. En contrepartie, ceux-ci doivent accepter de participer au dialogue portant sur les problèmes communs et ajuster l'organisation fédérale en conséquence. L'organisation des collectivités fut décrite par Brugmans comme un « régime de mutualité », obligeant à la fois le dialogue permanent et le renoncement à tout chantage[45].

Il faut toutefois noter que le recours au principe d'interdépendance (et son pendant qu'est la coopération) peut produire des effets qui annulent le principe d'autonomie (et celui de non-subordination qui l'accompagne). En effet, peu d'auteurs mettent l'accent sur le besoin d'une définition plus claire de l'allocation des responsabilités. La tendance est au contraire d'insister sur le fait que la consolidation des compétences du gouvernement général a contribué à faire disparaître les frontières constitutionnelles. En ce sens, le recours au principe d'interdépendance s'avère le plus souvent une justification pragmatique au glissement des responsabilités d'un ordre de gouvernement (le plus souvent les États fédérés) vers un autre (l'État général). Ainsi, le « fédéralisme coopératif » est souvent compris comme la présence de responsabilités *conjointes* dans le but d'améliorer le bien-être (le contraire serait surprenant) de ceux qui sont conjointement gouvernés. L'accent sur la « coopération » signale plutôt une transformation du rapport de force au sein de la fédération et un retrait des sphères d'autonomie. Frenkel souligne la tendance centralisatrice qui, dans la pratique, accompagne un accroissement de la coopération. Il ajoute même que « ceci a été considéré comme une justification pour l'usurpation du pouvoir au niveau national ou comme [...] une fourberie séculaire à l'égard des communautés constitutives[46] ». C'est dire qu'il importe de circonscrire le principe d'interdépendance avec soin afin d'éviter qu'il ne soit détourné de son sens initial.

Cette dernière mise en garde nous rappelle qu'au-delà du cliché « diversité et unité », le fédéralisme appelle à un changement d'état d'esprit. Pour Elazar, « la première étape consiste à changer d'état d'esprit afin de substituer une pensée étatiste par une pensée fédérale. Une fois ce processus amorcé, les possibilités de combiner plusieurs arrangements, à des degrés divers d'étendue et d'intensité, sont très larges[47]. » Ainsi, pour que l'expérience fédérale puisse fonctionner, il faut que ses différentes composantes (États, groupes, collectivités) abandonnent l'idée selon laquelle la concentration des pouvoirs constitue la meilleure façon de gouverner. En d'autres termes, une culture fédérale doit être valorisée, promue et respectée. Le pluralisme des identités et des préférences fait en sorte que le respect de la liberté peut conduire la forme fédérale à imposer des coûts et un certain niveau « d'inefficience » qui sont réduits dans les États unitaires. Toutefois, ceux-ci sont d'autant plus facilement acceptés que la culture fédérale est forte[48]. Ainsi, le fédéralisme, tout comme les autres formes de gouvernement, constitue une réponse aux valeurs présentes dans les sociétés qui se caractérisent notamment par une importante diversité, un grand pluralisme[49]. Puisque le fédéralisme ne peut se réduire au seul marchandage, son étude doit inclure davantage que le processus de négociation. Les sociétés dites fédérales peuvent faire appel à une grande diversité d'aménagements politiques, mais ceux-ci doivent refléter la diversité constitutive de la société[50]. Ainsi, bien que l'acte politique ayant conduit à l'adoption d'une forme fédérale ait pu être dicté par des considérations économiques ou militaires, le résultat d'un « mariage de raison », pour reprendre l'expression de Maurice Lamontage, le succès ultime du fédéralisme découle de la corrélation existant entre les structures gouvernementales et le consensus social qui lui donne son sens[51]. La gestion des clivages sociaux territorialement définis – qu'ils soient de nature ethnique, culturelle, linguistique ou religieuse – devient une préoccupation majeure.

Ces considérations générales d'ordre institutionnel et normatif nous permettent de dégager cinq aspects qui éclaireront notre façon d'appréhender l'évolution de l'idée fédérale au Canada. D'abord, dans un État fédéral, structures et attitudes sont étroitement liées. L'analyse du mode d'organisation, ses dimensions juridiques et institutionnelles, administratives et politiques, ne peut se faire indépendamment de la représentation des valeurs d'une société. Il doit donc y avoir un rapport de congruence entre les deux. En ce sens, le terme fédéralisme qualifie aussi bien un système de pensée qu'un ensemble d'attitudes, ces derniers se matérialisant dans des institutions particulières. La question centrale est d'analyser dans quelle mesure les institutions et les acteurs politiques se réfèrent aux principes fédéraux lorsqu'ils cherchent à développer des solutions aux problèmes qu'ils relèvent. En d'autres mots, comment la combinaison des deux triptyques qui s'articulent autour des notions d'autonomie et d'interdépendance joue dans le processus politique ; en quels termes les acteurs se réfèrent à ces principes ; dans quelle mesure les représentations de la société font appel aux principes fédéraux.

Deuxièmement, la présence de plusieurs ordres de gouvernement autonomes et, plus généralement, d'une culture fédérale implique à la fois une double loyauté et une identité partagée. Sans cette loyauté s'affichant pour chaque ordre de gouvernement, aucun ne peut continuer à exister[52]. Celle qui s'exprime envers l'État général, intégrateur des solidarités, est tout aussi importante que le renforcement des autonomies collectives. Pour Delmartino et Deschouwer, « loin d'être imposée par la force (institutionnelle), cette loyauté est la conséquence naturelle de la conscience que tous les citoyens contribuent au fait social global à divers niveaux, sans que l'un quelconque de ceux-ci prévale sur les autres[53] ». En d'autres termes, le corollaire au principe d'autonomie (et partage des compétences qui lui donne du sens) est qu'aucun des deux ordres de gouvernement ne peut parler au nom de tous les citoyens et de l'ensemble de la communauté politique. Pas plus l'État général que les États fédérés, pris isolément, ne peuvent, en retour, revendiquer le droit de représenter les collectivités (fédérale ou fédérées) de manière exclusive. À la division des pouvoirs correspond donc la nécessité d'une double loyauté. Entre les ordres de gouvernement, il n'y a pas de rapports de concurrence mais plutôt de complémentarité. Pour pouvoir rendre compte de la totalité des besoins des individus et des collectivités fédérées, il faut prendre en considération *tous* les ordres de gouvernement. Nous revenons encore une fois à la dialectique qui doit prévaloir entre les principes énoncés dans les deux triptyques. De plus, la présence d'une identité partagée, l'identité fédérale, n'implique pas l'abandon d'autres sources d'identités collectives. Celles-ci ne doivent cependant pas apparaître ou être perçues comme une menace à l'égard des intérêts fédéraux et, inversement, l'identité fédérale doit respecter et être ouverte à l'endroit des citoyens appartenant à des collectivités différentes. Pour Weinstock, cette confiance sociale minimale et mutuelle « entre groupes ne partageant pas la même identité nationale ou ethnique générera une identité politique commune qui favorisera l'atteinte des valeurs et des buts sociaux traditionnellement identifiés aux sociétés possédant une forte identité nationale commune[54] ». La promotion de la confiance à l'endroit de l'État général peut être favorisée de diverses manières, notamment en faisant de l'atteinte des intérêts du groupe minoritaire une priorité.

Troisièmement, l'ordre fédéral, qui exprime la multiplicité des pouvoirs à la fois autonomes et interdépendants, ne peut être définitif. Le fait de souligner le caractère intrinsèquement évolutif du régime fédéral n'est pas nouveau. Mais par delà ce truisme, il importe de mentionner que la fédération évolue non seulement parce qu'elle s'expose à des conflits internes, mais aussi parce qu'elle permet de les exprimer et de les affirmer. La question est donc moins de vouloir éliminer les insatisfactions que de les canaliser de manière telle qu'elles participent au renforcement de la culture fédérale. C'est dire qu'un système fédéral doit contenir un mécanisme « d'auto-conservation du principe fédéral » permettant de maintenir un équilibre entre les dynamiques d'unité et de diversité[55].

Quatrièmement, l'importance accordée aux principes normatifs par rapport aux arrangements institutionnels souligne le caractère central de la fonction de légitimation. Cette réalité est d'autant plus importante que l'origine ou le point de départ du système fédéral est interprété comme le résultat d'une entente, d'un pacte ou d'un accord réciproque. Le recours à l'argument du pacte, comme source de légitimité, est invoqué surtout dans les situations où les discussions au sujet de l'avenir de la fédération desservent le compromis tel qu'il est perçu par l'un ou l'autre des acteurs politiques. En d'autres termes, nous pourrions avancer l'hypothèse voulant que l'idée d'entente initiale, de *covenant*, participe au processus de légitimation principalement dans les fédérations qui ne sont pas consolidées, où les attributs de la fédération ne correspondent pas à une identité nationale intégrative qui « incorpore » les différences[56]. Dans les autres cas, les réalités historiques initiales occupent une place secondaire, l'accent étant davantage mis sur l'efficience étatique, ce que le système politique produit comme politiques publiques et les jugements portés sur ces dernières d'un point de vue politico-administratif.

Ainsi, la légitimité fédérale est dans une large mesure tributaire de sa capacité de satisfaire aux principes normatifs. De plus, elle est renforcée par la nécessaire adéquation entre la présence d'une culture fédérale et les institutions qui sont censées l'alimenter[57]. L'absence de l'une et les lacunes des autres ne peuvent faire autrement que plonger un régime politique fédéral dans une crise profonde. Celle-ci prend la forme non pas de désaccords portant sur des choix ponctuels, mais plutôt et plus fondamentalement d'une remise en question des conditions permettant la pérennité de la communauté politique globale, celle qui aurait dû être qualifiée de fédérale.

Finalement, les termes refus du dogmatisme, pragmatisme, compromis, consensus, équilibre, entente, collaboration, solidarité, dialogue, respect mutuel, sont souvent utilisés pour décrire l'attitude qui doit prévaloir dans une « véritable » fédération, tant par rapport à sa création qu'à l'égard de sa gestion ultérieure. Ces notions sont à la base non seulement de la légitimation de tout système politique, mais plus encore du fédéralisme (comme un ensemble de principes normatifs) et des fédérations (qui en sont l'incarnation matérielle). Il nous faut toutefois rappeler que toute forme étatique ainsi que les justifications qui l'entourent sont le résultat d'un rapport de forces donné. Puisque ce dernier change avec le temps, il est normal que les termes tels que compromis, équilibre, pour ne reprendre que ces deux-là, soient réévalués épisodiquement. Il est donc tout autant, sinon davantage, instructif d'analyser le contexte dans lequel ils sont utilisés que d'évaluer l'évolution de la forme fédérative à la lumière d'une grille prédéterminée qui ferait écho à ces notions. Car le pragmatisme des uns peut être perçu comme intransigeance par les autres, le maintien de l'équilibre comme refus de changement, le compromis comme de la compromission, l'appel à la collaboration comme conduisant à une impasse, la référence au consensus comme une volonté de faire taire les voix dissidentes, etc. Se cantonner à ces notions floues, c'est risquer de substituer à une approche herméneutique une volonté de justification idéologique, implicite ou explicite, d'options politiques particulières. D'une recherche de sens on tombe dans une dynamique programmatique et prescriptive : dire aux acteurs et aux institutions comment ils doivent s'amender pour corriger un « défaut » d'interprétation ou de mise en œuvre d'une idée. Il ne faut pas oublier que tous ces mots clés s'inscrivent dans des représentations idéologiques, le rapport signifiant à analyser étant celui qui s'établit entre les idéologies et ses manifestations institutionnelles concrètes. Énoncé mille fois répété mais trop souvent ignoré, l'État a besoin d'une idéologie de légitimation pour établir et maintenir son hégémonie.

L'ÉVOLUTION DU SYSTÈME POLITIQUE CANADIEN OU LE REFUS DE L'IDÉAL FÉDÉRAL

L'interprétation de l'évolution du régime fédéral canadien diffère grandement selon les lieux de production de la connaissance. La tradition québécoise a insisté sur l'esprit qui a présidé à la fondation du Canada fédéral et sur les multiples perversions qui l'ont historiquement dénaturé. L'interprétation qui s'est imposée ailleurs au Canada a plutôt insisté sur les conditions ayant marqué son évolution à la lumière de ce que le régime fédéral a produit comme politiques publiques. Cette section va rappeler les principaux éléments qui alimentent ces deux interprétations, les conclusions qui s'en dégagent et les prescriptions qui sont formulées dans le but de s'assurer la pérennité de la fédération canadienne. Notre attention portera autant sur les aspects institutionnels qui sont soulevés dans la littérature que sur les représentations de l'idéal fédéral sur lesquelles reposent les jugements de valeur qui sont posés sur l'origine, la nature et les solutions aux problèmes auquel le Canada doit faire face. Nous soutenons l'idée à partir de laquelle les représentations contemporaines du fédéralisme se sont articulées il y a de cela plusieurs décennies. Au Québec, la compréhension du fédéralisme et des institutions qui lui donnent vie se retrouve dans les pages du rapport Tremblay, du nom du président de la Commission royale d'enquête sur les problèmes constitutionnels, déposé voilà maintenant cinq décennies. Depuis lors, le débat Québec-Canada reprend presque *in extenso*, en l'adaptant bien entendu aux conjonctures politiques particulières, le mode argumentaire que l'on y retrouve. De la même manière, la littérature d'expression anglaise ainsi que les pratiques du gouvernement général sont tributaires des arguments avancés par la Commission Rowell-Sirois, du nom des co-présidents de la Commission royale sur les rapports entre le Dominion et les provinces, dont le rapport fut déposé en 1940.

Sans vouloir réduire la complexité de l'histoire du régime fédéral canadien à ces deux documents, il n'en demeure pas moins qu'ils ont contribué à façonner la manière dont sont appréhendées les relations intergouvernementales, d'une part, et les relations entre les citoyens et l'État, d'autre part. Les raisonnements que l'on y retrouve respectivement ont alimenté la façon dont les acteurs politiques et les intellectuels ont eux-mêmes compris l'évolution du régime fédéral canadien et ont interprété des événements marquants tels que la mise en place de l'État-providence, le débat constitutionnel qui a culminé avec le rapatriement de la Constitution en 1982, bonifié par une Charte des droits et libertés de la personne et d'une formule d'amendement, suivi de la saga constitutionnelle de Meech et Charlottetown, en passant par la signature de l'Accord de libre-échange nord-américain (inspiré par les recommandations de la Commission Macdonald), et plus globalement, la représentation du rôle dévolu au gouvernement général par rapport à celui des provinces. Nous soutenons la thèse voulant que ces représentations ne respectent pas l'idéal et le projet normatif fédéral qui s'articulent autour des triptyques ayant comme élément central les notions d'autonomie et d'interdépendance. Pour résumer notre argument central en peu de mots, la compréhension dominante dans la littérature d'expression anglaise a évacué toute référence à la notion d'autonomie au profit de celle d'efficacité, alors que celle que nous retrouvons au sein des travaux produits par les chercheurs québécois francophones et les pratiques gouvernementales qui s'en inspirent ont fait une place congrue à la notion d'interdépendance. Si les problèmes institutionnels relatifs au fonctionnement du système fédéral qui sont soulevés dans la littérature sont le plus souvent pertinents, leur intelligence s'inscrit dans un mode de pensée qui laisse peu de place à une compréhension fédérale de la nature des relations qui doivent caractériser une fédération.

Une double fixation : pacte et autonomie

Les travaux portant sur l'évolution du régime fédératif canadien soulignent invariablement son caractère centralisateur et souhaitent la réhabilitation de l'idée fédérative[58]. Ressort de cette interprétation le fait que le régime politique mis en place au Canada n'était pas totalement fédéral compte tenu de la subordination des provinces à l'endroit du gouvernement général. Il ne respectait pas le principe de l'autonomie des provinces, pas plus qu'il permettait à celles-ci de participer aux décisions prises au sein du gouvernement général. Pour l'essentiel, ces propos reprennent et adaptent aux réalités contemporaines les principaux arguments de la Commission Tremblay. Celle-ci a systématisé la façon dont sont définies non seulement la place du Québec dans l'ensemble canadien, mais la forme que doivent prendre et les conditions que doivent respecter les relations interprovinciales et intercommunautaires au sein de la fédération.

Pour les rédacteurs du rapport de la Commission Tremblay, la définition du fédéralisme s'inspire explicitement des travaux classiques d'Albert Dicey, Kenneth C. Wheare et Georges Burdeau[59]. L'accent est mis, d'une part, sur l'équilibre entre les tendances vers l'unité et la pluralité et, d'autre part, sur la présence de deux ordres de gouvernement égaux et coordonnés. Les gouvernements régionaux ont pour mission de veiller aux intérêts particuliers de leurs communautés politiques. La Commission insiste sur le fait que l'action de chaque ordre de gouvernement doit être limitée à sa sphère de compétence à l'intérieur de laquelle il jouit de l'indépendance à l'égard de l'autre. Le principe de la non-subordination occupe une place de choix dans l'échafaudage des institutions fédérales. C'est même « l'idée première et générale

du régime, celle qui s'applique à tout État fédératif authentique[60] ». Cette idée
se traduit institutionnellement à travers le partage des pouvoirs, le principe
de la suprématie de la constitution (et de sa rigidité afin d'éviter qu'elle ne
soit amendée unilatéralement, du moins en ce qui a trait au partage des
pouvoirs) et la suprématie des tribunaux. Ainsi, le bon fonctionnement de
la fédération est garanti par la présence d'une attitude de collaboration qui
s'oppose à la fois à l'esprit de domination et d'unification de la part du gouvernement général et à l'esprit d'indépendance et de séparatisme de la part
des gouvernements régionaux. Les notions de compromis et d'esprit d'association sont ici importantes puisqu'elles condamnent toute rupture du « déli-
cat et minutieux » équilibre en faveur de l'un des gouvernements[61].

La question des origines du système politique est centrale. C'est sa compréhension qui va déterminer la façon dont la fédération est évaluée et son
évolution jugée. La lecture de l'Acte de l'Amérique du Nord britannique de
1867 faite par la Commission Tremblay est celle d'un affrontement entre
deux tendances : l'esprit unitaire personnalisé par John A. Macdonald contre l'esprit fédéral animé par ceux qui luttent pour que les provinces jouissent d'une véritable autonomie et souveraineté[62]. Soutenu par une certaine
lecture des événements ayant conduit à l'adoption de l'Acte de l'Amérique
du Nord britannique de 1867, le rapport clame : « Il ne fait donc aucun doute
qu'au Parlement canadien les Résolutions de Québec furent présentées comme
un pacte interprovincial. [...] la Confédération [est] principalement l'œuvre
des provinces et elle [peut] être qualifiée de pacte interprovincial. C'est d'ailleurs ainsi qu'elle a été présentée au Parlement impérial[63]. » À cette dimension s'ajoute le caractère plurinational de l'organisation fédérale. Il s'agit
d'une union entre non seulement des collectivités territoriales, mais aussi des
communautés nationales, reconnues officiellement par la Constitution, et
qui participent comme telles au fonctionnement du régime. C'est d'ailleurs
cette réalité singulière qui explique en grande partie le fait que le régime politique ainsi créé ait adopté la forme fédérative et non unitaire privilégiée
entre autres par John A. Macdonald.

L'esprit de la fédération repose sur la reconnaissance implicite du traitement égal des deux peuples nationaux présentés comme associés, partenaires, ayant chacun des droits quant à la survivance de leur groupe au sein
de l'union canadienne. Dans cette perspective, la question de l'autonomie

provinciale est vitale dans la mesure où le Québec est la seule province qui compte une majorité française (et catholique) ayant besoin de ses cadres juridiques et politiques pour se « défendre et se maintenir » dans un Canada où la majorité est anglaise (et protestante). En d'autres mots, le Québec se présente comme une société distincte et son statut minoritaire au Canada exige le respect de son autonomie et des pouvoirs qui lui ont été reconnus constitutionnellement (pouvoirs qu'il peut décider d'exercer ou non, là n'est pas véritablement l'enjeu du raisonnement). La fédération politique se double donc d'une fédération nationale. Pour la Commission Tremblay :

> Une fédération de ce genre n'a de chances de bien fonctionner qu'à la condition que, à tous les degrés de l'ordre politique, y règne le véritable esprit fédéraliste, c'est-à-dire l'esprit d'association, de collaboration, de respect de la variété et de la complexité de la vie sociale. Cet esprit est encore plus nécessaire lorsqu'un groupe majoritaire se trouve en mesure de contrôler pratiquement l'appareil gouvernemental et de le faire servir à l'avantage presque exclusif des siens. La tentation devient grande alors d'utiliser le pouvoir étatique, non seulement comme un agent d'union entre tous les groupes, – ce qu'il doit être – mais comme un instrument d'unification et d'assimilation, et peut-être même de domination et d'oppression[64].

C'est pourquoi la Commission se prononce en faveur de la réalisation de l'ordre fédéraliste au lieu de le miner par le recours à des moyens qui relèvent davantage de l'État unitaire.

Pour assurer la cohérence de l'argument, la Commission ne peut pas se contenter d'établir le caractère partenarial de l'Acte de l'Amérique du Nord britannique de 1867 (sous la forme d'un pacte à la fois entre les provinces et entre les nations fondatrices). Elle se doit aussi d'affirmer le caractère véritablement fédéral du système politique. Cette démarche s'impose dans la mesure où la volonté explicite est de légitimer la notion d'autonomie des entités fédérées. Dit autrement, si le régime n'a jamais été une « véritable » fédération, il est impossible d'en appeler aux principes fédéraux pour justifier le respect des compétences provinciales. C'est ainsi que l'inscription dans la Constitution des pouvoirs de désaveu et de réserve, de la nomination des lieutenants-gouverneurs et des juges siégeant en cour criminelle par le gouvernement général, si elle constitue un accroc au principe fédératif, n'en demeure pas moins une exception à la règle générale dans la mesure où l'Acte sauvegarde les exigences fédérales essentielles. Ces accrocs, ces éléments unitaires et résidus impériaux, ne permettent pas au gouvernement général d'empiéter sur les pouvoirs attribués en exclusivité aux gouvernements provinciaux[65]. Le régime politique canadien ne peut donc pas être qualifié de quasi fédéral, contrairement à la thèse avancée par Wheare[66], puisque le principe fédéral y est prédominant et que le principe parlementaire (appliqué aux deux ordres de gouvernement) tend à annuler l'effet des éléments unitaires[67]. Pour la Commission, le débat est clos parce que c'est cette interprétation qui fut officiellement avalisée par les décisions du Comité judiciaire du Conseil privé de Londres.

C'est à l'aune de cette conception que sera jugée l'évolution du régime fédéral canadien d'après-guerre. D'une part, la centralisation du régime politique se mesure en fonction du critère unique de l'intrusion du gouvernement général dans les sphères de compétences provinciales exclusives. D'autre part, sont dénoncés le retour et le progrès de « l'impérialisme » fédéral ou macdonaldien « qui fera revivre au sein de la communauté canadienne le régime des colonies de la Couronne au sein de l'Empire britannique[68] ». Les initiatives du gouvernement général (ententes fiscales, jugements de la Cour suprême instituée en 1949, amendements à la Constitution) s'inscrivent dans une logique unitaire au point où la Commission Tremblay se demande (et répond) :

> Sommes-nous encore en régime fédératif? Aucune réponse simple n'est possible, car si l'interprétation judiciaire nous a donné jusqu'ici un fédéralisme authentique, la politique du gouvernement central depuis la guerre nous impose plutôt un régime quasi fédératif seulement, au point que jamais, depuis la Confédération, les idées si chères à Macdonald sur un gouvernement central fort et puissant se subordonnant les législatures provinciales comme autant d'institutions municipales supérieures n'ont été aussi près de se réaliser qu'en ces dix dernières années[69].

Aux yeux de la Commission, les provinces ont réagi différemment à cette transformation. Certaines ont accepté passivement les conséquences d'une évolution jugée inévitable alors que d'autres ont plutôt pris le parti de se décharger de leurs obligations au profit du gouvernement général. Seules quelques provinces ont cherché à maintenir la plénitude de tous leurs pouvoirs. En somme, le choix qui s'offre peut prendre trois formes : accepter l'unilatéralisme d'inspiration impérialiste du gouvernement général, envisager la voie du séparatisme ou se déclarer fidèle aux principes fédéraux. Déjà, en 1956, sont posées les options qui vont continuer à alimenter la dynamique Québec-Canada au cours des décennies à venir. C'est d'ailleurs au nom de la démocratie et de la stabilité politique que le respect du principe fédéral s'impose car lorsque la province de Québec réclame « une pratique sincère du fédéralisme, elle a conscience de rendre en définitive service à la patrie canadienne tout entière, car elle a compris depuis longtemps – et elle n'est pas la seule à l'avoir fait – que les institutions provinciales vigoureuses sont indispensables à la stabilité politique et au maintien de la démocratie au Canada[70] ».

Si le rapport de la Commission Tremblay consacre l'essentiel de sa réflexion à justifier philosophiquement, historiquement, juridiquement et institutionnellement le principe de l'autonomie provinciale (et ses principes que sont la protection de l'hétérogénéité et la non-subordination), seulement six pages sont consacrées à la manière dont doit se matérialiser le principe d'interdépendance. Bien sûr, la notion de collaboration est évoquée à plusieurs reprises, mais jamais elle ne fait l'objet d'une réflexion sur la manière de l'incorporer dans la pratique fédérative. La question de la coordination des politiques, pourtant essentielle au respect des principes fédéraux, n'a droit qu'à des considérations générales et fort peu contraignantes. Le raisonnement qui est développé dans les six maigres pages du rapport, sous le couvert de la justification normative et institutionnelle du principe de l'interdépendance, contribue plutôt à renforcer « l'esprit fédéraliste » qui se résume au respect de l'autonomie. La Commission Tremblay souligne d'abord qu'en démocratie, les divergences d'opinion sont un fait courant et ne constituent pas nécessairement un mal en soi. Ces divergences appellent une certaine coordination des politiques, qu'il faut d'ailleurs distinguer nettement de l'uniformisation. En cela, le gouvernement général n'est pas le seul détenteur du bien commun. Dans un système à la fois démocratique et fédéraliste, la solution au problème de coordination des politiques ne passe pas par la suppression ou l'affaiblissement des autorités provinciales mais par la capacité de persuasion et la mise en place d'organes communs d'action qui respectent leur liberté et leur dignité. La coordination comporte certes des difficultés, mais les désavantages sont largement compensés par les vertus du régime fédératif (respect des différences). En fin de compte, le rapport propose la mise sur pied d'organismes permanents de collaboration qui fonctionneraient dans un esprit véritablement fédératif[71].

La collaboration dont il est ici question ne vise, en fin de compte, que la préservation de l'autonomie provinciale. Derrière celle-ci se cache la volonté de limiter l'interventionnisme étatique « socialisant » au profit d'une vision traditionnelle et conservatrice des rapports sociaux au Québec[72]. L'autre critique, qui sera formulée notamment par Frank Scott, porte sur l'interprétation de l'Acte de l'Amérique du Nord britannique de 1867 comme étant le fruit d'un pacte dont l'objectif était de garantir à la communauté minoritaire les conditions lui permettant d'assurer son épanouissement : « Mais en faisant de cet objectif le seul du fédéralisme canadien, en postulant ainsi que certains éléments sont essentiels à la préservation d'une culture et en choisissant le gouvernement du Québec comme le seul représentant de cette culture, nous en arrivons à des conclusions radicales[73]. » Il s'agit du rejet de la reconnaissance de la contribution que les Québécois (et partant leur État) pourraient apporter à la construction de la communauté politique canadienne. Et Frank Scott de poursuivre : « Il s'agit cependant d'un argument unidimensionnel et non, comme le rapport de la Commission Rowell-Sirois qui l'avait précédé, d'une tentative de présenter une synthèse acceptable des deux thèses opposées[74]. » La théorie du pacte lui apparaît donc comme étant à la fois négative (en faisant peu de cas de la construction de la communauté politique canadienne) et statique (en empêchant toute modification constitutionnelle). Elle n'offre pas de critères pour déterminer dans quelle mesure la Constitution est adéquate pour répondre aux défis contemporains. Elle ne fournit aucun argument pouvant justifier toute modification à l'autonomie provinciale au-delà de ce qui est prévu dans la Constitution de 1867. Le rejet de la théorie du pacte par Scott s'explique cependant moins par une référence au principe de l'interdépendance (il propose une lecture légaliste plutôt que sociale de la Constitution) que par le fait qu'elle contribue à légitimer la thèse des deux nations fondatrices selon laquelle le Québec cesse d'être une province comme les autres placée sous la férule du gouvernement « national » localisé à Ottawa. En somme, c'est la dualité constitutive de l'État fédéral qui est jetée aux orties au profit d'une lecture qui privilégie les principes unitaires qui sont au cœur de l'organisation des institutions canadiennes (qu'elles soient fédérales ou non importe peu en fin de compte).

Cette critique de la critique de Scott ne doit pas nous faire oublier qu'il a cependant vu juste au sujet du caractère négatif (ou défensif) de l'approche privilégiée par la Commission Tremblay. Celle-ci semble oublier que même si la théorie politique fédéraliste était somme toute assez élémentaire au milieu du XIXe siècle[75], la notion de fédération faisait référence à l'idée d'association et de traité. Comme nous le rappelle LaSelva, le projet politique de Georges-Étienne Cartier, l'un des Pères de la Confédération, était de créer une nouvelle communauté politique tout en voulant préserver les droits et les intérêts des entités fédérées[76]. En d'autres termes, c'est la diversité constitutive, à savoir les identités multiples, qui garantiront le bon fonctionnement du système fédératif. Le projet visait donc à fonder une nouvelle communauté politique (qualifiée de nouvelle forme de nationalité) sur la base des communautés existantes[77].

L'insistance sur le principe d'autonomie au détriment du principe d'interdépendance pourrait s'expliquer par le fait que l'accent a été mis, dès les premiers débats entourant le projet de création d'une (con)fédération, sur le fait que le Canada français constituait, sur les plans géographique et ethnique, la nationalité la plus homogène et la plus importante au sein de l'espace colonial. Silver nous rappelle qu'une adéquation était faite entre le Canada français et le Bas-Canada : « Découlait de cette équation que l'autonomie provinciale devait être privilégiée afin d'assurer par l'entremise de la Constitution la préservation des intérêts des Canadiens français[78]. » Ainsi, dans le discours politique de l'époque, la nécessité de rassurer les Canadiens français au sujet de leurs droits civils et religieux était soulignée à double trait, ceux-ci étant protégés par le cloisonnement des pouvoirs dévolus aux deux ordres de gouvernement et le respect du principe de l'autonomie provinciale. Mais l'interprétation du projet fédératif n'était pas univoque comme en font foi les débats tenus dans les différentes assemblées législatives portant sur sa signification et ses enjeux[79]. Les critiques à l'endroit du caractère impérial du processus ayant mené à l'Acte de l'Amérique du Nord britannique (pressions du Colonial Office de Londres), de l'absence de consultation des assemblées législatives, du fait que les négociations avaient été tenues secrètes, du caractère impérial du nouveau régime politique, n'ont pas manqué[80]. Néanmoins, au Bas-Canada, la propagande des tenants du projet fédéral a surtout mis l'accent sur la question de l'autonomie provinciale et l'adéquation entre le Canada français et ce qui allait devenir la province de Québec. L'historien Arthur Silver a démontré que les pouvoirs qui seraient attribués au gouvernement d'Ottawa ont quant à eux été grandement minimisés dans la façon dont le projet confédératif fut présenté[81].

Il n'est pas étonnant que la Commission Tremblay ait tant insisté sur le premier principe (autonomie) et presque complètement passé sous silence le second (interdépendance). Cette distorsion n'en constitue pas moins une entorse à l'idéal fédéral. Elle a profondément marqué la façon dont le discours politique s'est articulé autour de la question de la dynamique Québec-Canada.

La dynamique Québec-Canada, depuis la fin de la Deuxième Guerre mondiale, a été évaluée en fonction de la grille qui a été systématisée par la Commission Tremblay en 1956. Les circonstances changent, mais les questions demeurent toujours plus ou moins les mêmes et les conclusions sont invariablement identiques. La centralisation du régime est fonction des empiètements fort nombreux du gouvernement général dans les sphères de compétence établies en 1867. Le non-respect de la division initiale des pouvoirs couplé à un interventionnisme de plus en plus marqué du gouvernement général se sont traduits par la mise en place d'un régime politique unitaire, sinon impérial, tel qu'il était craint par la Commission Tremblay.

Comme le mentionnent Gilles Bourque et Jules Duchastel, jusqu'aux années 1960, le refus du gouvernement québécois d'embrasser les principes de l'État-providence a empêché toute évolution de la représentation ethniciste dominante. Le passage à l'État-providence produira cependant les mêmes résultats au Québec, « communauté essentiellement politique, la nation québécoise s'identifie dorénavant au territoire et à l'État québécois[82] ». Toutefois, contrairement à ce qui s'était produit au Canada qui, de par son nationalisme civique hégémonique, pouvait mettre de l'avant une citoyenneté universaliste (nous reviendrons sur cet aspect un peu plus loin), la représentation de la communauté politique québécoise, de par son caractère minoritaire, ne peut faire abstraction de sa référence culturelle. Ce faisant, « le nationalisme politico-culturaliste québécois ne saurait être intégré sans heurts à l'idéologie nationale de la citoyenneté particulariste canadienne[83] ». Les gouvernements qui se sont succédé à Québec se sont tous attribué la responsabilité de représenter cette communauté (définie comme la nation québécoise) au sein de l'espace politique canadien[84]. Ils ont cherché à obtenir la reconnaissance non seulement de l'existence de la nation québécoise, mais surtout du fait qu'elle est légitimement représentée par son gouvernement provincial (l'État du Québec), qui est seul en mesure d'en comprendre les aspirations, de satisfaire à ses besoins et d'en définir l'avenir.

Découle de cette reconnaissance le besoin de voir le gouvernement général respecter les compétences provinciales. Au cours de la Révolution tranquille, le gouvernement du Québec a exigé une refonte de la Constitution et cherché à obtenir les pouvoirs jugés indispensables à son affirmation identitaire dans toutes les sphères d'activité (économique, sociale, politique et culturelle). Le rôle étendu que l'État québécois entend jouer est à la base de l'argument en faveur de l'obtention d'un statut particulier ou d'un fédéralisme asymétrique. Comme le disait Jean-Jacques Bertrand en 1969 : « Ce qui importe pour les Canadiens français du Québec, ce n'est pas de pouvoir parler leur langue partout au Canada, mais de pouvoir collectivement vivre en français, se construire une société qui leur ressemble. Cela n'est vraiment possible que si le gouvernement du Québec possède des pouvoirs proportionnés aux tâches que sa population attend de lui[85]. » C'est à peu près dans les mêmes termes que près de trente ans plus tard, le premier ministre Lucien Bouchard affirmait que : « Les gouvernements du Québec qui se sont succédé, indépendamment de leur option politique, ont toujours cherché à raffermir les compétences de l'État québécois de manière à favoriser la maîtrise par le peuple qui l'habite de son développement économique, social et culturel ainsi que de ses institutions politiques[86]. » Les limites territoriales de cette « société qui leur ressemble » sont celles du Québec. L'intervention du gouvernement général dans les compétences provinciales est malvenue. Si le gouvernement général verse des subventions, celles-ci doivent non seulement être approuvées par le gouvernement québécois, mais n'être assorties d'aucune condition.

La dynamique Québec-Canada se décline sous plusieurs vocables : attachement au principe de l'autonomie, respect et élargissement des compétences provinciales, obtention d'un statut particulier et fédéralisme asymétrique. La position des gouvernements québécois (et de la majorité des intellectuels) n'est pas celle d'un repli sur le Québec. Il s'agit plutôt de la construction, et de sa légitimation, d'un espace politique « national » qui correspond aux particularités avérées et proclamées du Québec qui se définit comme une « société globale »[87]. Il est remarquable de constater que cette construction s'est opérée, aussi bien sur le plan discursif qu'en ce qui concerne la nature des rapports étatiques Québec-Canada, sur la base d'une non-participation du Québec à l'édification de la communauté politique canadienne. En d'autres termes, le rapport est d'abord de nature utilitariste (le premier ministre Robert Bourassa parlait de « fédéralisme rentable »).

Sur le plan de la logique formelle, l'insistance mise sur la représentation du régime fédératif comme le résultat d'un pacte, remarquablement argumentée dans les travaux de la Commission Tremblay, fonde les trois options politiques identifiées par celle-ci et qui furent au centre de l'actualité politique des cinq dernières décennies : acceptation de l'unitarisme, séparatisme ou réforme s'inspirant du « véritable » esprit fédéraliste. Le projet politique souverainiste s'inscrit en dehors de la logique fédérale. Par contre, la troisième option, celle qui se veut fidèle aux principes fédéraux, a toujours davantage insisté sur la défense de l'autonomie que sur ses dimensions liées à l'interdépendance. Le gouvernement dirigé par Jean Charest est sans nul doute l'un de ceux qui a le plus cherché à réarticuler la vision fédéraliste du Québec. Benoît Pelletier, le ministre délégué aux Affaires intergouvernementales canadiennes, a déterminé les trois notions qui constituent, selon lui, l'essence de la position du gouvernement du Québec en matière d'affaires intergouvernementales : affirmation, autonomie et leadership (voir sa contribution dans ce livre).

C'est en articulant ces trois principes que le gouvernement du Québec justifie la mise en place du Conseil de la fédération (CF). Elle repose sur un constat fort négatif de la façon dont le régime fédéral a évolué au cours des trois dernières décennies. En fait, le jugement porté sur la manière d'agir du gouvernement fédéral est implacable. On lui reproche de banaliser le statut constitutionnel des provinces par la mise en place de « partenariats », les contournant par le fait même ; de s'immiscer dans leurs champs de compétence entraînant une confusion pour les citoyens qui ignorent qui est responsable des secteurs d'activité ; de refuser de collaborer avec elles ; et de nier l'existence du déséquilibre fiscal. Ce déséquilibre permet au gouvernement fédéral d'envahir les domaines de compétence provinciale par l'utilisation du pouvoir fédéral de dépenser. De plus, Ottawa a tendance à assortir l'augmentation de ses transferts de conditions qui limitent leur pouvoir d'intervention, leur autonomie et leurs particularités. En somme, non seulement ces tendances affaiblissent-elles le fédéralisme canadien, mais elles sont incompatibles avec les principes fédéraux. Ces derniers exigent le respect du rôle constitutionnel dévolu à chaque ordre de gouvernement et le refus d'imposer un rapport de subordination.

C'est donc pour contrer ces multiples « perversions » que les gouvernements provinciaux ont accepté, à l'invitation du gouvernement du Québec, de créer en décembre 2003 le CF. Le but avoué est de « leur redonner l'influence ainsi que la force nécessaire pour qu'ils deviennent de véritables partenaires dans le Canada de demain ». Cette nouvelle institution cherche à contrer l'idée selon laquelle seul le gouvernement général peut être l'architecte du projet canadien de sorte que l'élaboration des politiques dans les matières intéressant les deux ordres de gouvernement prenne en compte le point de vue des provinces[88]. Dans le passé, le gouvernement fédéral a pu facilement s'immiscer dans les domaines relevant constitutionnellement des provinces en profitant de la division de ces dernières. Cette approche défensive se combine toutefois à ce que le ministre Pelletier appelle les « nécessités fédératives » : solidarité, mise en commun des risques et des chances économiques et sociales, partage de l'information et de l'expertise, pleine participation au développement du Canada (voir Annexe). Celles-ci ne sauraient toutefois compenser à elles seules le déséquilibre structurel en ce qui a trait aux pouvoirs concrets que possèdent et exercent les deux ordres de gouvernement. Ce déséquilibre repose sur l'élargissement des pouvoirs du gouvernement général par l'invocation de la théorie des dimensions nationales, les pouvoirs résiduel et déclaratoire, le pouvoir de dépenser, le pouvoir d'effectuer des nominations, l'interprétation centralisatrice de la Constitution par la Cour suprême[89].

Le Conseil cherche donc à réactualiser les principes fondateurs du régime fédératif canadien, à savoir le respect de la Constitution, le respect du rôle de chaque ordre de gouvernement et le respect de différences inhérentes que la fédération a pour fonction d'accueillir[90]. Il s'agit ni plus ni moins d'un retour au « fédéralisme coopératif » que le premier ministre Jean Lesage définissait, déjà en 1964, comme « le début d'une nouvelle ère dans les relations fédérales-provinciales et l'adaptation dynamique du fédéralisme canadien. Le fédéralisme doit se manifester de trois façons : 1) une coopération régulière au moment de la prise de décisions au sujet de nouvelles politiques ; 2) une consultation constante dans l'application des politiques ; 3) la remise aux provinces des ressources financières nécessaires pour s'acquitter de leurs responsabilités accrues[91] ». Difficile de soutenir que le vocabulaire a beaucoup changé au cours de cette période.

Du point de vue des institutions politiques et du projet normatif que le fédéralisme est censé porter, l'approche dominante au Québec est problématique à plusieurs égards. D'abord, l'insistance mise sur les notions de pluralisme/autonomie/non-subordination est nettement disproportionnée par rapport à celle portant sur les aspects qui entourent la notion d'interdépendance. Ce déséquilibre était présent dans les travaux de la Commission Tremblay et n'a fait que se reproduire par la suite. La volonté affirmée de construire la « société globale » québécoise s'est traduite soit en privilégiant l'élargissement des sphères de souveraineté de l'État québécois, soit en cherchant tout simplement à se dissocier de l'espace politique canadien. Dans ce contexte, la nécessaire double loyauté au sein de l'espace fédéral s'est avérée impossible à articuler de manière complémentaire. Par ailleurs, si l'approche québécoise du régime politique canadien ne s'est pas montrée réfractaire à toute modification du partage des champs de compétence, les préoccupations constitutionnelles véhiculées par les élites politiques québécoises s'inscrivaient ou bien dans le projet d'une construction de la « société globale » québécoise peu sensible au besoin de participer à l'édification de la communauté politique canadienne, ou bien dans le rejet de toute évolution « pragmatique » de la Constitution qui justifierait un décloisonnement des compétences ou une intervention du gouvernement général dans les champs initialement attribués aux provinces.

Finalement, la difficulté de mettre de l'avant l'idéal fédératif de la part de ces élites québécoises relève peut-être tout simplement d'une impossibilité. En effet, une lecture dominante de ce qui fut fondé en 1867 et qui serait partagé par les élites politiques et institutionnelles dans l'ensemble du Canada ne s'est jamais imposée. Au contraire, l'interprétation québécoise renvoie à l'idée du pacte original, du respect de la diversité constitutive initiale. Cette idée a toujours été problématique : soit qu'elle fut rejetée en raison de son caractère mythique[92], soit qu'elle fut déclarée incompatible avec la représentation dominante qui s'est imposée dans le reste du pays, soit que la fondation du Canada repose sur une ambiguïté originelle qui devrait être clarifiée[93]. En 1958, Arthur Lower jugeait que ces multiples interprétations, couplées à l'arrogance affichée par un certain nombre de Canadiens d'expression anglaise, étaient à la source des tensions et des animosités qui ne pouvaient que mettre le Canada en péril[94]. Près d'un demi-siècle plus tard, certains auteurs font toujours le même constat[95].

Une double préoccupation : performance et légitimité

L'interprétation de l'évolution du régime fédéral qui s'est imposée dans la littérature d'expression anglaise met l'accent sur le passage d'un système hautement centralisé, puisque le gouvernement général pouvait intervenir dans les compétences exclusives provinciales en utilisant ses pouvoirs déclaratoire, de réserve et de désaveu, à l'un des systèmes fédéraux les plus décentralisés au monde[96]. La trame narrative est généralement la suivante. Le recours à ces mécanismes unitaires a diminué avec le temps au point où le pouvoir de désaveu n'a pas été évoqué depuis 1943. Par ailleurs, à la demande de certaines provinces, dont l'Ontario, le Comité judiciaire du Conseil privé à Londres a rendu plusieurs décisions qui ont contribué à « fédéraliser » le régime politique en forçant le gouvernement général à respecter le partage initial des compétences. Ainsi, l'autorité des provinces s'est vue confirmée et la subordination de celle-ci à l'endroit du gouvernement général fut, par le fait même, atténuée. Le cloisonnement des compétences qui limitait la possibilité d'action du gouvernement général, imposé par une interprétation du Comité judiciaire, qualifiée par Wheare de contraignante ou de rigide, a empêché de répondre de manière efficace aux défis économiques et sociaux posés par la Grande Dépression. Toutefois, à partir du milieu des années 1940, le recours aux mécanismes de coopération intergouvernementale a rendu possible la construction de l'État-providence. Ces changements ont pu se réaliser sans qu'il soit nécessaire de modifier le texte de la Constitution.

En fin de compte, la croissance de l'État canadien a rendu caduc le modèle fédératif cloisonné. Cela s'est traduit par une réinterprétation des fins du régime fédéral qui visait moins à accommoder les communautés constitutives qu'à favoriser une approche « pragmatique » du partage des compétences. Par ailleurs, la croissance de l'interventionnisme étatique ne s'est pas limitée au gouvernement général dans la mesure où les provinces sont elles aussi devenues plus actives dans les domaines de la santé, de l'éducation, de la protection sociale et du développement économique. Le développement de l'interventionnisme étatique a fait en sorte que les gouvernements sont entrés dans des rapports de concurrence pour entre autres s'assurer de la loyauté des citoyens[97]. Le fédéralisme d'après-guerre se caractérise donc par un plus grand chevauchement des compétences, une interdépendance des politiques et un niveau plus élevé de concurrence intergouvernementale. Se sont donc mis en place des mécanismes de « collaboration intergouvernementale » pour gérer ces multiples chevauchements sous la forme d'un fédéralisme exécutif de plus en plus actif.

En somme, le fédéralisme est présenté d'abord et avant tout comme une *formule* ou un *arrangement* relatif à l'exercice du pouvoir au Canada. Vue sous l'angle fonctionnel, l'évaluation globale du régime politique canadien est généralement positive en dépit des tensions que l'on y retrouve invariablement. Herman Bakvis et Grace Skogstad ont bien résumé ce point de vue lorsqu'ils affirment :

> Peu importe l'angle privilégié, force est d'admettre que le cadre institutionnel et constitutionnel du fédéralisme canadien a bien rempli sa mission. Le document constitutionnel initial, la *Loi constitutionnelle de 1867*, a permis, entre autres, l'union politique et économique du Canada ; de manière capitale, elle a permis de répondre aux besoins uniques du Québec à cette époque. Plus tard, les ajustements aux pouvoirs fédéraux et provinciaux suite aux décisions judiciaires, les amendements formels ou les changements aux conventions, ont permis au fédéralisme canadien de s'adapter aux transformations majeures attribuables à l'entrée de nouvelles provinces dans la fédération, à la guerre, au développement économique, à la dépression et aux nouveaux défis en matière de politiques publiques[98].

L'objet de l'Acte de l'Amérique du Nord britannique était de créer une union politique et économique et de répondre aux besoins exprimés par le Québec en 1867. La suite de l'histoire est faite d'adaptations aux nouvelles réalités économiques et politiques. Puisque le Canada a survécu à ces changements, on ne peut tautologiquement conclure qu'au succès de l'expérience fédérale.

Dans l'ensemble, les critères permettant d'évaluer l'évolution du régime politique canadien font peu de cas des dimensions qui renvoient au projet normatif fédéral[99]. Richard Simeon faisait d'ailleurs remarquer que les études récentes ont surtout mis l'accent sur l'analyse de l'efficience des politiques publiques. Les jugements de valeur posés portent moins sur les notions d'autonomie et d'interdépendance que sur les thèmes de la démocratie et de l'accès aux lieux d'exercice du pouvoir, de la justice sociale, de l'égalité et, accessoirement, de l'accommodement des communautés constitutives (québécoise et autochtones)[100]. De plus, l'analyse proposée par Richard Simeon et D.-P. Conway des conditions d'une gestion adéquate des conflits dans les démocraties multinationales ne prend jamais en compte la signification que les acteurs attribuent au projet fédéral puisque ce dernier n'est appréhendé qu'en fonction des institutions mises en place au sein des régimes dits fédéraux[101]. Bakvis et Skogstad illustrent bien ce changement de perspective lorsqu'ils énumèrent les trois critères à privilégier : performance, efficacité et légitimité. De faibles performances, induites par le blocage des relations intergouvernementales et du fédéralisme exécutif, vont normalement conduire à des politiques publiques inefficaces. Les problèmes ne seront pas résolus. La recherche du consensus interprovincial, généralement considéré comme un indicateur de la bonne performance de la fédération, ne conduit pas nécessairement à des politiques efficaces. Il peut en effet y avoir consensus autour de la volonté d'ignorer un problème par ailleurs important. La légitimité du régime politique risque d'être prise à partie si celui-ci s'avère incapable, d'une part, de répondre aux besoins exprimés par les citoyens et, d'autre part, de démontrer suffisamment de flexibilité pour prendre en compte les préférences régionales. Les citoyens vont donc accorder leur appui aux pratiques fédérales si celles-ci produisent des politiques publiques jugées efficaces et si les processus politiques sont ouverts, transparents et imputables[102]. C'est dire que le fédéralisme a été davantage jugé au Canada anglais sur la base de ce qu'il produit que sur les principes qui l'animent[103].

Cette approche pragmatique, gestionnaire et fonctionnelle correspond à ce que Simeon et Robinson appellent par ailleurs le fédéralisme « moderne ». Celui-ci tire ses origines de la mise en place graduelle de l'État-providence qui a conduit à un décloisonnement des compétences. Loin de se traduire par une plus grande décentralisation, cette modernisation s'est effectuée par la croissance des deux ordres de gouvernement, le chevauchement des compétences et la mise sur pied de mécanismes de coopération. La notion de décentralisation n'est jamais clairement définie, mais elle renvoie implicitement à une augmentation de l'influence des gouvernements provinciaux (qui se mesure entre autres par le poids des dépenses publiques provinciales par rapport à celles engagées par le gouvernement central et le nombre de fonctionnaires dans chacune des administrations) par opposition à la consolidation exclusive de l'autorité du gouvernement général. Dans cette perspective, il importe peu que le partage des compétences soit respecté ou non. La prolifération de politiques publiques a considérablement accru le niveau d'interdépendance entre les ordres de gouvernement au point où le partage initial des compétences n'est plus une référence. Elle a aussi limité la capacité du gouvernement général d'agir unilatéralement, d'où la décentralisation associée à l'accroissement de l'interventionnisme étatique et à l'obligation pratique de tenir compte des intérêts provinciaux : « De plus en plus, le gouvernement fédéral se trouve dans l'obligation de consulter, de coordonner et, inévitablement, de faire des compromis face à la croissance des conflits fédéraux-provinciaux ; cela se traduit par le déclin de l'efficacité du système fédéral qui repose plus que jamais sur la bonne volonté intergouvernementale pour fonctionner de manière cohérente[104]. »

Ce mode d'appréhension du fédéralisme canadien, l'insistance mise sur son efficience, sa transparence, sa légitimité et, plus spécifiquement sur sa capacité à approfondir l'espace démocratique, n'est pas nouveau. Déjà en 1940, le rapport Rowell-Sirois avait mis de l'avant un discours politique où les concepts d'efficacité, de rationalisation, d'équité (fiscale) entre les deux ordres de gouvernement, de flexibilité constitutionnelle et d'unité nationale occupaient une place centrale[105]. D'ailleurs, la quête d'efficience et le rééquilibrage des relations fédérales-provinciales étaient au cœur du mandat de la Commission. Toutefois, dès la publication du rapport, les observateurs n'ont pas manqué de noter l'absence de toute réflexion approfondie sur les principes sous-jacents au régime fédératif canadien[106]. Tout comme ce fut le cas pour la Commission Tremblay, la Commission Rowell-Sirois va jouer un rôle déterminant dans la façon dont sera compris le régime fédéral dans l'ensemble du Canada.

Pour la Commission Rowell-Sirois, la Grande Dépression a démontré sans l'ombre d'un doute que le système politique canadien, avec son cloisonnement des responsabilités et le partage des ressources fiscales qui en découlait, était mal équipé pour gérer de manière efficace les anémiques programmes de protection sociale qui existaient à l'époque. Les provinces étaient dans l'incapacité de faire face aux nouveaux besoins faute de ressources financières adéquates, leurs dépenses étaient incompressibles et les revenus de taxation étaient inégalement répartis entre elles (il était déjà question du déséquilibre fiscal horizontal)[107]. La conclusion qui s'imposa était que le bien-être général ne pouvait être assuré par les provinces et que la Constitution était mal adaptée aux nouvelles conditions sociales et économiques. Pour Maurice Lamontagne, « la souveraineté des provinces était devenue un danger beaucoup plus qu'une protection, par la suite de l'importance des tâches à accomplir et des difficultés à surmonter[108] ». En d'autres termes, la stabilité économique à long terme ainsi que le bien-être de l'ensemble des Canadiens ne peuvent être assurés adéquatement que par le gouvernement général, d'où la place dominante que celui-ci doit occuper dans l'organisation politique.

Au-delà des constats posés par la Commission Rowell-Sirois sur le partage des ressources financières et les mécanismes souhaitables de dévolution des pouvoirs des provinces vers le gouvernement général, la philosophie générale qui s'en dégage cherche à légitimer une approche plus fonctionnelle du régime fédératif. Cela étant, le principe de l'autonomie provinciale n'a jamais directement été remis en question dans les domaines de la santé, du bien-être et de l'éducation[109], tout comme la centralisation des pouvoirs ne fut jamais favorisée afin de respecter les particularismes régionaux. Si ces champs de compétence relèvent clairement des provinces, la Commission ne peut en dire autant des domaines de l'assurance-chômage et des pensions de vieillesse qui possèdent un caractère national inhérent. Nulle part il n'est expliqué pourquoi un domaine relève de manière « inhérente » du gouvernement général alors que les autres doivent continuer à être sous la responsabilité des provinces[110]. Néanmoins, la Commission a rejeté l'idée voulant que le gouvernement général obtienne la responsabilité de définir seul les normes devant être respectées par les provinces[111].

La nouveauté de l'approche mise de l'avant dans le rapport Rowell-Sirois ne vient donc pas de la recherche d'un nouveau partage des pouvoirs au profit du gouvernement général, mais plutôt du plaidoyer en faveur du décloisonnement du fédéralisme. À cet égard, la notion d'interdépendance trouve dans le rapport Rowell-Sirois ses assises argumentaires. Ainsi, si le gouvernement général (le Dominion pour reprendre la terminologie de l'époque) et les provinces doivent coopérer dans la mise en place des politiques, aucun ordre de gouvernement ne peut imposer son autorité dans la poursuite des objectifs conjointement définis[112]. Toutefois, la Commission défend avec vigueur le principe de la délégation des pouvoirs. Cette pratique éviterait les chevauchements et réduirait d'autant les rivalités administratives et politiques entre les ordres de gouvernement.

Si la question de la promotion de l'unité nationale, pourtant mentionnée dans le mandat de la Commission Rowell-Sirois, n'a pas fait l'objet de longs développements, sa désirabilité n'est toutefois jamais remise en cause et sa recherche ne peut se justifier que pour des raisons pragmatiques. Pour la Commission, « [L]es Canadiens sont si fiers de l'unité nationale à laquelle ils sont parvenus et sont si respectueux du système fédéral qui l'a rendue possible, qu'il existe de réels dangers à leur façon abstraite de penser à l'unité nationale et au système fédéral, comme si ceux-ci affichent [*sic*] des mérites spéciaux qui les rendent [*sic*] désirables pour eux-mêmes[113] ». On ne saurait donc justifier une vision unitaire du Canada en invoquant la nécessité de renforcer l'unité nationale. Cette mise en garde date bien entendu d'une époque où la consolidation d'une identité canadienne détachée de l'Empire britannique n'en était qu'à ses premiers balbutiements. Si la Commission Rowell-Sirois nous apparaît comme un point tournant dans la façon dont le fédéralisme fut appréhendé, c'est entre autres parce que le débat public s'est davantage intéressé à la question de la division des pouvoirs et aux politiques pouvant être adoptées dans le cadre du fédéralisme plutôt qu'à la question des rapports intercommunautaires. L'édification de l'État canadien a conduit à l'émergence de nouvelles interrogations portant sur la signification de la « natio-nalité » canadienne et sur le nouveau rôle que devait jouer l'État autour d'enjeux économiques et sociaux[114].

Bien que la conférence fédérale-provinciale tenue en janvier 1941 n'ait pas donné suite aux principales recommandations du rapport, certaines provinces (l'Ontario, la Colombie-Britannique et l'Alberta) ont rejeté les nouveaux aménagements fiscaux qui auraient grandement miné leur capacité d'action. Au Québec, le premier ministre Adélard Godbout fut vertement critiqué pour ne pas avoir défendu avec vigueur le principe de l'autonomie provinciale[115]. En dépit des oppositions qui s'exprimèrent dans certaines capitales provinciales, l'émergence de l'État-providence est venue confirmer la nécessité d'un nouveau mode de régulation des rapports économiques et sociaux à l'échelle du pays. S'imposent les références aux notions de citoyen, de peuple, et l'usage croissant du qualificatif « national » pour légitimer l'interventionnisme étatique en provenance d'Ottawa. Dans la foulée de ce mode de pensée, émerge « la notion de *citoyen*, qui s'inscrit [...] dans une perspective résolument providentialiste, [et qui] contribue [...] à la représentation du *pays* comme totalité[116] ». Ironiquement, les références discursives à l'image du national illustrent l'établissement d'une « citoyenneté nationale populaire qui, paradoxalement, fait l'économie de l'idée de *nation*[117] ». L'absence de référence identitaire articulée autour de l'idée de nation a été comblée, d'une part, par la représentation de la communauté autour des notions de citoyen, de peuple et du qualificatif « national » et, d'autre part, par l'idée de société. Cette dernière idée cristallise en quelque sorte le caractère éclaté du Canada dans la mesure où la société se présente à la fois comme la somme des particularismes et le lieu de l'affirmation de la citoyenneté.

Dès le début des années 1950, ce virage vers l'édification de la « nation » canadienne s'impose dans le discours public. Le rapport de la Commission Massey qui se penche sur l'avancement des lettres au Canada évoquait sa conception du bien commun devant être poursuivi par le gouvernement général :

> Si le gouvernement fédéral doit renoncer au droit de s'associer avec d'autres groupes sociaux, de caractère public ou privé, en vue de l'éducation générale du citoyen canadien, il faillit à son but intellectuel et moral, perd complètement de vue la véritable notion du bien commun, et le Canada, considéré comme nation, se transformera en société matérialiste[118].

Ainsi, l'accent mis sur les questions identitaires a graduellement remplacé les préoccupations liées à la loyauté. Les principes fondant l'édification de la citoyenneté canadienne n'étaient pas simplement individualistes. Ils passaient par la relation directe entretenue par les individus avec l'État à travers l'ensemble des programmes sociaux et culturels devenus les symboles de la « canadianité[119] ».

Ce changement de perspective a permis à la fédération canadienne de se transformer graduellement sans avoir besoin de passer par de nombreuses modifications formelles à la Constitution. L'intergouvernementalisme, présenté comme un vecteur de flexibilité[120], est devenu la principale préoccupation des élites et des analystes politiques au Canada. Le défi se posait moins en fonction du principe normatif de « l'interdépendance » que par rapport au processus d'édification de l'État national canadien. Comme Smiley le faisait déjà remarquer en 1968, « [l]'autonomie provinciale est évidemment incompatible avec l'énoncé voulant que les citoyens canadiens aient droit à des normes *définies* en matière de santé, de bien-être et de services éducatifs. Le corollaire de cette proposition est que l'autorité fédérale a la responsabilité, en dernière analyse, de garantir ces droits[121]. »

C'est ce processus de *nation-building* que Pierre Elliott Trudeau est venu parachever en 1982 par le rapatriement de la Constitution et l'enchâssement d'une Charte canadienne des droits et libertés. La signification et les conséquences politiques de la consolidation de l'identité canadienne a fait l'objet de nombreuses analyses qui toutes soulignent le rejet de la conception binationale et biculturelle au profit d'une vision unitaire et multiculturelle de la nation canadienne, la banalisation du statut du Québec ayant permis le rapatriement sans son consentement, l'atomisation des rapports politiques, la consécration du principe de l'égalité des individus et des provinces et la réduction des compétences législatives provinciales en matière de gestion du régime linguistique[122]. Au début des années 1980, le Canada a procédé à une refondation des principes sur lesquels il repose. Au centre de celle-ci se trouve la Charte qui non seulement définit les « valeurs canadiennes », mais est à la base du contrat qui lie les citoyens à l'État.

Comme le rappelle André Burelle, la fédération de 1982 repose sur un unitarisme républicain qui obéit aux principes du libéralisme individualiste anti-communautarien. Ainsi, les individus sont fondus dans une seule nation « civique » (le terme de communauté politique n'est jamais utilisé car il pourrait induire une relation fonctionnelle avec l'État compatible avec la préservation des identités communautaires) dont la souveraineté s'exerce dans sa totalité au sein du gouvernement général[123]. Celui-ci peut confier aux gouvernements provinciaux certains pouvoirs qu'ils sont mieux en mesure d'exercer, non pas à travers une décentralisation formelle des pouvoirs, mais plutôt par la voie de la déconcentration[124]. Ce mode d'appréhension de la fédération canadienne accepte la hiérarchisation des ordres de gouvernement (il serait plus juste de parler ici de paliers pour être conforme à la représentation dominante) ; il légitimise l'absence de frontières et de limites dans la capacité d'agir du gouvernement « central » au nom de la nécessaire flexibilité et de la complexité des problèmes auxquels l'État doit faire face (problèmes qui ne connaissent pas de limites géographiques).

Le renforcement du pouvoir d'intervention du gouvernement central est justifié par le besoin de cohérence économique et politique et de justice sociale. Le premier besoin se trouve d'ailleurs au cœur du raisonnement de la Commission royale d'enquête sur l'union économique et les perspectives de développement du Canada (Commission Macdonald). La consolidation de l'union économique visait clairement l'affermissement de l'identité canadienne[125]. Le second besoin, celui relatif à la justice sociale, a trouvé son expression la plus achevée dans le rapport de la Commission sur l'avenir des soins de santé (Commission Romanow) qui, en 2002, a quasi sacralisé le système public de soins de santé. Il est révélateur qu'en exergue du chapitre portant sur « La santé, la citoyenneté et le fédéralisme » ait été mis un propos entendu lors des audiences publiques et qui disait la chose suivante : « L'assurance-santé est un emblème aussi fort au Canada que la Constitution l'est aux États-Unis[126]. » C'est pourquoi cette Commission recommande notamment, dans le « respect des compétences provinciales », la conclusion d'un pacte sur la santé auquel souscriraient les gouvernements sur la base d'un certain nombre de valeurs (notamment universalité, équité, solidarité, efficacité et efficience, imputabilité et transparence). Ce pacte est d'ailleurs présenté comme une Charte des droits du patient à l'instar de la Charte des droits et libertés. Au-delà de ces exemples, il importe de souligner que la représentation du citoyen canadien est celle d'un porteur de droits (dont celui d'avoir accès à des services comparables à l'échelle du Canada) garantis par leur inclusion dans la nation républicaine. Dans ce cadre, le principe de l'égalité des provinces (par opposition à des aménagements asymétriques des pouvoirs) assure aux partenaires politiques les plus faibles un rapport de force qui serait autrement hors de leur portée[127].

Qui plus est, les jugements et avis de la Cour suprême du Canada ont aussi pris ce virage d'ordre fonctionnel. La Cour tend de plus en plus à trancher les litiges portant sur le partage des compétences en faisant appel au principe d'efficience ou d'efficacité. Celui-ci est assez simplement défini : quel ordre de gouvernement est le plus en mesure d'intervenir ? Le principe d'efficacité justifie la présence active du gouvernement général dans des secteurs que les provinces avaient traditionnellement considérés comme tombant sous leur responsabilité. Ainsi, aux yeux de la Cour, efficacité se conjugue le plus souvent avec centralisme[128]. Elle considère que le partage initial des compétences doit être interprété de manière libérale et invoque l'approche du vicomte Sankey qui, en 1930, a formulé la métaphore qui a inspiré le droit constitutionnel depuis : « L'Acte de l'Amérique du Nord britannique a planté au Canada un arbre susceptible de croître et de se développer à l'intérieur de ses limites naturelles. » La question est évidemment de savoir en vertu de quels critères sont fixées les métaphoriques « limites naturelles ». Andrée Lajoie notait que la Cour suprême a légitimé et reconnu le pouvoir du gouvernement général d'intervenir en matière de sécurité, d'infrastructures, de contrôle et d'union économique (voir le chapitre 5)[129].

Cette refondation civique, fonctionnelle et républicaine fut d'emblée acceptée puisqu'elle était au diapason de la représentation dominante de la nation qui s'était développée au Canada depuis la fin de la Deuxième Guerre mondiale. Le système politique canadien, secoué par les demandes de statut particulier, d'arrangements asymétriques et de révision constitutionnelle émanant des élites politiques et intellectuelles du Québec, pressé de s'adapter à une immigration de plus en plus diversifiée, a déployé une nouvelle identité qui « proposait de remplacer le nationalisme "ethnique" des Pères de la Confédération [auquel renvoie implicitement la thèse du pacte entre les deux nations fondatrices] par un nationalisme civique officiellement bilingue et multiculturel » lui permettant de se distinguer du rêve américain[130].

Ce nationalisme civique pancanadien, dont le principal lieu de représentation et d'exercice du pouvoir est localisé dans la capitale fédérale (rebaptisée de manière fort révélatrice capitale nationale), correspond à l'achèvement idéel de la communauté politique canadienne. Celle-ci ne se limite pas aux seuls Canadiens d'expression anglaise (d'où son caractère républicain), ni au seul Canada hors Québec (désigné souvent sous le vocable de *Rest of Canada* ou ROC). Si l'identité québécoise a pu se rabattre pour l'essentiel sur l'État québécois comme lieu privilégié d'exercice du pouvoir, celle du ROC est en quelque sorte plus diffuse et inclusive. Comme le mentionnait Alan Cairns au lendemain de l'échec de l'Entente constitutionnelle de Charlottetown :

> Puisque le nationalisme du ROC se présente sous forme d'un nationalisme pancanadien, il ne peut qu'inclure le Québec. Tant que cette corrélation entre le ROC et le nationalisme pancanadien demeure, il n'est pas possible pour le ROC d'agir en tant qu'acteur indépendant. Il ne peut se séparer de son identité intimement liée au concept de communauté pancanadienne [...][131].

De plus, comme la communauté politique pancanadienne inclut le Québec, les demandes de statut asymétrique sont perçues comme pouvant contribuer, à terme, à affaiblir la présence du gouvernement central et, ce faisant, l'attachement des Québécois à l'endroit du Canada.

Nous formulions l'hypothèse voulant que le retour à la thèse du pacte ou du *covenant* s'atténue au fur et à mesure que la communauté politique se consolide. C'est ce qui semble s'être produit au Canada. Selon les nouveaux principes qui ont présidé à la refondation du Canada, dont la primauté des droits individuels tels que garantis par la Charte et l'égalité formelle des provinces telle que constitutionnalisée par la formule d'amendement, les demandes formulées par les élites politiques «fédéralistes» du Québec s'avèrent incompatibles avec la nouvelle représentation de la nation civique républicaine pancanadienne. Pour Cairns, seul ce nouveau nationalisme correspond aux nouveaux fondements constitutionnels de la fédération canadienne[132].

Que reste-t-il du projet normatif fédéral tel que la littérature le définit ? À vrai dire, bien peu de choses. Les principes d'autonomie, de non-subordination et d'hétérogénéité sont antinomiques avec l'approche gestionnaire qui s'est graduellement imposée depuis les travaux de la Commission Rowell-Sirois et qui met l'accent sur les notions d'efficacité, de performance et d'égalité formelle[133]. Même le principe normatif d'interdépendance, qui se décline à travers les multiples mécanismes de collaboration fédérale-provinciale, ne cherche qu'à participer à cette quête d'efficacité. Dans ce processus, il n'est ni acquis ni inévitable que la meilleure réponse provienne nécessairement et invariablement du gouvernement central. Toutefois, la vision dominante qui s'est imposée est à l'effet que la réponse la plus efficace aux problèmes qui émergent est le fruit d'une triple combinaison faite d'initiatives provinciales, de coopération interprovinciale et de leadership « fédéral » (lire Ottawa)[134]. De la même manière, les réformes institutionnelles qui risquent de s'imposer à plus ou moins long terme (réforme du système électoral, du Sénat, du processus de nomination des juges fédéraux, etc.) seront davantage évaluées en fonction des seuls principes démocratiques (sans qu'ils soient combinés aux principes fédéraux) et de la stabilité politique qu'ils vont favoriser ou non.

La légitimation du régime politique canadien ne repose plus sur la plus ou moins grande conformité aux principes fédéraux mais sur l'adéquation entre les politiques publiques et les besoins exprimés par l'ensemble des citoyens. En d'autres mots, la légitimité fédérale n'est plus essentielle à la stabilité du système politique canadien, du moins du point de vue de l'approche dominante au Canada. Il y a bien sûr des laissés-pour-compte qui s'accrochent à une représentation idéelle de la fédération critiquée par certains pour son caractère mythique et nostalgique[135].

Trudeau craignait que la reconnaissance d'un statut particulier pour le Québec amène ce dernier à ne jamais se dire partie prenante du Canada. Cette non-participation à la construction de la communauté politique canadienne lui apparaissait contradictoire aux principes fédéraux. Il n'a cependant jamais démontré, une fois au pouvoir, le même zèle à dénoncer l'imbrication de plus en plus croissante des compétences entre les ordres de gouvernement. Il nous semble que la représentation de la communauté politique qui s'est imposée, facilitée en cela par l'enchevêtrement des pouvoirs, s'est grandement éloignée d'une conception selon laquelle aucun des deux ordres de gouvernement ne peut s'exprimer au nom de l'ensemble des citoyens et des communautés fédérées puisque aucun ne contrôle l'ensemble des pouvoirs.

Les études portant sur le régime fédératif canadien ne se contentent généralement pas d'appréhender ce dernier comme objet d'analyse. Les jugements de valeur abondent, constituent même la norme, et les prescriptions au sujet de ce qui doit être entrepris pour le bonifier ne manquent pas. Il va sans dire que ces jugements sont en grande partie tributaires des compréhensions préalables du fédéralisme de la part des auteurs. Il n'est donc pas étonnant que les voies privilégiées pour répondre aux tensions, crises, blocages et déséquilibres varient énormément d'un auteur à l'autre. Elles en appellent à un changement d'attitude ou des réaménagements institutionnels qui contribueraient à « refédéraliser » le système politique canadien.

Pour André Burelle, il s'agit de revenir à l'esprit initial ayant conduit à l'adoption du fédéralisme et de conclure un nouveau contrat social sur la base d'un fédéralisme multinational. La pratique du fédéralisme au cours des dernières décennies aurait perverti le fédéralisme communautaire originel en substituant aux deux principes de non-subordination et d'autonomie un fonctionnalisme *one nation* qui ne respecte pas les compétences provinciales et leur droit à la différence communautaire[136]. Pour Gagnon et Erk, le Canada s'est construit sur une ambiguïté autour de la nature de la communauté politique qui a permis de gérer les différences entre les partenaires au sein de la fédération. Ils en appellent à un retour à des relations fondées sur la confiance mutuelle et la bonne foi entre les partenaires[137]. Le chroniqueur politique Alain Dubuc, à l'instar de bien d'autres, en appelle quant à lui à une plus grande décentralisation des pouvoirs[138]. Le philosophe Daniel Weinstock ne privilégie rien de moins qu'un désengagement mythique permettant la mise en place de deux ensembles narratifs et symboliques cohabitant au sein des mêmes institutions fédérales[139]. Guy Laforest souhaite un parachèvement de la modernisation fédérale de son régime politique par le rejet de ses résidus impériaux et déplore les deux occasions manquées : la courte période où le Canada fut gouverné par Lester B. Pearson qui mit sur pied la Commission sur le bilinguisme et le biculturalisme ainsi que la saga constitutionnelle de Meech et de Charlottetown[140]. Bakvis et Skogstad, parmi bien d'autres, suggèrent notamment de mieux circonscrire les mécanismes du fédéralisme exécutif afin d'accroître l'imputabilité gouvernementale et de réformer le Sénat[141]. La liste pourrait s'allonger.

Notre analyse nous invite d'abord à revoir les termes sur lesquels les débats et analyses reposent. Les grilles interprétatives semblent avoir peu évolué avec le temps. Dans le cas du Québec, les termes et la façon d'appréhender la dynamique Québec-Canada ont été posés par les travaux de la Commission Tremblay il y a de cela un demi-siècle. De la même manière, les préoccupations qui semblent animer la littérature d'expression anglaise plongent leurs racines dans les travaux de la Commission Rowell-Sirois, dont le mandat a été défini en 1937. Peut-être serait-il temps de suggérer une petite révolution paradigmatique.

Notre analyse nous amène aussi à conclure que tout projet de réforme n'aboutira qu'à un échec si le projet normatif fédéraliste qui le sous-tend n'est pas clairement énoncé. Nous ne pouvons toutefois nous empêcher de penser que même cette prescription est loin d'être un gage de succès dans la mesure où les représentations fédérales ne sont pas que des vues de l'esprit. Elles sont véhiculées par des partis politiques, reprises par les commentateurs politiques dans les médias. Elles ont conditionné la façon dont les fonctions publiques appréhendent les enjeux liés à la détermination des problèmes ainsi que les solutions qui sont pratiquement envisageables. Ces représentations conditionnent même les problématiques de recherche des universitaires. Si, comme nous le pensons, le Canada s'est construit en refusant le projet normatif fédéral, bien malin est celui qui pourra indiquer comment ouvrir des pistes qui n'ont pas été balisées par des générations d'analystes.

Ne reste plus, et ce n'est quand même pas rien, qu'à tenter de comprendre les facteurs qui président aux transformations du système politique canadien. Ce faisant, nous devons revenir à une science critique qui, au lieu d'utiliser à temps et à contretemps les notions de compromis, d'équilibre et de consensus, cherche à interpréter les rapports de force, toujours inégaux, qui servent de base plus ou moins nette à la rhétorique politicienne (et trop souvent académique) de légitimation.

NOTES ET RÉFÉRENCES

1. Richard Simeon, « Criteria for Choice in Federal Systems », *Queen's Law Journal*, vol. 8, 1983, p. 131-151 et, du même auteur, *Considerations on the Design of Federations*, IIGR, Queen's University, Working Paper nº 2, 1998, p. 4. Voir aussi Jennifer Smith, *Federalism*, Vancouver, UBC Press, 2004.

2. David J. Elkins, *Beyond Sovereignty : Territory and Political Economy in the Twenty-First Century*, Toronto, University of Toronto Press, 1995 ; Thomas O. Hueglin, *Early*

Modern Concepts for a Later Modern World : Althusius on Community and Federalism, Waterloo, Wilfrid Laurier University Press, 1999 et « Federalism at the Crossroads : Old Meanings, New Significance », *Revue canadienne de science politique*, vol. 36, n° 3, 2003, p. 275-294 ; Dimitrios Karmis et Wayne Norman, « The Revival of Federalism in Normative Political Theory », dans D. Karmis et W. Norman (dir.), *Theories of Federalism. A Reader*, New York, Palgrave Macmillan, 2005, p. 3-21.

3. Maurice Lamontagne, *Le fédéralisme canadien : évolution et problèmes*, Québec, Presses universitaires Laval, 1954 ; Richard Simeon et Ian Robinson, *State, Society, and the Development of Canadian Federalism*, Toronto, University of Toronto Press, 1990.

4. Tout au long de ce texte, nous allons privilégier l'utilisation du terme « État général » ou « gouvernement général » là où la plupart des auteurs choisissent plutôt de parler de « gouvernement fédéral » ou de « gouvernement central ». La notion d'État fédéral renvoie à l'ensemble des ordres de gouvernement qui composent l'État. De la même manière, nous n'utiliserons pas les termes « paliers de gouvernement » ou « niveaux de gouvernement » car ce vocable présuppose une hiérarchie entre les gouvernements.

5. William H. Riker, *Federalism. Origin, Operation, Significance*, Boston, Little, Brown, 1964, p. XII-XIII.

6. Henri Brugmans, *La pensée politique du fédéralisme*, Leyden, A.W. Sijthoff-Leyde, 1969, p. 29.

7. William S. Livingston, « A Note on the Nature of Federalism », dans J. Peter Meekison (dir.), *Canadian Federalism : Myth or Reality*, Toronto, Methuen Publications, 1968, p. 27.

8. M. J. Vile, « Federal Theory and the "New Federalism" », dans D. Jaensch (dir.), *The Politics of 'New Federalism'*, Adelaide, Australasian Political Studies Association, 1977, p. 13-14.

9. Kenneth C. Wheare, *Federal Government*, 4ᵉ édition, Londres, Oxford University Press, 1963, p. 10 (traduction de l'auteur).

10. Daniel Elazar J., *Federalism and the Way to Peace*, Kingston, Institute of Intergovernmental Relations, 1994, p. 21 (traduction de l'auteur).

11. Frank Delmartino et Kris Deschouwer, « Les fondements du fédéralisme », dans André Alen *et al.* (dir.), *Le fédéralisme. Approches politique, économique et juridique*, Bruxelles, De Boeck-Wesmael, 1994, p. 14.

12. Bruno Théret , « Du principe fédéral à une typologie des fédérations : quelques propositions », dans Jean-François Gaudreault-Desbiens et Fabien Gélinas (dir.), *Le fédéralisme dans tous ses États. Gouvernance, identité et méthodologie – The States and Moods of Federalism. Governance, Identity and Methodology*, Cowansville, Les Éditions Yvon Blais, 2005, p. 112.

13. Carl Friedrich, *Limited Government : A Comparison*, Englewood Cliffs (NJ), Prentice-Hall, 1974, p. 54 (traduction libre).

14. Henri Brugmans, *Panorama de la pensée fédéraliste*, Paris, La Colombe, 1956, p. 136.

15. K. C. Wheare, 1963, p. 53-90.

16. Raoul Blindenbacher et Ronald L. Watts, « Federalism in a Changing World – A Conceptual Framework for the Conference », dans Raoul Blindenbacher et Arnold Koller, *Federalism in a Changing World. Learning from Each Other. Scientific Background,*

Proceedings and Plenary Speeches of the International Conference on Federalism 2002, Montréal et Kingston, McGill-Queen's University Press, 2002, p. 9-10.

17. W. H. Riker, 1964, p. 11.

18. Max Frenkel, *Federal Theory*, Canberra, Centre for Research on Federal Financial Relations, 1986, p. 55.

19. H. Brugmans, 1969, p. 36.

20. *Ibid.*, p. 51.

21. R. Blindenbacher et R. L. Watts, 2002, p. 11-12.

22. M. Lamontagne, 1954, p. 99.

23. George Carey, « Federalism : Historic Questions and Contemporary Meanings. A Defense of Political Processes », dans Valerie Earle (dir.), *Federalism. Infinite Variety in Theory and Practice*, Itasca (IL), F. E. Peacock Publishers, 1968, p. 58-60.

24. B. Théret, 2005, p. 101.

25. *Ibid.*, p. 100.

26. *Ibid.*

27. H. Brugmans, 1956, p. 146.

28. Samuel LaSelva, *The Moral Foundations of Canadian Federalism. Paradoxes, Achievements, and Tragedies of Nationhood*, Montréal et Kingston, McGill-Queen's University Press, 1996, p. 28.

29. Daniel M. Weinstock, « Vers une théorie normative du fédéralisme », Conférence internationale sur le fédéralisme, Mont-Tremblant, octobre 1999.

30. D. Elazar, 1994, p. 5 ; M. Frenkel, 1986, p. 55.

31. F. Delmartino et K. Deschouwer, 1994, p. 12-13.

32. H. Bergmans, 1969, p. 26.

33. *Le Petit Robert* définit ce terme de la manière suivante : « *Arts*. Ouvrage de peinture ou de sculpture composé d'un panneau central et de deux volets mobiles susceptibles de se rabattre sur le panneau en le recouvrant exactement. »

34. Cette façon de présenter les principes fédéraux nous semble refléter plus adéquatement la complexité de la réalité sociale qui nous intéresse que les références aux seuls principes de base d'autonomie et de participation tels qu'ils sont identifiés, par exemple, par Burdeau (1967).

35. Delmartino et Deschouwer, 1994, p. 25-26 ; Daniel J. Elazar, « Confederation and Federal Liberty », *Publius*, vol. 12, n° 4, automne 1982, p. 4 et 1994, p. 17.

36. Francis Delpérée et Marc Verdussen, « L'égalité, mesure du fédéralisme », dans Jean-François Gaudreault-Desbiens et Fabien Gélinas (dir.), *Le fédéralisme dans tous ses États*, p. 197.

37. B. Théret, 2005, p. 124.

38. Henry Teune, « The Future of Federalism : Federalism and Political Integration », dans Valerie Earle (dir.), *Federalism*, p. 232-233.

39. Rusen Ergec, « Les aspects juridiques du fédéralisme », dans André Alen *et al.* (dir.), *Le fédéralisme. Approches politique, économique et juridique*, Bruxelles, De Boeck-Wesmael, 1994, p. 42.

40. *Ibid.*, p. 42-43.

41. M. Frenkel, 1986, p. 73.

42. Stéphane Rials, *Destin du fédéralisme*, Paris, Librairie générale de droit et de jurisprudence, 1986, p. 10-11 et 43-44 ; R. Ergec, 1994, p. 44-45.

43. H. Bergmans, 1956, p. 137.
44. M. Frenkel, 1986, p. 92.
45. H. Brugmans, 1969, p. 39.
46. M. Frenkel, 1986, p. 93 (traduction de l'auteur).
47. D. J. Elazar, 1994, p. 12 (traduction de l'auteur).
48. Thomas O. Hueglin, « Legitimacy, Democracy, and Federalism », dans Herman Bakvis et William M. Chandler (dir.), *Federalism and the Role of the State*, Toronto, University of Toronto Press, 1987, p. 34.
49. W. S. Livingston, 1968, p. 138-139.
50. Jonathan Lemco, *Political Stability in Federal Governments*, New York, Praeger, 1991, p. 11-12.
51. M. Lamontagne, 1954, p. 99.
52. W. H. Riker, 1964, p. 135-136.
53. F. Delmartino et K. Deschouwer, 1994, p. 12.
54. Weinstock, 1999, p. 6.
55. B. Théret, 2005, p. 128.
56. Sur cette question, voir Filippo Sabetti, « Covenant Language in Canada : Continuity and Change in Political Discourse », dans Daniel J. Elazar et John Kincaid (dir.), *The Covenant Tradition : From Federal Theology to Modern Federalism*, Lanham, Lexington Books, 2000, p. 259-284.
57. T. O. Hueglin, 1987, p. 35.
58. Pour un ouvrage représentatif de cette tendance, consulter Eugénie Brouillet, *La négation de la nation. L'identité culturelle québécoise et le fédéralisme canadien*, Sillery, Éditions du Septentrion, 2005, p. 379-385 ; voir aussi Réjean Pelletier, « Constitution et fédéralisme », dans Réjean Pelletier et Manon Tremblay (dir.), *Le parlementarisme canadien*, 3ᵉ éd., Québec, Presses de l'Université Laval, 2005, p. 37-79.
59. Nous n'allons nous attarder qu'au fédéralisme politique tel qu'il est développé par la Commission. Le rapport prend le temps de décrire le fédéralisme social qui doit aussi inspirer la société, dimension sociale qui pourrait, dans une certaine mesure, être le fondement conceptuel du « modèle québécois » qui met l'accent sur le partenariat, la consultation et le consensus. Nous ne nous pencherons pas ici sur cette dimension bien décrite par Marc Chevrier, « La conception pluraliste et subsidiaire de l'État dans le rapport Tremblay de 1956 », *Cahiers d'histoire du Québec au XXᵉ siècle*, nº 2, été 1994, p. 45-58.
60. Québec (province), *Rapport de la Commission royale d'enquête sur les problèmes constitutionnels*, vol. 2, Québec, Commission royale d'enquête sur les problèmes constitutionnels , 1956, p. 98.
61. *Ibid.*, p. 107.
62. Près de 50 ans plus tard, Stéphane Kelly et Guy Laforest ne soutiennent pas autre chose, voir Stéphane Kelly et Guy Laforest, « Aux sources d'une tradition politique. Les travaux en langue française », dans Janet Ajzenstat, Paul Romney, Ian Gentles et William D. Garidner (édition française préparée par Stéphane Kelly et Guy Laforest), *Débats sur la fondation du Canada*, Québec, Presses de l'Université Laval, 2004, p. 527. Pour Stéphane Kelly, il s'agit aussi d'une opposition entre les conceptions jeffersoniennes (qui mettent l'accent sur le principe de la souveraineté des États) et hamiltoniennes du fédéralisme (qui sont plus centralisatrices et nationalistes).

Stéphane Kelly, *Les fins du Canada selon Macdonald, Laurier, Mackenzie King et Trudeau*, Montréal, Boréal, 2001, p. 18.

63. *Ibid.*, 142-143.

64. Québec, 1956, vol. 2, p. 127-128.

65. *Ibid.*, p. 159-160.

66. K. C. Wheare, 1963, p. 20.

67. Brouillet va reprendre presque mot à mot l'argument défendu dans le rapport Tremblay. E. Brouillet, 2005, p. 151 et 167.

68. Québec, 1956, vol. 2, p. 124.

69. *Ibid.*, p. 171.

70. *Ibid.*, p. 332.

71. *Ibid.*, p. 327-332.

72. David Kwavnick, *The Tremblay Report*, Toronto, McClelland and Stewart, 1973 ; Marc Chevrier, *Le fédéralisme canadien et l'autonomie du Québec : perspective historique*, Québec, ministère des Relations internationales, 1996, p. 15.

73. Frank R. Scott, « French Canada and Canadian Federalism », dans A. R. M. Lower. et F. R. Scott (dir.), *Evolving Canadian Federalism*, Durham, Duke University Press, 1958, p. 18 (traduction de l'auteur).

74. *Ibid.*, p. 89 (traduction de l'auteur).

75. Gil Rémillard, *Le fédéralisme canadien*. Tome I. *La loi constitutionnelle de 1867*, Montréal, Québec/Amérique, 1983, p. 54-55.

76. S. LaSelva, 1996, p. 39-41.

77. Certains auteurs, dont Jean-Charles Bonenfant, se sont demandé si Cartier croyait à une véritable dualité canadienne permettant aux Canadiens de langue française de jouir de leurs droits dans tout le pays puisque le problème des minorités n'était posé que sous l'angle religieux et jamais linguistique. Jean-Charles Bonenfant, « Les idées politiques de Georges Étienne Cartier », dans Marcel Hamelin (dir.), *Les idées politiques des premiers ministres du Canada*, Ottawa, Les éditions de l'Université d'Ottawa, 1969, p. 48-49.

78. Arthur I. Silver, *The French-Canadian Idea of Confederation 1864-1900*, 2e édition, Toronto, University of Toronto Press, 1997, p. 34 (traduction libre).

79. Janet Ajzenstat *et al.*, *Débats sur la fondation du Canada*.

80. Vincent Di Norcia, « The Empire Structure of the Canadian State », dans Stanley G. French (dir.), *Philosophers Look at Canadian Confederation – La confédération canadienne : qu'en pensent les philosophes ?*, Montréal, The Canadian Philosophical Association/Association canadienne de philosophie, 1979, p. 217.

81. A. I. Silver, 1997, p. 218.

82. Gilles Bourque et Jules Duchastel (avec la collaboration de Victor Armony), *L'identité fragmentée. Nation et citoyenneté dans les débats constitutionnels canadiens, 1941-1992*, Montréal, Fides, 1996, p. 97.

83. *Ibid.*, p. 187.

84. M. Chevrier, 1996, p. 14.

85. Déclaration d'ouverture de Jean-Jacques Bertrand, Conférence constitutionnelle, deuxième réunion, Ottawa, 10-12 février 1969, Imprimeur de la Reine, 1969, p. 32.

86. Québec (province), *Rééquilibrage administratif des rôles et des responsabilités : la position du Québec*, Conférence des premiers ministres des provinces, St. Andrews, 6-8 août 1997, p. 1.

87. On retrouve cette idée chez Fernand Dumont, « L'étude systématique de la société globale canadienne-française », *Recherches sociographiques*, vol. 3, n° 1-2, janvier-août 1963, p. 277-294, mais aussi chez Simon Langlois, « Le Québec : une société distincte à reconnaître et une identité collective à consolider », *L'Action nationale*, vol. 81, n° 4, avril 1991.

88. Benoît Pelletier, *Le Conseil de la fédération : perspectives d'avenir*, Allocution au Forum des fédérations, Ottawa, le 14 novembre 2005, p. 7-8, <www.saic.gouv. qc.ca/ centre_de_presse/discours/2005/pdf/saic_dis20051114.pdf>.

89. Benoît Pelletier, *Le fédéralisme asymétrique : un objectif à atteindre*, Allocution prononcée dans le cadre de la conférence « Bâtir le fédéralisme de demain : de nouvelles voies pour un gouvernement efficace » organisée par le Saskatchewan Institute of Public Policy, Regina, 25 mars 2004, p. 3-4.

90. Benoît Pelletier, *Le défi de l'équilibre : les processus de centralisation et de décentralisation dans l'État fédéral canadien*, Allocution prononcée dans le cadre du Colloque international de la Faculté de droit et de science politique de l'Université de Rennes 1 intitulée « Les modalités de mise en œuvre de la décentralisation – étude comparée France, Belgique, Canada », Rennes, le 18 novembre 2004, p. 8.

91. Discours de Jean Lesage, Université de Moncton, 17 mai 1964, p. 2.

92. Stéphane Paquin, *L'invention d'un mythe ; le pacte entre deux peuples fondateurs*, Montréal, VLB, 1999 ; Daniel M. Weinstock, « The Moral Psychology of Federalism », dans Jean-François Gaudreault-Desbiens et Fabien Gélinas (dir.), *Le fédéralisme dans tous ses États*, p. 209-226.

93. David M. Thomas, *Whistling Past the Graveyard. Constitutional Abeyances, Quebec, and the Future of Canada*, Don Mills, Oxford University Press, 1997.

94. Arthur R. M. Lower, « Theories of Canadian Federalism – Yesterday and Today », dans A. R. M. Lower et F. R. Scott (dir.), *Evolving Canadian Federalism*, Durham, Duke University Press, 1958, p. 16.

95. Alain-G. Gagnon et Can Erk, « Legitimacy, Effectiveness, and Federalism : On the Benefits of Ambiguity », dans Herman Bakvis et Grace Skogstad (dir.), *Canadian Federalism : Performance, Effectiveness, and Legitimacy*, Don Mills, Oxford University Press, 2002, p. 324 ; André Burelle, *Le mal canadien. Essai de diagnostic et esquisse de thérapie*, Montréal, Fides, 1995, p. 35.

96. Herman Bakvis et Grace Skogstad, « Canadian Federalism : Performance, Effectiveness, and Legitimacy », dans Herman Bakvis et Grace Skogstad (dir.), *Canadian Federalism*, p. 4-5 ; Ronald L. Watts., *Comparing Federal Systems*, 2ᵉ édition, Kingston, Institute of Intergovernmental Relations, Queen's University, 1999.

97. K. C. Wheare, 1963, p. 216-217 ; William S. Livingston, « Canada, Australia and the United States : Variations on a Theme », dans Valerie Earle (dir.), *Federalism*, p. 124-125 ; R. Simeon et I. Robinson, 1990.

98. H. Bakvis et G. Skogstad, 2002, p. 4 (traduction de l'auteur).

99. Nous faisons ici référence à l'approche qui nous semble dominante au sein de la littérature portant sur le régime politique fédéral canadien. Il existe bien entendu un courant en philosophie politique qui a mis l'accent sur les dimensions normatives

des aménagements politiques au Canada comme en font foi les travaux de James Tully, Charles Taylor, Joseph Carens, Wayne Norman, pour ne nommer que ceux-là. Alain-G. Gagnon faisait d'ailleurs le même constat au sujet des travaux portant sur le fédéralisme asymétrique et notait l'insistance mise sur les dimensions institutionnelles au détriment de ses dimensions normatives. Alain-G. Gagnon, « The moral foundations of asymmetrical federalism : a normative exploration of the case of Quebec and Canada », dans Alain-G. Gagnon et James Tully (dir.), *Multinational Democracies*, Cambridge, Cambridge University Press, 2001, p. 321.

100. Richard Simeon, *Political Science and Federalism. Seven decades of Scholarly Engagement*, Kingston, Institute of Intergovernmental Relations, 2002, p. 29 ; et *Combining the Agendas : Federalism and Democracy*, Kingston, IIGR, School of Policy Studies, Queen's University, Democracy and Federalism Series, n° 8, 2005.

101. Richard Simeon et Daniel-Patrick Conway, « Federalism and the management of conflict in multinational societies », dans Alain-G. Gagnon et James Tully (dir.), *Multinational Democracies*, p. 338-365.

102. H. Bakvis et G. Skogstad, 2002, p. 17.

103. Lorsqu'il était président du Conseil privé et ministre des Affaires intergouvernementales canadiennes, Stéphane Dion soutenait le même point de vue. Stéphane Dion, « Les relations intergouvernementales au sein des fédérations : différences de contexte et principes universels », Communication à la Conférence internationale sur le fédéralisme, Mont-Tremblant, octobre 1999, p. 4.

104. R. Simeon et I. Robinson, 1990, p. 126 (traduction de l'auteur).

105. Alain-G. Gagnon et Daniel Latouche, *Allaire, Bélanger, Campeau et les autres. Les Québécois s'interrogent sur leur avenir*, Montréal, Québec/Amérique, 1991, p. 49-50.

106. S. A. Saunders et Eleanor Back, *The Rowell-Sirois Commission. Part II. A Criticism of the Report*, Toronto, The Ryerson Press, 1940, p. 1-2.

107. Christopher Armstrong, *The Politics of Federalism : Ontario's Relations with the Federal Government, 1867-1942*, Toronto, University of Toronto Press, 1981, p. 197.

108. M. Lamontagne, 1954, p. 60.

109. Canada, *Report of the Royal Commission on Dominion-Provincial Relations*, vol. 2, Ottawa, King's Printer, 1940, p. 24-28 et 40-42.

110. S.A. Saunders et Eleanor Back, *The Rowell-Sirois Commission. Part I. A Summary of the Report*, Toronto, The Ryerson Press, 1940, p. 2-3.

111. Donald V. Smiley, « The Rowell-Sirois Report, Provincial Autonomy, and Post-War Federalism »¡ dans J. Peter Meekison (dir.), *Canadian Federalism : Myth or Reality*, Toronto, Methuen Publications, 1968, p. 67-69.

112. Donald V. Smiley, *The Rowell-Sirois Report*, Toronto, McClelland and Stewart Limited, 1963, p. 208.

113. Canada, 1940, vol. 2, p. 9 (traduction de l'auteur).

114. R. Simeon et I. Robinson, 1990, p. 86.

115. Jean-Marc Piotte, « La conversion de Lapalme », dans Jean-François Léonard (dir.), *Georges-Émile Lapalme*, Montréal, Les Presses de l'Université du Québec, 1988, p. 103-104.

116. G. Bourque et J. Duchastel, 1996, p. 65.

117. *Ibid.*, p. 68.

118. Canada, *Rapport de la Commission royale d'enquête sur l'avancement des Arts, Lettres et Sciences au Canada 1949-1951*, Ottawa, Imprimeur de Sa Très Excellente Majesté le Roi, 1951, p. 9.

119. Jane Jenson et Susan Phillips, « Redesigning the Canadian Citizenship Regime : Remaking the Institution of Representation », dans Colin Crouch, Klaus Eder et Damian Tambini (dir.), *Citizenship, Markets, and the State*, Oxford/New York, Oxford University Press, 2001, p. 76-77.

120. K. C. Wheare, 1963, p. 227.

121. D. V. Smiley, 1968, p. 79-80. (Traduction de l'auteur)

122. Voir, entre autres, Guy Laforest, *Trudeau et la fin du rêve canadien*, Sillery, Septentrion, 1992 ; François Rocher, « Le Québec et la Constitution : une valse à mille temps », dans François Rocher (dir.), *Bilan québécois du fédéralisme canadien*, Montréal, VLB Éditeur, 1992, p. 20-57 ; Kenneth McRoberts, *Misconceiving Canada : the Struggle for National Unity*, Toronto, Oxford University Press, 1997 ; Louis Balthazar, *Quebec and the Ideal of Federalism*, Montréal, McGill Institute for the Study of Canada, An occasional paper based on a seminar delivered on September 25, 1997 ; Raphaël Canet, *Nationalismes et société au Québec*, Montréal, Athéna éditions/ Chaire MCD, 2003 ; Micheline Labelle et François Rocher, « Debating Citizenship in Canada : The Collide of Two Nation-Building Project », dans Pierre Boyer, Linda Cardinal and David Headon (dir.), *From Subjects to Citizens. A Hundred Years of Citizenship in Australia and Canada*, Ottawa, University of Ottawa Press, 2004, p. 263-286.

123. André Burelle, *Pierre Elliott Trudeau. L'intellectuel et le politique*, Montréal, Fides, 2005, p. 459-460.

124. François Rocher et Christian Rouillard, « Using the Concept of Deconcentration to Overcome the Centralization/Decentralization Dichotomy : Thoughts on Recent Constitutional and Political Reform », dans Patrick C. Fafard et Douglas M. Brown (dir.), *Canada : The State of the Federation 1996*, Kingston, Institute of Intergovernmental Relations, 1996, p. 99-134.

125. Canada, Commission royale d'enquête sur l'union économique et les perspectives de développement du Canada, *Rapport*, vol. 3, Ottawa, Approvisionnements et Services Canada, 1985, p. 125.

126. Canada, Commission sur l'avenir des soins de santé au Canada, *Guidé par nos valeurs. L'avenir des soins de santé au Canada. Rapport final*, Ottawa, 2002, p. 50. Le rapport soutiendra d'ailleurs que « les Canadiens tiennent au régime d'assurance-santé, car pour eux c'est un droit inhérent à la citoyenneté. Ils souscrivent aux valeurs dont s'inspire le régime, non aux caractéristiques particulières du système en place dans leur province ou territoire. Les Canadiens s'attendent à ce que le système leur garantisse un accès relativement similaire à un ensemble comparable de services assurés de qualité égale, peu importe l'endroit où ils vivent. Ils s'attendent également à ce que les gouvernements, les fournisseurs de services et les dispensateurs de soins collaborent au maintien d'un tel système. Le fait que les Canadiens perçoivent les soins de santé comme un enjeu national ne devrait pas servir de prétexte à une intrusion du gouvernement fédéral dans un domaine de responsabilité essentiellement provincial. On ne devrait pas non plus en déduire qu'il faut adopter une approche uniforme de la prestation des soins de santé » (p. XVIII-XIX).

127. Jennifer Smith, « Informal Constitutional Development : Change by Other Means », dans Herman Bakvis et Grace Skogstad (dir.), *Canadian Federalism*, p. 40-58.

128. E. Brouillet, 2005, p. 320 ; Jean Leclair, « The Supreme Court of Canada's Understanding of Federalism : Efficiency at the Expense of Diversity », dans Jean-François Gaudreault-Desbiens et Fabien Gélinas (dir.), *Le fédéralisme dans tous ses États*, p. 385.

129. Andrée Lajoie, « Garantir l'intégration des valeurs minoritaires dans le droit : une entreprise irréalisable par la voie structurelle », dans Jean-François Gaudreault-Desbiens et Fabien Gélinas (dir.), *Le fédéralisme dans tous ses États*, p. 376.

130. A. Burelle, 2005, p. 75.

131. Alan C. Cairns, « The Charlottetown Accord : Multinational Canada vs. Federalism », dans Curtis Cook (dir.), *Constitutional Predicament*, Montréal et Kingston, McGill-Queen's University Press, 1994, p. 55.

132. *Ibid.*, 1994, p. 26 (traduction de l'auteur).

133. Pour une critique de l'approche geationnaire et l'appel au pragmatisme comme stratégie rhétorique pour limiter l'étendue du débat et circonscrire les solutions considérées possibles, voir Christian Rouillard et Dalie Giroux, « Public administration and the managerialist fervour for values and ethics of collective confusion in control societies », *Administrative Theory and Praxis*, vol. 27, n° 2, 2005, p. 330-357.

134. Richard Simeon et Martin Papillon, « Canada », dans Akhtar Majeed, Ronald L. Watts et Douglas M. Brown (dir.), *Distribution of Powers and Responsibilities in Federal Countries. A Global Dialogue*, vol. 2, Montréal et Kingston, McGill-Queen's University Press, 2006, p. 114-115.

135. D. Weinstock, 2005, p. 218.

136. A. Burelle, 2005, p. 439-449.

137. A.- G. Gagnon et C. Erk, 2002, p. 34.

138. Alain Dubuc, « We must Break this Vicious Circle », *Options politiques*, juin 2000, p. 8-28.

139. D. Weinstock, 2005, p. 224-225.

140. Guy Laforest, *Sait-on jamais ? One Never Knows*, Communication présentée au colloque *Le Québec et le Canada au 21ᵉ siècle : nouvelles dynamiques, nouvelles perspectives*, Institute of Intergovernmental Relations, 31 octobre et 1ᵉʳ novembre 2003, p. 6.

141. H. Bakvis et Skogstad, 2002, p. 4-5.

4
LE DÉFICIT FÉDÉRATIF AU CANADA

Jean-François Caron, Guy Laforest
et Catherine Vallières-Roland

Alors que le gouvernement de Stephen Harper laisse entrevoir des changements politiques et peut-être même constitutionnels significatifs au Canada
afin d'instaurer ce qu'il qualifie de fédéralisme d'ouverture, nous voulons
mettre en lumière dans ce chapitre la nature et la force des obstacles qui se
trouveront sur la route de l'équipe conservatrice minoritaire au cours de
son mandat. La plupart de ces obstacles sont profondément enracinés dans
l'histoire, les institutions et la culture politique du Canada moderne. Comme
ils ne disparaîtront pas tout d'un coup, ils risquent bien de représenter de
lourds défis pour tout gouvernement canadien qui voudra, dans les prochaines décennies, toucher dans un sens ou dans l'autre aux dimensions
fédérales du régime politique.

Pour mener notre réflexion à bon port, nous allons utiliser et adapter le
cadre conceptuel proposé par Ronald Watts et Raoul Blindenbacher dans la
foulée des travaux actuels du Forum des fédérations. Watts et Blindenbacher
analysent les régimes fédéraux contemporains en présentant et en approfondissant leurs caractéristiques structurelles ainsi que plusieurs dimensions
reliées à leur culture politique. En prenant appui sur ces travaux, nous croyons
opportun de dégager l'idée-force de déficit fédératif, apte à favoriser la

vérification de l'état de santé des régimes fédéraux. Nous appliquons une telle approche dans ce chapitre à la situation contemporaine du Canada.

Nous évaluerons les impacts sur l'équilibre fédéral du Canada de la globalisation, des déficiences fédératives des Lois constitutionnelles de 1867 et de 1982, des faiblesses institutionnelles de la Chambre Haute et des mécanismes de coopération intergouvernementale, de l'émergence d'un corporatisme constitutionnel lié à l'architecture du réseau étatique, de l'exacerbation des conflits entre les deux projets nationaux québécois et canadien, sans négliger la présence d'une culture politique canadienne niant la nature plurinationale du pays. Cela devrait nous permettre, en bout de ligne, de porter un jugement sur l'ampleur du déficit fédératif du Canada.

LE CONCEPT DE DÉFICIT FÉDÉRATIF : ÉTAT ACTUEL DE LA RECHERCHE ET SITUATION AU CANADA

Les travaux du Forum des fédérations visent essentiellement le renforcement de la gouvernance démocratique dans les pays fédéraux, faisant en sorte que les régimes – les gouvernements et leurs leaders –, les experts et les praticiens apprennent les uns des autres[1]. Les liens étroits entre le Forum et les gouvernements centraux des pays fédéraux (à commencer par celui du Canada, principal bailleur de fonds depuis la naissance de ce réseau international) expliquent peut-être la réticence des chercheurs, aussi bien ceux qui ont formulé des cadres conceptuels que les responsables des études de cas, à utiliser directement un concept dur, critique, comme celui de « défi-cit fédératif » quand vient le temps de faire une synthèse des différents travaux analytiques effectués sur un régime particulier. Pourtant, il nous semble qu'un tel concept, à la fois unificateur, synthétique et offrant un fort potentiel pour la discussion critique, était à la disposition des chercheurs associés au Forum des fédérations.

En effet, l'idée-force de déficit fédératif est une conséquence logique du cadre analytique proposé, dans le cadre même des travaux du Forum des fédérations, par Ronald Watts et Raoul Blindenbacher. Ces derniers déterminent, d'une part, une série de caractéristiques structurelles et, d'autre part, un nombre de processus ou de dimensions relatives à la culture politique que des régimes étatiques doivent respecter pour appartenir à la famille du fédéralisme. Ces caractéristiques, processus et dimensions viennent concrétiser la compréhension du fédéralisme qui chapeaute toute la démarche du Forum, laquelle reprend les définitions doctrinales suivantes, respectivement de John Kincaid et de Ronald Watts :

> Le fédéralisme est essentiellement un régime de gouvernement autonome et partagé, choisi volontairement [...]. À l'intérieur de l'association, les partenaires conservent leur identité et leur intégrité, tout en créant une nouvelle entité, comme une famille ou un corps politique, nouvelle entité dotée, elle aussi, d'une identité et d'une intégrité à elle propres[2].
>
> Le fédéralisme offre un moyen d'organisation constitutionnelle par lequel une gouvernance partagée peut agir dans le cadre de certains buts communs, tout en autorisant les unités constituantes à prendre des initiatives autonomes qui leur permettent de préserver leur caractère unique, chaque palier étant directement responsable devant ses électeurs[3].

Le cadre conceptuel proposé par Watts et Blindenbacher[4] s'ouvre sur une série de six caractéristiques structurelles jugées nécessaires pour mériter l'identité fédérale :

1. L'existence d'au moins deux ordres de gouvernement agissant directement, en toute légalité et en toute légitimité, sur l'ensemble de leurs citoyens ;

2. Une distribution constitutionnelle formelle des pouvoirs législatifs et exécutifs, accompagnée d'une répartition des sources de revenus procurant une autonomie réelle à chaque ordre de gouvernement ;

3. Une représentation réelle et substantielle des entités fédérées dans le fonctionnement des institutions centrales (représentation souvent assurée par le biais d'une deuxième chambre législative) ;

4. Une constitution écrite, faisant office de loi fondamentale, non amendable unilatéralement, dont la modification requiert, outre le consentement des autorités centrales, celui d'une proportion importante des entités fédérées (la plupart du temps par l'entremise de leurs assemblées législatives ou par le biais de majorités référendaires) ;

5. L'existence d'une instance servant d'arbitre pour résoudre les différends politico-constitutionnels entre les associés ou partenaires du régime fédéral (la plupart du temps un tribunal, mais parfois la consultation de l'ensemble de la population par voie référendaire) ;

6. Des processus ou institutions facilitant la coopération et la coordination intergouvernementales.

Cette série de caractéristiques est intéressante pour faire l'évaluation de l'état de santé du régime politique canadien. Watts et Blindenbacher[5] proposent aussi d'ajouter à l'examen de ces caractéristiques l'étude de la présence, ou de l'absence des éléments suivants qui relèvent de l'univers des processus et de la culture politiques :

1. Une forte disposition des entités constitutives du régime fédéral à respecter des procédures démocratiques ;

2. La non-centralisation, considérée réelle quand coexistent plusieurs centres ou lieux pour la prise de décision ;

3. Une propension au dialogue, ou une culture de dialogue, en place quand la négociation politique ouverte caractérise la manière d'en arriver à des décisions ;

4. L'existence de contrepoids (*checks and balances*), pour éviter la concentration du pouvoir ;

5. Le constitutionnalisme et la primauté du droit.

Comme on peut facilement le constater, la liste des éléments reliés à l'horizon de la culture politique est davantage subjective ; elle autorise donc une certaine circonspection. Il faudrait élargir la troisième dimension, celle qui développe l'idée d'une culture de dialogue, pour que l'on puisse y intégrer, et donc vérifier, la présence ou l'absence de relations de loyauté, de confiance réciproque entre les principaux associés dans la fédération[6]. Par ailleurs, nous croyons qu'il faudrait ajouter une sixième dimension à la liste proposée par Watts et Blindenbacher sur l'axe de la culture politique :

6. La flexibilité, l'adaptabilité du cadre constitutionnel et des mécanismes institutionnels.

Car, à quoi bon servirait de se rencontrer et de s'édifier mutuellement à propos de la gouvernance démocratique en régime fédéral, si tout cela ne conduisait pas éventuellement, dans les pays concernés, à des réformes susceptibles d'améliorer les institutions et la vie politique ? Pris dans sa totalité, le cadre conceptuel que nous appellerons l'échelle Watts-Blindenbacher (légèrement modifiée sur le deuxième axe), nous semble être un très bon outil pour vérifier la santé, l'équilibre fédératif d'un régime politique.

Depuis Aristote, nous savons que la santé et l'équilibre sont des notions toujours très imparfaites. En matière fédérale, le meilleur régime, le régime parfait ou optimal, n'existe pas. Tous les régimes fédéraux souffrent, à des degrés divers, d'un certain déficit fédératif, reconnu par la présence de déficiences plus ou moins accentuées du côté de l'une, ou de plusieurs, des caractéristiques structurelles et des processus ou dimensions relatifs à la culture politique dans l'échelle Watts-Blindenbacher. Un travail d'opérationnalisation de cette échelle, alliant des démarches qualitative et quantitative, ferait certainement œuvre utile pour la politologie du fédéralisme comparé. On y trouverait, en fin de compte, des instruments et des gradations permettant de conclure, pour chaque cas d'espèce, à l'existence d'un déficit fédératif de basse, moyenne ou forte intensité. Nous ne saurions aller ici aussi loin, mais nous reprendrons l'esprit général de cette démarche dans nos conclusions.

Nous partons ici de l'idée que, dans le cas du Canada, la réalité contemporaine est caractérisée par un déficit fédératif multidimensionnel, aux traits encore plus complexes que tout le dispositif que l'on retrouve dans les catégories de l'échelle Watts-Blindenbacher. Voici notre propre liste des sphères pertinentes pour la compréhension du déficit fédératif au Canada :

1. Le fédéralisme à l'ombre de la globalisation (négociations et forums multilatéraux, fragmentation identitaire, révolutions technologiques) ;
2. Les déficiences fédératives dans les deux principaux moments fondateurs de la maison constitutionnelle canadienne, les Lois de 1867 et de 1982 ;
3. Les dimensions institutionnelles (coordination intergouvernementale et rôle du Sénat) ;
4. L'architecture du réseau (taille et nombre des associés dans le dialogue fédéral, fortes disproportions et multiplication démesurée des acteurs) ;
5. L'approfondissement du déficit fédératif comme effet pervers du choc entre projets nationaux canadien et québécois ;

6. Les dimensions relatives à la culture politique (élites politico-bureau-cratiques, médias, citoyennes et citoyens).

S'il n'existe pas, à notre connaissance, de travaux en science politique s'appuyant sur le concept de déficit fédératif pour faire une évaluation d'ensemble du système politique canadien, plusieurs courants de pensée, et plusieurs analystes et acteurs politiques, en particulier au Québec, s'en sont substantiellement rapprochés. Dans la littérature politologique de langue anglaise, appuyée sur les travaux de K. C. Wheare et sur son concept de quasi-fédéralisme, un fort consensus a toujours existé en ce qui a trait à la faiblesse de l'autonomie des provinces et donc à la lourde prédominance du gouvernement du Dominion dans les paramètres constitutionnels de 1867[7]. Nous examinerons cela davantage plus loin dans ce chapitre. C'est d'ailleurs sur l'hégémonie d'une telle lecture réductrice quant à la place du fédéralisme au temps de la fondation que la Cour suprême du Canada a pu tabler sur les grands jugements qui ont préparé le terrain au rapatriement de la Constitution en 1982[8]. À quelques exceptions près[9], les experts francophones, en histoire, en droit constitutionnel et en science politique, ont eu tendance à suivre les traces de leurs collègues anglophones et à juger profondément lacunaire le régime créé en 1867 dans la perspective du respect des dimensions constitutives du fédéralisme[10].

Sur la scène politique québécoise, le concept de déficit fédératif a été formellement employé par deux ministres du précédent gouvernement, celui du Parti québécois, Joseph Facal et Jean-Pierre Charbonneau, lors de discours prononcés le 3 août 2000 et le 28 août 2002, respectivement à l'occasion du Congrès mondial de l'Association internationale de science politique et dans le cadre de la Conférence internationale sur le fédéralisme tenue à St-Gall en Suisse (sous l'égide du Forum des fédérations). La conférence de Joseph Facal portait le titre suivant : « La mondialisation, le déficit fédératif et le cas du Québec ». Dans les deux cas, la notion de déficit fédératif était employée pour traduire un important déséquilibre, à l'avantage des autorités centrales canadiennes, dans le domaine de la politique internationale en contexte de mondialisation. Les extraits suivants résument assez bien la pensée de ces deux anciens ministres :

Le déficit fédératif est tout aussi préoccupant que le déficit démocratique [...]. La mondialisation pose donc un défi de taille aux régimes fédératifs. En maintenant le monopole actuel des exécutifs fédéraux sur la conduite des relations internationales, on assiste inévitablement à une érosion du principe fédéral au fur et à mesure que s'élargit l'éventail des politiques publiques discutées dans l'arène internationale [...]. Le principe fédéral s'érode parce que les entités fédérées perdent, avec la mondialisation, une part significative de leur marge de manœuvre dans l'élaboration des politiques publiques, sans être pour autant compensées par une participation directe aux forums internationaux comme le sont les États unitaires et les gouvernements centraux des fédérations[11].

À défaut de suivre à la lettre leurs prédécesseurs péquistes à propos du concept même de déficit fédératif, l'actuel premier ministre du Québec, Jean Charest, et son ministre responsable des Affaires intergouvernementales canadiennes, Benoît Pelletier, en ont indiscutablement repris l'esprit dans d'importants discours consacrés à la question du fédéralisme au Canada. Dans une conférence prononcée à Charlottetown en novembre 2004, Jean Charest a en effet invité les Canadiens et leurs gouvernements à renouer avec l'esprit du fédéralisme et à s'éloigner des tentations centralisatrices. Intitulée « Pour redécouvrir l'esprit fédéral », cette conférence doit être comparée avec la deuxième partie de l'échelle Watts-Blindenbacher, celle qui est consacrée aux dimensions relatives à la culture politique[12]. Jean Charest y établit cinq principes qui « devraient habiter l'esprit fédéral au Canada » : le respect des choix, des compétences et de l'intelligence de chacun ; la flexibilité, c'est-à-dire l'adaptabilité, le respect des différences et l'asymétrie ; la règle de droit et la capacité de changer ces règles si elles ne correspondent plus à la volonté des participants ; l'équilibre, à la fois politique et fiscal, car « il ne peut y avoir de fédération équilibrée à long terme si un ordre de gouvernement se trouve dans une situation qui dénature le rapport entre ordres de gouvernement » et le principe de coopération, étant donné l'incontournabilité de l'interdépendance dans la politique contemporaine.

Si le discours de Jean Charest s'intéressait principalement aux aspects relatifs à la culture politique, dans un texte critique mais feutré où il rappelait au gouvernement central que ce dernier n'est pas le seul gardien du bien commun en régime fédéral, les nombreux discours et conférences de Benoît Pelletier depuis l'été 2003 sont surtout consacrés à une analyse pénétrante sur le premier axe de l'échelle Watts-Blindenbacher, celui des caractéristiques structurelles. La pièce maîtresse de cette approche est une conférence qu'il a intitulée « L'état de notre fédération : la perspective du Québec » et prononcée à quelques reprises au printemps 2004 à l'occasion d'un voyage dans l'Ouest canadien. Le responsable québécois des Affaires intergouvernementales canadiennes y précise qu'un régime fédéral doit répondre à quatre exigences structurelles : la recherche d'équilibre dans le partage et l'interprétation des pouvoirs législatifs entre les deux ordres de gouvernement ; la capacité des participants à disposer des ressources fiscales leur permettant d'assumer pleinement et adéquatement leurs responsabilités ; l'aptitude des provinces à pouvoir s'exprimer dans les institutions centrales communes et l'instauration de mécanismes efficaces permettant la concertation intergouvernementale dans des secteurs où la coordination s'impose. Après avoir examiné l'état de la réalité à propos de chacune de ces conditions structurelles, Benoît Pelletier en conclut que le système politique en vigueur au Canada ne respecte aucune d'entre elles. Mais plutôt que d'employer la rhétorique du déficit fédératif, il préfère en appeler à la « revitalisation » du fédéralisme canadien. Notre examen de la nature multidimensionnelle du déficit fédératif au Canada cherchera à montrer que les obstacles sur la route d'une éventuelle revitalisation sont plus nombreux que ne l'admettent Jean Charest et Benoît Pelletier, même s'il faut reconnaître que leur cadre analytique commun, assez proche de l'échelle Watts-Blindenbacher, ne manque pas de pertinence du point de vue de la science politique actuelle.

LES DIMENSIONS DU DÉFICIT FÉDÉRATIF

Le fédéralisme à l'ombre de la globalisation

Parmi les facteurs pouvant influencer l'équilibre interne de la fédération canadienne et, par le fait même, l'ampleur de son déficit fédératif, la globalisation est sans doute celui dont les effets sont les plus difficiles à cerner de manière exhaustive. La complexité du phénomène et l'incapacité des chercheurs à s'entendre sur une même définition conceptuelle ne sont probablement pas étrangères au fait que peu de travaux, notamment comparatifs, aient porté sur le sujet[13]. Ceci étant dit, certains chercheurs se sont tout de même penchés sur la question, nous offrant ainsi quelques pistes de réflexion intéressantes.

La globalisation, analysée sous l'angle des nouvelles technologies de l'information et des communications, peut par exemple avoir pour conséquence de s'attaquer aux deux premières dimensions sur l'axe structurel de l'échelle Watts-Blindenbacher. En effet, en modifiant la notion de territoire et en remettant en question l'existence des frontières qui jouent un rôle central dans la délimitation des communautés politiques au sein des fédérations, les nouvelles technologies diminuent la capacité des deux ordres de gouvernement d'agir directement, en toute légalité et légitimité, sur l'ensemble de leurs citoyens. Elles peuvent également brouiller la distribution constitutionnelle des pouvoirs législatifs et exécutifs et ainsi favoriser les empiètements du gouvernement fédéral dans les champs de compétence provinciaux[14]. Dans le cas canadien, ces dimensions seraient particulièrement affectées notamment par la mise sur pied, par les autorités politiques fédérales, du « gouvernement en ligne » et de l'Entente-cadre sur l'union sociale[15].

Pour Earl Fry, la globalisation a également accéléré l'intégration de l'économie mondiale et entraîné, en outre, une participation accrue des entités fédérées sur la scène internationale[16]. Si cette évolution du rôle des unités constituantes peut en elle-même sembler positive, dans le cas du Canada, elle est à l'origine de tensions entre le gouvernement central et le Québec. Ces différends et la manière dont ils sont gérés ne sont pas anodins, car ce qui est en jeu, ni plus ni moins, dans cette lutte pour exercer des compétences internes à l'étranger et y poursuivre des activités à caractère politique, est la première dimension de l'échelle Watts-Blindenbacher, soit le respect du principe fédéral qui sous-entend que la souveraineté dans une entité fédérative n'est pas l'apanage exclusif du gouvernement central, mais de la fédération toute entière[17]. Deux thèses s'affrontent donc depuis les années 1960, bien que le vocabulaire ait pu se moderniser au fil du temps. La première est la doctrine de l'indivisibilité de la Couronne, adoptée par Ottawa, dont découlent les deux prémisses suivantes : la compétence des affaires étrangères est exclusivement du ressort du pouvoir central et le Canada doit parler d'une seule voix sur la scène internationale[18]. La seconde, qui s'y oppose, est la thèse de la divisibilité de la Couronne, défendue par le Québec. Elle s'appuie quant à elle sur les principes fondamentaux du droit constitutionnel canadien, tels qu'ils ont été établis par la jurisprudence du Conseil privé de Londres[19], et donne les arguments nécessaires au Québec pour revendiquer le droit d'exercer son autonomie en dehors de son territoire[20]. Puisque les deux instances, malgré l'alternance des partis politiques au pouvoir, ont continué de maintenir une position ferme l'une à l'égard de l'autre, le gouvernement central a développé des pratiques ayant des impacts à la fois sur la première dimension de l'axe structurel de l'échelle Watts-Blindenbacher, mais également et surtout sur le troisième principe de l'axe de la culture politique. Le gouvernement fédéral a déjà par exemple exigé, avant que le gouvernement du Québec ne signe une entente internationale avec un gouvernement étranger, qu'un accord-cadre soit conclu avec lui au préalable. Ce type d'instruments juridiques, qui permet de fixer les paramètres à l'intérieur desquels les provinces peuvent négocier des arrangements ou des ententes avec un autre État ou ses subdivisions politiques[21], confère un certain contrôle aux autorités centrales sur les activités des provinces et constitue à ce titre un outil centralisateur accroissant le déficit fédératif. D'autres stratégies, qui ont pu avoir pour conséquence de miner les relations de confiance entre les acteurs et de réduire la propension au dialogue, ont également été utilisées par le passé. On compte parmi celles-ci le fait de demander au Québec de coordonner ses activités lors de missions à l'étranger avec l'ambassade canadienne sur le territoire visité ou encore de baliser ou d'interdire au premier ministre du Québec de rencontrer un chef d'État ou de gouvernement étranger, comme cela fut le cas lorsque Lucien Bouchard ne put voir le président Ernesto Zedillo lors de sa visite au Mexique en 1999.

Autre élément important à mentionner, l'accroissement régulier des échanges a aussi mené à la création de régimes économiques et juridiques internationaux de plus en plus contraignants pour les États[22]. Selon Daniel Kelemen, cette évolution a favorisé la centralisation des pouvoirs au sein des systèmes fédéraux, car seuls les gouvernements centraux participent réellement aux négociations internationales, s'engagent internationalement et sont tenus responsables auprès des autres États de la mise en application des traités[23]. Dans le cas du Canada, les propos de Kelemen s'appliquent surtout en matière de commerce international, car en vertu de la Constitution, c'est le Parlement fédéral qui dispose de tous les pouvoirs pour mettre en œuvre ce type de traités (art. 91.2). Selon Ivan Bernier, « cette compétence, en vertu de la règle de la prépondérance fédérale, va même jusqu'à permettre une intrusion dans les champs de compétence provinciale lorsque celle-ci s'avère essentielle à l'exercice de la compétence fédérale sur le commerce international[24] ». Ceci étant dit, si la participation du Canada à des forums commerciaux multilatéraux tend à accroître le déficit fédératif, il faut aussi savoir que la centralisation des pouvoirs est quelque peu atténuée par la nature dualiste du régime politique canadien. En effet, le gouvernement fédéral possède le pouvoir de négocier et de conclure des traités internationaux créant des obligations en vertu de l'article 132 de la Constitution[25]. Toutefois, comme le souligne François LeDuc :

> Il n'a pas la capacité d'exécuter des engagements qu'il contracterait dans un domaine relevant de la compétence des législatures provinciales. Sauf en ce qui concerne les territoires et institutions fédérales, il faut donc une décision positive prise de façon autonome par chacune des provinces et formalisée dans un instrument juridique pour que de tels engagements internationaux contractés par le Canada soient appliqués sur le territoire canadien[26].

Pour éviter que les provinces refusent de mettre en œuvre ce qu'il a pris l'initiative de conclure dans leurs champs exclusifs de compétence, l'exécutif fédéral serait donc incité à maintenir une culture de dialogue et à s'assurer qu'une bonne collaboration est établie avec les provinces au sein des divers mécanismes de coopération et de coordination intergouvernementales. Mais cela ne saurait compenser pour la perte de compétences exécutives dans leurs domaines de juridiction, d'autant plus que les mécanismes de coopération n'ont aucun ancrage constitutionnel ou institutionnel et qu'ils reposent souvent davantage sur la bonne volonté des autorités fédérales que sur des règles établies offrant des garanties de participation aux provinces[27].

Enfin, reconnaissant que nous n'avons pas abordé toutes les dimensions de la globalisation pouvant altérer l'équilibre fédéral, nous terminerons néanmoins avec l'impact des forces globalisantes sur l'identité et le nationalisme québécois. Contrairement aux Canadiens anglais, qui se sentiraient plus menacés par l'intégration économique et culturelle du continent nord-américain, le Québec verrait plutôt à travers ce processus une opportunité d'affirmer sa différence et de diminuer sa dépendance économique à l'égard du marché intérieur canadien. L'intégration aurait donc pour effet de consolider le nationalisme québécois et peut-être même de renforcer le mouvement d'indépendance[28], rendant du même coup le dialogue plus difficile entre les deux capitales nationales.

Les déficiences fédératives dans les Lois constitutionnelles de 1867 et de 1982

On assiste présentement dans notre vie universitaire, aussi bien en anglais qu'en français, à un important renouveau interprétatif à propos du rôle et du sens du principe fédéral à l'époque de la naissance du Dominion canadien. Les principaux acquis de ce renouveau nous semblent être les suivants : une meilleure compréhension de la tension entre le principe d'une forte autonomie et celui d'une subordination réelle et importante dans cette triple structure hiérarchique qui reliait, d'une part, les provinces au Parlement et au gouvernement du Dominion, et, d'autre part, ceux-ci aux autorités impériales à Westminster[29] ; une reconnaissance du fait que l'aspiration à l'autonomie n'était pas le monopole des dirigeants canadiens-français du Québec, mais qu'elle alimentait aussi, de façon profonde et authentique, le courant réformiste en Ontario et les chefs de file des provinces maritimes[30] (et dans tous les cas, cette aspiration se présentait sous le double visage d'une quête de liberté politique et de sécurité ou d'intimité culturelle) ; un ancrage juridique important, dans l'article 94 de la Loi de 1867, appuyant l'idée d'un traitement asymétrique favorable au Québec[31] et une réinterprétation de la doctrine du gouvernement responsable comme base d'une relation de souveraineté coordonnée entre le Dominion et les entités fédérées à l'ombre de la Couronne britannique[32].

Ce travail de complexification, dans la cité savante, s'inscrit dans une dynamique de longue durée qui pourrait avoir des effets du côté de la culture politique et du changement des mentalités, renforçant les dimensions liées à la non-centralisation et à la culture de dialogue dans l'échelle Watts-Blindenbacher, celles rattachées au respect et à la flexibilité dans l'approche de M. Charest. Car nonobstant le renouveau actuel, il nous faut reconnaître l'existence d'un déficit fédératif dans l'historiographie sur fond de l'hégémonie de la thèse quasi fédéraliste discutée précédemment. Nous examinerons maintenant les fondements de cette thèse dans le dispositif constitutionnel de 1867, puis nous verrons en quoi la réforme de 1982 a ajouté des éléments au problème reconnu.

L'existence d'un déficit fédératif dans la Loi constitutionnelle de 1867

La Loi constitutionnelle de 1867 respecte clairement les deux premiers critères mentionnés par l'échelle Watts-Blindenbacher sur le plan des caractéristiques structurelles : elle stipule l'existence de deux ordres de gouvernement agissant directement sur les citoyens tout en octroyant à chacun des compétences législatives par une distribution formelle des pouvoirs (particulièrement les articles 91 à 95 de la Loi de 1867). L'esprit général de cette distribution veut que les compétences sur des sujets d'ordre général aient été attribuées au gouvernement central, tandis que les pouvoirs sur les sujets d'ordre local ou privé soient allés aux provinces. En bonne logique avec cette approche, et en déviation avec la pratique américaine, les pouvoirs résiduaires sur les questions générales furent expressément octroyés au Dominion (art. 91.29), ne laissant aux provinces que les pouvoirs résiduaires sur les questions locales (art. 92.16). On doit voir dans le préambule de l'article 91, reconnaissant au Parlement du Dominion l'autorité générale de faire des lois pour la « Paix, l'ordre et le bon gouvernement », une première source de déficit fédératif, introduisant un déséquilibre dans le partage et l'interprétation des pouvoirs. Dans le chapitre 3 de ce livre, François Rocher se penche notamment sur la fortune historique de ce principe général d'interprétation dans l'histoire du fédéralisme canadien. Sont également à classer du côté des éléments quasi fédéraux ou quasi unitaires du système de 1867 les pouvoirs de réserve et de désaveu, permettant au représentant de la Couronne dans chaque entité fédérée, le lieutenant-gouverneur, de suspendre son assentiment aux lois provinciales, et ultimement au représentant de la Couronne dans la capitale centrale, le gouverneur général, de les désavouer (art. 55, 56 et 90). Ces prérogatives de réserve et de désaveu contrevenaient au principe de la souveraineté partagée des pouvoirs en régime fédératif, tout en représentant une mécanique impériale de coordination n'ayant rien à voir avec la dernière dimension mentionnée par l'échelle Watts-Blindenbacher sur l'axe structurel, à savoir des processus ou institutions facilitant la coopération intergouvernementale. Il est juste de préciser que le Dominion était lui aussi subordonné au Parlement impérial par des dispositions du même genre, à condition d'ajouter qu'il s'en libéra graduellement dans le cadre d'un processus de décolonisation tranquille qui se termina, sur cette dimension, avec le Statut de Westminster de 1931. La doctrine juridique actuelle considère que les pouvoirs de réserve et de désaveu des lois provinciales sont tombés en désuétude. Conventionnellement, ils sont donc « dormants », n'ayant pas fait l'objet d'une abrogation expresse.

Le pouvoir déclaratoire (art. 92.10, alinéa c) de la Loi de 1867 permet au Parlement central de déclarer à l'avantage de tout le Canada, ou de plusieurs de ses provinces, des travaux de nature locale tombant sous les compétences d'une province. Formellement, cela introduit aussi un fort déficit fédératif sur le plan du partage des pouvoirs. Le Parlement du Dominion peut également, en vertu de l'article 93, adopter des lois réparatrices pour protéger les communautés religieuses minoritaires dans les provinces. Par le biais de l'article 132, le Dominion est aussi proclamé compétent pour s'acquitter des obligations du Canada liées aux traités conclus entre l'Empire britannique et des pays étrangers. En 1931, le Statut de Westminster viendra confirmer et préciser les compétences du gouvernement et du Parlement canadiens en ce qui a trait aux affaires étrangères et à la politique internationale. Dans la section antérieure, nous avons indiqué que le contexte de la mondialisation avait notamment mené à l'amplification du déficit fédératif dans ce domaine, une situation dénoncée avec beaucoup de vigueur au Québec ces dernières années, en particulier par les ministres Joseph Facal, Louise Beaudoin et Benoît Pelletier.

La triple structure hiérarchique au sein de l'Empire caractérisait également en 1867 l'organisation du pouvoir judiciaire. L'arbitrage suprême pour toutes les catégories du droit au Canada, y compris les questions constitutionnelles, se trouvait à Londres entre les mains des membres du Comité judiciaire du Conseil privé. Les articles 96 à 101 de la Loi de 1867 organisent de façon très centralisée le pouvoir judiciaire, à l'avantage du gouvernement fédéral dont les officiers nommeront les juges de toutes les cours supérieures et de toutes les cours d'appel dans les provinces, et également ceux de la Cour générale d'appel (Cour suprême du Canada) qui sera finalement créée en 1875. Dans la mesure où, depuis 1949, la Cour suprême est devenue l'arbitre ultime de la vie constitutionnelle au Canada, sa dépendance envers un niveau central jouissant d'un pouvoir arbitraire de nomination dans le champ judiciaire nuit à sa capacité de respecter l'exigence de neutralité liée à cette tâche[33]. Le problème ne réside pas seulement dans le fait que les juges du plus haut tribunal sont nommés par la seule volonté de l'exécutif central, ou encore qu'ils appartiennent aux réseaux sociaux des élites politico-bureaucratiques à Ottawa. Le problème tient aussi à l'existence d'une véritable liaison organique, en particulier entre la juge en chef de la Cour suprême et le pouvoir central, dans la mesure où Madame McLachlin peut en outre être appelée à se substituer à la gouverneure générale dans son rôle exécutif auprès des ambassadeurs ainsi que dans son rôle législatif, lors de la ratification des lois du Parlement central. Techniquement, le Canada souffre donc également d'un déficit fédératif du point de vue de l'arbitrage constitutionnel.

Dès 1867, le Canada traînait selon l'échelle Watts-Blindenbacher un déficit fédératif pluridimensionnel. Notons que, dans ce chapitre, nous n'en considérons pas de façon exhaustive toutes les facettes. Nous n'en appréhendons pas davantage l'évolution jusqu'à notre époque (voir le chapitre 3). Nous négligeons en particulier toute la question de la suprématie fiscale du gouvernement central, autorisé depuis l'origine du régime à puiser dans toutes les sources possibles pour établir ses revenus. Cette question est liée à celle d'une condition structurelle déjà examinée, celle de la distribution formelle des pouvoirs législatifs. Autant pour l'approche Watts-Blindenbacher que pour la doctrine Charest-Pelletier, la présence d'un équilibre fiscal permettant aux États membres d'assumer leurs responsabilités est nécessaire pour le maintien de l'identité fédérale d'un régime politique. Plusieurs chapitres de ce livre expliquent les fondements pratiques de l'élargissement d'un pouvoir général de dépenser du gouvernement fédéral dans les champs de compétence des provinces à compter de la fin des années 1930, dans le contexte d'un déséquilibre fiscal qui va lui aussi en s'approfondissant à notre époque. À défaut de pouvoir nous-mêmes aller au fond de cette thèse, contestée par le gouvernement fédéral canadien durant l'ère Chrétien-Martin, nous l'aborderons quand nous analyserons les conséquences pour le déficit fédératif du choc entre projets nationaux canadien et québécois.

L'existence d'un déficit fédératif dans la Loi constitutionnelle de 1982

Il existe un consensus assez répandu, les auteurs anglophones et franco-phones se citant les uns les autres, à propos des effets délétères de la réforme constitutionnelle de 1982 sur la place du principe fédéral dans l'ordre politico-légal canadien. Cette question fait d'ailleurs l'objet d'un traitement auto-nome dans un autre chapitre de ce livre. Nous rappellerons ici, grâce à deux citations, l'essentiel de cette doctrine, puis nous la rendrons plus concrète à l'aide de quelques exemples :

> [L]e gouvernement par les juges, via une Charte « nationale » ayant suprématie sur toute charte « provinciale », permet de mettre en veilleuse les droits collec-tifs des diverses composantes de la fédération et d'homogénéiser le pays au nom de l'égalité et de l'intangibilité des droits des individus ; et ou d'autre part le gou-vernement par le « peuple canadien » permet au fédéral de contourner la cons-titution et d'exercer un droit d'ingérence dans les domaines de compétence provinciale, dans le but de faire prévaloir l'intérêt supérieur de « la » nation et d'assurer l'égalité des chances entre citoyens et citoyennes d'un même pays[34].
>
> Le langage de cette charte, général et abstrait, est de nature telle qu'il donne aux tribunaux canadiens un pouvoir d'interprétation énorme, qui érige la Cour suprême et les autres tribunaux d'appel du Canada au rang de co-législateur et de co-constituant. On peut à bon droit estimer que grâce à cette délégation implicite du pouvoir législatif, la Cour suprême du Canada est devenue l'une des juridictions les plus puissantes du monde occidental. En effet, tout en héri-tant de cette nouvelle mission, la Cour continue de connaître des appels en tout domaine, civil, criminel, administratif et intergouvernemental[35].

Dans son tout premier article, la Charte canadienne des droits et liber-tés, laquelle est le noyau dur de la Loi constitutionnelle de 1982, proclame l'existence de limites raisonnables à l'exercice des droits « dans une société libre et démocratique ». Rien dans cette formule n'impartit aux juges l'obliga-tion de tenir compte dans leur réflexion du caractère fédéral du pays cana-dien. S'il leur arrive de le faire, réalité qui ne devrait pas surprendre les observateurs vu la présence réelle du principe fédéral dans la Loi de 1867 et dans l'histoire politique du Canada, il n'en demeure pas moins que la Charte s'ouvre sur une disposition qui postule de façon moniste le caractère singu-lier et indifférencié de la communauté politique canadienne. Le monisme et l'universalisme de l'article premier de la Charte sont illimités et abstraits.

L'expression « limites raisonnables » ne devrait pas avoir le même sens dans une fédération plurinationale, bilingue et multiculturelle, comme c'est le cas au Canada, que dans un État unilingue et unitaire. Selon nous, la Charte commence par une clause dotée d'une logique défédéralisante et provoquant des effets qui vont dans le même sens. Les travaux de Cairns et de Russell dans la science politique canadienne-anglaise ont montré que le travail « nationalisant » de la Charte du côté de l'uniformisation des mentalités dans la population canadienne a accru la légitimité des interventions du gouvernement fédéral, notamment grâce à son pouvoir de dépenser, dans les champs de compétence des provinces[36]. L'auto-définition du Canada en tant que « société libre et démocratique », dans la Charte, préférée à l'appellation « fédération libre et démocratique », a donc des effets du côté de la culture politique (affaiblissant la co-souveraineté des partenaires dans le dialogue fédéral), et d'autres, plus indirectement, du côté du partage des pouvoirs.

En vertu du quatrième principe sur l'axe structurel de l'échelle Watts-Blindenbacher, l'amendement constitutionnel en régime fédéral doit obtenir non seulement le consentement des autorités centrales, mais aussi celui d'une proportion importante des entités fédérées[37]. Depuis 1982, il est juste de dire que le constitutionnalisme canadien respecte ce critère. Cependant, vu l'importance de la réforme de 1982 sur l'équilibre du système fédéral canadien, il importe aussi de souligner que l'entrée en vigueur de la Loi de 1982 n'a nullement, quant à elle, respecté un tel critère. La plupart des observateurs se remémoreront l'absence de consentement des autorités gouvernementales et législatives du Québec. Mais on tend à oublier qu'à l'époque aucune des neuf assemblées législatives des provinces majoritairement anglophones ne se sentit obligée de voter, ou même de tenir un débat, pour ratifier la réforme la plus importante apportée à la Constitution canadienne depuis 1867. Toutes ces provinces se contentèrent d'une approbation sur le plan de l'exécutif[38]. Au sens de l'échelle Watts-Blindenbacher, cela représente une aggravation du déficit fédératif. Un court extrait d'un texte de José Woehrling permettra de cerner le dernier exemple à propos des rapports entre la Loi de 1982 et le principe fédéral :

> L'existence d'une autonomie politique territoriale protège les minorités concentrées territorialement en leur donnant le contrôle politique d'une entité fédérée ; le fédéralisme permet donc aux minorités d'exercer une autonomie fondée sur

le principe de la décision majoritaire. Dans la mesure où la protection des droits par un instrument constitutionnel est un dispositif antimajoritaire, elle vient limiter l'autonomie politique des minorités qui disposent d'une ou de plusieurs entités territoriales. La minorité qui contrôle une telle entité voit son pouvoir politique limité au profit de ses propres minorités et de ses propres membres[39].

L'analyse de Woehrling s'applique bien sûr à la situation du Québec au sein du Canada. Dans les catégories de l'échelle Watts-Blindenbacher, nous sommes sur le terrain de la condition structurelle voulant que les deux ordres de gouvernement puissent, l'un et l'autre ancrés dans la légalité et la légitimité, agir directement sur l'ensemble de leurs citoyens. Dans le cas du Québec et du Canada, comme Woehrling le souligne, la chose est compliquée par le fait que la minorité anglophone au sein de la minorité nationale québécoise fait également partie de la majorité sur le plan pancanadien. Dans ce contexte, un mécanisme pancanadien de protection des droits peut être employé pour faire prévaloir, au Québec et au détriment de son autonomie politico-juridique, les intérêts du groupe linguistique majoritaire dans l'État-nation. On trouve dans les travaux de J. Webber et W. Kymlicka des analyses qui corroborent les conclusions de Woehrling[40]. C'est bien sûr toute la question du choc entre projets nationaux canadien et québécois qui coule en filigrane de ce développement. Nous y reviendrons dans une prochaine section.

Notre regard sur les Lois de 1867 et de 1982 a permis de dégager des éléments illustrant la réalité du déficit fédératif au Canada sur les quatre caractéristiques suivantes : la capacité cosouveraine des gouvernements à agir directement sur les citoyens ; le partage des pouvoirs et la répartition des ressources fiscales ; la question de l'amendement de la loi fondamentale et celle de l'arbitrage constitutionnel. La prochaine section du chapitre, consacrée aux institutions, nous mènera sur le terrain des deux dernières caractéristiques structurelles de l'échelle Watts-Blindenbacher, la représentation des entités fédérées au centre et la question de la coordination intergouvernementale.

Les perspectives institutionnelles

En ce début du xxiᵉ siècle, plusieurs raisons militent en faveur d'un renforcement des processus et des institutions liés à la coopération et à la coordination entre les gouvernements dans les régimes fédéraux : l'interdépendance croissante marquée par l'enchevêtrement des champs de compétence (pressions internes), les changements technologiques, qui bouleversent l'horizon de la gouvernance un peu partout, et les facteurs liés aux réalités supranationales (pressions externes). Le portrait institutionnel canadien actuel en la matière est complexe et il se prête à une interprétation nuancée. Nous n'en traiterons ici que deux aspects : les mécanismes horizontaux de coordination intergouvernementale à travers le Conseil de la fédération, et le principal mécanisme de coordination verticale, à savoir la Conférence des premiers ministres.

Créé à l'initiative du gouvernement du Québec à la fin de 2003, le Conseil de la fédération est le résultat concret de ce qu'il convient d'appeler l'approche Charest-Pelletier. Son objectif fondamental est d'assurer la modernisation de la Conférence annuelle des premiers ministres provinciaux afin que soit articulée de façon plus efficace la coordination interprovinciale[41]. Les principaux mandats du Conseil visent à faire partager les expertises des uns et des autres à travers une approche coordonnée et intégrée, à susciter le développement d'une vision commune des relations intergouvernementales canadiennes, à permettre un meilleur dialogue avec le gouvernement central sur toutes les questions sectorielles et prioritaires. Le Conseil de la fédération a innové en créant un secrétariat administratif autonome et permanent, en doublant le rythme des rencontres chaque année, en institutionnalisant la place des territoires à la même table que celle des provinces, en acceptant finalement le principe de l'égalité des provinces dans une institution commune. Le renforcement de la voix des provinces et des territoires a donné des fruits dans l'Entente fédérale-provinciale-territoriale sur la santé qui a été conclue à la fin de la Conférence des premiers ministres en septembre 2004 (le volet asymétrique de cette entente dans les relations Canada-Québec est traité dans un autre chapitre de ce livre). Mais l'unilatéralisme pratiqué par Ottawa un mois plus tard sur la question de la péréquation et des transferts aux provinces, la lenteur des pourparlers sur la question du déséquilibre fiscal et l'incertitude du débat sur le financement de l'éducation post-secondaire, en cours à l'automne 2005, nous obligent à restreindre notre enthousiasme quant aux mérites du Conseil sur le plan de l'équilibre fédératif. La clé, à moyen terme, se trouve du côté de la capacité du Conseil de la fédération et de ses membres à transformer l'institution phare du fédéralisme exécutif au Canada qu'est la Conférence des premiers ministres.

Les experts Martin Papillon et Richard Simeon viennent, dans une étude récente et particulièrement détaillée, de produire la critique la plus sévère et la plus systématique de la Conférence des premiers ministres, faisant ressortir toute une série de lacunes qui empêchent cette institution d'assurer la coordination efficace au sommet, rendue nécessaire par les exigences contemporaines de la gouvernance fédérative[42]. Les auteurs notent d'abord la tenue très irrégulière de ces conférences, organisées sur une base *ad hoc*, la plupart du temps à des fins politiques immédiates ayant peu à voir avec la gestion de l'interdépendance. Ils constatent aussi l'absence de procédures administratives clairement définies, de règles mutuellement acceptées et connues de prise de décision, l'absence aussi d'une préparation bureaucratique adéquate et suivie. Ils font également remarquer que les Conférences des premiers ministres ne disposent pas de relations clairement établies avec les autres instances intergouvernementales, et pas davantage avec les autres instances législatives fédérales et provinciales. Fonctionnant par ailleurs dans un cadre où la transparence démocratique fait défaut, les Conférences se terminent par la signature de documents qui n'ont pas de véritable statut légal ou constitutionnel, et ne lient donc les acteurs que de façon très imprécise. Associant les deux axes de l'échelle Watts-Blindenbacher, celui des structures institutionnelles et celui de la culture politique, Papillon et Simeon jugent que les approches *ad hoc* qui président au fonctionnement de la Conférence des premiers ministres contribuent à la faiblesse des rapports de confiance et de loyauté entre les acteurs.

Approfondissant l'analyse de Papillon et Simeon, Laforest et Montigny ont déterminé les origines impériales des mécanismes unilatéraux qui permettent au premier ministre fédéral, en tant que leader de l'exécutif du gouvernement central, de décider arbitrairement du principe de la convocation d'une Conférence des premiers ministres, d'en imposer l'ordre du jour et d'être le seul à la présider et à l'animer[43]. Quand on fait le bilan de tout cela, une double conclusion s'impose : comme instrument de coordination au sommet, la Conférence des premiers ministres est singulièrement déficiente sur le plan structurel, tout en bafouant l'ensemble des critères en ce qui a trait à la culture politique sur l'échelle Watts-Blindenbacher telle qu'elle est modifiée par nous. À ce chapitre, outre le critère relatif à la propension au dialogue, lié aux questions de la confiance et de la loyauté, la performance de la Conférence est particulièrement faible du côté de la non-centralisation et de l'existence de contrepoids. Les auteurs dont nous nous inspirons dans cette section ne font pas que déplorer à propos de cette institution le déficit fédératif du Canada contemporain ; ils proposent aussi des pistes imaginatives pour orienter des réformes à venir[44].

Sur le plan des institutions, le déficit fédératif du Canada ne se limite pas aux carences des instruments de coordination au sommet. Il s'étend aussi à la troisième caractéristique structurelle sur l'échelle Watts-Blindenbacher qui exige une représentation réelle et substantielle des entités fédérées dans le fonctionnement des institutions centrales. À l'origine du Dominion, le Sénat canadien, en tant que deuxième chambre du système parlementaire, fut défini au moins partiellement en fonction de certains principes associés au fédéralisme. On en trouve un exemple du côté de la représentation paritaire des quatre grandes régions du pays (Québec, Ontario, provinces de l'Est et provinces de l'Ouest). Toutefois, deux éléments ont réduit la fonctionnalité du Sénat pour l'essentiel à l'analyse vigilante de la législation centrale et à un certain pouvoir de contrôle tant de l'exécutif que du législatif. Le premier est la nomination des sénateurs, dont la responsabilité incombe en théorie à la Couronne et à ses officiers, mais qui revient conventionnellement au premier ministre fédéral, et l'évolution spécifique du système de gouvernement au Canada où la réalité du dialogue interprovincial et interrégional s'est concentrée à l'intérieur même du cabinet fédéral et dans les institutions du fédéralisme exécutif. Mais la fonction de représentation des entités fédérées, non spécifiée à l'origine mais au moins pensable dans l'ordre des tendances, a complètement disparu du décor. Qui plus est, le Sénat est le cimetière par excellence des desseins réformistes en politique canadienne. Pour conclure sur cet aspect, on peut dire qu'au Canada les populations des États fédérés sont représentées dans le fonctionnement des institutions centrales, mais que leurs gouvernements ne le sont pas. Ce problème est amplifié par des mutations en cours sur le plan de l'architecture d'ensemble du réseau étatique canadien.

L'architecture du réseau

Sur le plan de la structure fonctionnelle, les relations intergouvernementales qui caractérisent le dialogue fédéral-provincial canadien furent historiquement organisées en fonction des impératifs du fédéralisme exécutif[45]. À cet égard, les débats sur nos grandes évolutions constitutionnelles furent bien souvent caractérisés par leur caractère privé[46] et par l'absence de participation de la population canadienne. Aujourd'hui, ce caractère privé des négociations entre Ottawa et les provinces est de plus en plus critiqué, ce qui ne semble pas étranger à l'idée du gouvernement fédéral de rendre plus transparents les pourparlers intergouvernementaux.

Il n'en demeure pas moins que ces démonstrations de bonne volonté vont beaucoup plus loin que le simple désir de rendre le processus plus ouvert et démocratique. En fait, comme l'a noté Alan Cairns[47], la Charte canadienne des droits a permis à plusieurs groupes, comme les Autochtones, les minorités visibles, les minorités linguistiques et les femmes, d'obtenir une reconnaissance juridique de leur statut. Cette production « d'identités constitutionnelles » a eu pour effet de remettre en question l'idée selon laquelle l'ordre constitutionnel canadien n'appartenait qu'aux dirigeants politiques. C'est dans cette perspective que l'accord du lac Meech a été critiqué par la société civile comme ayant été élaboré par « 11 hommes blancs non handicapés[48] ». C'est la raison pour laquelle la période post-1990 a reconnu le besoin d'impliquer la population dans toute discussion future entourant des amendements à la Constitution. Plusieurs auteurs ont donc soutenu que le type de relations intergouvernementales d'antan articulées autour de la notion de fédéralisme exécutif est désormais révolu en raison des implications empiriques de la Charte canadienne des droits[49].

Cette situation a également eu des effets sur les peuples autochtones. En effet, l'article 35 de la Constitution de 1982 eut pour conséquence d'inclure dans la définition de « peuples aborigènes » tous les Autochtones. Cette reconnaissance élargie du statut d'aborigène a donc créé une diversité nouvelle au sein de ce groupe. Il s'ensuit qu'il est désormais difficile de trouver un discours autochtone unique, compte tenu des réalités différentes que ce terme réunit. Voici ce qu'écrit Alan Cairns à ce sujet :

> Il y a plusieurs voix autochtones, et non pas une seule. L'expression « autochtone » reconnaît la diversité évidente entre les Indiens, les Inuit et les Métis, mais s'ajoutent à cela de multiples distinctions internes, entre la voix des hommes et celle des femmes, entre les traditionalistes et les modernisateurs, entre les Autochtones vivant dans un milieu urbain comme celui de Toronto et leur parenté établie dans des réserves nordiques isolées[50].

À l'heure actuelle, l'Assemblée des Premières Nations peut servir d'intermédiaire dans le cadre de négociations constitutionnelles. Par contre, avec la récente autonomie gouvernementale accordée à la nation Nisga'a et celle contenue dans le projet d'entente connu sous l'appellation d'« approche commune », il y a fort à parier que ces nations risquent d'exiger une reconnaissance lors de négociations constitutionnelles futures[51]. En plus d'accroître le nombre d'acteurs constitutionnels, la voix autochtone risque de se trouver diluée et ne pourra plus prétendre à sa force d'autrefois, dans la mesure où certaines revendications peuvent ne pas susciter d'intérêt ou tout simplement aller à l'encontre d'une partie plus ou moins importante de la population autochtone.

Cette prolifération du nombre de groupes dans le débat constitutionnel canadien a eu pour effet de légitimer une pléiade d'acteurs qui n'avaient pas nécessairement obtenu la reconnaissance explicite de leur identité en vertu de la Charte. Cette situation a pour conséquence d'isoler les provinces qui n'occupent plus leur statut central d'autrefois, ce qui nuit à la culture de dialogue qui devrait exister dans un système fédéral, en vertu du point trois de l'échelle culturelle Watts-Blindenbacher. À titre d'exemple, en ce qui a trait à sa politique étrangère, le gouvernement fédéral interagit de moins en moins avec les gouvernements provinciaux, mais de plus en plus avec des groupes de la société civile pour l'élaboration de ses politiques internationales. En ce sens, le fédéralisme exécutif :

> [...] semble être en voie de remplacement par des rapports plus directs entre l'État fédéral et la société civile canadienne. Bref, le développement de politiques fédérales se ferait moins par la voie des négociations intergouvernementales que par la voie de consultations directes auprès des citoyens[52].

Cette façon de faire est particulièrement utilisée pour ce qui est des négociations touchant l'agriculture. Ainsi, alors que pendant les années 1980, ces négociations s'effectuaient en vertu des pratiques du fédéralisme exécutif, la situation s'est modifiée avec la fin de l'Uruguay Round. En effet, la position canadienne défendue à Seattle avait été le résultat de consultations auprès de la société civile. Déjà avant la fin de l'Uruguay Round, le gouvernement fédéral avait mis sur pied des comités-conseils sur le commerce international, dont l'Union des producteurs agricoles faisait partie. Cette dépréciation du rôle des États membres en tant que partenaires des décisions étatiques communes est également source d'un déficit fédératif, considérant que certaines de ces ententes internationales touchent à des compétences entièrement provinciales ou, dans le cas de l'agriculture, partagées.

De plus, en se combinant aux effets de la Charte sur le pluralisme constitutionnel, la mondialisation tend à accorder une double légitimité aux municipalités qui affirment avoir besoin d'une reconnaissance accrue de leur statut. En s'appuyant sur le principe de subsidiarité qui présuppose que les décisions politiques devraient se prendre au niveau le plus bas possible, les villes soutiennent que l'environnement mondial entraîne des pressions économiques et sociales sur le plan local qui ne peuvent être gérées efficacement par Ottawa ou les provinces[53].

En somme, le nombre croissant d'acteurs entraîne une prolifération des questions potentiellement à l'ordre du jour dans le cadre des débats constitutionnels, ce qui a pour effet de faire des relations entre le gouvernement central et les provinces un sujet parmi tant d'autres. Contrairement à l'époque où prédominait le fédéralisme exécutif, les provinces ne peuvent plus espérer avoir un poids aussi significatif qu'auparavant dans la formation de compromis intergouvernementaux. La situation post-1982 est maintenant déterminée par une forme de « corporatisme constitutionnel » qui a pour conséquence de rendre beaucoup plus difficile, voire impossible, l'adaptabilité de la Constitution canadienne, ce qui pose un problème sur le plan du dernier point de l'échelle culturelle Watts-Blindenbacher.

L'approfondissement du déficit fédératif comme effet pervers du choc entre les projets nationaux canadien et québécois

Dans certains des travaux qui comptent parmi les plus importants de la science politique contemporaine, Michael Keating a proposé un cadre conceptuel pour étudier notamment des pays comme la Belgique, l'Espagne, le Canada et la Grande-Bretagne, où la vie politique est traversée par des conflits complexes et diversifiés entre plusieurs projets de construction d'une communauté nationale distincte et autonome. Ce projet peut être celui de l'État-nation englobant et juridiquement indépendant, comme il peut être celui d'une, ou de plusieurs, nations non souveraines. Dans son ouvrage sur les défis du nationalisme moderne, consacré au Québec, à la Catalogne et à l'Écosse, voici comment il en arrive à cerner le concept de projet national :

> Dans ce nouveau contexte, l'autonomie n'a plus le même sens. Il ne s'agit désormais ni de créer un État ni de viser à l'autarcie. Il s'agit plutôt de formuler un projet national/régional, de rassembler la population autour de ce projet et d'acquérir la capacité de formuler des politiques adaptées à un monde complexe et interdépendant. Les institutions acquièrent, dès lors, une grande importance. Il est nécessaire à une nation/région de disposer d'institutions autonomes (de *self-government*) qui lui permettent de créer un lieu de débat et de décisions, d'élaborer des politiques, de conférer légitimité aux décisions et de défendre l'intérêt de la collectivité au niveau de l'État et au plan international[54].

Après ce développement, Keating ajoute que des projets nationaux de cette nature essaieront de se traduire par des résultats concrets dans tous les domaines des politiques publiques, tant sur les plans économique, social, culturel et politique. Plus récemment, Keating a introduit les concepts de plurinationalisme et de post-souveraineté, pour caractériser d'abord des contextes où plusieurs identités nationales coexistent (non seulement de façon séparée et parallèle mais aussi en s'entremêlant à des degrés divers aussi bien dans la tête des individus que dans des sous-ensembles territoriaux au sein de l'État) à l'intérieur d'un ordre politique, et ensuite pour signifier la fin des prétentions de l'État indépendant au monopole territorial de l'autorité et de la légitimité[55]. L'auteur invoque notamment la montée des nationalismes minoritaires ou non souverains, et l'intérêt renouvelé pour le pluralisme culturel et les identités multiples, pour justifier le recours au concept de post-souveraineté.

Le cadre conceptuel de Keating nous semble utile pour pousser un peu plus loin notre compréhension du déficit fédératif au Canada.

Depuis le dernier tiers du XIXe siècle, l'État a toujours été un acteur de premier plan dans la promotion d'un projet national canadien[56]. Le rôle notamment économico-social dévolu à l'État sert de marqueur identitaire pour différencier le Canada des États-Unis. Traditionnellement, il était associé à une certaine conception de l'ordre public, permettant à l'État central de légiférer pour la paix, l'ordre et le bon gouvernement. Cette notion de l'État s'est aussi traduite par plusieurs cycles de politiques dites « nationales » de grande envergure, marquées par un fort volontarisme dans l'axe est-ouest. Il faut aussi associer à cette notion de l'État l'objectif, présent au XIXe siècle et renouvelé sous les gouvernements Trudeau et à l'ère de la Charte, de protéger plusieurs types de communautés minoritaires. La modernisation accélérée de la société québécoise, dans la deuxième moitié du XXe siècle, s'est faite sous le leadership d'un État fédéré, relativement autonome et capable d'animer un réseau institutionnel assez complet et diversifié, lequel a également été un acteur de premier plan dans la promotion d'un projet national québécois moderne. Le choc entre ces deux projets nationaux a été, selon la plupart des manuels, la caractéristique déterminante de la politique canadienne dans la deuxième moitié du XXe siècle[57]. Selon nous, les pressions formidables exercées sur le Canada par le Québec de la Révolution tranquille et par la mouvance souverainiste qui multiplie ses tentatives depuis lors ont à la fois transformé l'État et l'identité nationale au Canada, tout en provoquant des effets pervers sur les deux axes de l'échelle Watts-Blindenbacher, celui des caractéristiques structurelles comme celui de la culture politique.

Osons à ce stade-ci une remarque à propos de l'orientation méthodologique de la science politique sur ces questions. Règle générale, la littérature de science politique vante les mérites du fédéralisme (souveraineté partagée, flexibilité institutionnelle, ouverture au dialogue) pour son riche potentiel dans l'aménagement de la diversité. Sauf que le fédéralisme ne saurait être une solution miracle[58]. Au cours des quarante dernières années, l'exemple canadien montre que l'exacerbation d'un conflit entre deux projets nationaux aussi solides que modernes l'un et l'autre, même dans les limites d'un régime représentatif libéral et démocratique, peut se nourrir à même l'approfondissement du déficit fédératif. Dans cette perspective, les menaces que le projet national québécois fait peser sur le projet national canadien, menaces réelles ou perçues comme telles, deviennent des facteurs objectifs encourageant l'État central à utiliser ses avantages dans la répartition des revenus pour agir plus directement et plus systématiquement que l'État québécois sur les citoyens afin de consolider le projet national canadien sur tout le territoire, même si cela a pour effet d'ignorer le partage constitutionnel des pouvoirs.

Il va sans dire que le processus du *Canadian nation-building* a une influence directe sur le désir qu'ont les Québécois de continuer à étendre les compétences de leur État. Mais, plus encore, le projet national canadien a eu pour effet de développer dans le discours nationaliste québécois l'idée que le Canada aurait perdu sa nature fédérale pour se transformer en un État unitaire[59]. Face à cette forme de discours, les options à la disposition du Québec sont pensées de manière manichéenne : ou bien le Québec accepte son sort en se laissant avaler par le projet canadien ou bien il assume pleinement sa spécificité en faisant sécession. En somme, dans la mesure où une fédération est tiraillée par des projets nationaux divergents, l'existence d'un déficit fédératif ne sert qu'à nourrir de manière réciproque et concurrente les arguments des défenseurs des différents projets. Parallèlement à cela, une telle situation a pour effet d'isoler de façon de plus en plus durable les différents acteurs en présence et de rendre impossible la création de relations dialogiques sincères entre les projets nationaux en présence. Bref, cette paralysie systémique tend à instituer une logique selon laquelle la défense d'un projet national passe par une « démonisation » de l'autre.

Les dimensions relatives à la culture politique

La coopération et la coordination intergouvernementales ainsi que la propension au dialogue dans un régime fédéral sont grandement facilitées lorsque les différents paliers de gouvernement s'entendent sur les principaux enjeux du jour. Il est clair que l'opposition d'une ou plusieurs provinces autour d'une question rendra la coopération fédérale-provinciale extrêmement difficile. Historiquement, ces difficultés ont souvent opposé le Québec et Ottawa et sont grandement attribuables à deux conceptions contradictoires du lien fédéral. D'une part, le Québec conçoit le fédéralisme canadien dans un cadre multinational, alors que le reste du Canada l'analyse plutôt dans une perspective territoriale[60]. Comme le souligne avec justesse Ferran Requejo, la constitution d'une citoyenneté dans une société plurinationale est déjà *a priori* une entreprise extrêmement périlleuse, étant donné l'influence prépondérante dans l'histoire du modèle fédéral américain, lequel ne visait pas à accommoder la diversité identitaire[61]. Comme le Canada est grandement affecté par la présence de ces deux conceptions opposées du fédéralisme, il est difficile de développer un sentiment identitaire commun lorsque les initiatives fédérales sont perçues comme étant en opposition aux valeurs québécoises.

Cette dichotomie identitaire qui secoue le Canada s'est instaurée en grande partie sous l'impulsion de la conception trudeauiste de l'unité nationale. Fondée autour d'une conception moniste, l'identité nationale proposée par Trudeau visait essentiellement à faire du Canada le seul repère pour les Canadiens[62]. En faisant du primat de l'individualité la base de sa théorie de l'identité nationale et en rejetant toute forme de nationalisme québécois, Trudeau s'est opposé à toute idée de droits collectifs. Selon lui, les droits ne devaient être accordés que sur des bases individuelles et de manière égale[63]. Comme l'a écrit Dimitrios Karmis, le monde se divisait en deux catégories pour Trudeau. D'une part, les « forces réactionnaires » se regroupaient autour de la nation ethnique, du particularisme et de l'État-nation, alors que les « forces progressistes » étaient plutôt définies par le nationalisme civique, l'ouverture à l'autre et l'appartenance à l'État fédéral. Karmis ajoute que « selon Trudeau, "l'histoire de la civilisation", c'est l'histoire de la subordination du "nationalisme" tribal à des appartenances plus larges[64] ».

Par conséquent, pour Trudeau, le Canada était une fédération territoriale définie autour d'une égalité de tous les individus, mais également de toutes les provinces. Aujourd'hui, la culture politique canadienne est fortement articulée autour de cette idée et est partagée par une majorité de Canadiens anglais. À titre d'exemple, un sondage publié conjointement par la firme Environics/Focus Canada et l'Association d'études canadiennes à l'occasion du 10ᵉ anniversaire des deux référendums sur l'avenir constitutionnel tenus en parallèle démontrait que plus de 60 % des Canadiens voient le Canada dans une perspective similaire à celle de Trudeau, alors qu'environ

20 % le conçoivent plutôt comme une fédération multinationale[65]. Au Québec, les opinions étaient inverses.

L'opinion publique se trouve à être un phare de la culture politique en général, dans la mesure où elle reflète l'attitude des gouvernants par rapport à l'orientation de l'identité canadienne. Ainsi, discutant de l'indifférence des Canadiens anglais à l'égard de la question des compétences provinciales, Will Kymlicka et Jean-Pierre Raviot ont décrit une situation extrêmement révélatrice. Selon eux :

> Pour ne donner qu'un petit exemple très instructif, la Commission royale sur les nouvelles techniques de reproduction a entendu des témoignages d'un océan à l'autre. Partout où elle s'est rendue, à l'extérieur du Québec, les Canadiens appuyaient fortement l'idée d'une réglementation nationale des techniques de reproduction. Il s'agit là pourtant d'un exemple patent de compétence provinciale. Les problèmes fondamentaux des techniques de reproduction – à savoir les soins de santé et le droit familial – sont clairement des domaines de compétence provinciale. Les Canadiens anglophones appuyaient une réglementation nationale, mais ils supposaient également que le gouvernement fédéral pourrait faire appliquer une telle réglementation. La question des compétences n'a été soulevée qu'au Québec[66].

Dans la mesure où une part importante de l'opinion publique canadienne est idéologiquement scindée entre deux idées opposées du fédéralisme, il est difficile de croire à l'émergence d'une culture de dialogue entre le Québec et le reste du Canada. Comme la légitimité des gouvernants repose sur le soutien populaire, il s'ensuit que l'opinion publique peut être à la base d'un grave déficit fédératif, plus particulièrement lorsqu'elle se fait le relais d'une conception de l'identité nationale qui n'est pas partagée par l'ensemble de la population.

L'élite bureaucratique d'un ordre de gouvernement peut également contribuer à ce type de déficit lorsqu'elle s'immisce dans l'administration de certains programmes qui relèvent de la juridiction d'une autre entité fédérée. Le cas canadien permet de voir que de nombreux programmes sociaux qui relèvent de la compétence des provinces se trouvent à faire l'objet de « normes nationales ». Or, il serait préférable d'analyser ces normes non pas dans un cadre de collaboration, mais plutôt sous l'angle de la subordination des provinces par le gouvernement fédéral. Le secteur de la santé est probablement le cas le plus probant à cet égard, et tout porte à croire que l'éducation sera le prochain secteur visé. À titre d'exemple, le gouvernement fédéral s'est doté d'un conseiller fédéral sur les temps d'attente, dont le but est « d'établir un consensus sur les mesures à prendre pour fournir rapidement des soins de santé[67] ». De plus, en vertu de l'Accord de septembre 2004 sur l'amélioration des soins de santé, les progrès réalisés pour la réduction des temps d'attente doivent être suivis par un organisme fédéral, à savoir l'Institut canadien d'information sur la santé. Cet accord prévoyait également que le Conseil de la santé prépare un rapport annuel public traitant de l'état de santé des Canadiens et des Canadiennes ainsi que des résultats pour la santé. Le financement fédéral de ces programmes est bien souvent tributaire de l'atteinte des objectifs nationaux par les provinces ce qui, dans une situation de déséquilibre fiscal, favorise le développement d'une culture de dépendance des provinces à l'égard d'Ottawa. Cette subordination d'un ordre de gouvernement contrevient donc à la première caractéristique structurelle de l'échelle Watts-Blindenbacher.

Cette manière de procéder de la part des élites bureaucratiques entraîne également un déficit fédératif à trois dimensions de l'échelle culturelle Watts-Blindenbacher. Premièrement, ces normes nationales ont pour effet de concentrer la prise de décision. Deuxièmement, l'imposition de ces normes ne favorise pas nécessairement le développement d'une culture du dialogue, dans la mesure où un ordre de gouvernement dicte une marche à suivre aux autres entités fédérées. Finalement, en acceptant de se subordonner aux objectifs fixés par la bureaucratie fédérale, les provinces ne peuvent plus exercer véritablement de contrepoids efficace, compte tenu qu'elles abdiquent leurs responsabilités.

Inspirés par les travaux du Forum des fédérations, par la démarche consensuelle d'auteurs anglophones et francophones canadiens sur l'existence d'un déséquilibre fédératif au Canada et par la réflexion de politiciens québécois sur l'érosion du principe fédéral, nous avons proposé, dans ce chapitre, un outil conceptuel novateur permettant de mesurer l'état de santé du système politique canadien. Cet instrument, que nous avons construit et bonifié à partir du cadre théorique de Watts et Blindenbacher, est constitué des caractéristiques structurelles et des éléments de culture politique que devraient posséder les régimes fédéraux « optimaux ». Il a pour but de déterminer, une fois appliqué à des fédérations qui ont toutes des déficiences à géométrie variable, les fondements et l'ampleur de leur déficit fédératif et de cibler les changements susceptibles d'améliorer, ultimement, le fonctionnement de leurs institutions politiques.

Sans entrer dans la dynamique d'une recherche comparative approfondie, nous avons néanmoins ciblé puis examiné, dans le cas du Canada, les facteurs externes mais surtout internes contribuant à accroître ou à réduire son degré de déficit fédératif. C'est donc en étudiant certains aspects propres à la globalisation, aux Lois constitutionnelles de 1867 et de 1982, à certaines dimensions institutionnelles canadiennes, à l'architecture du réseau fédéral, aux projets nationaux canadien et québécois et à certains aspects relatifs à la culture politique que nous avons été en mesure, sur la base d'une synthèse qualitative des travaux pertinents dans la littérature, de relever la présence d'un déficit fédératif de moyenne-forte intensité au Canada. Cette conclusion doit toutefois être nuancée pour deux raisons. D'une part, comme nous l'avions déjà mentionné, le cadre conceptuel que nous avons suggéré doit absolument, si l'on souhaite qu'il devienne un outil fiable et efficace, faire l'objet d'un travail d'opérationnalisation plus approfondi. Par ailleurs, ne disposant ni des moyens ni de l'espace pour intégrer l'ensemble des résultats comparatifs des recherches menées par le Forum des fédérations, nous reconnaissons que notre jugement critique pourrait être modulé à la baisse si le Canada, malgré ses lacunes, obtenait en bout de ligne, comme cela est vraisemblable, un score comparatif enviable sur un bon nombre d'indicateurs.

Si l'on observe maintenant plus attentivement les axes concernant les caractéristiques structurelles et la culture politique de l'échelle Watts-Blindenbacher, il est intéressant de remarquer que toutes les dimensions ont été affectées, bien qu'à des degrés divers, de manière à creuser encore davantage le déficit. Certaines caractéristiques ont toutefois été plus touchées que d'autres. Sur l'axe structurel, ce sont sans équivoque les deux premiers principes qui ont subi le plus d'entorses. La conséquence en est qu'il est aujourd'hui de plus en plus difficile pour les provinces de se faire respecter en tant qu'entités souveraines, au même titre que le gouvernement fédéral, et de faire reconnaître le partage constitutionnel des compétences. En ce qui a trait à l'axe de la culture politique, c'est plutôt la troisième dimension, soit celle faisant état de la propension au dialogue et de la présence de relations de loyauté et de confiance réciproque qui a été particulièrement malmenée depuis le référendum de mai 1980 et encore davantage depuis celui de 1995. C'est sans doute sur cette dimension que le nouveau gouvernement fédéral dirigé par Stephen Harper devrait travailler, s'il veut vraiment concrétiser l'approche du fédéralisme d'ouverture.

NOTES ET RÉFÉRENCES

1. Raoul Blindenbacher et Cheryl Saunders, « A Global Dialogue on Federalism : Conceptual Framework », dans John Kincaid et Alan G. Tarr, *Constitutional Structures, Origins and Change in Federal Countries*, Montréal et Kingston, McGill-Quenn's University Press, 2005, p. 3.

2. John Kincaid, « Introduction », dans Ann Griffith et Karl Nerenberg (dir.), *Handbook of Federal Countries 2002 of the Forum of Federations*, Montréal et Kingston, McGill-Queen's University Press, 2002, p. 3-13.

3. Ronald L. Watts, *Comparaison des régimes fédéraux,* 2ᵉ éd., Montréal et Kingston, McGill-Queen's University Press, 2002.

4. Raoul Blindenbacher et Ronald L. Watts, « Federalism in a Changing World – A Conceptual Framework for the Conference », dans Raoul Blindenbacher et Arnold Koller (dir.), *Federalism in a Changing World : Learning from Each Other*, Montréal et Kingston, McGill-Queen's University Press, 2002, p. 10-11.

5. *Ibid.*, p. 11.

6. Will Kymlicka et Jean-Pierre Raviot, « Vie commune : aspects internationaux des fédéralismes », *Études Internationales*, XXVIII (4), 1997, p. 816-821 ; Guy Laforest, « Se placer dans les souliers des autres partenaires dans l'union canadienne », dans Guy Laforest et Roger Gibbins (dir.), *Sortir de l'impasse : les voies de la réconciliation*, Montréal, Institut de recherches en politiques publiques, 1998, p. 84 ; John Kincaid, « Introduction », dans Ann Griffith et Karl Nerenberg (dir.), *Handbook of Federal Countries 2002 of the Forum of Federations*, p. 9.

7. Donald Smiley, *The Federal Condition in Canada*, Toronto, McGraw-Hill Ryerson Limited, 1987, p. 36-37 ; Richard Simeon et Ian Robinson, « The Dynamics of Canadian Federalism », dans James Bickerton et Alain-G. Gagnon (dir.), *Canadian Politics*, 4ᵉ éd., Peterborough, Broadview Press, 2004, p. 106-107.

8. Janet Ajzenstat, Paul Romney, Ian Gentles et William D. Gairdner, *Débats sur la fondation du Canada*, Québec, Presses de l'Université Laval, 2004, p. 523 ; Paul Romney, *Getting it Wrong : How Canadians Forgot Their Past and Imperiled Confederation*, Toronto, University of Toronto Press, 1999, p. 272-274 ; Samuel LaSelva, *The Moral Foundations of Canadian Federalism*, Montréal et Kingston, McGill-Queen's University Press, 1995, p. 54-55.

9. André Burelle, *Le mal canadien. Essai de diagnostic et esquisse de thérapie*, Montréal, Fides, 1994, p. 129-130.

10. Réjean Pelletier, « Constitution et fédéralisme », dans Réjean Pelletier et Manon Tremblay, *Le parlementarisme canadien*, 3ᵉ éd. revue et augmentée, Québec, Les Presses de l'Université Laval, 2005, p. 48-49.

11. Joseph Facal, *La mondialisation, le déficit fédératif et le cas du Québec,* 2000, p. 3. Page consultée le 17 octobre 2005, en ligne <www.saic.gouv.qc.ca/centre_de_presse/discours/saic/dis20000803.htm>.

12. Jean Charest, « Pour redécouvrir l'esprit fédéral », *La Presse,* 9 novembre 2004, p. A19.

13. Harvey Lazar, Hamish Telford et Ronald L. Watts, « Divergent Trajectories : The Impact of Global and Regional Integration on Federal Systems », dans Harvey Lazar, Hamish Telford et Ronald L. Watts (dir.), *The Impact of Global and Regional Integration on Federal Systems. A Comparative Analysis,* Montréal et Kingston, McGill-Queen's University Press, 2003, p. 5.

14. Roger Gibbins, « Federalism in a Digital World », *Revue canadienne de science politique,* vol. 33, n° 4, 2000, p. 670 et 682.

15. Pour Roger Gibbins, l'Entente-cadre sur l'union sociale (SUFA) a l'effet négatif suivant : « [...] *SUFA can be seen as a corrosive influence on Canadian federalism, one that diminishes the importance of jurisdictional boundaries and domains. SUFA provides a way to handle better inter-dependencies of contemporary federal governance, but in so doing it also diminishes the traditional importance of the constitutional division of powers* », *Revue canadienne de science politique,* p. 684.

16. Earl Fry, « Quebec confronts Globalization : A model for the Future ? », *Quebec Studies,* vol. 30, n° 1, 2001, p. 58.

17. Réjean Pelletier, « Constitution et fédéralisme », dans Réjean Pelletier et Manon Tremblay, *Le parlementarisme canadien,* p. 37-79.

18. Pierre Pettigrew, *La mise en œuvre de l'Énoncé de politique internationale du Canada,* Allocution présentée devant l'Institut canadien des affaires internationales, 2005. Page consultée le 21 novembre 2005, en ligne ; Robert Dutrisac, « "Le Canada doit parler d'une seule voix". Pettigrew relègue aux oubliettes la doctrine Gérin-Lajoie », *Le Devoir,* 2 septembre 2005, <w01.international.gc.ca/minpub/Publication.asp?publication_id=383348&language=F>.

19. *Hodge v. The Queen,* (1883-1884). App.Cas. 117, p. 132.

20. Benoît Pelletier, *L'état de notre fédération : la perspective du Québec,* Conférence présentée à la Canada West Foundation. Page consultée le 20 octobre 2005, <www.saic.gouv.qc.ca/centre_de_presse/discours/2004/saic_dis20040324.htm>, 2004.

21. François LeDuc, *Guide de la pratique des relations internationales du Québec,* Québec, Ministère des Relations internationales, 2000, p. 83-84.

22. Ivan Bernier, « L'impact de l'internationalisation sur le fonctionnement de l'État : le partage constitutionnel des compétences », dans Douglas M. Brown et Murray G. Smith, *Canadian Federalism : Meeting Global Economic Challenges ?,* Kinsgton, Institute of Intergovernmental Relations, 1991, p. 66.

23. Daniel R. Kelemen, « Globalization, Federalism, and Regulation », dans David Vogel et Robert A. Kagan (dir.), *Dynamics of Regulatory Change. How Globalization Affects National Regulatory Policies,* Los Angeles, University of California Press, 2004, p. 273.

24. Ivan Bernier, « L'impact de l'internationalisation sur le fonctionnement de l'État : le partage constitutionnel des compétences », dans Douglas M. Brown et Murray G. Smith, *Canadian Federalism : Meeting Global Economic Challenges ?,* p. 69.

25. Ann Griffiths et Karl Nerenberg (dir.), *Handbook of Federal Countries 2002 of the Forum of Federations*, p. 143.

26. François LeDuc, *Guide de la pratique des relations internationales du Québec*, p. 75.

27. David Cameron et Richard Simeon, « Intergovernmental Relations in Canada : The Emergence of Collaborative Federalism », *Publius : The Journal of Federalism*, vol. 32, n° 21, 2002, p. 64.

28. Harvey Lazar, Hamish Telford et Ronald L. Watts, « Divergent Trajectories : The Impact of Global and Regional Integration on Federal Systems », dans Harvey Lazar, Hamish Telford et Ronald L. Watts (dir.), *The Impact of Global and Regional Integration on Federal Systems. A Comparative Analysis*, p. 20 ; André Lecours, *When Regions Go Abroad : Globalization, Nationalism and Federalism*, 2002, p. 4. Page consultée le 1er novembre 2005, <www.iigr.ca/conferences/archive/pdfs1/lecours.pdf>.

29. Robert Vipond, *Liberty & Community : Canadian Federalism and the Failure of the Constitution*, Albany, State University of New York Press, 1991, p. 85 ; Stéphane Kelly et Guy Laforest, « Aux sources d'une tradition politique », dans Janet Ajzenstat, Paul Romney, Ian Gentles et William D. Gairdner, *Débats sur la fondation du Canada*, Québec, Presses de l'Université Laval, p. 527-546.

30. Janet Ajzenstat, Paul Romney, Ian Gentles et William D. Gairdner, *Débats sur la fondation du Canada*, p. 4-5.

31. Samuel LaSelva, *The Moral Foundations of Canadian Federalism*, p. 57 ; Guy Laforest, *The Historical and Legal Origins of Asymmetrical Federalism in Canada's Founding Debates : a Brief Interpretive Note*, Queen's Institute of Intergovernmental Relations' Web Series on Asymmetrical Federalism, 2005, p. 2-3 (page consultée le 19 octobre 2005, <www.iigr.ca/pdf/publications/372_The_Historicial_and_Lega.pdf>).

32. Paul Romney, *Getting it Wrong : How Canadians Forgot Their Past and Imperiled Confederation*, p. 274-275.

33. José Woehrling, « La Charte canadienne des droits et libertés et ses répercussions sur la vie politique », dans Réjean Pelletier et Manon Tremblay, *Le parlementarisme canadien*, p. 113-114.

34. André Burelle, *Le mal canadien. Essai de diagnostic et esquisse de thérapie*, p. 64 ; voir aussi Will Kymlicka, *Finding our Way : Rethinking Ethnocultural Relations in Canada*, Toronto, Oxford University Press, 1998, p. 166.

35. Marc Chevrier, *Le fédéralisme canadien et l'autonomie du Québec : perspective historique*, Québec, Ministère des Relations internationales, 1996, p. 8-9.

36. Alan C. Cairns, *Reconfigurations : Canadian Citizenship and Constitutional Change*, ouvrage préparé par Douglas E. Williams, Toronto, McClelland et Stewart, 1995, p. 197 ; Peter Russell, « The Political Purposes of the Canadian Charter of Rights and Freedoms », *Revue du barreau canadien*, vol. 61, 1983, p. 49-50.

37. En règle générale, cela se fait par l'entremise de leurs assemblées législatives ou par celle de majorités référendaires.

38. Stéphane Kelly et Guy Laforest, « Aux sources d'une tradition politique », dans Janet Ajzenstat, Paul Romney, Ian Gentles et William D. Gairdner, *Débats sur la fondation du Canada*, p. xvii.

39. José Woehrling, « La Charte canadienne des droits et libertés et ses répercussions sur la vie politique », dans Réjean Pelletier et Manon Tremblay, *Le parlementarisme canadien*, p. 115.

40. Jeremy Webber, *Reimagining Canada*, Montréal et Kingston, McGill-Queen's University Press, 1993, p. 210 ; Will Kymlicka, *Finding our Way : Rethinking Ethnocultural Relations in Canada*, p. 158-164.

41. Guy Laforest et Éric Montigny, « Le fédéralisme exécutif : problèmes et actualités », dans Réjean Pelletier et Manon Tremblay, *Le parlementarisme canadien*, p. 355-356.

42. Martin Papillon et Richard Simeon, « The Weakest Link ? First Ministers' Conferences in Canadian Intergovernmental Relations », dans J. Peter Meekison, Hamish Telford et Harvey Lazar (dir.), *Canada : The State of the Federation 2002, Reconsidering the Institutions of Canadian Federalism*, Montréal et Kingston, McGill-Queen's University Press, 2004, p. 114, 125-126 et 130.

43. Guy Laforest et Éric Montigny, « Le fédéralisme exécutif : problèmes et actualités », dans Réjean Pelletier et Manon Tremblay, *Le parlementarisme canadien*, p. 351-352.

44. Martin Papillon et Richard Simeon, « The Weakest Link ? First Ministers' Conferences in Canadian Intergovernmental Relations », p. 132-134.

45. Keith Archer, Roger Gibbins, Rainer Knopff et Leslie A. Pal, *Parameters of Power, Canada's Political Institutions*, Toronto, ITP Nelson, 1999, p. 133-171.

46. Guy Laforest, *The Historical and Legal Origins of Asymmetrical Federalism in Canada's Founding Debates : a Brief Interpretive Note*, p. 353. Page consultée le 19 octobre 2005, <http://www.iigr.ca/pdf/publications/372_The_Historical_and_Lega.pdf>, 2005.

47. Alan C. Cairns, *Reconfigurations : Canadian Citizenship and Constitutional Change*, 1995.

48. *Ibidem*, p. 146.

49. Alan C. Cairns, *Reconfigurations : Canadian Citizenship and Constitutional Change*, 1995 ; Richard Simeon, *Political Science and Federalism. Seven Decades of Scholarly Engagement*, Montréal et Kingston, McGill-Queen's University Press, 2002, p. 24.

50. Alan C. Cairns, *Citizens Plus : Aboriginal Peoples and the Canadian State*, Vancouver/Toronto, UBC Press, 2000, p. 6 (traduction des auteurs).

51. Keith Archer, Roger Gibbins, Rainer Knopff et Leslie A. Pal, *Parameters of Power, Canada's Political Institutions*, p. 163.

52. Éric Montpetit, « Les réseaux néocorporatistes québécois à l'épreuve du fédéralisme canadien et de l'internationalisation », dans Alain-G. Gagnon (dir.), *Québec : État et société*, tome 2, Montréal, Québec Amérique, 2003, p. 201-202.

53. Andrew Sancton, « Municipalities, Cities, and Globalization : Implications for Canadian Federalism », dans Herman Bakvis et Grace Skogstad (dir.), *Canadian Federalism : Performance, Effectiveness and Legitimacy*, Don Mills, Oxford University Press, 2002, p. 261-277.

54. Michael Keating, *Les défis du nationalisme moderne : Québec, Catalogne, Écosse*, Montréal/Bruxelles, Presses de l'Université de Montréal/Presses universitaires européennes, 1997, p. 71.

55. Michael Keating, *Plurinational Democracy : Stateless Nations in a Post-Sovereignty Era*, Oxford, Oxford University Press, 2001, p. 29-30.

56. Philip Resnick, *The Masks of Proteus : Canadian Reflections on the State*, Montréal et Kingston, McGill-Queen's University Press, 1990, p. 210-211.

57. Robert J. Jackson et Doreen Jackson, *Politics in Canada : Culture, Institutions, Behaviour and Public Policy*, Toronto, Prentice Hall, 2001, p. 5-6.

58. Will Kymlicka, *La citoyenneté multiculturelle*, Montréal, Boréal, 2001 ; Will Kymlicka, *Politics in the Vernacular. Nationalism, Multiculturalism and Citizenship*, Oxford, Oxford University Press, 2001, p. 118.

59. Joseph Facal, *Le déclin du fédéralisme canadien*, Montréal, VLB Éditeur, 2001, p. 13.

60. Will Kymlicka, *Politics in the Vernacular. Nationalism, Multiculturalism and Citizenship*, p. 23-55.

61. Ferran Requejo, « Federalism in Plurinational Societies : Rethinking the Ties between Catalonia, Spain, and the European Union », dans Dimitrios Karmis et Wayne Norman (dir.), *Theories of Federalism : A Reader*, New York, Palgrave Macmillan, 2005, p. 311-320.

62. Kenneth McRoberts, *Un pays à refaire*, Montréal, Boréal, 1999.

63. Il n'en reste pas moins qu'il existe des différences entre la position théorique de Trudeau sur les droits individuels et le contenu de la Charte canadienne des droits et de la Constitution de 1982 au sujet des droits collectifs. À cet égard, soulignons le paradoxe entre ces deux types de droits, notamment en ce qui a trait aux articles 25 et 35 de la Constitution de 1982 qui reconnaissent le droit à l'autonomie gouvernementale des peuples autochtones, tandis que l'article 15 stipule que la loi doit s'appliquer également à toutes et à tous, indépendamment de l'origine nationale, ethnique, religieuse ou de genre. Cependant, comme ces droits collectifs ne s'appliquent nullement au Québec, ils ne contribuent pas à faire du Canada un État multinational. Laforest rappelle que « dans la conception de monsieur Trudeau, il n'y a pas de nation ou de peuple québécois. Il y a la nation canadienne, une et indivisible, et les Québécois sont des citoyens canadiens qui se trouvent à vivre, d'une façon plus ou moins accidentelle, sur le territoire du Québec. Ces individus pourraient vivre dans une autre province et bénéficier des mêmes avantages de la citoyenneté canadienne. La société juste de Pierre Elliott Trudeau, c'est celle qui garantit à tous les citoyens, sur une base individuelle, l'égalité dans les droits et dans les privilèges de la citoyenneté. Il n'y a pas de dimension nationale, collective, dans l'identité des Québécois. Tel était en résumé l'esprit de 1982. » Voir Guy Laforest, *Trudeau et la fin d'un rêve canadien*, Sillery, Septentrion, 1992, p. 254.

64. Dimitrios Karmis, « Pluralisme et identité(s) nationale(s) dans le Québec contemporain : clarifications conceptuelles, typologie et analyse du discours », dans Alain-G. Gagnon (dir.), *Québec : État et société*, p. 104.

65. Karine Fortin, « Plus de Québécois voteraient aujourd'hui en faveur de l'Accord de Charlottetown », *Le Devoir*, Montréal, le lundi 21 octobre 2002, p. A4.

66. Will Kymlicka et Jean-Pierre Raviot, « Vie commune : aspects internationaux des fédéralismes », *Études internationales*, p. 842.

67. Allocution prononcée par Paul Martin le 20 septembre 2005. Au sujet de ce conseiller, il ajoute : « Et c'est aussi pourquoi, à la lumière de ses conseils et de son savoir, nous continuerons à travailler fort avec les provinces pour veiller à ce qu'elles respectent leurs engagements concernant la mise en place de points de repère en matière de temps d'attente pour des procédures médicales cruciales » et que le respect, par les provinces, de normes nationales est « un principe nécessaire et établi de longue date dans le fonctionnement du fédéralisme canadien », (page consultée le 2 octobre 2005, <www.pm.gc.ca/fra/news.asp ?category=2&id=586>).

5

LE FÉDÉRALISME AU CANADA : PROVINCES ET MINORITÉS, MÊME COMBAT

Andrée Lajoie

Dans ce chapitre, nous discuterons de deux thèmes spécifiques relatifs à la centralisation et à l'intégration des valeurs minoritaires. Nous nous intéresserons essentiellement à la tension qui traverse le fédéralisme canadien (et sans doute celui d'autres pays) et qui nous paraît susceptible d'expliquer à la fois la centralisation du pouvoir entre les mains des autorités fédérales aux dépens des provinces, et la frontière où s'arrête l'intégration au droit canadien des valeurs prônées par les minorités. Pour y voir clair, il faut examiner séparément ces deux champs, avant de les comparer pour repérer le lien commun qu'ils entretiennent avec les intérêts dominants.

DEUX UNIVERS PARALLÈLES MALGRÉ LES APPARENCES

Au départ, la centralisation des compétences et des pouvoirs dans la fédération canadienne semble évoluer indépendamment du statut qu'y détiennent les minorités, sans doute, en partie du moins, à cause du fait que ces deux contentieux constitutionnels respectifs se sont succédé dans le temps. Mais la réalité est pourtant différente et, pour s'en convaincre, il faut s'arrêter successivement à la centralisation des compétences et des pouvoirs[1], puis à l'intégration des valeurs prônées par les minorités.

La centralisation des compétences et des pouvoirs

Pour bien saisir non seulement l'étendue exceptionnelle de la centralisation des compétences et des pouvoirs dans la fédération canadienne, mais les facteurs susceptibles de l'expliquer, il ne suffit pas de s'arrêter à ses instruments (1), dont l'analyse est pourtant fort révélatrice, mais il faut encore la replacer dans le contexte de son évolution historique (2).

Ses instruments

Trois types d'instruments constitutionnels sont responsables de la centralisation dans la fédération canadienne : tout d'abord, au point de départ, le texte constitutionnel lui-même, qui définit le partage des compétences et, par la suite, en interaction, les théories judiciaires d'interprétation de cette même constitution et les pratiques constitutionnelles de l'exécutif.

Le texte constitutionnel et le partage initial. La Loi constitutionnelle de 1867[2] institue un partage initial des compétences législatives dont l'essentiel se trouve à ses articles 91 à 95, assez connus pour que nous n'y revenions pas ici en détail. Il suffira de rappeler que les compétences fédérales reproduisaient dans l'ensemble celles sur lesquelles la métropole britannique avait jusque-là conservé le contrôle, désormais dévolues à la bourgeoisie canadienne issue du colonialisme. Par ailleurs, les pouvoirs de l'exécutif font pour leur part l'objet de quelques dispositions éparses dans le texte de 1867, incorporant les pouvoirs déjà attribués aux exécutifs des colonies qui formeront la fédération, tout en en spécifiant d'autres, relatifs à certaines nominations judiciaires et à l'expropriation des terres provinciales aux fins de défense. Le Conseil privé a cependant statué que ces pouvoirs se divisaient selon la ligne de partage des compétences législatives prévue à la Loi constitutionnelle de 1867, et cela, dans un arrêt[3] dont la Cour suprême vient de réitérer la portée contemporaine en le citant avec approbation dans le *Renvoi relatif à la sécession du Québec*[4]. Mais ce n'est pas tant le texte constitutionnel initial qui est responsable de la centralisation actuelle dans la

Constitution canadienne, mais plutôt les interprétations judiciaires auxquelles ce partage a donné lieu et les pratiques gouvernementales qui se sont élaborées à sa marge.

Les théories interprétatives. Les origines coloniales de la Confédération canadienne lui ont longtemps valu un régime judiciaire paradoxal : l'arbitre des conflits d'interprétation inévitablement suscités par le partage des compétences législatives entre le Parlement fédéral et plusieurs législatures provinciales a longtemps été étranger. C'est en effet le Comité judiciaire du Conseil privé qui, de Londres, décidait ces matières en dernier ressort jusqu'en 1949, donc après même l'institution de la Cour suprême du Canada en 1875.

L'ensemble des constitutionnalistes est d'accord pour considérer la jurisprudence de ce tribunal colonial comme la plus décentralisatrice qu'ait connue notre Constitution[5]. Le phénomène s'explique précisément par le statut étranger du tribunal : Londres ne perdait pas les pouvoirs que le Conseil confirmait aux provinces, contrairement au gouvernement canadien, qui nommera par la suite les juges de la Cour suprême. Tout au cours de cette période, le Conseil privé a donc affirmé l'autonomie juridique des provinces à l'égard de toute tutelle fédérale, et plus encore la compartimentation stricte du partage des compétences.

Pourtant, avant de céder la main à la Cour suprême, le Conseil privé avait déjà conçu une partie des instruments du renversement de sa propre tendance, sans pourtant les appliquer d'emblée. Il s'agit de cinq théories interprétatives dont les trois premières sont liées à la facture du texte constitutionnel (compétence accessoire implicite, prépondérance fédérale, pouvoirs résiduaires), alors que les deux autres se présentent comme des exceptions dans l'application du partage énoncé (dimensions nationales, état d'urgence).

Sans procéder ici à l'analyse des arrêts qui leur ont donné naissance et qui les ont par la suite appliquées, il convient de montrer en quoi elles favorisent toutes la centralisation.

Compétence accessoire implicite. La compétence implicite (accessoire ou ancillaire) permet au Parlement fédéral de légiférer dans les domaines de compétence provinciale « exclusive » si l'exercice efficace de ses propres compétences l'exige[6]. Comment une compétence peut-elle être à la fois exclusive et validement envahie par un autre ordre législatif que celui auquel elle a été attribuée ? L'effet envahissant de cette technique eût exigé pour le moins une interprétation stricte du critère de nécessité, et la logique du concept, son application égale aux compétences provinciales : tel n'a pas été le cas, comme nous le verrons au cours de la seconde période de l'évolution du fédéralisme canadien.

Prépondérance fédérale. En cas de conflit entre deux législations, l'une provinciale, l'autre fédérale, toutes deux validement fondées au départ, portant sur un objet identique et incompatibles dans leur application, le Conseil a décidé[7] que la législation fédérale prévaudrait. Par la suite, on pourra le constater, les tribunaux canadiens étendront la portée de cette théorie en l'appliquant à des conflits d'application potentielle entre deux normes[8].

Compétence résiduaire. Le Conseil, se fondant sur le paragraphe 29 de l'article 91 de la Loi constitutionnelle de 1867, qui attribue précisément à la compétence fédérale « les catégories de sujets expressément exceptés dans l'énumération des catégories de sujets exclusivement assignés par la présente loi aux législatures des provinces » a confirmé la compétence fédérale sur toute matière non énumérée dans la liste des compétences provinciales, à moins qu'il ne s'agisse d'une matière clairement locale[9]. On imagine facilement l'effet centralisateur de cette théorie un siècle et demi après la rédaction de la Constitution, lorsque les matières innomées – parce qu'alors inexistantes ou non susceptibles d'être régies par l'État libéral du xixe siècle, telles l'aéronautique et les télécommunications – auront pris dans la législation contemporaine l'importance que l'on sait.

Dimensions nationales. De la compétence résiduaire à la théorie des dimensions nationales, il n'y avait qu'un pas, un pas hors du texte constitutionnel, que le Conseil a allègrement franchi, déclarant de compétence fédérale une loi prohibant la vente et la consommation publique de l'alcool, au motif que ce fléau avait pris des « dimensions nationales[10] ». Jumelée avec l'état d'urgence dont elle ne se distingue pas toujours clairement, cette théorie allait être appliquée à quelques reprises par la suite. Elle a eu un regain de vigueur récemment à cause de sa connexité avec le concept de subsidiarité[11].

État d'urgence. Par la suite, l'état d'urgence a par ailleurs été invoqué pour lui-même et sans l'appui de la théorie des dimensions nationales[12]. Il a au surplus servi de fondement à des « mesures spéciales pour faire face à des situations de crise, qu'elles proviennent de troubles civils, d'insurrections, de guerres ou de perturbations économiques. En fait, le Canada a été assujetti à une quelconque forme de législation d'urgence durant environ 40 % du temps depuis le début de la Première Guerre mondiale[13] ».

Mais c'est cumulativement qu'il faut apprécier ces théories : que reste-t-il aux États constituants d'une fédération où les autorités centrales peuvent légiférer d'abord dans leur propre domaine, puis sur les matières résiduaires, et enfin dans le champ même des compétences provinciales « exclusives » chaque fois que cela est « nécessaire » à l'exercice de leur compétence, qu'il y a conflit potentiel d'application à un même objet, que l'objet présente des « dimensions nationales » ou que l'on appréhende un état d'urgence ? Pourtant, cela n'a pas suffi aux autorités fédérales, qui ont voulu aller plus loin encore.

Les pratiques constitutionnelles de l'exécutif. En effet, en complément de ces interprétations judiciaires extensives et centralisatrices du texte constitutionnel, un certain nombre de pratiques gouvernementales se sont développées dans le champ constitutionnel, pour centraliser d'abord le contrôle du territoire, puis l'économie dans son ensemble. Celles auxquelles l'État canadien s'est limité jusqu'à la Deuxième Guerre mondiale étaient au moins autorisées par la Constitution, alors que d'autres se sont développées depuis carrément à sa marge, sinon en contradiction avec les principes qui, selon la Cour suprême, la sous-tendent.

Plusieurs instruments ont ainsi été successivement mis à contribution : le pouvoir de désaveu, le pouvoir déclaratoire, la propriété publique et le pouvoir de dépenser. Leur caractère omniprésent permet dès lors de qualifier certaines compétences fédérales d'indéfiniment extensibles.

Pouvoir de désaveu. La Loi constitutionnelle de 1867 prévoyait à ses articles 56 et 57 le pouvoir de *désaveu* et de *réserve* des lois, y compris provinciales, par le gouverneur général. Il s'agit, dans le premier cas, de l'annulation discrétionnaire d'une loi au moment même de son adoption et, dans le second, d'une suspension crépusculaire de deux ans. Utilisés surtout à l'égard de la législation des provinces de l'Ouest au début de la Confédération, ces pouvoirs sont tombés en désuétude – le désaveu en 1943, après 112 utilisations, et la réserve en 1961, après 70 utilisations[14] – le principe du fédéralisme en ayant triomphé rapidement après 1867, du moins selon l'avis récent de la Cour suprême[15].

Pouvoir déclaratoire. Prévu dans les constitutions de plusieurs pays fédéraux, le mécanisme constitutionnel du « pouvoir déclaratoire » implique la faculté pour un parlement fédéral de modifier de son propre chef, au détriment des constituantes de la fédération et sans leur consentement, la sphère de sa compétence législative en l'étendant aux « travaux » qu'il déclare être à l'avantage général de la fédération.

Au Canada, son libellé à l'article 92(10)(c) de la Loi constitutionnelle de 1867 autorise de telles déclarations discrétionnaires. Avant que ce pouvoir ne tombe en désuétude après 1961 faute de légitimité, le Parlement a proclamé 470 de ces déclarations[16] visant non seulement des chemins de fer, des routes, et autres moyens de transport intraprovincial, mais les tramways de Montréal, Québec et Ottawa, des réseaux d'autobus locaux, des hôtels, restaurants et théâtres, des entreprises de commerce du bois, d'élevage des bestiaux, de construction, des usines de fabrication d'air liquide, de produits chimiques, des raffineries de métaux, des aqueducs, des parcs, sans parler des chutes Montmorency[17] : faut-il insister davantage sur les effets de ce mécanisme, dont les tribunaux ont été complices, se refusant à contrôler la discrétion du Parlement ?

Acquisition de propriétés publiques. Le Parlement ayant la compétence législative sur la propriété publique, il suffit par ailleurs au gouvernement d'acquérir des immeubles pour les y assujettir. Avant la Deuxième Guerre mondiale, l'État canadien s'est généralement limité à des achats constitutionnellement valides, notamment au centre des villes les plus importantes du pays. Officiellement prévues pour permettre l'implantation des édifices publics fédéraux, ces acquisitions visaient en fait le contrôle du développement urbain – matière locale s'il en est – et originairement dévolu de ce fait à la compétence provinciale, ainsi évacuée par le jeu combiné de la propriété publique et de la théorie de la prépondérance fédérale. Ces pratiques, ajoutées à des attributions de terres publiques aux sociétés (fédérales) notamment de transport, et jumelées à leur compétence déjà établie sur les ports et les aéroports nationaux, ont donné aux autorités fédérales la maîtrise du développement du territoire urbain des provinces, à l'époque cruciale où les États n'avaient pas encore privatisé leurs compétences.

Plus tard, les autorités ont procédé aux mêmes fins à des expropriations excédant nettement les finalités invoquées, dont la validité constitutionnelle était conséquemment loin d'être établie. La brèche était ouverte qui allait désormais permettre à l'exécutif fédéral de sortir des bornes de la Constitution...

Pouvoir de dépenser. Le prétendu « pouvoir de dépenser » des autorités fédérales fait partie de ces pratiques inconstitutionnelles. Le libellé même de cet instrument fédéral de centralisation porte à confusion, réussissant là l'un des effets de légitimation idéologique les plus spectaculaires du vocabulaire constitutionnel : quoi de plus normal pour un gouvernement, en effet, que de dépenser ? De sorte qu'en posant son pouvoir de dépenser comme fondement d'une intervention, un gouvernement fédéral invoque par association l'orthodoxie constitutionnelle et semble conférer à son action une validité inattaquable. Mais loin de désigner ces pratiques qui ne sont valides que lorsqu'elles se situent dans les champs de compétence fédérale, l'expression « pouvoir de dépenser » telle qu'elle est consacrée par le discours constitutionnel canadien réfère à l'affirmation idéologique d'un pouvoir fédéral, constitutionnellement inexistant, de dépenser dans les champs de compétence des provinces en imposant des conditions équivalentes à une intervention normative.

Au terme d'une analyse fouillée, j'ai en effet pu montrer que la validité constitutionnelle de ce pouvoir, sur laquelle la doctrine est divisée, n'a pas été non plus confirmée par la jurisprudence[18], ce qui n'a évidemment pas empêché les autorités fédérales de l'invoquer au soutien de leurs interventions depuis la Deuxième Guerre mondiale, sous la forme de subventions conditionnelles, attribuées successivement aux gouvernements provinciaux (qui se sont prêtés à l'exercice plutôt que de renoncer au fruit des impôts de leurs contribuables), notamment dans le domaine de la santé et de la sécurité sociale, puis aux individus (notamment par des bourses et des chaires dans le domaine de l'éducation et des dégrèvements d'impôts à des fins spécifiques), et plus récemment aux municipalités, qui relèvent, comme la santé et l'éducation, de la compétence des provinces. Déjà, la description sommaire des instruments de centralisation à l'œuvre dans la pratique constitutionnelle canadienne donne une idée des tendances centripètes d'une fédération – si c'est encore de cela qu'il s'agit – dont les autorités fédérales ne manquent pas d'imagination pour aménager le partage des compétences à leur avantage. Mais pour saisir vraiment l'impact combiné de ces instruments, il faut les replacer dans le contexte de l'évolution historique.

Son évolution historique

On peut analyser l'évolution historique de la centralisation au Canada en trois étapes qui vont de la Confédération en 1867 à la fin de la Deuxième Guerre mondiale, puis de la guerre à la Charte pour déboucher sur l'après-Charte. Nous en faisons un rapide survol[19].

De la Confédération à la fin de la Deuxième Guerre mondiale. Nous l'avons vu : la période qui va de la Confédération à la fin de la Deuxième Guerre mondiale est la moins centralisatrice qu'ait connue notre constitution, du moins en ce qui concerne l'interprétation des tribunaux. En fait, durant cette période où le Conseil privé s'est contenté de concevoir des théories centralisatrices sans les appliquer dans les pourvois dont il était saisi, c'est plutôt à travers l'exercice du pouvoir de désaveu et du pouvoir déclaratoire que la centralisation s'est instaurée dans la constitution canadienne.

De la guerre à la Charte. L'abolition des appels au Conseil privé, en 1949, marque un tournant dans l'interprétation du partage des compétences établi par la Loi constitutionnelle de 1867 : dorénavant, la Cour suprême du Canada, lieu désormais final de résolution de ces débats, les arbitrera globalement dans le sens des intérêts de l'État fédéral. Ce double changement, institutionnel et interprétatif, reflète par ailleurs des mutations politiques plus profondes : d'abord un nationalisme *canadian* en pleine affirmation, dans le contexte du nouvel équilibre mondial favorisant l'Amérique aux dépens de l'Europe, mais surtout l'effet centralisateur de la guerre dont les exigences d'efficacité à tout prix ont, dans la plupart des pays occidentaux, fait basculer les pouvoirs des élus vers l'exécutif et ceux de la périphérie vers le centre. Trois formes successives de fédéralisme vont se succéder durant cette période.

La première, qualifiée de *fédéralisme unilatéral,* va de 1949 à 1960 et combine les effets de la méfiance québécoise à l'égard de la Cour suprême du Canada et du non-interventionnisme de l'État duplessiste pour tarir à sa base le contentieux constitutionnel québécois. La Cour suprême affirme alors la restriction des compétences provinciales au profit des compétences fédérales implicites et l'extension des compétences proprement fédérales, au moyen de théories d'abord issues, en ce qui concerne le droit criminel et l'aménagement du territoire, des instruments déjà affinés par le Conseil privé puis, en matière de droit du travail et de commerce, de nouveaux concepts dus à la créativité propre de la Cour. Ces changements se répercuteront également dans le domaine des politiques constitutionnelles, où les demi-victoires ne contrebalancent en rien les pratiques constitutionnelles centralisatrices que l'État fédéral continue d'inventer, dont notamment, pour cette période, les expropriations et, déjà, l'amorce du pouvoir de dépenser.

À partir de 1960 et jusqu'en 1975, c'est à un *fédéralisme dialogique* que l'on aura à faire. Avec le début de la Révolution tranquille, on assiste à un développement important du contentieux en provenance du Québec, alimenté par son affirmation nationale et par la remise en cause conséquente du principe même du fédéralisme. Ces nouvelles revendications recevront un accueil plus favorable auprès de la Cour, qui évolue alors vers un fédéralisme « dialogique », où deux principes intégrateurs du droit, deux logiques d'interprétation parallèles, se développent, l'une pour le Québec, l'autre pour le reste du Canada. En fait, sur le plan judiciaire, le changement par rapport à l'étape précédente est remarquable : alors que les deux seules décisions touchant des parties québécoises en matière de partage leur avaient été défavorables au cours de la période antérieure, les deux tiers des décisions constitutionnelles intervenues dans des litiges résultant de faits survenus au Québec entre 1960 et 1975 donnent lieu à des gains provinciaux devant la Cour suprême. Changement d'autant plus spectaculaire qu'il s'oppose à la tendance générale, toujours centralisatrice, en matière de partage pendant ces quinze années.

Sur le plan des pratiques constitutionnelles aussi, une ouverture se fait sentir à l'égard du Québec au début de cette période. Des gains fiscaux, tels la nationalisation de l'électricité et un régime de rentes distinct, sont obtenus au terme de négociations ardues pour ne pas adhérer aux programmes fédéraux correspondants. Puis, des succès mitigés : réaménagement de l'assiette fiscale, laissant aux provinces moins du quart de l'impôt des particuliers et une part infime de celui des sociétés, retrait compensé des programmes conjoints liés au pouvoir de dépenser. Après 1966, à ces demi-succès vont succéder de vrais échecs, en matière linguistique, culturelle et même en ce qui concerne les ressources naturelles, notamment les droits sous-marins du plateau continental, longuement négociés, mais finalement réglés par la Cour suprême au détriment des provinces.

À partir de 1975, le bref intermède dialogique auquel la Cour avait consenti va faire place à un *fédéralisme normalisateur* où l'effet interprétatif des deux cultures disparaît lorsque, niant le veto du Québec sur les modifications constitutionnelles, elle donne son accord au rapatriement unilatéral de la Constitution. En effet, c'est à un « double salto » de sa jurisprudence que nous convie alors la Cour : sa tendance générale à la centralisation à l'égard de l'ensemble des provinces va s'inverser et la majorité de ses décisions favoriseront les compétences provinciales dans tous les domaines où elle est sollicitée (droit du travail, transport, taxation, institutions financières, commerce) – sauf en matière d'environnement et d'aménagement. Pourtant, la véritable exception ne porte pas sur une compétence *ratione materiæ*, mais *ratione loci* : le Québec. Car, et c'est un autre renversement non moins spectaculaire, cette nouvelle tendance de la Cour s'inverse dans les causes en provenance du Québec, dont les deux tiers donneront lieu à des décisions favorisant les compétences fédérales : bref, pour le Québec, c'est la fin de la halte à la centralisation que, contrairement aux autres provinces, il avait connue au cours de l'étape précédente, où la Révolution tranquille avait établi un rapport de force différent. Sur le plan des pratiques constitutionnelles, cette période est clairement dominée par l'échec des négociations autour des conditions exigées par le Québec pour le rapatriement de la Constitution, notamment le retrait compensé des programmes fédéraux, alors que les modestes modifications apportées à cette occasion au partage des compétences – en matière de richesses naturelles et de commerce interprovincial – auront été consenties non pas au Québec, mais aux provinces de l'Ouest, qui les réclamaient encore plus que lui et à partir d'un meilleur rapport de force.

Conséquemment obtenue du Parlement britannique par les autorités fédérales sans l'assentiment du gouvernement québécois auquel une majorité de Québécois venait de refuser l'indépendance lors du référendum de 1980, la Loi constitutionnelle de 1982 inaugure une autre ère.

L'après-Charte. La période qui suit le rapatriement unilatéral de la Constitution et l'instauration de la Charte coïncide avec l'arrivée, sur la scène canadienne, d'une vague néolibérale qui traverse les démocraties occidentales et dont on aurait pu s'attendre à ce qu'elle entraîne, avec l'État minimal, un retrait de la centralisation.

Il n'en fut rien, au contraire : l'affaiblissement des forces politiques qui sous-tendaient les revendications souverainistes québécoises va ramener le gouvernement et la Cour vers leurs tendances naturelles à la centralisation, reprises à l'égard de l'ensemble des provinces et accentuées en ce qui concerne le Québec. Au surplus, cette période s'inscrit également dans le contexte de la libéralisation des échanges à l'échelle nord-américaine, préparée par la Commission Macdonald et matérialisée par l'Accord de libre-échange nord-américain (ALENA), alors en discussion, et dont les exigences centralisatrices vont prévaloir, aussi bien dans les pratiques constitutionnelles que dans la jurisprudence, où l'introduction de la Charte dans la Constitution aura au surplus pour résultat, à partir de 1984[20], de monopoliser presque entièrement le travail de la Cour. Dans ces circonstances, les décisions portant sur le partage sont occultées et ne commandent plus la même attention qu'auparavant : ce ne sera pas le moindre des effets idéologiques de la Charte que de faire passer presque inaperçu leur résultat centralisateur dans le champ spécifiquement économique. Il est d'autant plus important de s'y arrêter pour en apprécier la portée.

La Cour. En jetant maintenant un regard allongé sur le quart de siècle de la période post-Charte, ce qui frappe, c'est l'intensification de la centralisation des compétences, reprise pour l'ensemble du Canada et accentuée pour le Québec. Mais lorsque nous l'avons analysée pour la première fois, en 1993, c'était surtout la fédéralisation des compétences nécessaires à l'union économique canadienne qui retenait l'attention.

La Cour a en effet alors opéré, en matière économique, une centralisation analogue à celle qu'elle avait définie précédemment pour l'aménagement du territoire. Il va s'agir de limiter sévèrement les effets extra-territoriaux des lois provinciales en augmentant ceux des lois fédérales par l'élargissement de la prépondérance fédérale désormais appliquée aux conflits potentiels, ce qui équivaut à réintroduire, dans les théories interprétatives, le concept de « champ inoccupé », écarté non seulement par le Conseil privé, mais encore récemment par la Cour elle-même. Sous cet ensemble de décisions apparemment éparses, commence à se dessiner une fédéralisation des compétences nécessaires à l'« union économique canadienne » envisagée par la Commission Macdonald, bref une constitutionnalisation des exigences du libre-échange qui gagne alors le Canada conservateur. Ce ne sont pas là des effets qu'il conviendrait de sous-estimer. Pourtant, il ne faut pas négliger non plus l'image plus globale qui se dégage de cette période après bientôt vingt-cinq ans : celle d'une centralisation encore plus largement accrue, reprenant le droit fil de la tendance générale de la Cour. Sur les 58 décisions de la Cour suprême que nous avons repérées en date de 2002 en matière de partage des compétences depuis la Loi constitutionnelle de 1982, on compte 58,6 % de gains fédéraux contre 41,4 % de victoires pour toutes les provinces réunies. S'agissant par ailleurs des décisions relatives à des affaires en provenance du Québec, les gains fédéraux grimpent à 75 %.

Les gouvernements. Parallèlement, sur le plan de la pratique constitutionnelle, les échecs se succèdent : l'accord du lac Meech (1987), le rapport Bélanger-Campeau (1990), les propositions fédérales « *Bâtir ensemble le Canada* » (1991) et l'accord de Charlottetown (1992) ont tous buté sur l'absence de consentement du *Rest of Canada* (ROC). Mais depuis lors, c'est de façon unilatérale que les autorités fédérales ont fait reculer les compétences provinciales en matière d'éducation et plus particulièrement d'enseignement universitaire et de recherche, d'abord subrepticement, depuis que les Conseils de recherche relèvent du ministère de l'Industrie et, notamment depuis 1996, par l'implantation croissante de programmes thématiques de recherche puis, plus clairement, par l'instauration en 2000 d'un programme de chaires de recherche du Canada. On aura saisi que les priorités entre les disciplines sont dès lors déterminées par l'intérêt variable qu'elles suscitent sur le marché et le déséquilibre pervers qui s'instaure ainsi entre les moyens respectivement accordés à la recherche orientée et appliquée et à la recherche fondamentale et libre. On aura saisi également l'impossibilité, pour les provinces, de contrôler leurs politiques respectives d'enseignement supérieur et plus particulièrement de recherche.

Il s'agit donc d'un envahissement par les autorités fédérales des compétences provinciales – ou, dans le cas de partenariats imposés, d'une vente au secteur privé des compétences provinciales par les autorités fédérales – à travers un instrument qui n'est pas nouveau, mais toujours efficace, surtout quand il vise les individus et non les gouvernements, échappant ainsi au contrôle judiciaire : le pouvoir de dépenser.

À cet égard, il faut aussi mentionner l'« Union sociale canadienne[21] », un document administratif dépourvu de validité constitutionnelle instaurant un programme fédéral-provincial pour régir la gestion des politiques sociales[22], lui aussi basé sur le pouvoir de dépenser, et auquel les accords conclus entre le gouvernement Martin et les provinces n'ont rien changé malgré les apparences. C'est donc l'ensemble des politiques sociales qui vient de passer sous coupe fédérale, sans modification constitutionnelle, par un simple accord administratif fédéral-provincial que sa nullité constitutionnelle n'empêche pas d'avoir des effets concrets.

Au terme de ces trois périodes que l'on peut distinguer dans la centralisation croissante du fédéralisme canadien, non seulement les compétences stratégiques pour le développement comme l'économie, les communications, l'aménagement, l'environnement et les ressources naturelles, mais les compétences beaucoup plus traditionnelles que constituent les relations de travail, le transport et même le droit matrimonial ont été presque entièrement fédéralisées par la voie judiciaire. Plus grave encore, du moins pour le Québec, des champs essentiellement liés aux exigences de la reproduction culturelle comme l'enseignement supérieur et les programmes sociaux échappent dorénavant aux provinces en vertu d'accords administratifs. Au fait, que reste-t-il aux provinces ? Un pouvoir fiscal limité et la charge financière (sans l'autonomie normative qui devrait s'y rattacher) en matière d'enseignement universitaire et de services sociaux et de santé, de même que l'éducation primaire, secondaire et collégiale, le domaine public, les travaux publics, la propriété et une partie du droit civil ainsi qu'une part réduite du système judiciaire. À constater le traitement que le

Québec a subi en matière de centralisation, on devine déjà un certain lien entre le sort constitutionnel des provinces et celui des minorités au Canada. Mais il convient d'examiner de plus près les processus à l'œuvre en matière d'intégration (ou non...) des valeurs minoritaires dans le droit canadien.

L'intégration des valeurs prônées par les minorités

Il faut en effet replacer ces constatations en ce qui concerne l'une des minorités politiques au Canada, les Québécois, dans le contexte plus large des rapports entre les pouvoirs judiciaire et politique et les minorités, aussi bien sociales (femmes, gais et lesbiennes) que politiques (Autochtones et Québécois). Le format de cet ouvrage exclut que nous revenions sur les analyses détaillées (voir plutôt notre *Quand les minorités font la loi*[23]) ; nous rappellerons uniquement les conclusions pertinentes à notre propos. Pour nous y retrouver, il faut examiner séparément l'intégration des valeurs de chacun des groupes concernés respectivement par la voie judiciaire et politique.

L'intégration des valeurs minoritaires par le pouvoir judiciaire

Le sort des valeurs des gais et lesbiennes. Le relevé des valeurs prônées par les gais et les lesbiennes dans leurs mémoires à la Cour dans les causes où ils sont intervenus, de même que dans les entrevues que les membres des principaux groupes qui les représentent nous ont données, placent dans un ordre décroissant de fréquence, et dans un certain sens donc d'importance, l'égalité, la dignité, la reconnaissance et le respect de l'identité et de la différence, la solidarité sociale et, enfin, le pluralisme et la liberté d'expression.

C'est aussi l'égalité qui vient en tête des motifs majoritaires pour lesquels la Cour accorde les pourvois des gais et lesbiennes, mais à cette réserve près qu'elle n'affirme cette valeur qu'en principe, et jamais dans des circonstances où il serait possible de lui donner une portée concrète. Quant à la dignité, à la reconnaissance et au respect de l'identité et de la différence et à la solidarité sociale, ce sont des valeurs qui, jusqu'à la décision récente de la Cour dans le Renvoi relatif au mariage entre personnes du même sexe[24] n'entraient dans le discours de la Cour qu'à travers la voix des juges dissidents, sauf dans *Vriend*[25], où la Cour a inscrit la discrimination contre les gais et lesbiennes dans le *Human Rights Code* de l'Alberta par ajout judiciaire à la loi, la minorité habituelle de la Cour ayant alors entraîné sa majorité à affirmer ces valeurs dans le contexte d'une déclaration de principe sans application concrète. Pour ce qui est du pluralisme, de la citoyenneté et de la liberté d'expression, dont la Cour est si friande ailleurs, c'est le silence total ici.

Un modèle implicite se dégage d'un autre côté de ces décisions, selon lequel trois conditions doivent être réunies pour que la Cour intervienne en faveur des droits de ce groupe : la législation doit s'être avérée inadéquate et la modification législative difficile en contexte de rigidité constitutionnelle ou de conservatisme local au même effet, et l'intervention doit s'inscrire sur le plan symbolique des principes, sans entraîner d'application concrète, notamment en matière de dépenses publiques : la Cour suprême n'a jamais octroyé de fonds publics aux gais et lesbiennes et, lorsqu'elle a accordé une pension alimentaire à l'ex-conjointe d'une lesbienne, c'est en réitérant 21 fois dans le texte de la décision qu'il s'agissait ainsi « d'alléger le fardeau du trésor public ».

Le sort des valeurs des femmes. Les valeurs prônées par les femmes et l'ordre dans lequel elles se présentent sont assez différents : égalité, justice, démocratie, dignité et intégrité de la personne, liberté et habilitation (*empowerment*). Certaines de ces valeurs vont se retrouver dans le discours de la Cour – égalité, liberté, justice, dignité/intégrité et démocratie –, mais elles s'y présentent non seulement selon un ordre différent, mais, pour certaines d'entre elles – démocratie et liberté –, dans un sens différent.

Le schéma qui se dégage permet de dichotomiser entre deux ensembles de décisions. Le premier regroupe des affaires relatives à la vie privée des femmes (avortement et violence sous toutes ses formes) : la Cour les accueille en majorité, du moins pour partie, invoquant surtout l'intégrité, la dignité, la justice et même parfois l'égalité. Le second touche au contraire leur vie publique, notamment travail et activité politique, et réunit les pourvois en matière de discrimination sociale, politique ou économique : la Cour les rejette en majorité, en récusant parfois même expressément l'égalité, pour préférer la volonté du Parlement, la liberté du gouvernement ou d'association, la justice individuelle, et l'équité et l'autonomie des conjoints.

Bref, les femmes peuvent mener leur vie privée à l'abri de la violence familiale, sexuelle et même symbolique, et la Cour les protégera même contre les dangers que les grossesses non désirées font courir à leur santé psychologique. Mais pour l'argent et le pouvoir, on repassera : dans la sphère publique, ni l'égalité économique, ni la participation politique ou sociale significative ne leur sont accessibles, surtout si, en plus d'être femmes, elles ont le tort supplémentaire d'être autochtones...

Le sort des valeurs des Autochtones. L'image de l'intégration judiciaire des valeurs autochtones qui se dégage de la comparaison entre celles que prônent les Autochtones et celles que reçoit la Cour fait voir que dans l'ensemble, la plupart des valeurs portées par le discours autochtone (sauf celui des femmes) sont intégrées au droit par la Cour. L'identité, la protection de l'environnement et des ressources fauniques, qui participent du concept de « terre nourricière », et le développement économique – mais non l'autosuffisance comme telle –, qui forment une partie du noyau dur des valeurs autochtones, sont reçus sans détournement de sens et servent à valider une majorité de victoires autochtones, et il en va de même pour le respect et la justice. Quant aux couples protection/confiance, et liberté d'expression/démocratie, ils sont également affirmés, mais moins souvent, par la Cour comme d'ailleurs dans le discours autochtone, et sans favoriser nettement les Autochtones ou leurs adversaires.

Par ailleurs, les grandes absentes, parmi les valeurs prônées par les Autochtones, sont l'autodétermination politique et la maîtrise du territoire, enjeux politiques que la Cour ne mentionne qu'une fois à notre connaissance, pour les rejeter expressément. Ensuite, parmi les valeurs propres à la Cour, il faut souligner la prédominance des intérêts économiques des non-Autochtones et le couple souveraineté canadienne-primauté du droit, et les effets contrastés et complémentaires de l'utilisation par la Cour de ces valeurs respectives.

C'est dire que la Cour rejette très majoritairement les pourvois politiques, ne cédant d'ailleurs à cet égard que des droits liés au statut – des Inuits, des Indiens hors réserve ou des Autochtones en général à l'égard des non-

Autochtones –, mais non au contrôle politique – notamment pas en ce qui concerne l'exemption à l'égard de la juridiction de l'État canadien –, alors qu'elle a accueilli presque la moitié des réclamations économiques, y compris des exemptions fiscales analogues à celles qu'elle a refusées aux femmes et aux gais et lesbiennes.

Le sort des valeurs des Québécois. Le sort réservé par la Cour suprême aux valeurs portées par les Québécois a varié non seulement selon la valeur considérée, mais également, comme on l'a vu, selon les époques, au gré de la conjoncture économique – notamment pour accommoder le développement de l'État keynésien –, et politique – notamment en réaction à l'évolution du souverainisme au Québec.

S'agissant d'abord de l'identité québécoise, les décisions où elle a été invoquée n'ont intégré ses exigences que dans la mesure où elles visaient des administrations subordonnées : municipalités et commissions scolaires, alors que cette intégration a été refusée pour les questions concernant l'ensemble de la population québécoise. La dichotomie s'explique par la présence, au Québec, territoire de la minorité francophone au Canada, d'une minorité anglophone, par ailleurs majoritaire au Canada.

Or, cette minorité anglophone dispose au Québec de commissions scolaires distinctes et était concentrée, à l'époque où la Cour énonçait cette jurisprudence, dans des municipalités distinctes où elle constituait la majorité, dans les régions de Montréal et des Cantons de l'Est : cette minorité anglophone n'était donc pas visée par la reconnaissance d'un pouvoir pour les administrations déléguées qui désiraient produire leurs documents uniquement en français. La situation risque de changer maintenant qu'une grande partie de ces municipalités ont été fusionnées dans le Grand Montréal. Par contre, les anglophones sont minoritaires sur le plan des institutions provinciales québécoises et dans la société québécoise globale, ce qui incite la Cour à protéger le bilinguisme devant les tribunaux, la législature et l'administration provinciale de même qu'en matière de publicité commerciale.

C'est par ailleurs au nom de l'une de ses valeurs propres qui traversent toute sa jurisprudence constitutionnelle – la souveraineté canadienne entendue au sens de la centralisation des compétences et pouvoirs aux mains des autorités fédérales – que la Cour a rejeté comme nous l'avons vu les trois cinquièmes des pourvois relatifs au partage des compétences politiques en provenance du Québec. On pourrait être porté à croire que le sort de la minorité québécoise n'est pas pire à cet égard que celui des autres provinces réunies, dont le taux de succès en matière de partage des compétences politiques en Cour suprême est même moindre, la tendance centralisatrice de la Cour existant en effet indépendamment de la conjoncture québécoise. Mais ce serait se leurrer à la fois quant à l'importance relative et aux facteurs explicatifs de la centralisation à l'égard du Québec. Sur son importance, d'abord : plus accentuée en matière de partage des pouvoirs politiques, elle s'inscrit au surplus contre son affirmation identitaire, ce qui n'est pas le cas pour les autres provinces, et cela, de façon particulièrement marquée par la portée exceptionnelle de certaines des décisions où la Cour a refusé d'intégrer le rôle politique particulier que le Québec réclame en matière métaconstitutionnelle, notamment en ce qui concerne son droit de veto en matière de modification constitutionnelle, sans parler des conditions de validité d'un référendum portant sur la sécession.

Sur les facteurs susceptibles de l'expliquer, ensuite : car il suffit de se rapporter à notre analyse précédente de l'évolution de la centralisation effectuée par la Cour à l'égard des pourvois en provenance du Québec en comparaison de ceux du reste du Canada pour les mêmes périodes pour constater une coïncidence qui n'étonnera que les positivistes pour lesquels les tribunaux appliquent déductivement des principes juridiques objectifs à des faits établis.

En revanche, et comme dans le cas des Autochtones, la Cour se montre infiniment plus accueillante à l'égard de l'autosuffisance économique des Québécois, accueillant la totalité de leurs réclamations en matière fiscale, qu'il s'agisse de valider la TVQ, la taxe sur les immeubles non résidentiels, ou des redevances perçues par la Régie des marchés agricoles. Non seulement peut-on croire qu'il s'agit là, comme dans le cas des Autochtones, d'un *quid pro quo* pour les compétences politiques et territoriales refusées, mais du fait que, compte tenu des particularités du partage des compétences fiscales entre les autorités fédérales et provinciales dans la Constitution canadienne, la Cour n'enlève pas à l'État fédéral l'assiette fiscale qu'elle ouvre aux provinces. Enfin, le traitement que la Cour réserve aux Québécois en ce qui a trait au territoire est encore identique à celui qu'elle a concédé aux Autochtones : tant qu'il s'agit de querelles interprovinciales, la Cour peut bien donner raison au Québec contre Terre-Neuve, mais cette ouverture trouve ses limites quand la souveraineté canadienne sur son territoire est en jeu, comme dans le cas du *Renvoi sur la sécession*[26].

L'intégration des valeurs minoritaires par le pouvoir politique

Minorités sociales. Bien que les stratégies des minorités sociales ne soient pas exclusivement axées sur le législateur, c'est surtout à travers l'adoption de mesures législatives que l'on peut retracer le progrès de leurs intérêts dans le droit. Ainsi, au Québec où ces stratégies dominent sur les pourvois judiciaires chez les groupes représentant les femmes, d'importantes victoires ont été remportées dans ce forum : hausse du salaire minimum, adoption d'une loi sur l'équité salariale, création d'un réseau de garderies subventionnées par l'État, toutes mesures clairement liées à l'action politique des femmes et plus précisément à la Marche organisée en 1995 par la Fédération des femmes du Québec (FFQ), et cela non seulement en plein néolibéralisme, mais en pleine campagne gouvernementale de réduction à zéro du déficit.

En apparence, les gains des gais et lesbiennes auprès des législatures provinciales de même que du Parlement canadien semblent encore plus nombreux. Mais il faut compter que ces groupes partaient de plus loin, ne bénéficiant pas au départ, contrairement aux femmes, de la protection de l'article 15 de la Charte canadienne qui, lors de son adoption en 1982, n'incluait pas l'orientation sexuelle comme motif de discrimination prohibée. Au surplus, un certain nombre de ces victoires n'ont été obtenues des législateurs qu'à la suite de l'intervention des tribunaux, bien que tel n'ait pas toujours été le cas, certains législateurs étant intervenus *proprio motu* : Québec, avant tous les autres et même avant l'adoption de la Charte canadienne, puis successivement l'Ontario, le Manitoba, le Yukon et la Nouvelle-Écosse. Pour que le législateur fédéral et d'autres provinces en fassent autant, il a fallu que la Cour d'appel de l'Ontario – confirmée ensuite par la Cour suprême – affirme que l'article 15 de la Charte canadienne incluait l'orientation sexuelle comme motif analogue de discrimination prohibée. La décision de la Colombie-Britannique, de la Saskatchewan et du Nouveau-Brunswick suivit de peu la décision ontarienne, alors que Terre-Neuve et l'Île-du-Prince-Édouard attendirent la confirmation de la Cour suprême. Quant à l'Alberta, son refus obstiné de modifier en ce sens son *Individual's Rights Protection Act* a amené la Cour à utiliser pour la première fois dans *Vriend c. Alberta*[27] la technique de l'ajout judiciaire constitutionnel. La législation des Ter-ritoires du Nord-Ouest n'inclut pas d'instrument interdisant la discrimination.

Dans tous ces cas, le redressement était d'origine constitutionnelle. En droit interne, les silences du législateur, notamment en droit social, en droit de la famille et en droit du travail, ont longtemps signifié l'exclusion des gais et lesbiennes des définitions, pourtant construites, de « couple » et de « famille », sans parler des bénéfices que ces désignations impliquent. Mais récemment certains législateurs provinciaux ont commencé à modifier cette situation, et il reste à voir comment le Parlement se conformera à la toute dernière décision de la Cour suprême dans l'affaire du Renvoi relatif au mariage entre personnes du même sexe[28]. Enfin, l'adoption, restée jusque-là inaccessible aux couples homosexuels, a été autorisée, que l'enfant adopté ait ou non un lien de parenté avec l'un des membres du couple, en Colombie-Britannique, en Saskatchewan, en Ontario et à Terre-Neuve, et une décision de la Cour supérieure de Nouvelle-Écosse du 28 juin 2001 a autorisé la même pratique[29]. En Alberta, la loi autorise maintenant les adoptions par les couples homosexuels seulement lorsqu'un tel lien de parenté existe avec l'un des conjoints.

Minorités politiques. Si les deux minorités politiques sous étude ici ont reçu un traitement somme toute semblable de la part des tribunaux, il n'en va pas de même de l'accueil des gouvernements qui ont, jusqu'à un certain point, intégré les valeurs et conforté les intérêts autochtones, alors qu'ils ont opposé un refus net aux réclamations des Québécois.

Autochtones. Si l'on excepte la Loi sur les Indiens[30], qui régit unilatérale-ment les Autochtones et constitue une exception importante, ce sont les traités et accords qui ont concrétisé l'accueil des gouvernements à l'égard de cette minorité politique. Toutes les valeurs centrales de l'autochtonie sont reconnues, à des degrés divers il est vrai, dans les accords et traités analysés. En effet, l'identité non seulement constitue le fondement explicite de la Paix des Braves[31] et de la Déclaration de compréhension et de respect mutuel[32] et, partant, de l'Entente-cadre[33] et des Ententes sectorielles entre Québec et les Mohawks de Kahnawake[34], mais l'assise implicite de l'Accord-cadre relatif à la gestion des terres des Premières Nations[35], de l'Accord définitif Nisga'a[36] et de l'Accord entre les Inuits du Nunavut et Sa Majesté la Reine du chef du Canada[37]. Par ailleurs, le développement économique du territoire et des ressources de même que d'autres compétences impliquant une mesure variable d'autonomie gouvernementale interne sont *dévolues* à l'autorité autochtone dans les trois dernières de ces ententes, mais *reconnues* par le Québec à Kahnawake et aux Cris, ce qui implique, dans ces deux cas, une reconnaissance partielle, mais permanente d'une autodétermination politique inhérente dans les matières sur lesquelles portent ces ententes sectorielles.

Québécois. Le contraste est frappant avec le sort réservé aux valeurs des Québécois par les autorités politiques fédérales canadiennes : ni l'identité distincte, ni le pouvoir politique, ni les instruments de l'autosuffisance économique, ni le contrôle du territoire n'ont été cédés par les autorités politiques fédérales. Au contraire, les interventions unilatérales, loin de diminuer, continuent de s'intensifier, surtout depuis que les résultats, inquiétants pour l'État fédéral, du référendum de 1995 ont amené son durcissement à l'égard du Québec. Il faut donc constater l'échec total de l'intégration, par la voie politique, des valeurs et des intérêts de la minorité québécoise dans le droit canadien. Encore ici, l'accueil si contrasté des autorités politiques canadiennes à l'égard des mêmes valeurs, selon qu'elles sont invoquées respectivement par les Autochtones et les Québécois, peut laisser songeur, mais il faut dépasser la paranoïa et constater que le seuil de la tolérance canadienne est le même dans les deux cas : *le* pouvoir politique sur *le* territoire. Mais, s'agissant d'une certaine mesure de pouvoir, de préférence rétractable, sur un territoire autrement subordonné, les compromis sont possibles ; ils paraissent seulement plus faciles à céder aux Autochtones, qui partent de plus loin que les Québécois, déjà détenteurs d'une certaine autonomie, à l'intérieur d'une province du Canada.

En somme, toutes les minorités étudiées, s'appuyant notamment sur les valeurs communes que sont l'identité et l'égalité, réclament de la reconnaissance identitaire, des indemnités privées et des fonds publics. Mais là s'arrêtent les ressemblances, au seuil de différences particulièrement significatives, partiellement inscrites dans leurs demandes respectives et, à un moindre degré, dans les valeurs invoquées à leur soutien : les minorités sociales réclamant, outre l'identité et des fonds privés, des fonds publics, au nom de valeurs surtout individuelles, alors que les minorités politiques exigent, en plus, la maîtrise du territoire et l'autodétermination politique, au nom de valeurs surtout collectives. Cette structure différenciée des demandes va induire une réponse encore plus contrastée, entre les tribunaux et les autorités politiques respectivement, à l'égard des minorités sociales et politiques, puis entre les minorités politiques elles-mêmes. En effet, le pouvoir judiciaire va moins loin que le pouvoir politique, accordant aux minorités sociales et politiques la reconnaissance identitaire (sauf aux Québécois) et les indemnités privées, mais non les fonds publics, qu'il n'attribue qu'aux minorités politiques en *quid pro quo* pour le territoire et le pouvoir politique, jamais reconnus sur le même objet.

Le pouvoir politique ira plus loin, surtout pour les minorités sociales, auxquelles il accorde parfois des fonds publics. S'agissant des minorités politiques, c'est entre elles que les différences se manifestent. Pour les Autochtones en effet, des résultats partiels ont été obtenus en matière de pouvoirs politiques sur des territoires par ailleurs maintenus à l'intérieur de la fédération canadienne : la Convention de la Baie-James et du Nord québécois[38], l'Accord entre les Inuits du Nunavut *et* Sa Majesté la Reine du chef du Canada[39], et l'accord définitif Nisga'a[40], sans parler des Ententes Québec-Kahnawake[41] et de la Paix des braves[42], plus récentes, mais qui vont plus loin en matière de reconnaissance politique que tout autre accord signé avec les Autochtones dans le *Rest of Canada* (ROC). Mais pour les Québécois, on l'a noté, au contraire rien n'a été obtenu du législateur fédéral par la voie politique.

UN LIEN COMMUN AVEC LES INTÉRÊTS DOMINANTS

L'image d'ensemble qui se dégage au terme de cette double analyse parallèle, c'est celle d'un fil – que disons-nous, d'un câble – conducteur qui les traverse pareillement et permet d'éclairer un constat global du rapport négatif qu'entretient l'État fédéral canadien avec les provinces aussi bien qu'avec les minorités. Ce « câble » est tissé des fils tordus des intérêts dominants. Nous avons bien dit *intérêts dominants* et non *majoritaires*, même s'il arrive que les deux puissent coïncider, car ce n'est pas toujours le cas, comme nous allons le voir en vérifiant, d'une part, à qui profite la centralisation, pour ne pas dire l'envahissement, des compétences des provinces et, de l'autre, où se situe la frontière de l'intégration au droit canadien des valeurs prônées par les minorités.

Les bénéficiaires de la centralisation

Le pouvoir judiciaire, au moyen de diverses théories interprétatives, et l'exécutif, à travers l'exercice de pouvoirs alternativement valides et inconstitutionnels, ont centralisé successivement dans l'ordre fédéral les compétences relatives à l'aménagement du territoire et au contrôle de l'économie canadienne, pour déboucher sur la fédéralisation des compétences nécessaires à l'ALENA. Les compétences essentiellement reliées à la reproduction culturelle : langue, enseignement supérieur et recherche et services sociaux et de santé, n'y ont pas échappé non plus. On aura reconnu là la liste des pouvoirs nécessaires à la domination politique, exercés d'abord par la bourgeoisie canadienne issue de la colonisation, qui a voulu conserver en les transformant au fil de l'évolution historique les pouvoirs politiques et économiques que lui attribuait la Loi constitutionnelle de 1867[43]. Ce contrôle dominateur s'est ensuite transféré, à la faveur de la mondialisation néolibérale, au groupe plus étendu qui régit, au temps présent, l'économie nord-américaine.

Peut-on douter dans ces circonstances que ce soit dans l'intérêt de ces groupes dominants que s'est effectuée cette centralisation ? Comment ne pas saisir que le mur sur lequel se butent les réclamations des provinces en général, et du Québec en particulier, se situe à la frontière des intérêts indérogeables de ces groupes dominants, à la fois économiques et nationalitaires ?

La frontière de l'intégration des valeurs prônées par les minorités

Les minorités ne sont pas à cet égard dans une meilleure situation, à cette nuance près que les intérêts auxquels elles se butent ici sont ceux de groupes dont la composition est légèrement différente, surtout en ce qui concerne les minorités sociales, et plus particulièrement les gais et lesbiennes. Pour s'en convaincre, il suffit de faire la liste de ce qui leur est respectivement refusé et de la comparer encore une fois à celle que l'on pourrait faire de ce qui nuit aux intérêts dominants.

Aux gais et lesbiennes, les tribunaux refusent les fonds publics et les « vaches sacrées », c'est-à-dire les éléments d'égalité qui contreviennent aux valeurs symboliques indérogeables des hétérosexuels homophobes ; aux femmes, les fonds publics aussi, de même que les éléments d'égalité reliés cette fois au travail et, si elles sont autochtones, à l'activité politique. Peut-on ignorer le lien entre ces refus et les intérêts identitaires et économiques des hommes hétérosexuels blancs – dominants, mais par ailleurs minoritaires – atteints ici notamment à travers leur apport aux fonds publics auxquels ils sont plus nombreux à contribuer davantage par l'impôt, en raison de leurs revenus supérieurs ? Aux minorités politiques, c'est le pouvoir politique et le territoire qui sont déniés, de même que les compétences reliées à la reproduction culturelle, qui font évidemment partie des acquis incessibles et des instruments indispensables à l'exercice du pouvoir des groupes dominants.

Le fédéralisme canadien, tel qu'il se présente au terme de cet examen, paraît donc matérialiser l'efficacité des valeurs et des intérêts dominants aussi bien à l'égard des provinces que des minorités ou, du moins, ne pas les mettre à l'abri de leurs effets. Comment concilier ce constat avec la conception que nous avons entretenue jusqu'ici en toute bonne foi d'une architecture constitutionnelle certes imparfaite, mais prévue au contraire pour protéger les groupes et les régions qu'elle fédère ?

Ne sommes-nous pas plutôt en présence d'un écran idéologique puissant destiné justement à entretenir cette illusion, à laquelle nous n'avons pas échappé ? Ne serait-ce pas encore plus vrai si, comme on l'a souvent entendu dire, le fédéralisme canadien était « le plus décentralisé du monde » ? Certes, on peut faire pire, et l'Union européenne est sur la bonne voie, mais au moins elle ne se cache pas sous le vocable trompeur de « fédération », qu'elle récuse avec véhémence, croyant ironiquement par là préserver la souveraineté de ses composantes.

Pour le vérifier, il faudrait procéder à une comparaison avec certains pays unitaires simplement décentralisés et qui estiment ne pas avoir franchi le seuil du fédéralisme : Royaume-Uni, Espagne, Italie, par exemple. Mais même si les résultats montraient que la fédération canadienne protège un peu mieux ses composantes et ses minorités, on ne pourrait pas pour autant échapper à la conclusion que le droit, en tout cas le droit constitutionnel canadien, est surdéterminé par les valeurs des groupes dominants –, ou pour parler comme les marxistes pourtant aujourd'hui discrédités – reflète « l'instantané d'un rapport de force ».

NOTES ET RÉFÉRENCES

1. La première partie de ce texte est résumée à partir de mes travaux antérieurs, notamment : Andrée Lajoie, Pierrette Mulazzi et Michèle Gamache, « Les idées politiques au Québec et le droit constitutionnel canadien », dans Andrée Lajoie et Ivan Bernier (dir.), *La Cour suprême du Canada comme agent de changement politique*, Ottawa, Approvisionnements et services Canada, 1986, p. 1 et Andrée Lajoie, « Il Québec e la costituzione canadese : Processo al federalisimo », dans Nino Olivetti Rason (dir.), *L'Ordinamento costitutionale del Canada*, Torino, Giappichelli Editore, 1997, p. 88.

2. Loi constitutionnelle de 1867, 30 & 31 Vict., R.-U., c. 3.

3. *Liquidators of Maritime Bank c. Receiver General of New-Brunswick*, [1892] A.C. 437 (C.P.).

4. *Renvoi relatif à la sécession du Québec*, [1998] 2 R.C.S. 217, par. 56 (la Cour).

5. Voir André Tremblay, « Judicial Interpretation and the Canadian Constitution », *National Journal of Constitutional Law*, vol. 1, 1991-1992, p. 163 dont le présent paragraphe est largement inspiré, avec l'accord de l'auteur.

6. *Cushing c. Dupuy*, [1880] 5 A.C. 409 (C.P.).

7. *A.G. Ontario c. A.G. Canada*, [1896] A.C. 348 (C.P.).

8. *Banque de Montréal c. Hall*, [1990] 1 R.C.S. 121.

9. *John Deere Plow Co. c. Wharton*, [1915] A.C. 330 (C.P.).

10. *Russell c. R.*, (1882) 7 A.C. 829 (C.P.).

11. *R. c. Crown Zellerbach*, [1988] 1 R.C.S. 401 ; *Friends of the Oldman River c. Canada*, [1972] 1 R.C.S. 3.

12. *Fort Frances Pulp and Paper Co. c. Manitoba Free Press*, [1923] A.C. 330 (C.P.).

13. François Chevrette et Herbert Marx, *Droit constitutionnel*, Montréal, Presses de l'Université de Montréal, 1982, p. 389.

14. François Chevrette et Herbert Marx, *op. cit.*, note 13, p. 25.

15. *Renvoi relatif à la sécession du Québec*, précité, note 4, par. 55 (la Cour).

16. Andrée Lajoie, *Le pouvoir déclaratoire du Parlement, augmentation discrétionnaire de la compétence fédérale au Canada*, Montréal, Presses de l'Université de Montréal, 1969, p. 123 et suiv.

17. *Ibid.*, p. 67 et suiv.

18. *Rapport de la Commission sur le déséquilibre fiscal*, Annexe II, « Le pouvoir fédéral de dépenser », Québec, Bibliothèque nationale du Québec, 2002.

19. Pour une analyse qualitative et quantitative détaillée des décisions impliquées dans le récit de cette évolution (qui n'ont pas été citées ici faute de place), voir Andrée Lajoie, Pierrette Mulazzi et Michèle Gamache, « Les idées politiques au Québec et le droit constitutionnel canadien », *loc. cit.*, note 1 et Andrée Lajoie, « Il Québec e la costituzione canadese : Processo al federalisimo », *loc. cit.*, note 1.

20. Année où les litiges impliquant la Charte commencent à y arriver pour décision finale, après leur passage devant les tribunaux inférieurs.

21. *Un cadre visant à améliorer l'union sociale pour les Canadiens*, Entente entre le gouvernement du Canada et les gouvernements provinciaux et territoriaux, 4 février 1999.

22. Alain Noël, « Étude générale sur l'entente », dans Alain-G. Gagnon, (dir.), *L'union sociale canadienne sans le Québec*, Montréal, Éditions Saint-Martin, 2000.

23. Coll. « Les voies du droit », Paris, Presses universitaires de France, 2001.

24. 2004 CSC 79.

25. *Vriend* c. *Alberta*, [1998] 1 R.C.S. 493.

26. *Renvoi relatif à la sécession du Québec*, précité, note 4.

27. *Vriend* c. *Alberta*, précité, note 25.

28. Précité, note 24.

29. *S.M.C.* v. *N.C.J.*, [2001] N.S.S.F. 24 (N.S.S.C.).

30. L.R.C. (1985), c. I-5.

31. Entente concernant une nouvelle relation entre le gouvernement du Québec et les Cris du Québec, signée le 7 février 2002, en ligne : site du Secrétariat aux Affaires autochtones, <www.autochtones.gouv.qc.ca/index.asp>.

32. Conclue le 15 octobre 1998, en ligne : site du Secrétariat aux Affaires autochtones, <www.autochtones.gouv.qc.ca/index.asp>.

33. Conclue le 15 octobre 1998, en ligne : site du Secrétariat aux Affaires autochtones, <www.autochtones.gouv.qc.ca/index.asp>.

34. Les dates de signature sont absentes de la version française disponible sur le site précité, *id.*, mais les copies des originaux en langue anglaise fournis par Kahnawake sont datées du 30 mars 1999.

35. Entériné par la Loi portant ratification de l'Accord-cadre relatif à la gestion des terres des Premières Nations et visant sa prise d'effet, L.C. 1999, c. 24.

36. *Loi portant mise en vigueur de l'Accord définitif Nisga'a*, L.C. 2000, c. 7.

37. Agreement between the Inuit of the Nunavut Settlement Area and Her Majesty the Queen in Right of Canada, disponible sur le site Internet du ministère des Affaires indiennes et du Nord canadien, <www.inac.gc.ca> et ratifié par la Loi concernant l'Accord sur les revendications territoriales du Nunavut, L.C. 1998, c. 15.

38. Signée le 11 novembre 1975.

39. Agreement between the Inuit of the Nunavut Settlement Area and Her Majesty the Queen in Right of Canada, précité, note 37.
40. Loi portant mise en vigueur de l'Accord définitif Nisga'a, précité, note 36.
41. *Ibid.*, note 34.
42. *Ibid.*, note 31.
43. *Ibid.*, note 2.

Université de Montréal

Pavillon Jean Brillant
3200, rue Jean Brillant
Local B-1315
Téléphone(514) 343-7362
Télécopie(514) 343-2289

B I E N V E N U E !
érateur: Caisse Jean Brillant
caisse: 201   No trans.:   790268
ient : Client comptant
/09/2011 15:54:08 No client: 1
ndeur :

DUIT QTE	REG.	ES TF TP	MONTANT
715 1	44.95	10% 0 N	40.45

éralisme canadien contemporain - fon
Sous-total : $40.45
TPS R108160995 $2.02
TOTAL   : $42.47

it direct $42.47
 Retours: 7 jours. Reçu de caisse
igatoire. Échange ou note de crédit.
ente finale: volumes de révision,
artes Internet,calculatrices,soldes,
           clés USB.

6

LA PROIE POUR L'OMBRE.
LES ILLUSIONS D'UNE RÉFORME
DE LA FÉDÉRATION CANADIENNE

Michel Seymour

Le débat entre les souverainistes et les fédéralistes au Québec fait rage depuis plus de 40 ans. Pour sortir de l'impasse, il faudrait que de part et d'autre l'on soit capable de s'extirper d'une posture doctrinaire et idéologique. Les souverainistes devraient être capables de dire ce qui aurait constitué un compromis acceptable (*bottom line*), raisonnable et honorable pour le Québec au sein de la fédération canadienne, et les fédéralistes devraient être capables de reconnaître la pertinence d'une position de repli comme la souveraineté partenariale face à l'impossibilité de réformer la fédération canadienne. L'incapacité des uns à se mettre dans la situation des autres et le durcissement progressif de leurs positions respectives ont conduit à l'impasse persistante que l'on connaît.

Dans *La nécessaire souveraineté*[1], un document paru en plusieurs centaines d'exemplaires à l'occasion du référendum de 1995 et produit dans le cadre de nos activités au sein du regroupement des Intellectuels pour la souveraineté (IPSO), nous faisions valoir que pour chaque raison positive de faire la souveraineté, il aurait été possible de permettre au Québec de voir ses exigences satisfaites tout en restant à l'intérieur du Canada. C'est donc l'échec de toute réforme allant dans le sens des aspirations historiques du Québec qui nous incitait à adhérer à la souveraineté. Nous avons ensuite eu l'occasion de préciser notre pensée sur la question dans des articles parus dans les journaux[2]. Par la suite, nous avons fait paraître dans *L'Action nationale* un article qui répétait essentiellement les mêmes choses, tout en reprenant la liste des principes qui auraient à nos yeux constitué un compromis minimalement acceptable pour le Québec[3]. Nous aurions en somme envisagé favorablement un régime de fédéralisme multinational. Il ne s'agissait pas de formuler une liste d'épicerie, c'est-à-dire d'énumérer des pouvoirs à récupérer, mais bien d'établir les principes structurels d'une telle réforme. Nous en sommes même venus à proposer l'adoption par un gouvernement du Parti québécois d'une loi 150 bis, rappelant la loi adoptée par le gouvernement libéral de Robert Bourassa votée en 1991 dans la foulée des recommandations de la Commission Bélanger-Campeau. Cette loi reprendrait l'idée d'une alternative entre deux grandes options historiquement ancrées dans le cœur des Québécois : le fédéralisme multinational et la souveraineté partenariale[4].

Rappeler ces éléments de réforme est ici nécessaire dans la mesure où ils vont nous servir dans la suite de ce chapitre. En gros, il s'agirait d'obtenir la reconnaissance du peuple québécois et d'en accepter les conséquences institutionnelles. Plus précisément, il faudrait reconnaître formellement dans la Constitution du Canada l'existence du peuple québécois, accepter formellement de conférer à la province de Québec un statut juridique particulier et accepter de constitutionnaliser un régime de fédéralisme asymétrique pour le Québec. Il faudrait accorder au Québec un véritable droit de retrait avec compensation financière et résoudre le déséquilibre fiscal avec le Québec par un transfert de la TPS. Il faudrait reconnaître au Québec la pleine maîtrise d'œuvre en matière de langue, de culture, de télécommunications et d'immigration. Il faudrait transférer les pouvoirs en matière d'assurance-emploi. Il faudrait reconnaître au Québec un pouvoir de participer à la nomination de trois des neuf juges à la Cour suprême, et entériner la formule Gérin-Lajoie dans le secteur des relations internationales. Il faudrait instaurer une véritable concertation entre Ottawa et le Québec dans les négociations à l'Organisation des Nations unies (ONU), à l'Organisation mondiale du commerce (OMC) et à la Zone de libre-échange des Amériques

(ZLEA). Il faudrait enfin abroger la Loi sur la clarté. Un tel ensemble de mesures nous permettrait de prétendre que le Canada s'est résolument engagé sur la voie du fédéralisme multinational.

Ces propositions de réforme ne sont pas improvisées à la dernière minute. Elles correspondent en gros aux aspirations historiques du Québec. On ne les invente donc pas pour les fins d'une argumentation circonstanciée. Il ne s'agit pas non plus de placer la barre trop haute dans l'espoir stratégique d'obtenir un refus et de provoquer une crise. Il s'agit de revendications faites par des fédéralistes du Québec. La reconnaissance du peuple québécois est inscrite dans la démarche historique du Québec. Le statut particulier est une revendication qui remonte au moins aux années 1960. Le fédéralisme asymétrique est apparu dans le rapport de la Commission Pépin-Robarts en 1979. Le droit de retrait avec compensation financière a été réclamé depuis des décennies par les gouvernements québécois. La souveraineté culturelle et la pleine maîtrise d'œuvre en matière de culture ont été réclamées par Robert Bourassa et Lisa Frulla. Tous les partis politiques au Québec se sont prononcés contre le déséquilibre fiscal et la Loi sur la clarté. Et ainsi de suite.

Ces éléments ne sont pas les seules choses qu'il faudrait faire pour réformer le Canada. Inévitablement, il faudrait aussi le transformer en une république, réformer la fonction de premier ministre, redéfinir le rôle du Sénat, changer le mode de scrutin, réparer les torts causés au peuple acadien et tenir compte des populations autochtones en s'inspirant du rapport de la Commission Dussault-Erasmus. Mais ces autres éléments de réforme concernent le Canada dans son ensemble. Ici, nous nous concentrons sur les éléments qui ne concernent que le Québec et qui lui permettraient de s'autodéterminer à l'intérieur du Canada. Si l'on excepte le rôle du Québec dans la nomination de trois des neuf juges et l'obligation de concertation de l'État fédéral avec le Québec dans les instances supranationales (cette obligation devrait sans doute s'appliquer aussi aux autres provinces), les propositions envisagées ne changeraient sans doute pas grand-chose à la dynamique canadienne et les Canadiens pourraient vaquer à leurs occupations sans que rien ne soit modifié dans leur vie. Mais pour le Québec, ces changements auraient des effets déterminants.

Nous avons repris à plusieurs fois ces revendications historiques du Québec au cours des dernières années. Dans le contexte des discussions sur le « fédéralisme asymétrique », et en raison d'un possible déblocage dans les relations fédérales-provinciales, elles nous fournissent un cadre à partir duquel évaluer les espoirs actuels de réformer le fédéralisme canadien. Les principes structurels d'un compromis raisonnable nous fournissent d'ailleurs des munitions contre ceux qui interprètent de manière favorable la nouvelle conjoncture dans laquelle on se trouve. Nous disposons d'un outil qui nous permet d'évaluer le sens des « réformes » amorcées par les Libéraux fédéraux en matière de santé, congés parentaux, le droit de retrait et d'asymétrie. Nous disposons aussi d'un instrument nous permettant d'évaluer à ses mérites le « fédéralisme d'ouverture » du Parti conservateur dans le contexte de son élection en 2006.

UNE RÉFORME EST-ELLE MAINTENANT POSSIBLE ?

L'Accord sur la santé intervenu à l'automne 2004 a ravivé l'espoir que le fédéralisme canadien soit après tout assez flexible pour être réformé et adapté aux besoins du Québec. Le déblocage des négociations amorcées il y a huit ans sur le programme québécois de congés parentaux a connu un dénouement heureux au début du mois de mars 2005, ce qui a contribué à conforter cet espoir chez certains. D'ailleurs, sur chacun des points qui apparaissent dans la liste des principes structurels à adopter et des pouvoirs que nous réclamons, des changements ont eu lieu au cours des 10 dernières années, ce qui nous donne apparemment des raisons d'être optimistes. Dans les mois qui ont suivi le référendum de 1995, l'État canadien n'a-t-il pas adopté une résolution à la Chambre des communes reconnaissant le Québec comme société distincte ? L'ex-sénateur Gérald Beaudoin n'a-t-il pas raison de dire que le Québec a déjà un statut particulier dans la Constitution canadienne ? Ne sommes-nous pas engagés dans un processus qui rend enfin explicite un régime de fédéralisme asymétrique ? L'accord sur la santé signé en septembre 2004 n'a-t-il pas donné lieu à l'exercice par le Québec d'un véritable droit de retrait avec compensation financière ? N'avons-nous pas des raisons de penser qu'en acceptant le sous-amendement du Bloc québécois au discours du trône d'octobre 2004, le gouvernement fédéral s'est montré réceptif aux réclamations des provinces sur la question du déséquilibre fiscal ? Ne peut-on pas espérer des accords spécifiques portant non seulement sur la santé et les congés parentaux, mais aussi sur la participation à la nomination de trois des neuf juges à la Cour suprême, comme le souhaite le ministre Benoît Pelletier ? Et surtout, ne devons-nous pas être optimistes devant un Parti conservateur récemment porté au pouvoir avec le mandat de résoudre le déséquilibre fiscal, de respecter les compétences des provinces et ayant déjà accordé une représentation internationale au Québec à l'UNESCO ? En somme, ne doit-on pas reconnaître que nous sommes engagés sur la voie d'un compromis raisonnable pour le Québec ?

Les apparences sont trompeuses. Non seulement nous sommes encore très loin de la réforme envisagée, mais nous nous en éloignons de plus en plus. Pour faire cette démonstration, nous allons nous servir de chaque principe invoqué dans cette réforme imaginaire en suivant l'ordre dans lequel nous les avons présentés.

LA RECONNAISSANCE DU PEUPLE QUÉBÉCOIS

Premièrement, est-ce que la reconnaissance en 1996 par l'État canadien de la société distincte québécoise constitue pratiquement une reconnaissance du peuple québécois ? On se rappellera ce que l'expression voulait dire dans le défunt accord du lac Meech. Il ne s'agissait plus d'une clause interprétative, mais seulement d'un principe en vertu duquel l'État québécois aurait l'obligation de promouvoir et protéger la langue française, dans le respect du bilinguisme qui est « une caractéristique fondamentale du Canada ». En bref, la clause avait tout au plus des incidences sur le plan linguistique et celles-ci étaient pour le moins neutralisées par le principe affirmant le caractère fondamental du bilinguisme canadien, car cela permettrait aux minorités de contester les lois linguistiques québécoises au nom de la dualité des langues.

On se rappellera aussi la tournée que fit Jean Chrétien partout au Canada pour obtenir une certaine ouverture d'esprit de la part des provinces à une reconnaissance constitutionnelle du Québec comme société distincte. La réaction hostile des premiers ministres incita Jean Chrétien à se contenter d'une résolution à la Chambre des communes. Les politiques adoptées ensuite par ce même Jean Chrétien confirmèrent que la formule était creuse et sans conséquence. L'État canadien s'engagea par la suite dans un ensemble de mesures qui contribuaient à saper la force de l'identité nationale québécoise : renvoi à la Cour suprême, Loi sur la clarté, réduction dans les transferts aux provinces affectant surtout le Québec, coupures à l'assurance-emploi, Entente-cadre sur l'union sociale, déséquilibre fiscal, envahissement des compétences constitutionnelles québécoises, invocation d'un prétendu pouvoir de dépenser non constitutionnalisé, irrégularités au ministère des Ressources humaines dans l'octroi de contrats au Québec, propagande à la société Radio-Canada, scandale des commandites, etc.

La conception trudeauiste de la nation canadienne est d'ailleurs toujours en vigueur et elle l'est plus que jamais : une nation, deux langues, cinq régions économiques, dix provinces, trois territoires et une mosaïque culturelle. Les provinces du Canada anglais ont mis au rancart toute idée de réforme constitutionnelle et elles se considèrent désormais elles aussi comme des sociétés distinctes. Elles ont sans doute raison de se représenter les choses ainsi, mais sont-elles des peuples distincts ? Bien sûr que non. Voilà pourquoi il ne s'agit pas que d'un débat sémantique. Il y a une différence majeure entre la reconnaissance d'un peuple et la reconnaissance d'une société distincte. La plupart des provinces, sinon toutes, sont distinctes les unes par rapport aux autres. Mais dans l'ensemble des provinces, seul le Québec constitue un peuple à part entière. Il y avait d'ailleurs quelque chose de trompeur et de pernicieux dans cette volonté de contourner le refus canadien de reconnaître le peuple québécois en proposant un vocable moins « offensant » tel que celui de « société distincte ». Ce refus de reconnaître l'existence d'un désaccord radical sur la façon de concevoir le Canada persiste encore. Car si on soulève le voile, on verra que le Canada anglais est plus éloigné que jamais d'une telle reconnaissance. Il fut un temps où certains parlaient encore favorablement des « deux peuples fondateurs ». Selon les Canadiens, cette idée appartient désormais au folklore de l'ère ayant précédé celle inaugurée par Pierre Elliott Trudeau, et cette dernière est désormais bien ancrée dans les mentalités.

LE STATUT PARTICULIER

Bien au-delà de la symbolique d'une reconnaissance du peuple québécois, l'État fédéral canadien n'est-il pas engagé dans des transformations institutionnelles qui correspondent à celles que l'on exigerait s'il était reconnu comme peuple? Qu'en est-il du statut particulier qu'il faudrait accorder à la province de Québec? En guise de réponse, rappelons tout d'abord le projet de réforme prévu dans la version de juillet 1992 du défunt accord de Charlottetown[5]. Les neuf provinces canadiennes s'étaient alors entendues pour reconnaître un sénat triple-E, c'est-à-dire élu, efficace et *égal*. Le principe de l'égalité juridique des dix provinces était admis sans réserve. Quelques années plus tard, à l'occasion de la Déclaration de Calgary[6], les neuf provinces ont réitéré ce principe.

Plus près de nous, dans l'entente survenue en marge de l'Accord sur la santé[7], il est entendu que les dix provinces peuvent se prévaloir également du principe de « fédéralisme asymétrique ». Là encore, l'égalité de statut juridique des provinces est affirmée. Il est donc hors de question de reconnaître au Québec un statut particulier. Si le principe de fédéralisme asymétrique a historiquement été associé à l'idée d'un statut particulier pour le Québec, il faut désormais selon les Canadiens appliquer symétriquement le principe de l'asymétrie en respectant l'égalité des provinces.

L'ex-sénateur Gérald Beaudoin prétend cependant qu'en vertu de la Constitution de 1867, le Québec s'est d'une certaine façon déjà vu reconnaître un certain statut particulier, notamment par la reconnaissance d'un régime de droit civil qui le distinguait du reste du Canada[8]. N'y a-t-il pas, en effet, dans la Constitution canadienne des éléments nous permettant de parler d'une sorte de statut particulier pour le Québec? Ici, nous pensons que monsieur Beaudoin confond le statut particulier et l'asymétrie juridique. La reconnaissance formelle d'un régime juridique particulier au Québec est une asymétrie juridique et non une reconnaissance de statut particulier. C'est une chose que de reconnaître un certain pluralisme juridique au Canada et c'en est une autre d'admettre que la province de Québec a un droit juridique à ce que des règles asymétriques soient appliquées sur son territoire. Dire que la province de Québec a un statut particulier juridique, cela ne se réduit pas à reconnaître formellement que la province a un fonctionnement

juridique qui lui est propre. La reconnaissance effective d'un statut particulier est une attitude politique que le Canada a semblé adopter à l'origine à
l'égard au Québec, tout comme il a semblé admettre à l'origine une convention constitutionnelle reconnaissant au Québec un droit de veto sur
tout amendement constitutionnel. Mais de la même manière que la Cour
suprême a nié l'existence d'une telle convention constitutionnelle, la reconnaissance historique d'un statut particulier au Québec semble n'avoir été
que passagère et motivée par des intérêts stratégiques de construction nationale. Quoi qu'il en soit, cette orientation originelle n'est plus envisagée par
le Canada à l'heure actuelle et c'est le principe de l'égalité des provinces qui
est constamment affirmé. La même remarque s'applique concernant le droit
de veto. Presque toutes les provinces jouissent désormais d'un droit de
veto. Voilà pourquoi la reconnaissance formelle d'un statut particulier fondé
sur la reconnaissance de l'existence du peuple québécois est plus improbable que jamais.

LE FÉDÉRALISME ASYMÉTRIQUE

Mais ne peut-on pas dire que, depuis septembre 2004, le Canada s'est enfin
pour la première fois explicitement engagé sur la voie du fédéralisme asymétrique ? On galvaude beaucoup le thème de l'asymétrie ces temps-ci, et
l'expression finit par signifier une chose et son contraire. Le fédéralisme asymétrique découle du principe affirmant le statut particulier accordé à la
province de Québec. Il comporte en ce sens trois traits caractéristiques fondamentaux : il est constitutionnalisé et n'est donc pas qu'une entente de principe ; il implique un transfert des pouvoirs de l'État fédéral vers l'État fédéré
québécois et n'est pas qu'une absence d'envahissement ; enfin, il s'applique
au Québec et non à l'ensemble des provinces. Force est de reconnaître que
l'asymétrie dont on vante les mérites actuellement ne comporte pas ces trois
traits caractéristiques. Il en a été question à l'occasion de l'Accord sur la
santé, survenu en 2004. Il s'agit pourtant bel et bien d'une entente de principe non constitutionnalisée, qui permet dans le contexte seulement d'éviter un envahissement sans transfert de pouvoirs, et c'est une entente qui
s'applique à l'ensemble des provinces. C'est donc un concept dilué d'asy-

métrie que l'on utilise dans l'Accord sur la santé et le programme québécois de congés parentaux.

Il existe certes plusieurs formes d'asymétrie déjà en opération dans la fédération canadienne. Certaines asymétries sont constitutionnalisées et d'autres ne le sont pas. Certaines d'entre elles s'appliquent au Québec et d'autres s'appliquent aux autres provinces. Certaines sont favorables et d'autres sont plus dommageables pour le Québec. Or, nous avons toutes les raisons de nous inquiéter des ententes provisoires non constitutionnalisées qui dépendent de l'humeur du gouvernement en place et de la conjoncture politique. En outre, admettre que l'asymétrie s'est appliquée à divers degrés à l'ensemble des provinces, c'est une autre façon de reconnaître que le Québec ne dispose pas d'un statut particulier au sein de la fédération canadienne. C'est d'ailleurs une contradiction évidente présente dans l'argumentation de l'ex-sénateur Beaudoin. Il soutient que le Québec jouit d'un statut particulier au sein de la fédération canadienne, mais il note en même temps la présence de diverses asymétries à l'échelle de l'ensemble des provinces. Ainsi, le fameux Code civil qui l'incite à affirmer l'existence d'un statut particulier juridique n'est peut-être rien d'autre qu'une asymétrie typiquement québécoise, à côté des asymétries présentes dans les autres provinces. Enfin, on voit mal pourquoi il faudrait se réjouir de « l'asymétrie » en vertu de laquelle le Québec est, avec le Manitoba et le Nouveau-Brunswick, la seule province qui doit traduire ses lois dans l'autre langue officielle.

Comme on vient de le voir, on peut parler d'asymétrie pour décrire des situations très différentes les unes des autres. Nous estimons pour notre part qu'il faut préciser l'usage que l'on fait du terme lorsqu'il s'agit de faire référence à la revendication historique du Québec. Il convient de s'en tenir à une conception de l'asymétrie qui est constitutionnalisée, qui ne concerne que le Québec et qui s'applique à la distribution des pouvoirs. Quand on comprend l'asymétrie de cette façon, un certain nombre de facteurs seulement indiquent qu'une certaine asymétrie est bel et bien à l'œuvre dans la fédération canadienne. Certains principes asymétriques s'appliquent exclusivement au Québec et sont le résultat d'un transfert de pouvoirs que n'ont pas les autres provinces. On songe, par exemple, au Code civil, à la Régie des rentes du Québec, à la perception d'une partie de l'impôt sur le revenu et à certains pouvoirs en matière d'immigration. Mais la question se pose de savoir si de tels transferts de pouvoirs sont encore possibles et si le Canada est disposé à constitutionnaliser le principe en se basant sur l'existence d'un statut particulier pour le Québec. Si, comme certains le prétendent, le principe du fédéralisme asymétrique est accepté par l'État canadien ainsi que par l'ensemble des provinces, alors ceux-ci devraient être disposés favorablement à son enchâssement dans la Constitution canadienne. Ils devraient également être ouverts à l'idée d'accorder de nouveaux pouvoirs au Québec dans le respect de ce principe. Or, il n'en est rien. Les provinces canadiennes sont désormais profondément opposées au principe d'asymétrie appliqué exclusivement au Québec.

Le principe de « fédéralisme asymétrique » présent dans l'Accord sur la santé de septembre 2004 en fournit une preuve supplémentaire. Il s'applique à toutes les provinces et, dans le contexte de cet accord, il a seulement pour effet d'empêcher un envahissement et non d'autoriser un transfert de pouvoirs. Enfin, on est loin d'une révision constitutionnelle. Et pourtant, la seule mention de l'expression a provoqué des remous dans le reste du Canada.

Certes, la définition du fédéralisme asymétrique adoptée dans le communiqué des gouvernements fédéral et provinciaux est vague à souhait. Il est question d'un fédéralisme qui « permet l'existence d'ententes particulières pour n'importe quelle province ». Malgré sa généralité, cette formule révèle quand même qu'il s'agit d'un principe de fonctionnement politique et non d'un principe constitutionnel, et on note également qu'il s'applique à toutes les provinces. Mais est-il seulement un moyen pour éviter l'envahissement des compétences ? Pour répondre à cette question, il faut regarder la définition qui apparaît dans le communiqué produit par le gouvernement fédéral et le gouvernement du Québec. Il est question d'un « fédéralisme flexible qui permet notamment l'existence d'ententes et d'arrangements adaptés à la spécificité du Québec ». Voilà encore une affirmation vague, mais le titre du communiqué est on ne peut plus clair. On parle de « fédéralisme asymétrique qui respecte les compétences du Québec ». On a donc raison d'interpréter le principe comme une mesure provisoire de non-envahissement applicable à n'importe quelle province. On est par conséquent très loin d'un transfert de compétences applicable seulement au Québec et enchâssé dans la Constitution. La même remarque s'applique à l'entente concernant le programme québécois de congés parentaux. Là encore, parler de fédéralisme asymétrique constitue dans le meilleur des cas un abus de langage.

Mais en quoi le Québec est-il brimé si les autres provinces ont elles aussi le droit d'invoquer le principe d'asymétrie ? La réponse est bien simple. Dans le contexte d'une application symétrique du principe d'asymétrie, tout transfert des pouvoirs peut en principe se traduire par un affaiblissement de l'État canadien. L'État fédéral sera donc rébarbatif à consentir un transfert de pouvoirs au Québec si les pouvoirs en question peuvent être aussi récupérés par les autres provinces canadiennes. Cela limite considérablement la quantité et la qualité des pouvoirs concernés. Le principe de l'asymétrie, pensé dans le but avoué de donner une expression tangible au statut particulier du Québec, n'entraînerait pas cette conséquence. Le transfert de pouvoirs vers le Québec serait compatible avec le maintien d'un État fédéral fort.

L'autre raison est que l'on imagine la complexité d'un arrangement constitutionnel permettant à chaque province d'avoir son propre ensemble de compétences. Il s'agirait d'un fédéralisme « à la carte ». La distribution des pouvoirs entre l'État fédéral et les provinces varierait d'une province à l'autre. On imagine aisément la cacophonie engendrée à la Chambre des communes par une telle situation. À chaque fois qu'un projet de loi proposé par le gouvernement en place concernerait un pouvoir détenu par certaines provinces, les députés fédéraux de ces provinces devraient se retirer et n'auraient pas un droit de vote. La complexité des procédures et la difficulté d'assurer l'imputabilité des pouvoirs publics seraient les principaux effets négatifs engendrés par un tel régime. Ainsi, les arguments contre l'asymétrie sont très forts lorsqu'il s'agit d'appliquer le principe également à toutes les provinces. C'est d'ailleurs à ce genre d'asymétrie que les intellectuels et politiciens canadiens songent lorsqu'ils critiquent le fédéralisme asymétrique. Il ne leur vient même pas à l'esprit de considérer un régime ayant une portée limitée et n'incluant que le Québec.

Ceux qui croient déceler une ouverture au sein du Parti libéral du Canada doivent se rappeler que si Paul Martin, Pierre Pettigrew, Lucienne Robillard et Stéphane Dion ont vanté en 2005 les mérites du fédéralisme asymétrique, ils appuyaient avant sans broncher l'entreprise de centralisation de Jean Chrétien. Leur adhésion est circonstanciée et conjoncturelle et s'explique en grande partie par le score spectaculaire du Bloc québécois aux élections de 2005, puisque c'est la principale cause de la mise en place d'un gouvernement minoritaire. On se rendait compte aussi du danger que courait le Parti libéral du Québec, et l'on a craint un retour en force des souverainistes. Mais leur adhésion est suspecte pour une autre raison, car on peut se demander si l'on n'a pas assisté plutôt à une opération de camouflage. Le détournement sémantique qui consiste à utiliser l'expression de «fédéralisme asymétrique» pour désigner quelque chose qui ne l'est pas est peut-être une façon de faire semblant d'opérer une réforme alors que cela est devenu impossible. Le discours d'ouverture officiellement affiché est peut-être une façon de camoufler l'entreprise de construction nationale qui se déploie de façon systématique et larvée. L'asymétrie qui existait auparavant et qui permettait au Québec de bénéficier de transferts de pouvoirs spécifiques semble désormais révolue. Il semble que l'on ne puisse plus envisager favorablement l'enchâssement dans la Constitution d'un nouveau partage de pouvoirs en faveur du Québec. Le discours sur l'asymétrie cache en fait un processus d'envahissement sans précédent de l'État fédéral. Voilà pourquoi, plus on en parle dans les officines fédérales, plus on s'en éloigne de fait.

LE DROIT DE RETRAIT AVEC COMPENSATION FINANCIÈRE

Nous venons de voir que le discours en faveur du fédéralisme asymétrique n'est en réalité rien de plus que la reconnaissance d'une sorte de droit de retrait purement politique que l'État fédéral consent provisoirement à l'ensemble des provinces. Mais il nous faut examiner maintenant en quoi consiste ce droit de retrait. Ne peut-on pas dire au moins que, dans le récent Accord sur la santé survenu en septembre 2004, ainsi que dans l'Entente sur les congés parentaux survenue en 2005, le Québec s'est vu reconnaître un droit de retrait avec compensation financière dans un domaine de ses compétences ? Voyons cela de plus près.

Dans l'Entente-cadre sur l'union sociale[9], adoptée en 1999 sans la signature du Québec, on lit ce qui suit :

> Un gouvernement provincial ou territorial qui, en raison de sa programmation existante, n'aurait pas besoin d'utiliser l'ensemble du transfert pour atteindre les objectifs convenus, pourrait réinvestir les fonds non requis dans le même domaine prioritaire ou dans un domaine prioritaire connexe[10].

Autrement dit, pour pouvoir se retirer d'un programme fédéral mis en place dans un champ de compétence exclusif des provinces, il faut qu'un programme de même nature existe déjà dans la province qui réalise ainsi les objectifs visés par l'État fédéral. Or, il y a une ressemblance frappante entre l'Entente-cadre de 1999 et l'Accord sur la santé survenu le 15 septembre 2004. Dans ce dernier, on peut en effet lire ce qui suit :

> Le financement rendu disponible par le gouvernement fédéral sera utilisé par le gouvernement du Québec pour mettre en œuvre son propre plan visant notamment à assurer l'accès à des soins de santé de qualité en temps opportun et à réduire les délais d'attente.

Et dans le communiqué du 15 septembre qui accompagne l'Accord[11], on lit ce qui suit :

> Le Québec souscrit globalement aux objectifs et principes généraux énoncés par les premiers ministres fédéral, provinciaux et territoriaux dans le communiqué du 15 septembre 2004, dont l'objectif concernant l'accès en temps opportun à des soins de qualité et celui visant à réduire les délais d'attente.

Le Québec souscrit par conséquent aux principes et objectifs des provinces canadiennes et de l'État fédéral concernant la réduction du temps d'attente dans les hôpitaux et s'engage à mettre en place son propre programme. Autrement dit, si le Québec peut se retirer du programme fédéral et être compensé financièrement, c'est seulement parce que le même programme est mis en place au Québec par l'État québécois.

En somme, quand on lit bien l'Accord sur la santé, il apparaît que le Québec se prévaut d'un droit de retrait semblable à ce qui est prescrit dans l'Entente-cadre sur l'union sociale. Et on voit alors apparaître un scénario bien différent de celui qui a été claironné dans les médias. L'Accord sur la santé qui est annoncé comme la consécration du fédéralisme asymétrique consacre plutôt la procédure enclenchée par l'Entente-cadre sur l'union sociale. Il consacre le principe d'un pouvoir de dépenser de l'État fédéral, et consacre l'acceptation de l'envahissement des compétences provinciales. Le prétendu droit de retrait auquel se réduit désormais le « fédéralisme asymétrique » est en fait une formule diluée et mensongère qui avait pourtant été décriée naguère par le Québec. L'Accord sur la santé du 15 septembre 2004 consacre en effet le faux droit de retrait prévu dans l'Entente-cadre sur l'union sociale. La seule différence avec l'Entente-cadre est que désormais le Québec n'est plus dissident !

À ce que nous sachions, les ministres provinciaux ne se sont pas entendus pour abroger l'Entente-cadre sur l'union sociale. Le problème de la compatibilité entre l'Accord sur la santé et l'Entente-cadre n'a pas été soulevé. Une explication bien évidente est que le droit de retrait accordé au Québec dans le cadre de l'Accord sur la santé est un faux droit de retrait qui va plutôt dans le sens de ce qui est prévu dans l'Entente-cadre sur l'union sociale. L'« asymétrie » n'est donc rien d'autre qu'une clause provisoire (non constitutionnalisée) de non-envahissement, dont n'importe quelle province peut se prévaloir, et le droit de retrait impliqué dans cette fausse asymétrie est acceptable pourvu que les provinces agissent en conformité avec les programmes fédéraux, qu'elles acceptent le pouvoir fédéral de dépenser ainsi que l'envahissement de leurs compétences.

Bien sûr, le Québec a par le passé souvent signalé qu'il souscrivait aux principes généraux d'un programme fédéral tout en réclamant le droit de se retirer de ce programme. Mais dans le contexte de l'Entente-cadre sur l'union sociale, le fait de faire de telles déclarations écrites revient à lier le Québec à l'Entente-cadre. En vertu de l'Entente-cadre, les provinces sont désormais *tenues* d'accepter un programme fédéral applicable dans leurs propres champs de compétence à moins qu'elles aient déjà mis en vigueur un programme du même genre ou qu'elles s'engagent à le faire. On peut alors émettre l'hypothèse suivante : c'est pour camoufler l'adhésion implicite du Québec à l'Entente-cadre que l'Accord sur la santé a été accompagné d'une argumentation ronflante consacrant la victoire du fédéralisme asymétrique.

La question se pose : l'État fédéral est-il sournois et hypocrite en faisant montre d'une ouverture improvisée à l'égard du fédéralisme asymétrique, alors que ce discours creux est en fait plutôt introduit dans le but de parvenir à hausser la cote du Parti libéral du Canada et du Parti libéral du Québec sur le territoire québécois ? Est-il sournois et hypocrite en déposant des budgets qui minimisent les surplus réels de l'État canadien, alors que le Bloc québécois est en mesure de son côté de les évaluer correctement année après année ? L'État fédéral est-il sournois et hypocrite en vantant officiellement les mérites du fédéralisme, mais en ne ratant aucune occasion de promouvoir son nationalisme ? Est-il sournois et hypocrite en faisant semblant de respecter les compétences provinciales, mais en profitant de chaque occasion pour les envahir sans vergogne ? Est-il sournois et hypocrite en faisant du Québec la principale victime des coupures dans les transferts ? N'est-il pas sournois et hypocrite en engageant secrètement des centaines de millions de dollars dans un programme de commandites ? Est-il sournois et hypocrite en se disant outré par ce scandale, alors que les Paul Martin, Lucienne Robillard, Pierre Pettigrew et Stéphane Dion applaudissaient à tout rompre Jean Chrétien à chaque fois que celui-ci repoussait du revers de la main l'une des 500 questions du Bloc québécois sur le sujet ?

Autre exemple d'hypocrisie sournoise. En 1999, l'État fédéral a claironné sur tous les toits que le remboursement de 1,5 milliard en péréquation accordé au Québec deux semaines avant l'annonce de l'atteinte du déficit zéro est ce qui a facilité la réalisation de ce dernier objectif, alors que le Québec aurait atteint cet objectif même sans cet argent de l'État fédéral. Pire encore, tout ceci servait de façade pour faire avaler une autre mesure qui, elle, était néfaste pour le Québec, à savoir l'accélération de la réforme du programme de transferts vers les provinces, désormais calculés au prorata de la population. L'accélération de la mise en place de cette dernière réforme avantageait l'Ontario, et l'État fédéral obtint en échange l'adhésion de cette province à l'Entente-cadre sur l'union sociale. Le Québec, que les provinces avaient pourtant appuyé initialement dans sa revendication d'un véritable droit de retrait, fut à nouveau isolé.

On a l'impression d'assister maintenant à un subterfuge du même genre avec l'Accord sur la santé. On vante les mérites du fédéralisme asymétrique, mais en réalité, on fait passer en douce l'Entente-cadre sur l'union sociale que le Québec avait rejetée il y a cinq ans.

LE DÉSÉQUILIBRE FISCAL

Mais ne sommes-nous pas au moins en présence d'une véritable volonté de l'État fédéral de résoudre le problème du déséquilibre fiscal ? Pour résoudre ce problème, encore faut-il en reconnaître l'existence. Qu'entend-on par déséquilibre fiscal ? On fait référence au fait que les provinces ont de plus en plus de difficulté à utiliser les ressources fiscales dont elles disposent pour remplir leurs obligations constitutionnelles, alors que l'État fédéral dispose de surplus de plus en plus importants et excessifs relativement à ses propres responsabilités constitutionnelles.

Il existe sur le sujet une belle unanimité. Elle rassemble les trois partis politiques du Québec, presque tous les partis politiques fédéraux, les dix provinces canadiennes, la Commission Séguin[12] et le Conference Board du Canada[13]. Malheureusement, lorsqu'il était au pouvoir, le Parti Libéral du Canada a toujours nié son existence. Paul Martin parlait plutôt de « pressions financières subies par les provinces » et soutenait ne pas vouloir s'engager dans un débat de terminologie. Et pourtant, s'il ne voulait pas s'engager dans un tel débat, il aurait dû adopter la terminologie acceptée par tous. En refusant de le faire, il s'engageait dans un débat de terminologie. Mais son hésitation à employer l'expression était en réalité une hésitation à reconnaître le déséquilibre fiscal.

Mais l'État canadien sous la gouverne du Parti conservateur ne devra-t-il pas résoudre le problème ? Nous avons toutes les raisons d'être pessimistes. Étant donné l'Entente-cadre sur l'union sociale, les provinces autorisent l'État canadien à envahir leurs compétences. Dans ce contexte, l'État canadien doit disposer de ressources fiscales additionnelles par rapport à celles qui lui sont confiées en vertu de la Constitution canadienne. En effet, si l'on reconnaît le droit à l'État canadien d'envahir les compétences des provinces, on peut alors légitimement prétendre que l'État fédéral a besoin d'une marge de manœuvre additionnelle sur le plan fiscal, parce que ses besoins débordent désormais largement ses seules sphères de compétence constitutionnelles. Sans de telles ressources additionnelles, il ne pourra pas s'occuper de la santé, de la famille, des villes et de l'éducation. Or, le déséquilibre fiscal n'existe que si l'on prend en compte les compétences constitutionnelles de l'État fédéral et des États provinciaux. Si l'on ne peut se fier au partage des compétences constitutionnelles, il est alors difficile de parvenir à la conclusion qu'un tel déséquilibre existe bel et bien. L'approche de l'État fédéral était donc parfaitement cohérente. Ce sont plutôt les provinces qui dénoncent le déséquilibre fiscal mais qui ont signé l'Entente-cadre sur l'union sociale qui sont prises en flagrant délit d'incohérence.

Il y a par conséquent tout lieu de craindre un effritement du consensus des provinces sur la question du déséquilibre fiscal. Le consensus provincial sur le sujet est tout à fait provisoire. C'est la façon sournoise et hypocrite qu'ont les provinces de faire semblant pendant un certain temps d'appuyer le Québec, avant de le lâcher dès qu'un prétexte leur est offert. C'est aussi une façon pour les provinces canadiennes de faire avaler au Québec une couleuvre à la fois. On vient d'imposer l'Entente-cadre et de créer un déséquilibre fiscal. Il faut donc attendre un peu avant de larguer le Québec dans sa lutte contre le déséquilibre fiscal. La centralisation nationaliste de l'État fédéral canadien se sert à petites doses. Et le Québec finira bien comme toujours par rentrer dans le rang.

La compréhension du déséquilibre fiscal permet de bien saisir la logique nationaliste à laquelle se soumet l'État fédéral. Comme le souligne Tom Courchene, le gouvernement fédéral :

> a découvert que la clé de son attrait électoral et de sa politique de *nation-building* dans une économie de savoir était de devenir un joueur dans les sphères des provinces. Cela a pris la forme du fédéralisme du sablier : affamer les provinces de façon à ce qu'elles doivent détourner les dépenses discrétionnaires de tous les autres secteurs pour nourrir l'appétit vorace du système de santé, au point où les citoyens et les villes en viennent à accueillir favorablement certaines et même toutes les dépenses fédérales qui sont destinées à ces autres secteurs. Le fédéralisme du sablier n'est pas seulement un autre nom pour le déséquilibre fiscal vertical, car c'est celui du déséquilibre fiscal avec un but[14].

Ce but n'est rien d'autre que la construction nationale canadienne[15].

L'Entente-cadre sur l'union sociale et le déséquilibre fiscal : ce sont là les deux instruments du gouvernement fédéral pour consolider son emprise sur les provinces. L'autonomie provinciale repose sur deux piliers fondamentaux : l'autonomie politique et l'autonomie fiscale. Or, l'Entente-cadre s'en prend à l'autonomie politique des provinces et le déséquilibre fiscal remet en cause leur autonomie fiscale. Autrement dit, le déséquilibre fiscal est une invention récente de l'État fédéral qui, combinée à l'Entente-cadre, fournit les munitions nécessaires pour envahir les compétences des provinces comme jamais auparavant dans l'histoire canadienne. L'État canadien perd de plus en plus les traits du fédéralisme et acquiert de plus en plus les traits du nationalisme. On est par conséquent plus éloigné que jamais d'une reconnaissance du déséquilibre fiscal.

Mais que dire de l'arrivée au pouvoir du Parti conservateur ? Ne reconnaît-il pas le déséquilibre fiscal ? Si Stephen Harper est sérieux, il devra aussi s'employer à abroger l'Entente-cadre sur l'union sociale. Sa volonté d'en arriver à un accord sous la forme de négociations bilatérales avec les provinces n'augure rien de bon et pourrait être un moyen de défaire le consensus interprovincial. De plus, le refus d'exclure pour le Québec les revenus fiscaux issus de ses ressources naturelles (l'hydroélectricité) dans le calcul de la péréquation (alors que ceux-ci sont inclus dans le calcul pour les provinces maritimes) constitue une autre injustice qui n'augure rien de bon. Enfin, même si l'arrivée au pouvoir des Conservateurs se traduit par un recul ou un ralentissement dans le processus de construction nationale, celle-ci a toutes les chances de reprendre de plus belle dès le retour du Parti libéral du Canada.

LE POUVOIR DE DÉPENSER ET L'ENVAHISSEMENT DES COMPÉTENCES

Peut-on croire l'espace d'un instant que l'État canadien est disposé à renoncer à utiliser son pouvoir de dépenser ? Admet-il que ce soi-disant pouvoir de dépenser n'existe pas vraiment dans la Constitution canadienne ? Personne ne peut prétendre que l'État canadien sous la gouverne des conservateurs ou des libéraux est sur le point de renoncer au pouvoir de dépenser. L'État canadien prétend toujours que ce pouvoir de dépenser existe dans la Constitution canadienne. Mais a-t-il l'intention de cesser d'envahir les compétences québécoises ? À cet égard, ne cherchons pas à attribuer aux autres des visées qu'ils n'auraient pas exprimées explicitement. Rapportons-nous seulement aux intentions énoncées par Paul Martin dans le discours du trône au début du mois d'octobre 2004[16]. Les priorités de l'État canadien concernaient la santé, l'éducation, la famille et les villes. Il s'agit là dans tous les cas de compétences provinciales. Ceci aurait été impensable il y a quelques années. L'État canadien est loin d'être disposé à limiter son prétendu pouvoir de dépenser et loin d'en finir avec l'envahissement des compétences, car il faut au contraire reconnaître que ce dernier bat son plein comme jamais auparavant dans l'histoire canadienne[17].

Cela se fait sentir jusque dans le secteur de la recherche universitaire, comme nous l'avons montré dans un article paru dans *Le Devoir*[18]. Depuis quelques années, les universités ressentent plus que jamais les conséquences du déséquilibre fiscal. D'une part, le gouvernement du Québec n'a tout simplement plus l'argent nécessaire lui permettant de financer adéquatement les universités. Celles-ci demandaient 375 millions en 2004 et n'ont obtenu que 126 millions. Les fonds québécois de financement pour les centres et les équipes de recherche ont fondu de plus de 25 %, tout comme les subventions aux nouveaux chercheurs.

Pendant ce temps, l'argent coule à flots à Ottawa. Tout le monde a entendu parler de la Fondation des bourses du millénaire, alors que le Québec avait déjà son propre programme de prêts et bourses et alors que les besoins étaient ailleurs. Or, le problème s'est accentué depuis quelque temps avec le Programme des bourses d'études supérieures du Canada qui finance les étudiants de manière élitiste avec des sommes atteignant 35 000 $ au lieu d'accorder plus de bourses. On pourrait mentionner également le Programme de réseaux des centres d'excellence, les instituts de recherche en santé du Canada et la Fondation canadienne pour l'innovation qui a dépensé 586 millions pour la recherche en 2004. L'État canadien a aussi mis en place un programme de chaires de recherche du Canada[19]. À chaque année, on apprend la mise en place de nouveaux programmes pancanadiens de subvention de la recherche universitaire. On voit mal comment un gouvernement conservateur minoritaire pourrait renverser cet ordre des choses. Le Canada anglais tout entier s'attend désormais à la poursuite de cette entreprise de construction nationale.

UNE PETITE LISTE D'ÉPICERIE ?

Mais ne peut-on pas être optimiste comme l'est le ministre Benoît Pelletier quant à la possibilité d'en venir à un accord non seulement sur les congés parentaux, mais aussi sur le rôle international du Québec[20] et le pouvoir de contribuer à la nomination de trois des neuf juges à la Cour suprême ? Si de telles dispositions voyaient le jour, ne faudrait-il pas reconnaître l'existence d'un déblocage possible ? On devrait plutôt se méfier de ces ouvertures ponctuelles sur des pouvoirs particuliers. Ici, on voit poindre le danger de proposer une réforme qui prendrait la forme d'une liste d'épicerie et ne contiendrait que des pouvoirs administratifs, au lieu d'une réforme s'appuyant sur des principes substantiels, structurels et constitutionnalisés. À quoi sert-il de sauver quelques arbres si l'on perd la forêt ? Nous croyons avoir établi que l'État canadien est engagé comme jamais auparavant dans un processus de *nation-building*, qui prendrait la forme d'un envahissement des compétences et d'une utilisation abusive du pouvoir de dépenser favorisée par le déséquilibre fiscal et l'Entente-cadre sur l'union sociale. L'envahissement total des compétences peut par conséquent s'accommoder très bien de quelques miettes de pouvoir concédées au Québec. Mais cela ne fera que servir de caution à une entreprise systématique de *nation-building* subordonnant le fédéralisme au nationalisme canadien. Pour assurer sa survie politique, Benoît Pelletier a besoin d'avoir de quoi se mettre sous la dent. À défaut de pouvoir résoudre les problèmes fondamentaux, il peut se contenter d'une petite liste d'épicerie de pouvoirs transférés. Mais le Québec peut-il se permettre d'en faire autant ?

La pancanadianisation bat son plein dans tous les secteurs. Bien au-delà du scandale des commandites, du scandale au ministère des Ressources humaines et du million de drapeaux de Sheila Copps, l'entreprise de construction nationale pancanadienne se poursuit à la vitesse grand V dans tous les domaines. Elle touche le secteur de l'éducation postsecondaire avec les chaires du Canada, la Fondation canadienne pour l'innovation et les bourses d'excellence. Elle sévit aussi au bulletin de nouvelles de Radio-Canada, et elle frappe de plein fouet la vie intellectuelle et culturelle au Québec. La transformation de la Chaîne culturelle en « Espace Musique » s'inscrit dans une telle logique. Elle reproduit sur le plan radiophonique ce qui a déjà été amorcé sur le réseau RDI. Il s'agit de refléter l'ensemble de la francophonie pancanadienne, même si cela signifie qu'il faille rapetisser la part occupée par la culture québécoise.

Dans le contexte d'un envahissement sans précédent des compétences québécoises, les quelques pouvoirs que l'on réussira peut-être à obtenir du Parti conservateur ne seront qu'un intermède et ils ne mettront pas un frein au nationalisme pancanadien. Ils ne peuvent être présentés comme des indices d'un éventuel déblocage. Ils serviront bien au contraire de caution à la reprise éventuelle du *nation-building*.

UNE MAUVAISE FAÇON DE NÉGOCIER ?

Le problème est peut-être, comme Christian Dufour l'a dit[21] en réponse à la proposition de réforme de Claude Morin[22], que l'approche préconisée ici se traduit par la volonté de parvenir à une solution globale, écrite et constitutionnalisée contenant une liste de principes structurels. L'erreur est peut-être d'adopter, comme Dufour le souligne, une procédure de négociation « à la française » au lieu d'accepter la « méthode anglaise » des petits pas informels qui s'appuient sur la confiance mutuelle.

Il n'est pas certain que l'on puisse de cette manière opposer aussi facilement deux méthodes de négociation en les baptisant respectivement « méthode française » et « méthode anglaise ». Mais à supposer que l'on puisse décrire ainsi les choses, cet argument est curieux. Dans le but de faire accepter des principes substantiels de reconnaissance d'un peuple de langue française auprès d'une communauté de langue anglaise, il faudrait renoncer à une procédure de négociation à la française au profit d'une procédure à l'anglaise ? En quoi peut-on espérer que la capitulation sur le plan de la procédure nous permettra d'obtenir ce que l'on recherche sur le plan des principes substantiels ?

Mais de toute façon, la prétendue procédure de négociation à l'anglaise a déjà eu l'occasion de se montrer sous son véritable jour. On cherche désespérément à faire avaler progressivement l'orientation nationaliste du Canada en faisant semblant de faire quelques pas dans la direction d'une réforme qui tiendrait compte du Québec. La stratégie des petits pas est en fait une application du paradoxe de Zénon. À chaque étape, on prétend que l'on va se rapprocher de la moitié de la distance qui reste à parcourir pour parvenir à une réforme du fédéralisme. Or, chacun sait qu'à cette vitesse-là et malgré les apparences, la réforme du fédéralisme ne surviendra jamais.

En somme, nous sommes plus loin que jamais d'une réforme en profondeur de la fédération canadienne qui va dans le sens des aspirations historiques du Québec, et le Canada est plus que jamais engagé dans une entreprise de construction nationale. On peut critiquer les souverainistes doctrinaires qui ne veulent pas manifester leur ouverture à l'égard d'un compromis raisonnable, mais on doit critiquer aussi les fédéralistes doctrinaires qui, au Québec, ne peuvent admettre une position de repli. Face à l'échec du fédéralisme au Canada et face à la subordination du fédéralisme au nationalisme canadien, un fédéraliste pragmatique doit envisager des solutions de rechange comme la souveraineté partenariale.

Comment les souverainistes peuvent-ils réagir face à l'élection du Parti conservateur et à sa promesse de corriger le déséquilibre fiscal, de respecter les compétences du Québec et de mettre en vigueur la doctrine Gérin-Lajoie en matière de relations internationales ? Il se peut que cette conjoncture nouvelle change la donne pour certains militants actifs au sein du mouvement souverainiste, et qu'elle les désarçonne quelque peu. Car qu'arriverait-il à la cause si le Parti conservateur réalisait ces promesses ? Une telle éventualité les inciterait peut-être à regretter d'avoir stratégiquement choisi de critiquer certains aspects particuliers du fédéralisme tel qu'il est pratiqué à Ottawa. D'autres militants souverainistes, qui refusent toujours de justifier leur cause en s'appuyant sur l'intransigeance des fédéralistes canadiens, se sentiront confortés dans leur point de vue que c'est une erreur de parler des défauts structurels de la fédération canadienne. Ils se diront que c'est toujours une erreur d'intervenir pour réclamer des réformes au sein du régime fédéral. Il faut rompre, soutiendront-ils, avec le nationalisme réactif, le nationalisme du « ressentiment », et parler positivement en faveur de la souveraineté.

Mais la plupart des citoyens ordinaires qui sont tentés par l'indépendance ne réagiront pas de cette façon. Ils sont pragmatiques et ils considèrent depuis toujours qu'une réforme en profondeur de la fédération canadienne serait acceptable. Cette idée est particulièrement ancrée dans la région de Québec et chez les militants de l'Action démocratique du Québec. Il n'y a pas d'autre explication à la percée du Parti conservateur dans le centre du Québec. Même si ces concitoyens pensent que la souveraineté est en principe préférable au fédéralisme multinational, ils auraient volontiers opté pour le pis-aller d'une fédération profondément réformée. Ils pensent qu'il faudrait reconnaître le peuple québécois dans la Constitution canadienne et en accepter les conséquences institutionnelles. Cette intuition présente au sein de la population québécoise peut être articulée par les experts qui comprennent le fonctionnement idéal d'un État multinational. Le modèle de l'État-nation n'est après tout pas le seul modèle possible, car la multination existe déjà en Belgique et est peut-être sur le point d'exister pour les Catalans en Espagne.

Les citoyens savent qu'il faut une réforme en profondeur pour résoudre la question nationale québécoise à long terme. Les militants souverainistes qui seraient disposés à un tel compromis ne sont toutefois pas légion ; parmi ceux-ci, on compte l'auteur de ce chapitre, qui aurait fait ce compromis mais qui croit qu'une telle réforme est désormais impossible. On ne doit donc pas être désarçonné face à l'arrivée au pouvoir du Parti conservateur, puisqu'il est encore très loin de reconnaître la nécessité d'une réforme constitutionnelle en profondeur. Ce fut, en effet, une erreur de frapper exclusivement sur le clou du déséquilibre fiscal, sans avoir en tête l'ensemble de la réforme requise. La solution n'est toutefois pas de faire disparaître la fédération canadienne de notre écran radar et de voir la souveraineté comme une fin en soi ou de la voir exclusivement comme le seul moyen de réaliser un certain projet de société. La solution consiste notamment à placer le Canada encore une fois face à son incapacité viscérale à reconnaître l'existence du peuple québécois et face à son incapacité à transformer le pays en un véritable État multinational.

En faisant cette démonstration, on ne pratique pas un nationalisme du ressentiment. Ce sont les souverainistes qui choisissent d'ignorer systématiquement le Canada qui entretiennent du ressentiment. La stratégie proposée ne consiste pas non plus à traiter la souveraineté comme un pis-aller. C'est le fédéralisme multinational qui aurait été un pis-aller acceptable. Le « fédéralisme d'ouverture », qui est, il est vrai, encore une nouvelle appellation improvisée pour rendre attrayant le Canada, ne peut se faire que par une réforme constitutionnelle profonde. Le Canada est-il disposé à une telle ouverture ? Nous savons bien que non. Alors pratiquons un souverainisme d'ouverture et faisons plutôt la démonstration de cette incapacité. Il n'y a pas d'autres moyens de convaincre les Québécois indécis de prendre le beau risque de la souveraineté. Il y aura certes de la « turbulence ». Mais ceux qui prennent l'avion régulièrement savent que le pilote leur annonce très souvent qu'ils sont sur le point de traverser une zone de turbulence. Cela les empêche-t-il de voyager ? Qui refuserait de prendre l'avion pour cette raison ?

NOTES ET RÉFÉRENCES

1. *La nécessaire souveraineté. Dix arguments pour le Québec*, Document produit par un réseau des Intellectuels pour la souveraineté (IPSO), imprimé sur les presses du Comité national du OUI pour le compte de Michel Hébert, agent officiel du Comité national du OUI, septembre 1995.

2. « Que faire maintenant ? » *Le Devoir*, 9 février, 1999, p. A7 ; « Le problème de la nation québécoise n'est pas son existence mais sa (non-) reconnaissance », *Le Devoir*, 11 septembre 1999, p. A9 ; « Quebec and Canada at the Crossroads : A Nation within a Nation », *Nations and Nationalism*, 6 (2), 2000, p. 227-255 ; « Il ne faut pas tenter de guérir une hypothétique peur de la défaite », *Le Devoir*, 4 mars 2000, p. A9 ; « Politique québécoise – Pour sortir du cul-de-sac », *Le Devoir*, 19 juin, 2002, p. A7 ; « Une voie pragmatique et raisonnable », *Le Devoir*, 2 septembre 2003, p. A9.

3. « Quel avenir pour le Québec ? », *L'Action nationale*, vol. XCIII, n°s 5-6, mai-juin 2003, p. 166-195.

4. *Le Pari de la démesure. L'intransigeance canadienne face au Québec*, Montréal, l'Hexagone, 2001 ; voir le chapitre 7.

5. Voir <www.pcobcp.gc.ca/aia/default.asp?Language=F&Page=consfile&doc=char lottetwn_f.htm>.

6. Voir <www.uni.ca/calgary_f.html>. Le deuxième principe affirme que « malgré les caractéristiques propres à chacune, toutes les provinces sont égales ».

7. Voir <www.hc-sc.gc.ca/francais/adss2003/rpm/index.html>.

8. Gérald-A. Beaudoin, « Nouveau, le fédéralisme asymétrique ? », *Le Devoir*, 28 septembre 2004, p. A7.

9. Alain-G. Gagnon (dir), *L'union sociale canadienne sans le Québec*, Montréal, Éditions Saint-Martin, 2000, p. 263-270.

10. Gagnon, *Ibid.*, p. 268.

11. Jean Charest et Paul Martin, « Un fédéralisme asymétrique qui respecte les compétences du Québec », *Le Devoir*, 17 septembre 2004, p. A9.

12. Voir <www.desequilibrefiscal.gouv.qc.ca/fr/document/publication.htm>.

13. Projection des équilibres financiers des gouvernements du Canada et du Québec, *Conference Board du Canada*, février 2002 (format PDF, 681 ko). Voir <www.conferenceboard.ca/documents.asp?rnext=659>.

14. Cité et traduit par Manon Cornellier, « Il y a déséquilibre et déséquilibre », *Le Devoir*, 22 septembre 2004, p. A3 (adaptation de la traduction par l'auteur).

15. Le déséquilibre fiscal atteint toutes les sphères d'activité, y compris la culture. Le Mouvement pour les arts et les lettres (MAL) publiait le 27 janvier 2005 un communiqué dans lequel il est écrit : « Il est nécessaire de rappeler au gouvernement fédéral qu'en culture comme dans plusieurs autres secteurs d'activité, le déséquilibre fiscal est flagrant : Ottawa dispose d'énormes surplus alors que la majorité des besoins du milieu sont assumés par le Québec. » Voir Stéphane Baillargeon, « Mal de bloc », *Le Devoir*, 28 janvier 2005, p. B2.

16. Voir <www.pm.gc.ca/fra/sft-ddt.asp>.

17. Nous faisons référence ici aux trois rapports du comité dirigé par Jacques Léonard pour le compte du Bloc québécois, mais en particulier celui portant sur l'accélération du pouvoir de dépenser de l'État fédéral. Voir <www.blocquebecois.org/archivage/rapport_volet_ii_final.pdf>.

18. « Le déséquilibre fiscal et la recherche universitaire au Québec », *Le Devoir*, 9 juillet, 2004, p. A9.

19. Le vice-recteur à la recherche de l'Université de Montréal, M. Alain Caillé, a soutenu que mes commentaires n'avaient « pas de sens » puisque les chercheurs acceptent tous des subventions de l'État fédéral. Voir Marilyse Hamelin, « Cherche financement

désespérément ! », *Le Devoir*, samedi 2 et dimanche 3 octobre 2004, p. H4. Il est intéressant de noter que le vice-recteur ne pouvait nier l'envahissement des compétences
provinciales par l'État fédéral, l'utilisation du pouvoir de dépenser, le déséquilibre
fiscal et l'accroissement de la présence de l'État canadien dans la recherche universitaire. Il ne pouvait nier la subordination de ces interventions à une entreprise de
construction nationale canadienne. Il s'est alors réfugié dans le fait que les chercheurs « acceptent » cet état de fait.

20. Benoît Pelletier, « Fédéralisme asymétrique – L'avenir du Québec au sein de la fédération canadienne », *Le Devoir*, samedi 2 et du dimanche 3 octobre 2004, p. B5.

21. Christian Dufour, « Plus qu'un simple accord administratif », *Le Devoir*, 1er octobre,
2004, p. A9.

22. Claude Morin, « Le fédéralisme asymétrique – Comme si rien du genre n'existait
déjà ! », *Le Devoir*, 28 septembre 2004, p. A7.

7

MONDIALISATION, IDENTITÉS NATIONALES ET FÉDÉRALISME. À PROPOS DE LA MUTATION EN COURS DU SYSTÈME POLITIQUE CANADIEN

Joseph Facal

Nous défendrons ici la position selon laquelle les acteurs aux commandes du gouvernement central canadien, aux prises avec le double défi d'adapter l'État canadien à la mondialisation et de prévenir la sécession du Québec, ont mis en œuvre, ces dernières années, une stratégie de reconfiguration radicale du régime politique canadien. Cette stratégie entraîne un déclin probablement irréversible de l'esprit, des principes et des pratiques du fédéralisme canadien, et l'émergence d'un système politique de plus en plus unitaire autour d'un gouvernement central de plus en plus prépondérant. L'évolution sociodémographique et identitaire du Canada hors Québec a non seulement facilité la mise en place de cette stratégie, mais elle rend peu vraisemblable la possibilité que le nouveau gouvernement conservateur issu des élections du 23 janvier 2006 renverse – à supposer qu'il le veuille – cette évolution.

LE CHOC DES IDENTITÉS COLLECTIVES

La mondialisation met désormais les États en compétition afin qu'ils créent les conditions les plus favorables possible au développement économique. Il se trouve cependant que plusieurs des leviers essentiels à la construction d'un Canada plus compétitif, plus performant, mieux adapté au nouveau contexte relèvent de la compétence constitutionnelle exclusive des provinces, comme l'éducation, la santé ou les services sociaux. Le gouvernement central a donc entrepris de se donner un rôle stratégique et visible dans ces domaines qui ne sont pas les siens, mais sans courir le risque d'emprunter la voie minée de la réforme constitutionnelle du partage des pouvoirs.

Cette construction d'un nouveau Canada autour d'un gouvernement central fort est aussi venue exacerber des tensions historiques entre le nationalisme canadien et le nationalisme québécois qui remontent aux origines de la Confédération canadienne. Se heurtent en fait deux trajectoires collectives basées sur deux lectures également légitimes, mais rigoureusement contradictoires du passé et de l'avenir du Canada, et du sens même de l'expérience canadienne.

La conception du projet canadien qui est largement majoritaire au Québec vient de ce que les Québécois forment la seule collectivité majoritairement francophone ayant une assise territoriale bien définie sur le continent nord-américain, de ce que celle-ci a eu conscience de son identité distincte avant même la création du Canada, et de ce qu'elle s'y est jointe sur la base de ce qu'elle percevait comme un pacte entre les peuples fondateurs francophone et anglophone. Pour la plupart des francophones, ce pacte de 1867 établissait un régime fédéral dans lequel les deux ordres de gouvernement seraient souverains dans leurs sphères de compétence respectives, ce qui était censé leur donner la marge de manœuvre et les pouvoirs nécessaires à la préservation de leur identité. Cette vision québécoise du fédéralisme canadien a historiquement impliqué la recherche d'une plus grande autonomie politique autour d'un statut fondé sur des responsabilités particulières liées à cette identité propre, et qui s'est incarnée sous diverses formes selon les gouvernements et les époques.

À l'opposé, la conception prédominante aujourd'hui au Canada anglais, qui fut introduite et imposée par Pierre Elliott Trudeau, repose sur l'idée qu'il n'existerait au Canada qu'une nation canadienne, officiellement bilingue et multiculturelle, à côté des peuples autochtones. Cette vision confère donc au gouvernement central un rôle prépondérant, établit l'égalité formelle des provinces dans un cadre de traitement symétrique, et donne aux juges – par le biais d'une Charte des droits et libertés enchâssée dans la Constitution qui ne reconnaît pas la notion de droits collectifs sauf pour les nations autochtones – le pouvoir d'invalider des lois provinciales et d'édifier une jurisprudence centralisatrice. Par définition, le principe de l'égalité des provinces exclut donc l'idée même d'un statut ou de pouvoirs particuliers pour le Québec, puisque cela serait perçu dans le reste du Canada comme un traitement de faveur à son endroit.

À l'évidence, le point culminant du choc entre ces deux conceptions rigoureusement incompatibles a été le référendum de 1995. Au lendemain d'un résultat aussi extraordinairement serré, après qu'eurent voté oui autant de Québécois qu'il n'y a d'habitants au Manitoba, en Saskatchewan, à Terre-Neuve, en Nouvelle-Écosse et à l'Île-du-Prince-Édouard, bien des Québécois s'attendaient à ce que le gouvernement central essaie de répondre de façon constructive à l'expression d'un si profond désir de changement. Mais les manifestations d'amour du Canada anglais à l'endroit du Québec ont rapidement fait place à la colère, aux appels au durcissement, sans qu'à peu près personne ne s'interroge sérieusement et publiquement sur les raisons profondes d'un tel soutien au projet de souveraineté du Québec.

Il s'ensuivit plutôt un train de mesures mises en œuvre par le gouvernement central et liées entre elles par une implacable logique d'ensemble, visant à concentrer le pouvoir à Ottawa et à réduire l'autonomie des provinces afin, simultanément, de juguler le mouvement souverainiste et de reconfigurer le Canada pour l'adapter au nouveau contexte mondial.

DÉSORMAIS, TROIS CIBLES

Au lendemain du référendum de 1995, l'offensive des autorités du gouvernement central à l'endroit du Québec a visé trois cibles : la capacité du Québec de faire des choix sociaux différents du reste du Canada ; la capacité du Québec d'affirmer de façon autonome son identité distincte s ; et la capacité du Québec de choisir librement son destin politique. Voyons-les tour à tour.

En réduisant unilatéralement les transferts financiers aux provinces, en s'appropriant les excédents de la caisse de l'assurance-emploi, en maintenant la désindexation des taux d'imposition introduite en 1993, en profitant de la bonne tenue d'une économie qui accroît ses revenus, le gouvernement central a d'abord éliminé son déficit, puis accumulé des surplus mirobolants. Grâce à ceux-ci, plutôt que de réduire ses impôts, il a lancé, à partir de 1997, de multiples programmes dans les champs de compétence des provinces, rognant peu à peu leur autonomie.

Au nom du mieux-être des Canadiens, des vertus de la collaboration et des impératifs de la mondialisation, le gouvernement central fait comme si le partage constitutionnel des pouvoirs n'existait plus et recherche un maximum de visibilité et de présence effective dans la vie des citoyens. Il déploie une offensive de pénétration dans les champs de compétence du Québec qui ne laisse au hasard ni le choix des cibles ni le choix des moyens : il vise particulièrement les secteurs de pointe de la nouvelle économie comme la recherche universitaire, les clientèles jugées politiquement déterminantes comme les jeunes, les femmes et les familles de la classe moyenne, et les domaines de la vie quotidienne, comme la santé, qui préoccupent le plus nos concitoyens.

Cette centralisation accélérée est facilitée par un déséquilibre fiscal planifié entre le gouvernement central et les gouvernements provinciaux. Le premier lève plus d'impôts que ne le justifient ses responsabilités constitutionnelles, alors que les seconds, à l'exception de celui de l'Alberta, ont des ressources plus limitées, mais sont responsables des secteurs dans lesquels les coûts sont en explosion, comme la santé, en plus d'être déjà fragilisés par les réductions dans les transferts financiers fédéraux. Il s'agira donc, pour le gouvernement central, de creuser encore plus cet écart entre les ressources fiscales des deux ordres de gouvernement et leurs responsabilités constitutionnelles respectives.

En prenant à sa charge les dépenses les moins risquées, en refilant aux provinces celles qui sont le plus susceptibles de subir les aléas de la conjoncture économique – notamment en réduisant les critères d'admissibilité à l'assurance-emploi, ce qui gonflera le nombre de prestataires de l'aide sociale, qui est de responsabilité provinciale, quand surviendra une récession – et en réduisant de façon draconienne ses transferts aux provinces pour ne les relever ensuite que d'une fraction à la veille de chaque élection fédérale, le gouvernement central accentue délibérément un déséquilibre fiscal qui lui procure une marge de manœuvre qui augmente mécaniquement beaucoup plus vite que celle des provinces qu'il a placées à sa merci. Il a ensuite beau jeu de lancer unilatéralement des programmes dans les champs de compétence des provinces mises à genoux ou de leur imposer ses conditions en échange d'un réinvestissement. Une fois les provinces placées dans cette situation de dépendance chronique, le gouvernement central cherche à se rendre indispensable en usant d'un pouvoir de dépenser dans les champs de compétence des provinces qui ne fait l'objet d'aucune mention expresse dans la Constitution canadienne, mais que les tribunaux fédéraux ont largement interprété à son profit au cours des dernières années.

Cet état de choses met en cause l'un des principes les plus fondamentaux de la doctrine du fédéralisme classique, qui est que chaque ordre de gouvernement doit pouvoir disposer des ressources financières requises à l'exercice des compétences constitutionnelles qui sont les siennes à l'abri de tout dispositif venant subordonner, sur le plan budgétaire, l'ordre de gouvernement nommément responsable d'une compétence à celui qui ne l'est pas. Dans son ouvrage classique, K. C. Wheare l'exprimait ainsi :

> Le principe fédéral exige que les gouvernements général et régionaux d'un pays soient indépendants les uns des autres dans leurs propres sphères de compétence, ne soient pas subordonnés l'un à l'autre et qu'ils puissent se coordonner. Maintenant, si ce principe doit opérer non pas simplement sous l'angle d'un partage juridique strict mais sur le plan pratique, il s'ensuit que les deux instances du gouvernement général et régional doivent chacune avoir leur propre contrôle des ressources financières suffisantes leur permettant de remplir leurs responsabilités exclusives[1].

Pour ce qui est de la stratégie fédérale de banalisation de l'identité culturelle distincte du Québec, elle comporte aussi plusieurs volets. Au nom d'un multiculturalisme qui a toutes les apparences de la générosité et de l'ouverture, le gouvernement central dira reconnaître toutes les appartenances, y compris, donc, le sentiment d'appartenance à une identité québécoise. Il est cependant hors de question pour lui d'aller jusqu'à reconnaître la dimension collective de l'identité québécoise ou de lui donner une quelconque portée institutionnelle qui aurait des conséquences politiques. On en veut pour preuves le refus radical de l'édifice constitutionnel canadien de reconnaître que la collectivité québécoise a tous les attributs d'une nation, son incapacité de donner la moindre portée concrète à son admission du caractère distinct du Québec, et ses efforts continuels pour neutraliser l'affirmation internationale du Québec.

Pour tenter de convaincre les Québécois que tout cela était bon pour eux et qu'ils devraient s'en montrer reconnaissants, on fit aussi d'eux les destinataires d'une campagne de propagande identitaire canadienne massive, qui se solda par l'un des plus grands scandales de l'histoire politique canadienne et qui donna lieu à la tenue de la Commission Gomery. En fait, Ottawa cherche à faire du Québec une province dont la différence restera confinée à la sphère du folklore, sans plus d'autonomie réelle que les autres, cantonnée dans ses terres, amoindrissant aussi du coup les chances de reconnaissance par la communauté internationale d'un Québec qui se déclarerait souverain.

Mais cela n'était pas encore assez et le gouvernement central – troisième volet de son offensive – voulut aller encore plus loin, frapper encore plus fort, atteindre au cœur la capacité des Québécois de choisir leur avenir politique sans entrave. Comme les stratèges fédéraux savent que la confiance croissante des Québécois dans leur capacité de gérer leurs propres affaires rend de plus en plus inopérantes les peurs économiques, ils se mirent d'abord à agiter la menace, jadis proférée par des illuminés, de démembrement du territoire québécois advenant la réalisation de la souveraineté. Si le Canada est divisible, le Québec, se mit-on à dire, l'est aussi.

Une telle affirmation est fausse en droit. Avant la souveraineté, y compris pendant la période de transition qui suivrait un référendum, l'intégrité territoriale du Québec serait garantie par la Constitution du Canada en vertu de laquelle les frontières d'une province ne peuvent être modifiées sans son consentement. Après la souveraineté, cette intégrité est garantie par la règle consacrée en droit international de *l'uti possidetis juris,* qui s'est rigoureusement appliquée dans tous les cas récents d'accession d'États à la souveraineté, et que le Canada lui-même a formellement réitérée au début des années 1990, lors de la dissolution de l'ex-Yougoslavie.

Mais aux yeux d'un gouvernement central accusé de somnambulisme politique pendant la campagne référendaire de 1995 et qui s'était juré que rien de cela ne pourrait plus jamais se reproduire, il fallait aller encore un cran plus loin. Après l'étranglement budgétaire, l'envahissement des champs de compétence, le cadenas diplomatique et l'appui aux partitionnistes, le gouvernement central voulut porter le coup de grâce à l'autonomie québécoise. Ottawa fit donc adopter, dans une opération sans précédent dans une démocratie avancée, le projet de loi C-20, qui, sous prétexte de traduire législativement l'avis de la Cour suprême du mois d'août 1998, le triture grossièrement afin d'essayer d'imposer ce que les juges lui ont refusé, en plus de bafouer la règle démocratique élémentaire qui fait de la majorité absolue des voix exprimées, soit cinquante pour cent plus une, le seuil légal qui distingue la victoire de la défaite dans la quasi-totalité des cas récents de consultations référendaires sur des changements de statut politique à travers le monde.

Doit-on en effet rappeler que, nulle part dans son avis, la Cour suprême ne confère au Parlement fédéral un droit de regard sur le contenu de la question référendaire ni ne l'autorise à juger de sa clarté avant même que l'Assemblée nationale l'ait adoptée ? Que nulle part dans son avis la Cour suprême ne donne au Parlement fédéral le droit d'imposer, sous prétexte de clarté, une question devant expressément exclure toute référence à un partenariat politique ou économique ? Que nulle part dans son avis la Cour suprême ne reconnaît au Parlement fédéral d'autorité pour fixer *a posteriori* et à son gré la majorité requise ?

En fait, l'idée de se servir de la Cour suprême à des fins politiques n'a pas du tout produit les fruits escomptés par le gouvernement central. Il ne comptait surtout pas recueillir la reconnaissance du fait que le territoire canadien est divisible sur la base des territoires des provinces – puisque c'est sur ces bases territoriales expressément reconnues qu'elles se sont jointes à la confédération canadienne –, la reconnaissance du caractère légitime de l'option souverainiste, la création d'une obligation de négocier d'égal à égal en cas de réponse claire à une question claire (mais sans que jamais la Cour ne définisse ce qui est clair et ce qui ne l'est pas, alors qu'elle insiste à plusieurs reprises sur l'évaluation *politique* qu'il convient de faire de ces questions), et l'admission qu'en cas de mauvaise foi de la part du gouvernement central, la reconnaissance internationale d'un Québec souverain s'en trouverait facilitée. Avec le projet de loi C-20, le gouvernement fédéral a donc, en quelque sorte, tenté de racheter son erreur... en réécrivant l'avis de la Cour.

La réalité d'aujourd'hui semble donc sans appel : le Canada de ce nouveau millénaire a décidé de se construire et d'aller de l'avant sans prendre le moindrement en compte la différence québécoise. Personne ne s'est vraiment ému, au Canada anglais, de ce que le Québec ait été isolé au terme des négociations sur l'union sociale. Personne ne cherche sérieusement à réunir les conditions qui permettraient au Québec de réintégrer le giron constitutionnel canadien. Le Canada anglais a d'ailleurs accueilli avec la plus parfaite indifférence les modestes propositions de réforme administrative du régime canadien mises de l'avant par les libéraux provinciaux du Québec, qui semblent s'être privés de tout rapport de force pour avoir inconditionnellement choisi le Canada. Pour ceux, parmi les fédéralistes québécois, qui croient encore dans un Québec fort au sein d'un Canada respectueux du principe fédéral, le constat est accablant.

LES ÉLECTIONS FÉDÉRALES DU 23 JANVIER 2006

On doit évidemment se demander quelles peuvent être les retombées des dernières élections fédérales sur le front des rapports entre le Québec et le Canada. L'un des faits saillants en fut assurément l'étonnante percée conservatrice au Québec. Il crève les yeux que cette percée ne s'explique pas seulement par le dégoût qu'inspiraient des Libéraux fédéraux rongés par la corruption, mais qu'elle illustre aussi la persistance de l'espoir d'un renouveau du fédéralisme canadien chez un grand nombre de Québécois.

Cet espoir repose sur quatre facteurs : la difficulté de renoncer pour de bon au Canada ; un nouvel interlocuteur fédéral en apparence plus ouvert que le précédent ; l'oubli ou l'ignorance par tant de Québécois de l'échec passé de toutes les tentatives de renouveler constitutionnellement le fédéralisme canadien dans le sens des revendications historiques du Québec ; et la méconnaissance qu'ont les Québécois des profondes transformations en cours au Canada anglais depuis plusieurs années.

Le premier facteur interpelle surtout les souverainistes. Plusieurs d'entre eux ont de la peine à comprendre à quel point il peut être extraordinairement difficile pour certaines personnes – particulièrement pour ces Québécois qui se définissent comme des Canadiens français – de renoncer pour de bon au pays que leurs ancêtres ont bâti ou – dans le cas des Québécois issus de l'immigration – au pays qui les a accueillis. Il convient de noter que les récents sondages qui semblent indiquer une hausse de l'appui au projet de souveraineté mesurent ce que serait la réponse à la question référendaire de 1995, qui prévoyait une offre de partenariat accompagnant l'accession à la souveraineté, et qui a été gommée du programme du Parti québécois, en plus d'avoir été effectués pendant la tenue des audiences hautement médiatisées de la Commission Gomery sur le scandale des commandites.

Le deuxième point interpelle les Québécois qui aspirent encore à un renouvellement du fédéralisme dans le sens des revendications historiques du Québec. On a peu relevé au Québec qu'au lendemain de son discours du 19 décembre 2005, dans lequel Stephen Harper a exposé les grandes lignes de son fédéralisme d'ouverture à l'endroit du Québec, le *Globe and Mail* de Toronto avertissait solennellement le chef conservateur qu'on ne le laisserait pas émasculer le gouvernement central et devenir le maître d'hôtel (*head waiter*) de ces quémandeurs éternellement insatisfaits que sont les provinces. Le chef conservateur a depuis entrepris de baisser les attentes. La promesse, par exemple, de faire au Québec une place à l'UNESCO équivalente à celle qu'il a dans les instances de la francophonie s'est déjà évanouie.

Bien des Québécois ne réalisent pas non plus à quel point la conception trudeauiste du Canada – négation de la séparation constitutionnelle des pouvoirs de 1867, gouvernement central omniprésent, provinces subordonnées, primauté absolue des droits individuels, refus du moindre statut particulier pour le Québec – est aujourd'hui la vision dominante que les Canadiens de l'extérieur du Québec ont du genre de pays qu'ils veulent construire. Cette vision est radicalement incompatible avec la vision québécoise du fédéralisme canadien que prônaient jadis Robert Bourassa ou Claude Ryan. La nation canadienne se construit aujourd'hui sur une négation radicale de la nation québécoise.

La preuve de cela n'est pas seulement dans l'échec de toutes les tentatives québécoises pour renouveler le fédéralisme canadien, mais dans le fait que la barre des revendications québécoises est chaque fois plus basse et le refus canadien chaque fois plus ferme. Les tensions entre le Québec et le Canada n'ont donc rien à voir avec les tensions habituelles que vivent les autres régimes fédéraux à travers le monde ou avec la mauvaise volonté des acteurs.

Elles découlent ici d'une incompatibilité radicale entre deux lectures du passé et de l'avenir du Canada.

Au fur et à mesure que le nombre de Canadiens nés à l'étranger augmente, la perspective d'accorder une reconnaissance particulière à une communauté qui se dit fondatrice, et que ces néo-Canadiens voient comme une minorité ethnique au même titre que les autres, apparaît de plus en plus farfelue à l'extérieur du Québec. Comme beaucoup de ces néo-Canadiens ont dû renoncer à leur langue maternelle comme outil premier de communication en venant au Canada, ils saisissent mal cet attachement farouche des Québécois francophones à la leur, notamment parce qu'ils ne font pas cette distinction cruciale entre la préservation, à titre individuel, d'une langue en situation de diaspora, et l'affirmation d'une langue à titre de langue commune au sein d'une société. Non seulement ils associent à une demande de traitement de faveur les revendications québécoises, mais ils voient des relents d'ethnicité dans cette insistance des Québécois pour obtenir la reconnaissance de leur identité collective.

À mesure que change le visage du Canada, le refus de reconnaître que le caractère particulier du Québec peut et doit avoir des conséquences politiques institutionnelles devient chaque fois plus définitif. Tout cela est évidemment exacerbé par la crainte que la moindre concession faite au Québec ne conduise à une autre demande de celui-ci, puis à une autre, jusqu'à l'éclatement final du Canada. Dans un formidable paradoxe, cette stratégie trudeauiste de refondation volontariste du Canada par la négation du caractère national de la communauté politique québécoise, menée au nom de l'unité canadienne, aura donc divisé l'opinion de manière probablement irrémédiable. Il est difficile de voir pourquoi le premier ministre Harper voudrait aujourd'hui aller plus loin que ce que lui permettrait un électorat pour qui le dossier québécois est clos pour de bon, plus loin que le strict minimum requis pour espérer pouvoir former un gouvernement majoritaire après les prochaines élections, plus loin que ce qu'il jugera minimalement requis pour éviter qu'une victoire électorale du Parti québécois ne replonge le Canada dans un autre référendum sur la souveraineté du Québec.

Que tant de Québécois ne voient pas cela, c'est la preuve des ravages que l'oubli et l'ignorance peuvent provoquer. Ceux qui en doutent devraient faire le test suivant : autour d'eux, combien de jeunes Québécois de 20 ans savent que le Québec n'est pas signataire de la Constitution de 1982 ? Combien de moins jeunes peuvent nommer de mémoire les cinq demandes du Québec qui étaient le cœur de l'accord du lac Meech ? Le gouvernement de Jean Charest sait tellement que la reconnaissance constitutionnelle de la spécificité du Québec est un sujet tabou au Canada anglais qu'il est non seulement le premier chef de gouvernement de l'histoire du Québec à ne pas avoir de revendications constitutionnelles, mais qu'il en vient à voir comme des gains pour le Québec la reconnaissance par Stephen Harper des effets pervers de certaines des intrusions du gouvernement central commises à l'époque de Jean Chrétien. Pour le gouvernement Charest, il semble extraordinairement difficile de ne pas faire rimer réconciliation et renonciation.

Du point de vue des revendications historiques du Québec, le danger qui guette le Québec est évidemment que Jean Charest, qui a désespérément besoin de marquer des points politiques, accepte un plat de lentilles. Il faut à cet égard répéter qu'une hausse des transferts fédéraux n'est pas une solution au déséquilibre fiscal. Non seulement cette hausse renforcerait la dépendance du Québec, qui devra de plus en plus aller quêter à Ottawa, mais parce qu'ils s'accompagnent de conditions, ces transferts servent de cheval de Troie au gouvernement central pour imposer ses priorités, qui sont celles de la majorité canadienne, et forcer ainsi le Québec à rentrer dans un moule conçu par d'autres. On ne saurait concevoir de véritable autonomie politique sans autonomie fiscale. En deçà de la souveraineté du Québec, seul un nouveau partage global de l'assiette fiscale attaque vraiment le déséquilibre fiscal.

On nous vantera aussi les ententes administratives. Mais comment se fait-il qu'il n'y ait d'ententes administratives que dans les juridictions des provinces, et jamais dans celles d'Ottawa ? Les ententes administratives sont le pis-aller sur lequel se rabat le Québec quand il est placé devant le fait accompli d'une intrusion fédérale dans ses compétences. Au fond, Ottawa dit aux provinces « ce qui est à moi est à moi et ce qui est à vous sera géré conjointement ». Quand quelqu'un proteste, il se fait répondre que le « monde est tanné des chicanes ».

Les ententes administratives sont, de toute façon, subordonnées au principe général d'égalité de traitement des provinces. Tout ce qui est offert à une province doit l'être à toutes les autres. Comme les gouvernements des autres provinces ne souhaitent pas autant de décentralisation et de responsabilités que celui du Québec – puisque la population des premières trouve naturel que son gouvernement national soit en charge des principales responsabilités –, le Québec se trouve piégé dans cet engrenage du plus bas commun dénominateur, ne pouvant espérer obtenir plus que ce qui serait consenti aux autres provinces. Le cas du déséquilibre fiscal est frappant à cet égard : les gouvernements des autres provinces ont tous dit qu'ils se contenteraient d'une hausse des transferts fédéraux ou d'une bonification de la péréquation, et seul le Québec préférerait des transferts de points d'impôt. Quant à l'horizon proprement constitutionnel, il est irrévocablement bouché : la vision québécoise du partage constitutionnel des pouvoirs est considérée comme irrémédiablement dépassée dans un Canada qui a entrepris de se reconfigurer sur des bases qui sont à des années-lumière de la lecture québécoise historique d'un pacte à deux.

Il s'en trouve pour dire que tout cela n'a, au bout du compte, que peu d'importance puisque la mondialisation va relativiser inexorablement à la fois l'importance du politique, de l'État et du phénomène national. Mais au contraire, la mondialisation, à l'évidence, ravive le sentiment national des peuples. L'action politique, seule, permet la mise en place de contrepoids démocratiques aux forces transnationales économiques. Et s'il est vrai que la mondialisation modifie les fonctions et les attributs de l'État, il n'en reste pas moins que le nombre d'États souverains dans le monde ne cesse de croître – ils étaient 51 à la création de l'ONU en 1945, 122 en 1965, près de 200 aujourd'hui – et que l'autonomie perdue dans l'élaboration des politiques sur leur territoire national est compensée par la possibilité de négocier avec les autres États ce qui se passera aussi sur le leur.

Il s'ensuit qu'en tant qu'attribut de la souveraineté nationale, le droit de participer à part entière aux forums internationaux prend une importance cruciale. C'est au contraire lorsqu'un État fédéré est de plus en plus subordonné que l'indéniable déficit démocratique qu'entraîne la mondialisation, y compris pour les États souverains, se double pour lui d'un autre déficit. En effet, la difficulté déjà considérable de faire participer démocratiquement le plus grand nombre à des décisions prises toujours plus haut n'est pas compensée, pour les citoyens d'un État fédéré qu'ils considèrent comme leur État national, par une participation directe de ce dernier aux forums internationaux, au sein desquels seuls peuvent siéger les gouvernements des États unitaires ou les gouvernements centraux des fédérations.

Devenant de plus en plus un régime unitaire plutôt qu'une fédération véritable, le système politique canadien a donc échoué dans sa fonction historique de faire coexister les identités distinctes des deux communautés fondatrices du Canada, qui sont aujourd'hui sur des chemins séparés qui ne se touchent que quand ils s'affrontent. L'envahissement des champs de compétence provinciaux, l'exercice impérial du pouvoir fédéral de dépenser, l'assujettissement à des normes pancanadiennes imposées, la multiplication des chevauchements, tout cela agace aussi les gouvernements des autres provinces, mais ne met pas en cause l'identité propre de leurs populations. La majorité canadienne trouve en effet normal que son gouvernement national, celui d'Ottawa, prenne en charge les orientations collectives les plus stratégiques. Au Canada, on a tué le fédéralisme au nom de l'unité canadienne. Nous en concluons que les Québécois qui oublieront les leçons du passé et succomberont au chant de sirènes s'exposent à d'amères déceptions et à de nouveaux reculs.

NOTE ET BIOGRAPHIE

1. Kenneth C. Wheare, *Federal Government*, 4ᵉ édition, New York, Oxford University Press, 1967, p. 93 (traduction de l'auteur).

8

LES CONSÉQUENCES DE L'APPLICATION DE LA CHARTE CANADIENNE DES DROITS ET LIBERTÉS POUR LA VIE POLITIQUE ET DÉMOCRATIQUE ET L'ÉQUILIBRE DU SYSTÈME FÉDÉRAL

José Woehrling

Avec la Grande-Bretagne, le Canada est l'une des démocraties libérales qui ont le plus tardé à se doter d'une charte constitutionnelle des droits et libertés donnant ouverture à un contrôle de constitutionnalité. En effet, la Charte canadienne des droits et libertés[1] n'est entrée en vigueur qu'en 1982, c'est-à-dire 115 ans après la création du Canada. Ce retard à adopter une institution pourtant considérée comme inséparable de la démocratie libérale s'explique notamment par la filiation et l'inspiration britanniques des institutions canadiennes. Or, en 1867, le modèle constitutionnel britannique était fondé sur les principes de la souveraineté du Parlement et de la primauté du droit. Le premier principe est évidemment incompatible avec la limitation des pouvoirs du Parlement par un instrument de protection des droits ayant une autorité supérieure aux lois ordinaires. Quant au principe de la primauté du droit (ou *rule of law*) dans sa signification britannique traditionnelle, il signifie que la protection des droits et libertés résulte des lois ordinaires et des règles de *common law*, plutôt que de leur « enchâssement » dans une constitution suprême. Le modèle britannique traditionnel répond donc à une conception de la démocratie qui accorde la prééminence au principe majoritaire, au suffrage universel et à la représentativité. Il repose sur la conviction que le Parlement élu par la population doit être l'arbitre ultime des droits individuels et de l'intérêt général. Il faut cependant remarquer que dans un système parlementaire comme celui de la Grande-Bretagne et du Canada, où les gouvernements sont habituellement majoritaires et exercent sur leurs députés une discipline rigoureuse, la souveraineté du Parlement devient en fait celle de l'exécutif. C'est une des raisons pour lesquelles ce modèle a été progressivement remis en cause à la fois au Canada et en Grande-Bretagne[2]. En outre, à notre époque, l'inscription des droits et libertés dans un instrument constitutionnel et leur mise en œuvre par l'entremise des tribunaux exerçant le contrôle de constitutionnalité sont devenues des institutions considérées comme incontournables dans une démocratie libérale.

Néanmoins, même à la fin des années 1980, de nombreux décideurs politiques et juristes canadiens étaient toujours imprégnés de l'idéal politique et constitutionnel britannique et donc réticents à confier aux tribunaux le pouvoir de censurer la volonté des élus de la population sur le fondement d'un catalogue constitutionnel de droits et de libertés exprimés de façon inévitablement vague et abstraite. En outre, un certain nombre de politiciens provinciaux craignaient que l'adoption d'une charte constitutionnelle appliquée et interprétée en dernière instance par la Cour suprême du Canada, un organisme fédéral dont les juges sont nommés de façon discrétionnaire et unilatérale par le premier ministre canadien, sans participation des gouvernements provinciaux, n'en vienne à produire des effets centralisateurs et uniformisateurs. Ces craintes et cette hésitation entre le modèle britannique de la souveraineté des élus et le modèle américain de la suprématie des tribunaux expliquent que les rédacteurs de la Charte canadienne aient cherché à concilier ces deux modèles en inventant un compromis original consistant à permettre au Parlement fédéral et aux législatures des provinces de déroger par déclaration expresse à la majorité des droits garantis[3].

Nous tenterons donc d'examiner quelles sont les conséquences qu'a entraî-
nées la mise en application de la Charte canadienne, d'une part, pour le fonctionnement de la vie politique et du système démocratique, d'autre part,
pour l'équilibre du système fédéral.

LES CONSÉQUENCES DE L'APPLICATION DE LA CHARTE CANADIENNE POUR LA VIE POLITIQUE ET DÉMOCRATIQUE

Les attitudes adoptées par la Cour suprême du Canada dans la mise en œuvre de la Charte canadienne : entre l'activisme et la retenue judiciaires

Dans les premières années qui ont suivi l'entrée en vigueur de la Charte canadienne, entre 1982 et la fin de 1986, la Cour a adopté une attitude d'intense
activisme judiciaire. C'est à cette époque que le cadre conceptuel de mise en
œuvre de la Charte a été mis en place. Il se caractérise par le principe de l'interprétation très large des droits garantis et par une application de l'article premier de la Charte qui fait découler de celui-ci un critère de justification
extrêmement sévère à l'endroit des mesures restreignant les droits garantis.
Ajoutons qu'à cette époque, la philosophie qui s'exprime dans les décisions
de la Cour est nettement celle du libéralisme classique, anti-étatique. La Charte
est présentée comme ayant pour objectif quasi exclusif de limiter l'intervention de l'État et celle-ci semble perçue par les juges avec une méfiance systématique, comme étant presque nécessairement dangereuse pour les droits
et libertés. Cet activisme judiciaire des cinq premières années s'explique de
plusieurs façons. Les attentes à l'égard de la Cour étaient très élevées, dans
la communauté juridique bien sûr, mais également dans le grand public,
car l'adoption de la Charte avait donné lieu à un battage médiatique important. La désillusion grandissante à l'égard du processus politique, qui existe
au Canada comme ailleurs, faisait en sorte que de nombreux groupes d'intérêt pensaient obtenir dans le forum judiciaire des réformes ou des victoires
qu'ils n'espéraient plus trouver dans l'arène politique. Il semble donc que la
Cour a voulu répondre à ces multiples attentes.

Cependant, dès la fin de 1986, les positions adoptées par la Cour suprême
commencent à se modifier. La Cour, à cette époque, adopte différentes décisions dans lesquelles elle interprète certains droits garantis de façon restrictive

plutôt que large. Par exemple, elle juge que la liberté d'association ne comprend ni le droit de négociation collective des conditions de travail ni le droit de grève[4]. Au même moment, la Cour commence à modifier le critère de justification qu'elle avait tiré de l'article premier de la Charte pour le rendre moins rigoureux et pour se permettre de faire varier l'intensité du contrôle de constitutionnalité selon divers critères. Toujours à partir de 1986, la Cour commence à se diviser selon diverses tendances idéologiques. Comme nous le verrons maintenant, l'application de l'article premier, qui permet la limitation raisonnable des droits garantis, est devenue particulièrement controversée et divise régulièrement les membres du tribunal en deux camps opposés qui sont, d'une part, les tenants d'un contrôle rigoureux de l'activité législative et, d'autre part, ceux qui prônent désormais une plus grande déférence à l'égard du législateur. Lorsqu'une décision portant sur une question fortement controversée n'est acquise qu'à quelques voix de majorité, voire à une seule, comme c'est parfois le cas, le fait que la décision dépende des options idéologiques d'un petit nombre de juges fait apparaître le caractère « politique » de la justice constitutionnelle et rend difficile la défense de l'idée selon laquelle le contrôle de constitutionnalité ne serait fondé que sur de pures considérations juridiques[5].

La clause limitative contenue dans l'article premier de la Charte canadienne se lit ainsi :

> La Charte canadienne des droits et libertés garantit les droits et libertés qui y sont énoncés. Ils ne peuvent être restreints que par une règle de droit, dans des limites qui soient raisonnables et dont la justification puisse se démontrer dans le cadre d'une société libre et démocratique.

La Cour suprême du Canada a tiré de cette disposition un « test » de justification en deux étapes[6]. En premier lieu, il faut démontrer que la loi qui restreint un droit ou une liberté poursuit un « objectif social suffisamment important ». Si c'est le cas, il faut ensuite faire la preuve que les limitations apportées aux droits garantis ont un lien rationnel avec l'objectif poursuivi, qu'elles empiètent « le moins possible » sur ce droit et, enfin, que les effets négatifs qu'elles ont sur le droit garanti ne l'emportent pas sur leurs effets bénéfiques. On peut noter que cette interprétation respecte mal le texte même de l'article 1 de la Charte, qui parle de restrictions *raisonnables*. Or, l'application du critère de l'atteinte minimale amène à interpréter cette disposition comme ne permettant que les restrictions *nécessaires* aux droits et libertés. Cependant, ce qui est raisonnable n'est pas forcément nécessaire. Ensuite, d'un point de vue pratique, le critère de justification adopté par la Cour ne semble guère offrir de flexibilité. En effet, si plusieurs moyens d'atteindre un certain objectif peuvent être considérés comme rationnels, ou même proportionnés, il faut logiquement admettre qu'il ne peut exister, dans chaque cas, qu'un seul moyen qui soit « de nature à porter le moins possible atteinte au droit ou à la liberté en question ». Autrement dit, le critère de l'atteinte minimale ne laisse aucune marge d'appréciation au législateur, du moins si on l'applique à la lettre. Il amène les tribunaux à substituer leurs propres choix à ceux du législateur ou, du moins, à indiquer à ce dernier quelles mesures seraient les plus souhaitables. En effet, il est presque toujours possible d'imaginer, pour n'importe quelle politique législative, une solution de rechange qui puisse être considérée comme entraînant une atteinte moindre aux droits et libertés[7]. En combinant le principe de l'interprétation large des droits garantis avec l'adoption d'une norme de justification extrêmement sévère, la Cour suprême se donne donc la possibilité d'exercer un contrôle extrêmement interventionniste. Cependant, on constate que la « sévérité » de ce contrôle varie beaucoup selon les circonstances. On examinera donc brièvement les critères que la Cour utilise pour moduler cette alternance entre la réserve et l'interventionnisme.

La Cour considère qu'elle doit faire preuve de déférence à l'égard des décisions du législateur lorsque la norme contestée a pour objet de protéger certains groupes vulnérables. Ainsi, dans une décision de 1986[8], la Cour a d'abord jugé qu'une loi ontarienne restreignait la liberté de religion en prohibant la majorité des activités commerciales le dimanche. Elle a cependant conclu, de façon majoritaire, que ces restrictions constituaient une limite raisonnable et justifiable en vertu de l'article premier de la Charte. Une considération importante pour arriver à cette conclusion a été que la loi contestée avait pour objet de protéger les travailleurs, qui formaient en l'occurrence un groupe vulnérable. Dans une autre décision, datant de 1989[9], la Cour était arrivée à la conclusion qu'une loi québécoise restreignait la liberté d'expression en prohibant la publicité destinée aux enfants de moins de treize ans. De façon majoritaire, la Cour a cependant jugé que cette restriction pouvait être considérée comme raisonnable dans la mesure où il s'agissait de protéger un groupe particulièrement vulnérable. Une considération parallèle semble être que la déférence envers le législateur se justifie lorsque l'intervention de celui-ci a pour effet, non seulement de restreindre les droits et libertés de certains individus, mais, ce faisant, d'établir un meilleur équilibre entre deux catégories de justiciables dont les droits respectifs entrent en concurrence. Dans les deux mêmes décisions, la Cour a souligné le fait que la question soulevée exigeait « l'évaluation de preuves scientifiques contradictoires et de demandes légitimes mais contraires quant à la répartition de ressources limitées ». On retrouve ici l'idée que les caractéristiques du processus judiciaire ne permettent pas toujours aux juges de trancher les problèmes qui leur sont soumis en toute connaissance de cause. Par conséquent, l'expertise limitée de la Cour doit militer, dans certains domaines, en faveur d'une déférence envers le législateur, celui-ci étant en meilleure position pour évaluer tous les éléments d'un problème social complexe. Un autre critère de modulation de l'intensité du contrôle est constitué par la nature de la législation attaquée. Ainsi, la Cour se montre particulièrement sévère à l'égard des législations de nature pénale. Cela s'explique évidemment parce que celles-ci entraînent des dangers particulièrement graves pour la liberté et la sécurité des individus, mais également par le fait que le droit pénal constitue un domaine pour lequel les tribunaux s'estiment, à juste titre, spécialement compétents. Par contre, la Cour a déclaré à plusieurs reprises qu'un contrôle judiciaire moins rigoureux suffit pour les législations commerciales et « socioéconomiques », dans la mesure où celles-ci ne mettent pas en cause des « valeurs fondamentales ». Il faut cependant remarquer que la notion de lois « socioéconomiques » n'est guère précise. Enfin, la Cour admet également que le contrôle judiciaire puisse varier en fonction de la nature du droit ou de la liberté garantie, certains droits étant moins importants que d'autres et justifiant par conséquent un contrôle moins sévère et une plus grande déférence à l'égard des choix posés par les corps législatifs. Les droits de nature économique, notamment la liberté d'expression commerciale, constituent ainsi des garanties dont la Cour considère parfois qu'elles devraient pouvoir être plus facilement limitées.

Avec des critères de modulation aussi nombreux et aussi complexes, l'approche judiciaire est susceptible de varier d'une affaire à l'autre, et dans une même affaire, d'un juge à l'autre. L'avantage de cette approche pour les tribunaux consiste évidemment dans le pouvoir d'appréciation qu'elle leur confère. Elle leur permet de tenir compte de la complexité et du caractère propre de chaque situation, chaque cas étant jugé à son mérite. Par conséquent, il est extrêmement difficile de prévoir quel sera le jugement adopté par la Cour. D'ailleurs, assez fréquemment, ses membres seront divisés sur la mise en œuvre du critère de proportionnalité et la décision ne sera acquise qu'à quelques voix de majorité, voire une seule.

Une confusion que l'on rencontre fréquemment consiste à assimiler, d'une part, l'activisme judiciaire et les attitudes progressistes, et, d'autre part, la retenue judiciaire et le conservatisme politique. Ceci permet aux groupes qui s'appuient sur la Charte d'accuser de conservatisme ceux qui prônent une certaine déférence à l'égard du législateur. Cependant, il s'agit là d'une attitude simpliste qui ne tient pas compte du fait que l'intervention de l'État, si elle limite souvent certaines libertés négatives, est par ailleurs nécessaire pour assurer la réalisation des libertés positives ou droits-créances. Ainsi, face à des mesures législatives ayant pour objet de rétablir une plus grande égalité entre les acteurs sociaux ou d'opérer une certaine redistribution de la richesse, une attitude judiciaire de déférence ne peut sûrement pas être considérée comme ayant des effets « conservateurs ». Au contraire, dans ce cas c'est l'attitude activiste qui aurait des conséquences antiprogressistes, puisqu'elle consisterait à invalider les mesures en cause au nom de libertés individuelles négatives. Par conséquent, la retenue ou l'activisme judiciaire n'ont pas en tant que tels de signification progressiste ou conservatrice. C'est uniquement par rapport aux mesures législatives qu'il s'agit de contrôler qu'une telle signification émergera.

La Cour suprême du Canada s'est montrée sensible à ces nuances. Depuis 1986, l'antiétatisme dont elle fait preuve est moins monolithique qu'auparavant. En fait, la philosophie du tribunal varie désormais selon la nature des droits en cause. Dans la mise en œuvre des droits fondamentaux (liberté d'expression, de religion, d'association, etc.) et des droits reliés au processus judiciaire et à la procédure pénale, la Cour continue de considérer l'intervention étatique comme étant *a priori* suspecte et exigeant un contrôle judiciaire plus ou moins rigoureux. Dans ce domaine, elle semble donc considérer que l'idéal à atteindre est celui d'une intervention minimale de l'État dans la sphère d'autonomie des particuliers. La difficulté avec ce point de vue, c'est qu'il néglige le fait que l'intervention de l'État est souvent nécessaire pour limiter les phénomènes de pouvoir privé qui s'exercent dans la société. La restriction des pouvoirs de l'État au nom de la Charte accroît donc la marge de manœuvre de ces pouvoirs privés. Par exemple, interdire la réglementation de la publicité télévisée au nom de la liberté d'expression revient à augmenter le pouvoir des grandes entreprises d'imposer leur propagande commerciale aux téléspectateurs. De même, interdire à l'État de limiter les dépenses électorales ou référendaires[10], toujours au nom de la liberté d'expression, a pour effet de permettre aux puissances d'argent d'exercer une influence disproportionnée sur le processus politique. Autrement dit, réduire le rôle de l'État, c'est aussi s'en prendre à sa fonction sociale.

Par contre, dans l'application du droit à l'égalité, la Cour adopte un point de vue assez différent, selon lequel la réalisation d'une égalité réelle et substantielle, plutôt que purement formelle, justifie, voire exige, une intervention active de la part de l'État pour égaliser les chances et redistribuer les ressources. Par conséquent, dans ce domaine, elle accepte et valorise le rôle de l'État-providence. Dans ce secteur du droit à l'égalité, les tribunaux vont même parfois jusqu'à pratiquer une forme d'activisme consistant à obliger le législateur à intervenir pour établir ou rétablir l'égalité. Dans une décision de 1992, la Cour suprême s'est reconnu le pouvoir d'étendre, de façon purement jurisprudentielle, les prestations sociales prévues dans certaines lois à de nouvelles catégories de bénéficiaires, si elle en arrivait à la conclusion que le législateur avait limité le bénéfice de ces prestations de façon discriminatoire[11].

Il faut souligner que la législation du Québec s'est révélée particulièrement vulnérable aux attaques fondées sur la Charte, principalement dans deux domaines qui ont une importance cruciale pour le caractère distinct du Québec, ceux de l'éducation et de la langue. La Charte de la langue française[12] (communément appelée Loi 101) a été souvent attaquée avec succès. La Cour suprême a déclaré invalides les dispositions restreignant l'accès à l'école publique anglaise aux enfants dont l'un des parents avait lui-même été éduqué en anglais au Québec. Cette exigence allait à l'encontre de l'article 23 de la Charte canadienne, qui confère ce même droit à tous les enfants dont l'un des parents a été éduqué en anglais quelque part au Canada[13]. Dans une autre décision, de 1988, la Cour, en se fondant sur la liberté d'expression commerciale et l'interdiction de la discrimination, a invalidé les dispositions de la Charte de la langue française qui prohibaient l'usage d'une langue autre que le français dans l'affichage commercial et les raisons sociales[14]. La Cour a considéré que le Québec pouvait imposer l'usage du français dans ce domaine, même l'usage prépondérant, mais qu'il n'était pas justifié de prohiber l'usage des autres langues. Il faut cependant souligner que dans cette affaire, la Cour s'est également appuyée sur la liberté d'expression et le droit à l'égalité garantis par la Charte des droits et libertés de la personne du Québec[15] (la Charte québécoise) pour arriver à sa conclusion. Ici, par conséquent, la non-application de la Charte canadienne au Québec n'aurait pas entraîné de conséquences différentes. À la suite de cette décision, l'Assemblée nationale du Québec a adopté deux dispositions de dérogation, une pour chacune des deux Chartes, afin d'écarter l'effet de ce jugement et de restaurer la validité des dispositions en cause de la Charte de la langue française. Les dispositions de dérogation destinées à écarter l'application de la Charte canadienne ne sont valables que pour cinq ans, mais peuvent être renouvelées. Cependant, l'indignation soulevée par ce geste au Canada anglais a été si considérable qu'en 1993, cinq ans plus tard, le gouvernement du Québec n'a pas osé le renouveler[16]. Il a donc préféré adopter une modification à la Charte de la langue française qui institue le genre de régime qui avait précisément été suggéré par la Cour suprême : l'affichage public et la publicité commerciale peuvent désormais être faits à la fois en français et dans une ou plusieurs autres langues pourvu que le français y figure « de façon nettement prédominante ».

La juridicisation et la judiciarisation de la vie politique

De façon générale, beaucoup d'observateurs ont noté que la justice constitutionnelle favorise la juridicisation et la judiciarisation de la vie politique. Les acteurs sociaux ont recours, de façon croissante, aux dispositions de la Constitution pour formuler leurs revendications politiques en termes de droits à faire respecter ou à conquérir. De nombreux groupes, qui veulent obtenir la satisfaction d'un intérêt particulier, cherchent désormais à éviter les mécanismes démocratiques, considérés trop ardus ou trop coûteux, et considèrent qu'il est plus facile d'obtenir la satisfaction de leurs demandes devant les tribunaux, en les reformulant dans le vocabulaire des droits et libertés. Ils arrivent ainsi à conférer une légitimité à leurs arguments que ces derniers n'auraient pas toujours autrement.

Cette reformulation des enjeux politiques et sociaux dans le langage des droits et libertés entraîne un certain nombre de conséquences indésirables sur le fonctionnement de la vie politique canadienne. En premier lieu, on peut faire remarquer que la rhétorique des droits et libertés confère un caractère absolu et non susceptible de débat à des questions qui sont pourtant traditionnellement considérées comme pouvant faire l'objet de divergences politiques légitimes. Le recours systématique au discours des droits de la personne a donc pour effet « pervers » de rendre beaucoup plus difficiles les compromis politiques sur des questions à propos desquelles il n'existe pourtant aucun consensus social.

Ensuite, la reformulation des enjeux politiques et sociaux dans le langage des droits entraîne un appauvrissement du débat politique[17]. En effet, seules les valeurs contenues dans la Charte canadienne sont considérées comme dignes d'être respectées et l'idée finit par s'imposer qu'elles rendent compte, à elles seules, de la totalité du concept de « société libre et démocratique ». Or la Charte canadienne ne garantit principalement que les droits individuels et les libertés négatives, dont la mise en œuvre exige le retrait et la non-intervention de l'État. Le recours systématique au discours des droits encourage donc l'adoption d'une vision libérale tronquée, dans laquelle toute intervention de l'État est suspecte parce qu'elle menace la sphère d'autonomie individuelle protégée par les « droits barrières ». Par contre, les droits socio-économiques et les valeurs collectives, dont la réalisation suppose l'intervention active de l'État, ne sont pas – ou peu – mentionnés dans la Charte. Les objectifs d'intérêt général ne peuvent donc être pris en compte qu'à travers la clause limitative de l'article premier de la Charte, c'est-à-dire sous l'angle par lequel ils limitent les droits individuels et les libertés négatives. Dès lors, ces valeurs collectives seront considérées comme suspectes. En outre, les valeurs collectives, parce qu'elles ne sont pas énumérées dans la Charte, seront facilement considérées comme subordonnées aux droits individuels, qui sont expressément garantis.

La place croissante du discours des droits de la personne entraîne également des conséquences regrettables sur le comportement des décideurs politiques. Ceux-ci adoptent souvent une attitude défensive en intégrant par anticipation, dans leurs calculs ou dans leur programme législatif, l'intervention appréhendée du juge constitutionnel. Le législateur et les autorités réglementaires s'autocensurent pour respecter ce qu'ils croient être les prescriptions de la Charte des droits et libertés. Les choix politiques se voient donc restreints par des contraintes constitutionnelles réelles ou imaginaires[18]. Dans d'autres cas, l'invocation de la contrainte constitutionnelle permet aux acteurs politiques d'esquiver des choix impopulaires ou difficiles et de se retrancher avantageusement derrière les tribunaux, auxquels revient alors la responsabilité de trouver une solution. Cependant, pour certaines questions comme l'avortement ou le mariage homosexuel, qui mettent en cause les intérêts véritablement fondamentaux de certaines personnes ou de certains groupes et sur lesquels l'opinion est fortement, voire irrémédiablement, divisée, le fait de les retirer de l'arène politique est probablement la meilleure solution (nous y reviendrons plus loin). Parfois, l'intervention du juge constitutionnel a pour effet d'amener le législateur à adopter une attitude purement « réactive » et à se contenter de la nouvelle mouture, moins efficace, d'une politique pourtant socialement nécessaire.

Cependant, le contrôle de constitutionnalité n'entraîne pas que des effets négatifs pour la vie politique. Dans certains cas, les décisions des tribunaux sont venues forcer le législateur à modifier des dispositions désuètes ou injustifiées qui empêchaient la participation de certaines catégories de citoyens au processus électoral (par exemple les juges, les détenus et certaines catégories de personnes handicapées). Sous la pression de la Charte, d'autres modifications législatives ont été adoptées pour permettre le vote par procuration ou par correspondance, qui n'était pas prévu auparavant. La Charte a également servi à contester, avec succès, des découpages électoraux qui entraînaient des résultats inéquitables et injustes.

De façon plus générale, on constate qu'un certain nombre de minorités ou de groupes vulnérables, comme les femmes, les homosexuels, les handicapés ou encore les minorités francophones vivant en dehors du Québec, ont réussi à réaliser, en invoquant la Charte devant les tribunaux, des progrès qui n'auraient sans doute pas été possibles par le biais du processus politique, ou alors seulement de façon plus lente et plus ardue. D'ailleurs, on considère souvent que les tribunaux sont justifiés d'adopter une attitude plus interventionniste à l'égard des législations qui ont pour effet d'empêcher – ou de rendre plus difficile – la participation de certains groupes au processus démocratique. La même chose est vraie des lois résultant d'un fonctionnement défaillant de ce processus, ou encore qui sont défavorables à des groupes sociaux habituellement défavorisés, par exemple les groupes minoritaires qui sont sous-représentés et manquent de moyens pour faire valoir leurs intérêts. En d'autres termes, si les juges ne doivent pas imposer leurs propres valeurs, ils doivent cependant s'assurer que le processus démocratique fonctionne de façon à permettre la représentation de tous les intérêts, y compris ceux des groupes minoritaires ou marginalisés. Dans une telle optique, le contrôle judiciaire ne contredit pas le principe démocratique de la représentation, mais au contraire le renforce[19]. Il y a là l'idée que l'intervention d'un organe peu démocratique comme les tribunaux se justifie précisément quand le processus représentatif fonctionne mal ou quand les majorités démocratiques abusent de leur pouvoir à l'égard de groupes minoritaires ou de groupes autrement dépourvus d'influence. Il n'est donc pas étonnant de constater qu'il s'agit d'une idée qui sert fréquemment à la Cour suprême du Canada pour légitimer son contrôle de constitutionnalité[20]. Ainsi, comme nous l'avons vu, en appliquant l'article premier de la Charte, qui l'amène à vérifier le caractère raisonnable d'une loi qui restreint un droit ou une liberté, la Cour considère qu'elle pourra exercer un contrôle plus rigoureux dans les cas où la loi contestée brime les droits d'un groupe vulnérable. De la même façon, l'article 15, qui garantit le droit à l'égalité, a été interprété comme principalement destiné à protéger les minorités marginalisées et isolées[21].

Par ailleurs, on ne peut nier que certaines questions très conflictuelles, mettant en cause des valeurs morales fondamentales, sont plus faciles à trancher dans l'arène judiciaire que par le biais du processus politique, où règne plutôt une logique électoraliste. Le problème de l'avortement constitue un bon exemple. Au Canada, les dispositions législatives applicables prévoyaient l'interdiction de l'avortement, sauf pour des raisons thérapeutiques. Elles étaient attaquées autant par les groupes « pro-vie », qui les trouvaient trop libérales, que par les groupes « pro-choix », qui auraient voulu que soit autorisé l'avortement pour convenance. La Cour suprême a invalidé les dispositions en cause en 1988 en considérant que les formalités imposées pour obtenir un avortement thérapeutique étaient inutilement restrictives[22]. Par la suite, la division des opinions au Parlement canadien a empêché l'adoption de nouvelles dispositions corrigées en fonction des indications contenues dans le jugement de la Cour, si bien que l'avortement est aujourd'hui permis sans aucune restriction de type pénal. Ces péripéties semblent montrer que, sur cette question de l'avortement, une décision législative est devenue pratiquement impossible et que seuls les tribunaux sont encore en mesure de faire évoluer le droit.

Finalement, on peut se demander si l'on n'assiste pas, avec le contrôle de constitutionnalité fondé sur les droits et libertés, à l'apparition d'une nouvelle forme de démocratie, différente à la fois de la démocratie représentative et de la démocratie directe, la démocratie « continue », qui ne supprime pas la représentation, mais l'élargit en inventant de nouvelles formes de participation populaire, notamment la justice constitutionnelle[23]. Alors qu'avec la démocratie représentative classique, les citoyens sont essentiellement privés de moyens d'action ou de contrainte sur leurs représentants entre deux élections, le recours au juge constitutionnel leur permet d'exercer une telle contrainte institutionnelle. En outre, le désabusement à l'égard de la politique et des politiciens explique la mise en avant de la « figure » du juge : les juges bénéficient dans la population d'un taux de confiance beaucoup plus élevé que les élus et apparaissent davantage qu'eux comme l'incarnation de l'idéal démocratique et libéral. Si l'exécutif détient toujours le monopole de l'initiative des lois et le contrôle de la procédure législative, si le Parlement demeure le seul lieu de discussion et d'amendement des projets de loi, la Cour suprême élargit de plus en plus son rôle, non plus seulement en invalidant des lois, mais aussi en en précisant le sens, en en définissant leurs modalités d'application, voire en les reformulant. En fait, on assiste dans les démocraties libérales à la mise en place d'un « régime concurrentiel » dans l'énonciation des politiques législatives, où les tribunaux deviennent un acteur du processus de fabrication des lois et influencent de façon décisive la politique législative. La loi est désormais moins le produit de la volonté d'un seul acteur, le Parlement, que le résultat d'une « délibération » qui s'organise entre les différentes institutions qui participent à son énonciation, chacune d'elles défendant une rationalité et des exigences qui lui sont propres[24].

LES CONSÉQUENCES DE L'APPLICATION DE LA CHARTE CANADIENNE POUR L'ÉQUILIBRE DU FÉDÉRALISME

La mise en œuvre d'une charte ou déclaration des droits contenue dans la Constitution fédérale peut avoir des effets à la fois *centralisateurs* et *uniformisateurs*. Or la centralisation et l'uniformisation vont à l'encontre de certains objectifs traditionnellement recherchés avec le fédéralisme. La centralisation consiste en un transfert de pouvoirs des organes fédérés vers un organe fédéral ; elle contredit l'autonomie des entités fédérées. L'uniformisation consiste en une imposition, par les tribunaux, de valeurs uniformes qui limitent la capacité des entités fédérées d'adopter des politiques diverses ; elle compromet la diversité fédérale.

Les effets centralisateurs du contrôle de constitutionnalité fondé sur la Charte canadienne

Les conséquences centralisatrices de la mise en œuvre de la Charte canadienne prennent principalement trois formes.

Transfert d'un certain pouvoir de décision des organes représentatifs provinciaux vers les organes judiciaires fédéraux

En premier lieu, la protection des droits par les tribunaux entraîne un transfert du pouvoir de décision sur des questions sociales, économiques et politiques des organes représentatifs provinciaux vers les organes judiciaires fédéraux. Il se produit donc un déficit en termes de fédéralisme. En tant qu'organe fédéral, la Cour suprême est davantage sensible aux priorités et aux préoccupations de la classe politique et des élites fédérales qu'à celles des provinces. Il existe des liens organiques et institutionnels entre les membres de la Cour suprême et les politiciens fédéraux ; les uns et les autres participent à la même culture politique. Ceci est encore plus vrai au Canada qu'aux États-Unis ou dans d'autres fédérations. Les membres de la Cour suprême canadienne sont nommés de façon discrétionnaire par le gouvernement fédéral, sans aucune influence des provinces. Au contraire, aux États-Unis, comme dans la plupart des autres fédérations, les États fédérés exercent une telle influence par l'intermédiaire de la participation du Sénat (ou de la Chambre fédérale) à la nomination des membres de la Cour suprême ou de la Cour constitutionnelle. De fait, de nombreuses études montrent que dans les États fédérés ou régionalisés, les Cours suprêmes ou constitutionnelles exercent pratiquement toujours une influence centralisatrice, en favorisant à long terme l'augmentation de la légitimité politique et des pouvoirs du gouvernement national[25].

Consolidation de l'identité nationale au détriment de l'identité provinciale

En deuxième lieu, la protection des droits par la Constitution fédérale et par les tribunaux contribue à créer et à consolider une identité (ou citoyenneté) nationale commune. Cette consolidation de l'identité nationale (*nation-building*) se fait presque nécessairement au détriment de l'identification à la communauté provinciale. Les systèmes de protection des droits par la Constitution et les tribunaux sont donc de puissants instruments d'unification des mentalités. La Constitution facilite ensuite le phénomène de centralisation des pouvoirs. C'est dans cette perspective qu'il existe une opinion assez répandue voulant que l'un des objectifs principaux de l'adoption de la Charte canadienne en 1982 ait été le *nation-building*, la mise en place d'une institution qui favoriserait la consolidation de l'identité canadienne et de la légitimité du pouvoir central, et aiderait donc à la centralisation des pouvoirs[26].

Pour faciliter le recours à la Charte canadienne par divers groupes d'intérêt et de pression, il existe d'ailleurs un programme fédéral de financement des recours judiciaires ; il est vrai que ceux-ci peuvent être dirigés contre des lois fédérales ou provinciales, mais le plus souvent ce sont des mesures provinciales qui sont contestées. Créé en 1978 pour soutenir les minorités linguistiques officielles, le programme a été élargi aux femmes, aux minorités visibles, aux peuples autochtones et aux personnes handicapées en 1985, trois ans après l'entrée en vigueur de la Charte canadienne des droits et libertés. Aboli pour des raisons financières en 1992 par le gouvernement du Parti progressiste conservateur, il a été rétabli par le gouvernement du Parti libéral en 1994. De cette façon, le gouvernement fédéral développe des liens avec certains des groupes les plus actifs sur le plan politique et s'assure leur loyauté. Lorsqu'il surgit des conflits sur la Constitution entre lui et les gouvernements provinciaux, cette loyauté lui restera généralement acquise. La Charte des droits et le financement des recours permettent aux autorités fédérales de pratiquer une nouvelle forme de clientélisme. Parmi les groupes utilisateurs de la Charte (*Charter groups*), on trouve notamment les associations féministes, les associations de défense des minorités linguistiques officielles (la minorité anglophone du Québec et les minorités francophones des autres provinces), les associations de défense des droits des handicapés, les associations de défense des gais et des lesbiennes et les associations de défense des droits des groupes culturels issus de l'immigration[27].

La mobilisation des *Charter groups* en faveur de la centralisation des pouvoirs s'est fortement manifestée au Canada entre 1987 et 1990, à l'occasion d'une tentative de réforme constitutionnelle (l'accord du lac Meech) qui avait un certain contenu décentralisateur. Ces groupes se sont vigoureusement opposés à cette réforme, qui avait pourtant l'appui du gouvernement fédéral de l'époque, parce qu'ils craignaient qu'en perdant une certaine influence, ce dernier serait moins bien placé pour les aider dans leurs revendications (à cette occasion, les groupes utilisateurs de la Charte se sont donc montrés plus centralisateurs que le gouvernement fédéral lui-même).

On s'entend généralement pour dire que la Charte canadienne a effectivement créé chez les Canadiens anglais une nouvelle conscience civique fondée sur la revendication de droits et l'expression d'identités sur le plan national plutôt que sur le plan régional ou provincial. Par contre, *elle* a aggravé les divisions et l'antagonisme entre le Québec et le reste du Canada. Non pas, comme on le prétend parfois, parce que les Québécois seraient « illibéraux » et réfractaires aux droits et libertés, le Québec s'est lui aussi donné une charte, la Charte québécoise, qui est globalement comparable dans son contenu et ses effets à la Charte canadienne, mais parce que la façon dont la Charte canadienne a été utilisée l'a fait apparaître comme incompatible avec les efforts que le Québec fait pour protéger sa langue et sa culture. On pense bien sûr aux décisions de la Cour suprême du Canada, fondées sur la Charte canadienne, qui ont invalidé certaines parties de la Charte de la langue française (voir plus haut). Ensuite, à l'occasion des discussions sur l'accord du lac Meech, la Charte canadienne a été invoquée contre les efforts du Québec pour faire reconnaître son caractère distinct. Une telle reconnaissance a été systématiquement présentée comme un repli identitaire porteur des plus graves menaces contre les libertés individuelles et la protection des minorités.

En résumé, le système de protection des droits fondé sur la Constitution fédérale et l'intervention des tribunaux crée une culture et des pratiques politiques favorables à l'augmentation des pouvoirs fédéraux au détriment de ceux des provinces.

Mise en œuvre des droits économiques et sociaux comme justification de l'intervention des autorités fédérales dans certains domaines relevant des provinces

Au Canada, la mise en œuvre des droits économiques et sociaux (droit à la santé, aux services sociaux et à l'éducation principalement) sert de justification à l'intervention des autorités fédérales dans des domaines qui relèvent de la compétence des provinces. L'intervention fédérale est présentée comme nécessaire pour procéder à la redistribution des ressources entre régions plus et moins riches et pour assurer une certaine uniformité dans la façon dont les prestations sociales sont prises en charge par les provinces. Il faut souligner que les droits économiques et sociaux ne sont pas garantis formellement dans la Constitution canadienne. Néanmoins, la nécessité de les mettre en œuvre de façon efficace et uniforme est un argument invoqué dans le discours politique pour justifier le rôle redistributeur et harmonisateur des autorités fédérales. Autrement dit, le discours des droits, développé pour les droits individuels, est transposé au domaine des droits sociaux collectifs et de la redistribution pour fonder l'intervention des organes fédéraux.

Le vecteur de l'intervention fédérale est le «pouvoir de dépenser», qui désigne la capacité des autorités fédérales d'affecter leurs ressources financières à des objectifs qui relèvent de la compétence exclusive des provinces[28]. Ces subventions fédérales sont généralement conditionnelles au respect de certaines normes nationales, élaborées par le gouvernement central (il faut les distinguer des paiements de péréquation, qui sont inconditionnels[29]). Il est évidemment très difficile pour les provinces de refuser de telles subventions. Pourtant, en les acceptant, elles doivent se plier aux normes fédérales dans l'exercice des compétences que la Constitution leur attribue de façon exclusive. En outre, dans la mesure où il s'agit souvent de programmes à frais partagés, le fait d'y participer leur impose des priorités budgétaires qu'elles n'ont pas choisies. Par ailleurs, elles risquent, au bout d'un certain temps, de voir le pouvoir fédéral se retirer unilatéralement du programme, ou diminuer sa participation, à un moment où il n'est plus politiquement possible de le supprimer. Une critique supplémentaire contre ce système est qu'il brouille l'imputabilité des décisions budgétaires et politiques ; les vraies décisions ne sont plus prises par les autorités politiques locales qui répondent aux électeurs[30].

Ici, par conséquent, le problème vient de l'opposition entre la protection de l'autonomie des entités fédérées et la nécessité qui est ressentie de mettre en place ou de consolider des programmes nationaux de solidarité et de protection sociales.

Les effets uniformisateurs du contrôle de constitutionnalité fondé sur la Charte canadienne

Un des objectifs du fédéralisme est de favoriser la diversité juridique, sociale et culturelle. Les États fédérés, dans leurs domaines de compétence, doivent pouvoir multiplier les solutions diverses aux problèmes posés à la société, en tenant compte des valeurs culturelles propres à chaque collectivité politique régionale. Or la protection des droits par les instruments constitutionnels et par les tribunaux a des effets uniformisateurs qui viennent contrecarrer cette diversité.

La cause de l'effet uniformisateur de la protection des droits : la conception transcendantale et prépolitique des droits

La cause de cet effet uniformisateur des droits est la façon dont on conçoit leur nature philosophique ; ils sont en effet considérés comme universels et transcendants (prépolitiques), surtout lorsqu'il s'agit des droits individuels libéraux. Le concept même de droits « fondamentaux » implique que les droits doivent s'appliquer de la même façon à tous. Ainsi conçus, ils exigent donc une application uniforme et ne tolèrent pas – ou très peu – les variations dans l'espace ; toute variation serait considérée comme une forme inacceptable de

« relativisme ». Cette vision ne correspond cependant qu'à un aspect de la nature réelle des droits de la personne. Sous bien des aspects, ces droits de la personne sont nécessairement le résultat d'une pesée des intérêts, d'un équilibrage forcément contingent et qui peut légitimement varier d'une époque et d'un pays à l'autre. La logique d'un droit fondamental est en partie dictée par les valeurs sociales, culturelles et politiques de la communauté.

Si on tend à définir les droits comme le résultat d'un équilibrage des intérêts effectué dans un contexte social et politique concret, par le processus démocratique, la possibilité d'ajuster les solutions à chaque contexte particulier apparaîtra comme un avantage[31]. Le fédéralisme favorise ce genre de diversité. Au contraire, si on tend à définir les droits comme des universaux intangibles, ils demanderont une application uniforme par les tribunaux. Le fédéralisme apparaîtra comme une gêne, puisqu'il entraîne nécessairement une multiplicité de régimes juridiques et un certain fractionnement du régime des droits. La tendance actuelle, surtout dans la classe politique et dans le grand public, est de considérer tous les droits comme absolus et intangibles et, par conséquent, de voir le fédéralisme et la décentralisation comme opposés aux droits. Ce phénomène est amplifié par une certaine « rhétorique » des droits propre à notre époque. Toutes les revendications sociales, même les plus sectorielles et les plus intéressées, sont exprimées dans le langage des droits, parce que cet habillage leur confère une légitimité que ces revendications n'auraient pas nécessairement par ailleurs.

Les formes juridiques et politiques prises par l'effet uniformisateur de la protection des droits

Sur le plan juridique, les conséquences uniformisatrices de la protection des droits prennent des formes bien connues au Canada. Les tribunaux, en particulier la Cour suprême, imposent aux provinces des normes et des standards uniformes, qui limitent leur capacité de choix dans l'exercice de leurs compétences constitutionnelles. Chaque fois qu'une certaine solution législative est déclarée inconstitutionnelle dans une province, elle devient automatiquement interdite pour les autres provinces ; on peut alors parler de norme uniforme *négative*. Par exemple, au Canada, à la suite d'une décision invalidant l'exigence de la nationalité canadienne pour l'accès à la profession d'avocat en Colombie-Britannique, toutes les provinces ont modifié leur loi pour la rendre conforme à la décision[32]. On pourrait multiplier les exemples d'une telle situation. Mais l'uniformisation peut également prendre des formes plus envahissantes. On sait que les Cours suprêmes et constitutionnelles rédigent souvent des jugements dits « constructifs », dans lesquels elles indiquent avec beaucoup de détails comment le législateur doit corriger sa loi pour la rendre conforme à la Constitution. Parfois, la Cour va jusqu'à rédiger elle-même le nouveau régime législatif. Elle se trouve alors à imposer une norme uniforme *positive*, parfois dans les moindres détails, à toutes les entités fédérées. Par exemple, en s'appuyant sur l'interdiction de la discrimination fondée sur le handicap, la Cour suprême du Canada a indiqué quels types de services de traduction gestuelle un hôpital de la Colombie-Britannique devait offrir aux personnes sourdes[33]. De telles normes valent évidemment aussi pour les autres provinces. On pourrait sans difficulté ajouter d'autres exemples[34]. Dans tous ces cas, une solution législative uniforme est imposée, de façon souvent détaillée, par la Cour suprême fédérale aux provinces, dans des domaines où était auparavant possible une diversité des politiques.

Les conséquences uniformisatrices de la protection des droits par la Constitution fédérale dépendent évidemment du partage des pouvoirs existant au départ. Aux États-Unis, un des domaines où cette uniformisation a le plus joué est celui du droit criminel, parce qu'il appartient aux États membres. Il faut d'ailleurs ajouter que la « nationalisation » du droit criminel américain par la Cour suprême est généralement considérée comme un phénomène positif, même par ceux qui sont plutôt en faveur des droits des États. La raison en est que la protection étatique des droits des accusés et des inculpés était nettement déficiente dans certains cas. Par contre, au Canada, l'État fédéral est compétent en matière de droit criminel, si bien qu'il n'y a pas eu d'effet uniformisateur dans ce domaine, ou un effet beaucoup moindre[35].

Les moyens permettant d'atténuer les effets uniformisateurs de la protection des droits

Il existe des moyens qui permettent d'atténuer les conséquences uniformisatrices de la protection des droits et libertés, comme le montre la jurisprudence canadienne. Cependant, pour les utiliser, il faut encore être convaincu qu'un certain relativisme est acceptable en matière de droits de la personne.

En premier lieu, le simple fait d'adopter une interprétation moins exigeante d'un droit laisse davantage de marge de manœuvre dans ses modalités d'aménagement. Par exemple, on pourrait admettre que le principe de neutralité religieuse de l'État peut être respecté soit par l'absence totale de soutien étatique aux religions, soit par un soutien parfaitement égal à toutes les religions. Si cette interprétation était retenue, les provinces auraient le choix entre deux politiques qui respectent également la Constitution ; une certaine diversité continuerait d'être possible. Si par contre on interprète le principe de neutralité comme exigeant dans tous les cas l'absence totale de soutien étatique, une seule solution est possible et, par conséquent, l'uniformité est imposée aux provinces[36]. C'est la raison pour laquelle certains partisans d'une protection maximale des droits et libertés voient le fédéralisme avec méfiance : la défense de la diversité amène les partisans du fédéralisme à demander une application souple des droits et libertés.

En second lieu, l'atténuation du caractère uniformisateur des droits et libertés peut passer par la mise en œuvre des critères de justification des atteintes aux droits. Une fois constatée une atteinte à un droit, il faut vérifier si celle-ci est justifiable. Le critère central de la justification est le concept de proportionnalité ; une atteinte sera justifiable si elle est proportionnelle à des objectifs importants d'utilité sociale. Or le critère de proportionnalité est normalement mis en œuvre de façon « contextualisée », c'est-à-dire en tenant compte des variables de chaque contexte spatial et temporel particulier. Une limitation non raisonnable en période normale pourrait le devenir dans une situation exceptionnelle ; une limitation pourrait être raisonnable dans les circonstances propres à une province, mais pas ailleurs dans la fédération. Ainsi, par exemple, au Canada, dans l'arrêt *Ford*[37] de 1988, la Cour suprême a jugé que la situation de vulnérabilité de la langue française au Québec justifiait certaines limitations de la liberté d'expression commerciale. Sans le dire expressément, elle a laissé entendre que les mêmes mesures ne seraient pas justifiées concernant la langue anglaise dans le reste du Canada. Cette façon de faire permet donc une variation de la portée des droits en tenant compte des limites qui peuvent leur être imposées dans certains contextes particuliers. Théoriquement, il s'agit là d'une technique qui pourrait permettre de concilier un certain universalisme dans la substance même des droits avec une certaine diversité dans leur mise en œuvre concrète. Cependant, il nous semble que les tribunaux n'accepteront qu'exceptionnellement de faire ainsi varier la portée des droits. Au contraire, la mise en œuvre des critères de justification des atteintes aux droits a inévitablement pour effet de provoquer la comparaison entre la norme ou la politique contestée, d'une part, et la norme ou la politique adoptées dans le même domaine par d'autres sociétés libres et démocratiques, d'autre part. Lorsque la norme contestée est fédérale, le critère de comparaison sera principalement recherché dans le droit comparé et dans les instruments internationaux consacrés aux droits de la personne, ceux-ci étant considérés comme une sorte de synthèse des droits nationaux. Lorsque la norme contestée a été adoptée par une province, la comparaison s'établira le plus souvent avec le droit des autres provinces. Plus grande sera la communauté de vues se dégageant des diverses législations provinciales, plus difficile sera la justification de la mesure contestée si celle-ci diverge du « consensus » ainsi établi.

Les rédacteurs de la Constitution indiquent parfois qu'ils ne sont pas opposés à une certaine variation régionale des droits et libertés, à un certain relativisme dans leur portée. C'est précisément la situation au Canada, où la Constitution prévoit certains droits qui varient d'une province ou d'un endroit à l'autre. Ainsi, sur les dix provinces, il en existe trois seulement (Québec, Manitoba, Nouveau-Brunswick) où la Constitution institue des droits en matière de bilinguisme officiel sur le plan judiciaire, parlementaire et législatif[38] ; dans une de ces trois provinces (Nouveau-Brunswick), la Constitution prévoit en plus un bilinguisme administratif[39]. Sur les dix provinces, il y en a actuellement quatre où la Constitution garantit certains droits en matière de confessionnalité scolaire aux catholiques et aux protestants. L'article 23 de la Charte canadienne garantit des droits à l'instruction dans la langue de la minorité anglophone ou francophone, mais uniquement « là où le nombre le justifie » ; par conséquent, la portée de ce droit varie en fonction de facteurs démographiques locaux ou régionaux.

Enfin, l'article 33 de la Charte canadienne, qui autorise le législateur fédéral ou provincial à déroger aux droits garantis dans les articles 2 et 7 à 15 de la Charte, c'est-à-dire à les rendre inapplicables à l'égard de toute loi dans laquelle est insérée une disposition de dérogation expresse[40], permettrait en principe aux provinces de se soustraire à des décisions judiciaires ayant un effet uniformisateur. En réalité, le pouvoir de déroger est trop discrédité dans l'opinion publique pour être véritablement utilisé, du moins en dehors du Québec[41]. Au Québec, par contre, il a été mis en œuvre massivement au lendemain de l'entrée en vigueur de la Charte canadienne, entre 1982 et 1987, pour protester contre le fait que celle-ci avait été adoptée sans l'accord des autorités québécoises. Il est intéressant de remarquer que les trois catégories de droits soustraites au pouvoir de déroger (droits démocratiques, liberté de circulation et d'établissement, droits des minorités linguistiques de langues officielles) sont précisément celles qui sont les plus susceptibles de créer et de consolider une identité (ou citoyenneté) nationale commune.

Mais, malgré le fait que le droit constitutionnel offre ainsi plusieurs techniques permettant d'introduire un certain relativisme dans la portée des droits et libertés, la protection de ces droits par le processus constitutionnel et judiciaire aura inévitablement des effets uniformisateurs. L'idéologie universaliste et individualiste des droits est trop puissante pour que les préoccupations reliées au fédéralisme et à la diversité puissent la contrecarrer efficacement.

Le grand mérite du fédéralisme est de favoriser la communauté. Pour autant que les valeurs communautaires reculent devant l'individualisme et l'autonomie personnelle, le fédéralisme perd de l'importance devant les droits individuels. Le consommateur de droits remplace le citoyen délibérant. Dans la mesure où les droits résultent d'un processus de pesée des intérêts, d'aménagement de revendications opposées, qui fait appel au processus démocratique, le fédéralisme est un atout, car il favorise la participation ; en outre, les droits pourront être exprimés, concrétisés et aménagés de façon variable selon les communautés politiques territoriales. Par contre, dans la mesure où les droits résultent d'une limitation du processus démocratique par des dispositifs antimajoritaires, le fédéralisme semble à certains égards menaçant, car c'est sur le plan local que les majorités paraissent les plus dangereuses. En outre, si les droits sont prépolitiques et transcendants, ils sont par définition universels et non susceptibles de variation d'une entité territoriale à l'autre.

L'opposition du Québec à la Constitution de 1982 et à la Charte canadienne permet de souligner la tension qui peut apparaître, dans une fédération, entre la protection des minorités par la création d'autonomies territoriales et la protection des droits de la personne par le processus judiciaire anti-majoritaire. L'existence d'une autonomie politique territoriale protège les minorités concentrées territorialement en leur donnant le contrôle politique d'une entité fédérée ; le fédéralisme permet donc aux minorités d'exercer une autonomie fondée sur le principe démocratique de la décision majoritaire. Dans la mesure où la protection des droits par un instrument constitutionnel est un dispositif antimajoritaire, elle vient limiter l'autonomie politique des minorités qui contrôlent une ou plusieurs entités territoriales. La minorité qui contrôle une telle entité voit son pouvoir politique limité au profit de ses propres minorités et de ses propres membres. La situation la plus problématique est celle où la minorité à l'intérieur de la minorité fait partie de la majorité sur le plan national, comme c'est le cas pour les anglophones minoritaires au Québec, qui font partie de la majorité anglophone du Canada. La majorité sur le plan national peut alors céder à la tentation d'utiliser son pouvoir pour imposer à sa minorité le respect de garanties excessives au profit de « la minorité dans la minorité ». On a l'impression, parfois, que le groupe majoritaire sur le plan national défend ses propres intérêts sous le prétexte des droits de la personne et des droits des minorités[42]. La protection constitutionnelle des droits individuels constitue une limitation de la liberté collective d'un groupe de s'autogouverner. Cela est vrai pour toutes les collectivités, autant les majorités que les minorités, mais c'est une limitation qui s'impose plus lourdement aux minorités.

NOTES ET RÉFÉRENCES

1. Loi constitutionnelle de 1982, L.R.C. (1985), app. II, n° 44 (les articles 1 à 34 de cette loi forment la Charte canadienne des droits et libertés, ci-dessous la Charte canadienne).
2. Au Canada, le principe de la souveraineté du Parlement devait évidemment s'accommoder d'un contrôle judiciaire du partage fédéral des compétences, mais il se traduisait avant 1982 par le fait que la Constitution n'imposait pas au législateur, fédéral et provincial, le respect des droits et libertés (sauf pour ce qui est de quelques droits minoritaires dont il sera question plus loin).
3. L'article 33 de la Charte canadienne des droits et libertés permet au législateur fédéral et provincial de déroger aux droits garantis dans les articles 2 et 7 à 15 de la Charte, c'est-à-dire de les rendre inapplicables à l'égard de toute loi dans laquelle est insérée

une disposition de dérogation expresse (laquelle est adoptée selon la procédure législative ordinaire). Dès lors, tout contrôle judiciaire — sauf celui qui porte sur le respect
des conditions formelles de l'exercice du pouvoir de déroger — disparaît à l'égard
des lois contenant une telle clause de dérogation. La dérogation est valable pour une
période maximale de cinq ans, renouvelable par un nouveau vote. Trois catégories
de droits échappent au pouvoir de déroger : les droits démocratiques (art. 3 à 5) ; la
liberté de circulation et d'établissement (art. 6) ; les droits linguistiques de la minorité anglophone du Québec et des minorités francophones du reste du Canada
(art. 16 à 23).

4. *Public Service Employee Relations Act (Alta.)*, [1987] 1 R.C.S. 313.

5. L'arrêt *RJR-MacDonald Inc. c. Canada (P.G.)*, [1995] 3 R.C.S. 199 offre une bonne
illustration de cette division des opinions. En se fondant sur la liberté d'expression
commerciale, la Cour, de façon unanime, a jugé que des entreprises de fabrication
de tabac avaient un droit constitutionnel de faire de la publicité pour leurs produits ;
par une majorité de 5 contre 4, elle a ensuite jugé que ce droit était restreint de façon
non raisonnable par des dispositions fédérales réglementant la publicité pour le
tabac ; les juges minoritaires, en appliquant un critère de justification moins sévère,
ont par contre conclu que les mesures fédérales en cause constituaient une limitation justifiable de la liberté d'expression commerciale des compagnies.

6. *R. c. Oakes*, [1986] 1 R.C.S. 103. Sur l'application des critères de justification tirés de
l'article premier de la Charte canadienne, voir José Woehrling, « La Cour suprême du
Canada et la problématique de la limitation des droits et libertés », *Revue trimestrielle
des droits de la personne*, n° 4, 1994, p. 379-410.

7. En fait, la Cour suprême a par la suite assoupli le critère de l'atteinte minimale en le
reformulant de diverses manières, par exemple de façon à ce que le législateur puisse
choisir parmi « *une gamme de moyens* de nature à porter aussi peu que possible
atteinte [aux droits garantis par la Charte] », qu'il puisse « disposer d'une *marge de
manœuvre raisonnable* » ou encore que la législation « *n'a[it] pas à être parfaitement
ajustée* de manière à résister à un examen judiciaire ».

8. *R. c. Edwards Books*, [1986] 2 R.C.S. 713.

9. *Irwin Toy Ltd. c. P.G. Québec*, [1989] 1 R.C.S. 927.

10. *Libman c. P.G. Québec*, [1997] 3 R.C.S. 569.

11. *Schachter c. Canada*, [1992] 2 R.C.S. 679.

12. Charte de la langue française, L.Q. 1977, c. 5 ; L.R.Q., c. C-11. En ce qui concerne les
attaques dirigées contre la politique linguistique du Québec sur la base de la Charte
canadienne, voir José Woehrling, « L'évolution du cadre juridique et conceptuel de
la législation linguistique du Québec », dans *Le français au Québec : les nouveaux défis*
(sous la direction d'Alexandre Stefanescu et de Pierre Georgeault), Québec et Montréal, Conseil supérieur de la langue française-Fides, 2005, p. 253-356.

13. *Procureur général du Québec c. Quebec Association of Protestant School Boards*,
[1984] 2 R.C.S. 66.

14. *Ford c. P.G. Québec*, [1988] 2 R.C.S. 712.

15. L.R.Q., chapitre C-12. La Charte québécoise, tout en n'étant pas constitutionnalisée
au sens classique du terme (elle peut être modifiée selon le processus législatif ordinaire), se voit reconnaître une certaine primauté sur les autres lois québécoises, antérieures et postérieures, dans la mesure où toute loi incompatible avec la Charte

québécoise doit être déclarée inopérante, à moins que le législateur n'y ait inséré une disposition expresse pour écarter l'application de la Charte.

16. Entre-temps, dans des constatations du 31 mars 1993, le Comité des droits de la personne des Nations Unies, saisi par des commerçants anglophones du Québec, était arrivé à la même conclusion, à savoir que les dispositions de la Loi 101 sur l'affichage et les raisons sociales violaient la liberté d'expression garantie à l'article 19 du Pacte international relatif aux droits civils et politiques, Recueil des traités des Nations Unies, vol. 999, p. 107 ; voir *Ballantyne, Davidson et McIntyre c. Canada*, communications 359/1989 et 385/1989, 31 décembre 1993.

17. Mary Ann Glendon, *Rights Talk : The Impoverishment of Political Discourse*, New York, The Free Press, 1991.

18. Des études montrent que, lors de l'étape de préparation des lois et des règlements, des projets sont abandonnés ou modifiés simplement parce que l'on estime qu'il y a des risques qu'ils soient considérés comme incompatibles avec les droits et libertés : Patrick J. Monahan et Marie Finkelstein, « The Charter of Rights and Public Policy in Canada », *Osgoode Hall Law Journal*, vol. 30, 1992, p. 501-546 ; Janet Hiebert, *Des droits à interpréter : les juges, le Parlement et l'élaboration des politiques publiques*, Montréal, Institut de recherche en politiques publiques, vol. 5, n° 3, juillet 1999.

19. Pour cette approche, voir par exemple John Hart Ely, *Democracy and Distrust : A Theory of Judicial Review*, Cambridge, Harvard University Press, 1980.

20. Voir par exemple *Vriend c. Alberta*, [1998] 1 R.C.S. 493.

21. *Andrews c. Law Society of British Columbia*, [1989] 1 R.C.S. 143 ; *Law c. Canada (Ministre de l'Emploi et de l'Immigration)*, [1999] 1 R.C.S. 497.

22. *R. c. Morgentaler*, [1988] 1 R.C.S. 30.

23. Dominique Rousseau, *Droit du contentieux constitutionnel*, 3ᵉ édition, Paris, Montchrestien, 1993, p. 387 suiv.

24. Dominique Rousseau, *op. cit.*, p. 407-408. Du même auteur, voir également : « Questions de constitution », dans *Judiciarisation et pouvoir politique* (sous la direction de Bernard Fournier et José Woehrling), *Politique et Sociétés* (revue de la Société québécoise de science politique), vol. 19, n° 2-3, 2000, p. 9-30.

25. Voir par exemple Andrew Bzedra, « Comparative Analysis of Federal High Courts : A Political Theory of Judicial Review », *Revue canadienne de science politique*, vol. 26, 1993, p. 3.

26. Voir par exemple Peter H. Russell, « The Political Purposes of the Canadian Charter of Rights and Freedoms », *Revue du Barreau canadien*, vol. 61, 1983, p. 30-54 ; Alan C. Cairns, *Charter versus Federalism*, Montréal et Kingston, McGill-Queen's University Press, 1992.

27. Sur cet aspect, voir Ted Morton et Rainer Knopff, *The Charter Revolution and the Court Party*, Peterborough, Broadview Press, 2000 ; Rainer Knopff, « Populism and the Politics of Rights : The Dual Attack on Representative Democracy », *Revue canadienne de science politique*, vol. 31, 1998, p. 683-707.

28. Au Canada, l'ensemble des programmes sociaux relevant de la compétence législative des provinces, mais financés en partie par Ottawa grâce à son pouvoir de dépenser, est désigné par les autorités fédérales, depuis quelques années, comme l'« union sociale canadienne » (voir les chapitres de Sarah Fortin et d'Alain Noël dans ce volume).

29. Le but du système de la péréquation est de permettre à toutes les provinces d'assurer à leurs citoyens les services publics à un niveau considéré comme normal, sans que les provinces moins nanties n'aient à lever à cette fin des impôts trop élevés. À l'heure actuelle, huit provinces sur dix reçoivent des paiements de péréquation, les deux autres étant l'Ontario et l'Alberta. Le principe de la péréquation a été inscrit à l'article 36 de la Loi constitutionnelle de 1982, dans des termes qui sont cependant trop vagues et trop politiques pour que cette disposition puisse avoir des effets juridiques véritablement contraignants pour les pouvoirs publics.

30. De façon positive, les programmes fédéraux ont indéniablement contribué à établir plus de justice économique et sociale ; mais, de façon négative, l'intervention fédérale a réduit la décentralisation, la diversité et l'autonomie locale, tout en produisant des programmes dont certains peuvent être considérés comme des exemples de centralisation dysfonctionnelle.

31. L'idée que les droits résultent d'un équilibrage des divers intérêts en présence dans la société, effectué par l'intermédiaire du processus politique, est présente dans la formulation de la disposition limitative de la Charte des droits et libertés de la personne du Québec (la Charte québécoise), contenue dans l'article 9.1 de celle-ci : « Les libertés et droits fondamentaux s'exercent dans le respect des valeurs démocratiques, de l'ordre public et du bien-être général des citoyens du Québec. La loi peut, à cet égard, en fixer la portée et en aménager l'exercice. » Par contre, la disposition limitative de la Charte canadienne, contenue dans l'article 1 de celle-ci, correspond davantage à une conception des droits comme préexistant à l'intervention du législateur, celle-ci venant fatalement les restreindre et les limiter, plutôt que d'en aménager l'exercice (« La Charte canadienne des droits et libertés garantit les droits et libertés qui y sont énoncés. Ils ne peuvent être restreints que par une règle de droit, dans des limites qui soient raisonnables et dont la justification puisse se démontrer dans le cadre d'une société libre et démocratique »). De façon plus générale, on peut souligner que la Charte québécoise transfère moins d'autorité au pouvoir judiciaire que la Charte canadienne. En effet, de nombreux droits n'y sont garantis que « dans la mesure prévue par la loi » ou avec des dispositions limitatives discrétionnaires, ce qui signifie que le législateur peut les aménager ou les limiter sans avoir à se justifier devant le pouvoir judiciaire. Autrement dit, la Charte québécoise maintient davantage le pouvoir de décision entre les mains du corps politique élu que la Charte canadienne, qui le transfère de façon plus considérable au pouvoir judiciaire.

32. *Andrews* c. *Law Society of British Columbia*, précité.

33. *Eldridge* c. *Colombie-Britannique (P.G.)*, [1997] 3 R.C.S. 624.

34. Pour d'autres exemples de décisions imposant aux provinces une norme uniforme positive, plus ou moins précise, voir notamment *Renvoi relatif à l'indépendance et à l'impartialité des juges de la Cour provinciale de l'Île-du-Prince-Édouard*, [1997] 3 R.C.S. 3, où la Cour impose aux provinces un processus déterminé de fixation de la rémunération des juges des cours provinciales ; *Vriend* c. *Alberta*, précité, où la Cour suprême oblige les provinces qui ne l'avaient pas encore fait à inclure dans leur loi sur les droits de la personne l'orientation sexuelle comme motif prohibé de discrimination (peu de temps après, l'Île-du-Prince-Édouard et Terre-Neuve ont effectivement modifié leur loi respective pour se conformer à l'arrêt).

35. Étant donné l'enchevêtrement de la compétence fédérale sur le droit criminel et de la compétence provinciale sur l'administration de la justice, et le fait que l'application du Code criminel relève à plusieurs points de vue des autorités administratives et judiciaires provinciales, un certain effet uniformisateur résulte néanmoins de la mise en œuvre des garanties juridiques contenues dans la Charte canadienne. Mais on reste loin du phénomène américain de nationalisation du droit criminel étatique. Pour une comparaison entre le Canada et les États-unis, en ce qui concerne les effets uniformisateurs de la mise en œuvre des instruments constitutionnels nationaux de protection des droits, voir José Woehrling, « Convergences et divergences entre fédéralisme et protection des droits et libertés : l'exemple des États-Unis et du Canada », *Revue de droit de McGill*, vol. 46, 2000, p. 21-68.

36. Sur l'interprétation de la liberté de religion au Canada, voir José Woehrling, « L'obligation d'accommodement raisonnable et l'adaptation de la société à la diversité religieuse », *Revue de droit de McGill*, vol. 43, 1998, p. 325-401. Dans l'affaire *Canadian Civil Liberties Association*), [1990] 71 O.R. (2ᵉ) 341 ; 65 D.L.R. (4ᵉ) 1 (C.A. Ont.), la Cour d'appel de l'Ontario a adopté une interprétation très exigeante de la liberté de religion garantie à l'article 2a) de la Charte canadienne, en jugeant contraire à celle-ci, et non justifiable en vertu de l'article premier, un règlement ontarien prévoyant que les élèves reçoivent un enseignement religieux dans les écoles publiques, à moins que les parents ne demandent une exemption. Si la Cour avait considéré que les dispositions concernant l'exemption étaient de nature à sauver le règlement, les provinces canadiennes auraient pu continuer de choisir entre deux attitudes : un régime similaire à celui du régime ontarien ou l'absence totale d'enseignement confessionnel. Avec la décision de la Cour d'appel, une seule solution reste possible et l'uniformité est imposée en la matière. Soulignons que selon *l'Observation générale nᵒ 22 (48) (article 18) du Comité des droits de la personne des Nations Unies*, U.N. Doc. CCPR./ C/21/Rev. 1/add.4 (1993) (relative à l'article 18 du *Pacte international relatif aux droits civils et politiques*, Recueil des traités des Nations Unies, vol. 999, 1976, p. 107, point 6), l'enseignement d'une religion ou d'une conviction particulière à l'école publique n'est pas contraire aux droits des parents dans la mesure où une exemption est prévue.

37. *Ford c. P.G. Québec*, précité, 777-779. La Cour a jugé que les articles 58 et 69 de la Charte de la langue française, précitée, dans la mesure où ils *imposaient* l'usage du français dans l'affichage public, la publicité commerciale et les raisons sociales, constituaient une restriction de la liberté d'expression garantie par les Chartes canadienne et québécoise, cette restriction étant cependant raisonnable et justifiable eu égard aux clauses limitatives des deux Chartes, l'article 1 de la Charte canadienne et l'article 9.1 de la Charte québécoise. Pour justifier cette dernière conclusion, la Cour a souligné que les dispositions en cause étaient nécessaires pour préserver le « visage linguistique » du Québec, étant donné la vulnérabilité de la langue française tant au Québec que dans l'ensemble du Canada. Si l'on comprend bien, l'anglais n'étant vulnérable nulle part au Canada, une loi d'une autre province imposant l'usage de cette langue devrait être considérée comme une restriction non justifiable de la liberté d'expression. Comme on l'a mentionné précédemment, la Cour a par contre jugé que, dans la mesure où ces dispositions *prohibaient* à l'époque l'usage d'une langue autre que le français, elles constituaient une restriction de la liberté d'expression qui n'était pas justifiable.

38. Les dispositions en cause sont, pour le Québec, l'article 133 de la Loi constitution-
    nelle de 1867 ; pour le Manitoba, l'article 23 de la Loi de 1870 sur le Manitoba, 33
    Vict., Canada, c. 3 ; L.R.C. (1985), app. II, n° 8 ; pour le Nouveau-Brunswick, les ar-
    ticles 17(2), 18(2) et 19(2) de la Charte canadienne des droits et libertés.

39. Charte canadienne des droits et libertés, art. 20(2).

40. Voir note 3.

41. Howard Leeson, *Section 33, the Notwithstanding Clause. A Paper Tiger ?*, Montréal,
    Institut de recherche en politiques publiques, vol. 6, n° 4, juin 2000 (Coll. « Choix »).

42. Par ailleurs, il est également vrai que les minorités ayant une minorité en leur sein,
    laquelle fait partie de la majorité sur le plan national, sont peut-être davantage por-
    tées à faire usage de leur position de pouvoir parce qu'elles se sentent plus menacées.

TROISIÈME PARTIE

LES RELATIONS FÉDÉRALES-PROVINCIALES ET INTERGOUVERNEMENTALES AU CANADA

Les relations fédérales-provinciales et intergouvernementales retiennent l'attention des chercheurs au Canada surtout depuis le début des années 1960. Avec la montée du nationalisme au Québec et l'émergence de mouvements régionalistes dans l'Ouest canadien, les analystes ont cherché à saisir les raisons fortes qui ont provoqué de telles expressions politiques. Un constant bras de fer entre le gouvernement du Québec et le gouvernement central caractérise leurs rapports depuis les années 1960 – alors que les autres États membres de la fédération ont moins de difficulté à s'entendre quant au fonctionnement de la fédération. Cela n'a toutefois pas empêché les provinces de l'Alberta, de Terre-Neuve, entre autres, d'être souvent à couteaux tirés avec le gouvernement central dans le domaine de la politique d'accès aux services de santé, dans le secteur des pêches ou dans celui de l'exploitation des ressources naturelles. Dans le but d'avoir les coudées franches au sein de l'espace politique canadien et d'affirmer sa spécificité nationale, le Québec a insisté pour qu'on lui reconnaisse son droit à la différence. Le gouvernement central a été plutôt hésitant à faire quelques concessions au Québec, disant ne pas vouloir donner de privilèges au Québec et cherchera surtout à orienter la prise de décision des États membres en se permettant même d'intervenir sans trop de vergogne dans les champs de compétences exclusifs des provinces. Pour ce faire, le gouvernement central utilise son pouvoir de dépenser, n'hésite pas à forcer les provinces à adhérer aux priorités qu'il aura arrêtées, fort de ses ressources fiscales, alors que les provinces, sauf l'Alberta, croulent sous le poids des dettes accumulées à la suite des coupures dans les transferts aux provinces. Depuis quelques années, les enjeux urbains et les domaines relevant du tiers secteur prennent de plus en plus d'importance et continueront d'occuper une place centrale sur l'échiquier politique. Il s'agit d'occasions en or pour le gouvernement central de contourner les provinces pour avoir directement accès à de nouveaux acteurs et accroître ainsi sa propre clientèle.

Dans le chapitre 9, Alain-G. Gagnon fait le point sur la question du fédéralisme asymétrique au Canada et insiste sur l'importance pour le Québec d'en arriver à une asymétrie constitutionnelle, ce qui permettrait de reconnaître au Québec certains de ses droits historiques. L'auteur avance que la mise en place d'un fédéralisme multinational au Canada passe par l'instauration et le respect d'une asymétrie constitutionnelle. Reconnaissant que les institutions et les lois ne sont pas neutres, Gagnon croit que l'institutionnalisation du fédéralisme asymétrique permettrait aux Québécois de mieux traduire leurs préférences politiques. Pour l'auteur, l'imposition fréquente de pratiques fédérales symétriques conduit à des injustices pour les Québécois, qui se voient entre autres souvent obligés d'accepter l'implantation de politiques gouvernementales ne répondant pas à leurs valeurs ni à leurs préoccupations sociales. En somme, le fédéralisme asymétrique a l'avantage de permettre aux Québécois de s'exprimer plus librement et de se reconnaître davantage au sein de la fédération canadienne.

Dans le chapitre 10, Alain Noël fait le point sur les différentes dimensions du partage des ressources financières dans la fédération canadienne, en insistant sur les enjeux politiques sous-jacents à des questions qui ne sont pas simplement techniques. Le chapitre traite du déséquilibre fiscal, mais aussi des transferts sociaux, de la péréquation et des impacts des revenus pétroliers pour les différents gouvernements du pays. L'auteur fait le constat que jusqu'au début des années 1990, les relations intergouvernementales canadiennes étaient dominées par les enjeux constitutionnels. Depuis lors, le partage des ressources financières s'est graduellement imposé à l'avant-plan. Les enjeux à cet égard sont nombreux. On pense évidemment au déséquilibre fiscal. Mais il faut aussi parler des multiples ententes sur le financement des soins de santé, dont la dernière, celle de septembre 2004, ouvrait la porte à l'idée d'un fédéralisme asymétrique, de la réforme en cours du programme de péréquation, et des tensions engendrées par la croissance de la rente pétrolière dans certaines provinces. Toutes ces questions concernent la façon dont les ressources sont partagées, mais elles mettent aussi en cause différentes visions du fédéralisme et des communautés qui composent le pays.

Sarah Fortin établit, dans le chapitre 11, que bien qu'elle n'ait pas eu l'influence escomptée au moment de sa signature, l'Entente-cadre sur l'union sociale (ECUS) signée en février 1999 par le gouvernement fédéral et toutes les provinces à l'exception du Québec marque un moment charnière au chapitre des relations fédérales-provinciales dans le domaine social. Ce chapitre retrace les principaux facteurs ayant contribué à l'adoption de cette entente-cadre et à la mise en place d'un discours sur l'union sociale canadienne au cours des années 1990, tout en faisant le point sur l'état de santé de cette union sociale à la lumière des développements survenus depuis son entrée en vigueur.

Dans le chapitre 12, Yves Vaillancourt et Luc Thériault examinent les liens entre l'économie sociale, les politiques sociales et le fédéralisme canadien. Ils attirent d'abord l'attention sur deux traditions de recherche sur le tiers secteur dans la littérature internationale, l'une qui met l'accent sur la non-lucrativité et l'autre sur l'économie sociale. Vaillancourt et Thériault scrutent ensuite l'évolution de ces deux traditions au Canada au cours des dix dernières années, avant de passer à l'examen des services de garde à la petite enfance qui se trouvent depuis 2003 au cœur d'un débat touchant à la fois les politiques sociales, l'économie sociale et les relations intergouvernementales.

La troisième section s'achève avec une contribution de Luc Turgeon qui propose sa lecture de la place des villes canadiennes dans le système intergouvernemental canadien. Turgeon souligne que les villes canadiennes ont longtemps été ignorées par les spécialistes du fédéralisme canadien. La majorité des ouvrages portant sur les relations intergouvernementales au Canada n'offrent aucune discussion de la place des villes au sein de la fédération canadienne. Les villes canadiennes sont cependant de retour à l'avant-plan de l'agenda politique. Ce chapitre cherche à répondre à deux questions : d'une part, comment expliquer le retour des villes canadiennes comme enjeu des relations intergouvernementales ? et, d'autre part, en quoi les transformations des relations intergouvernementales au cours des dernières années vont-elles influencer la gouvernance urbaine au pays ? La thèse principale avancée par Turgeon est que la montée de l'agenda urbain au Canada représente la transition graduelle d'un l'État néolibéral à un État d'investissement social.

9

LE FÉDÉRALISME ASYMÉTRIQUE AU CANADA

Alain-G. Gagnon

Ainsi que le politologue Alfred Stepan le constate, « chacune des démocraties de longue durée opérant dans un contexte de *polité* multilingue et multinationale est un État fédéral[1] ». En bref, le fédéralisme posséderait les qualités essentielles contribuant à la pérennité des institutions politiques démocratiques. Cela se fait en garantissant aux minorités l'accès aux institutions, en assurant une redistribution de la richesse et des ressources, en établissant un juste équilibre du pouvoir entre le centre et les périphéries, ou même en élaborant des formules de gestion des conflits s'appuyant le plus souvent sur le système partisan[2].

Les protagonistes du fédéralisme symétrique et du fédéralisme asymétrique soulèvent des questions de fond au chapitre de l'aménagement de la diversité puisqu'ils s'appuient respectivement sur des traditions politiques distinctes, nommément le fédéralisme territorial propre au *nation-building* et le fédéralisme multinational érigé sur la base de la légitimité des entités fondatrices comme premier repère identitaire.

Le fédéralisme asymétrique gagne à être analysé sous l'angle d'un raffinement des pratiques fédérales en ce que ce concept propose des avancées significatives pouvant accommoder les revendications des nations minoritaires en contexte démocratique. Cela nous conduit à une mise en garde importante puisqu'une tout autre politique d'accommodement réussira pleinement en autant que les institutions centrales prendront au sérieux les revendications politiques provenant des nations minoritaires. Aussi les modifications apportées à l'entente originale établissant des liens entre les entités fédérées devront être approuvées par tous les partenaires et des garanties devront être fournies afin qu'aucun changement inéquitable ne puisse être imposé de façon unilatérale.

Au Québec, le modèle de fédéralisme territorial est fréquemment rejeté parce qu'il néglige ce que Charles Taylor appelle la diversité profonde, se limitant à proposer des politiques qui s'appliquent à tout le territoire (par exemple divers programmes d'harmonisation). Claude Ryan y voyait « une conception rigide de l'unité canadienne [...] une vision abstraite et doctrinaire de l'égalité des personnes et des provinces [...][3] ». Cette vision a été systématiquement dénoncée par la classe politique québécoise, que ses ténors s'inscrivent dans les courants souverainiste, libéral ou adéquiste, Mais, elle est très populaire du côté des Libéraux fédéraux.

Le modèle de fédéralisme multinational a l'avantage de mettre en valeur le pluralisme identitaire et donne une forte légitimité aux communautés nationales dans la construction du sujet politique ; il contribue ainsi au développement d'une culture propre et, ce faisant, vient enrichir le libéralisme communautaire. Cette ouverture au pluralisme inquiète les défenseurs du fédéralisme territorial qui y perçoivent des poches d'opposition potentielles à leur projet de construction nationale plutôt que d'y voir des lieux d'affirmation communautaire, comme c'est le cas en Belgique et en Suisse.

Notre intention est ici de faire le point sur les caractéristiques normatives du fédéralisme asymétrique alors même que les nationalistes canadiens souhaitent poursuivre leur projet de construction nationalitaire, qu'ils refusent toute possibilité d'affirmation de la part des nations à l'origine du pacte fédératif canadien et dénoncent toute ouverture à la délibération.

Nous procéderons en trois temps. Nous apporterons tout d'abord des précisions sur les définitions et aux biais interprétatifs ; ensuite, nous distinguerons le fédéralisme symétrique du fédéralisme asymétrique ; enfin, nous explorerons les principes fonctionnel, communautaire et démocratique sur lesquels se fondent les institutions démocratiques.

DÉFINITION DU CONCEPT DE FÉDÉRALISME

Les auteurs s'entendent généralement pour dire que le fédéralisme correspond à une forme institutionnelle avancée qui permet de mettre en place des pratiques démocratiques plus élaborées et respectueuses des préférences des diverses communautés appelées à cohabiter sur le territoire d'un État-nation donné. On lui reconnaît des qualités propres au respect de la diversité, au respect des compétences, à la coordination des activités gouvernementales et à l'autonomie des partenaires (États membres, gouvernement central). Enfin, le fédéralisme présuppose la non-subordination des pouvoirs.

Selon les spécialistes, la formule fédérale permet à la démocratie de s'exercer sur des bases géographiques mieux délimitées, renforçant de la sorte la représentation et l'habilitation des citoyens à différentes échelles. C'est dans ce contexte propre au respect de la diversité que le principe de subsidiarité prend tout son sens. Pensons à la place centrale que les auteurs du rapport de la Commission Tremblay (1956) et ceux du rapport de la Commission Pépin-Robarts (1979) ont réservé à la notion de subsidiarité. Bien que le concept lui-même ne soit pas utilisé par le Groupe de travail sur l'unité canadienne, la notion traverse tout le document. En outre, les auteurs précisent que seules les responsabilités qui ne peuvent être exercées par les États membres de façon efficace et juste le sont par le gouvernement central[4].

Au Canada, le principe fédéral de la non-subordination a été fréquemment malmené par les représentants des institutions centrales. L'étude des décisions rendues par le Comité judiciaire du Conseil privé de Londres tout au long de son existence, de la fin du xixᵉ siècle jusqu'à son remplacement par la Cour suprême du Canada en 1949, a tôt fait de nous convaincre des abus de pouvoir du gouvernement central. Les lords britanniques n'hésitèrent pas à semoncer le gouvernement central canadien lors de ses intrusions fréquentes dans les domaines de compétence relevant des États membres de la fédération[5].

À juste titre, André Burelle, l'ancien conseiller constitutionnel de Pierre Elliott Trudeau, relevait en 1999, au moment des débats concernant de l'union sociale canadienne, des passages confirmant le principe de non-subordination dans de nombreux écrits des lords britanniques. Dénonçant les intentions impérialistes et tutélaires du gouvernement central de l'époque, les lords écrivaient en 1895 :

> Le but de l'Acte constitutionnel de 1867 n'était pas de fusionner les provinces en une seule, ni de subordonner les gouvernements provinciaux à une autorité centrale, mais de créer un gouvernement fédéral dans lequel elles seraient toutes représentées et auquel serait confiée en exclusivité l'administration des affaires dans lesquelles elles avaient un intérêt commun, chaque province conservant son indépendance et son autonomie[6].

Au-delà des notions de fédéralisme et de subsidiarité, il nous faut pousser plus avant notre analyse théorique en faisant ressortir des distinctions importantes entre deux formes de fédéralisme : le fédéralisme territorial ou mononational et le fédéralisme multinational[7].

Le fédéralisme territorial correspond à la situation prévalant en Allemagne, aux États-Unis et est réclamé par plusieurs acteurs politiques au Canada. Le partage des pouvoirs se fait de façon technique sans aucune préoccupation pour les groupes ethnoculturels et pour les minorités nationales et présume, dès lors, de l'existence d'une seule nation. Ici la nation et l'État-nation sont interchangeables. Le fédéralisme territorial a pour corollaire le fédéralisme symétrique. Tous les états membres sont considérés comme des entités légales identiques.

Quant au fédéralisme multinational, on le retrouve dans des États-nations traversés par le pluralisme sociopolitique ; la Belgique, la Suisse et le Québec lui trouvent des qualités importantes pour la coexistence des nations. Selon cette approche, le partage des pouvoirs se justifie à partir des droits communautaires en vue d'une reconnaissance institutionnelle formelle. Le fédéralisme multinational exige l'implantation d'un modèle asymétrique de gouvernance afin de permettre aux diverses communautés de donner à leurs citoyens la possibilité de se réaliser pleinement en misant sur des moyens adaptés pour enrichir les contextes de choix pour chacune des grandes communautés à l'origine du contrat de fondation.

Le philosophe Will Kymlicka rappelle que «l'égalité des citoyens ne requiert pas que toutes les unités fédérales aient des pouvoirs égaux. Au contraire, le statut asymétrique des unités fondées sur la nationalité peut être considéré comme un moyen de favoriser ce principe d'égalité morale sous-jacente, puisqu'il garantit que l'identité nationale des minorités recevra autant d'attention et de respect que la nation majoritaire[8]. »

Plusieurs auteurs ont écrit sur la question du fédéralisme asymétrique. Le politologue David Milne a avancé que, étant donné l'influence variable exercée par les États membres et les ressources inégales dont ils disposent, la fédération canadienne en serait une caractérisée véritablement par le fédéralisme asymétrique. Animée essentiellement par de bonnes intentions, la démonstration de Milne se limite toutefois à colliger un ensemble de critères économiques, culturels, géographiques, historiques, juridiques et politiques propres à chacun des États fédérés pour appuyer ses propos[9]. Il s'agit davantage d'un catalogue que d'une étude approfondie des raisons justifiant un fédéralisme asymétrique[10] qui permet aux États membres d'exercer des compétences spécifiques à la hauteur des responsabilités qui leur incombent.

Ce type d'analyse trouve écho dans un texte au titre évocateur, « Le carcan du fédéralisme uniformisateur », publié par le quotidien *La Presse* à l'automne 2004 et signé par Alain Dubuc. L'éditorialiste y affirme que : « Le Canada, depuis toujours, est asymétrique. Les provinces sont différentes, elles occupent leurs champs de compétence de façons très diverses, le rôle du gouvernement central varie selon les provinces et ses programmes sont souvent peu uniformes. La fédération, dans son fonctionnement, n'a rien d'ordonnée. C'est plutôt un joyeux bordel[11]. »

Tout comme David Milne, le ministre Benoît Pelletier a dressé une liste imposante de pratiques asymétriques en faisant référence à l'application de différents articles de la Constitution, à une variété d'ententes administratives et à divers arrangements fiscaux comme autant de types différenciés d'asymétrie (voir l'Annexe). Toutes ces asymétries prennent concrètement deux formes. D'une part, les asymétries de nature constitutionnelle et juridique (*de jure*), qui mettent l'accent sur le partage des pouvoirs. D'autre part, il y a les asymétries de nature administrative (*de facto*), et donc facilement réversibles, qui correspondent aux ententes souvent inscrites dans la pratique ou bien négociées de gré à gré entre les représentants des deux ordres de gouvernement.

À ce jour, le Québec a revendiqué des changements garantis pour l'avenir en proposant des modifications *de jure* mais a dû se contenter d'ententes pouvant être modifiées selon les rapports de force en présence, rapports presque invariablement défavorables au Québec, ce qui a conduit à la signature d'ententes *de facto* sans garantie formelle pour la longue durée[12]. Cet état de choses a contribué à convaincre un nombre imposant de Québécois de l'urgence de sortir de la fédération canadienne.

Dans le contexte canadien, si on exclut les articles de nature asymétrique déjà inscrits dans l'Acte constitutionnel de 1867, par exemple l'article 133 concernant l'usage des langues française et anglaise, les articles 93A, 94, 98 de la Loi constitutionnelle de 1867, le paragraphe 23(1) de la Charte canadienne des droits et libertés et l'article 59 de la Loi constitutionnelle de 1982[13], la portée du fédéralisme asymétrique se résume essentiellement à des ententes de nature non constitutionnelle (par exemple le régime des rentes du Québec [1964], les ententes sur l'immigration [Cloutier/Lang, 1971; Bienvenue/Andras, 1975; Cullen/Couture, 1978; Gagnon-Tremblay/ McDougall, 1991], la formation de la main-d'œuvre [1997] et l'entente sur la santé [2004]).

Du côté québécois, le fédéralisme asymétrique, tel qu'il est pratiqué au Canada, a la plupart du temps été vu du côté des forces souverainistes comme une stratégie de démobilisation des forces nationalistes et comme une piètre compensation pour les trop nombreuses intrusions de la part d'Ottawa dans les champs de compétence exclusive du Québec. À quoi bon se satisfaire de pouvoirs à la pièce alors que le Québec pourrait avoir son propre État pour gérer l'ensemble de ses responsabilités, fait-on valoir du côté des souverainistes. Quant aux forces dites fédéralistes présentes sur la scène québécoise, elles présentent le fédéralisme asymétrique comme une planche de salut permettant de raviver l'espoir des Québécois eu égard à la flexibilité pouvant théoriquement caractériser le fédéralisme. À défaut de faire des gains permanents par la voie de modifications constitutionnelles, les supporters du fédéralisme croient toujours en la possibilité de dénicher une formule taillée sur mesure pour répondre aux aspirations du Québec au sein de la fédération canadienne.

À l'extérieur du Québec, le fédéralisme asymétrique a été plus souvent qu'autrement dénoncé, car il présagerait l'érosion des fondements mêmes de la nation canadienne présentée fréquemment comme une et indivisible. Pierre Elliott Trudeau, on en conviendra rapidement, a constamment dénoncé le principe du fédéralisme asymétrique, car il y voyait une atteinte au principe de l'égalité (des provinces et des individus), mais il y a vu surtout la construction d'une base de légitimité favorisant les revendications nationalistes québécoises au sein de la fédération canadienne. Trudeau y décelait l'amorce d'une déchirure du tissu social canadien et l'implantation de privilèges exclusifs pour le Québec. Il passa le plus clair de son temps au Parti libéral du Canada à rendre ce concept impopulaire auprès des Canadiens[14]. Un fidèle disciple de Pierre Elliott Trudeau, le sénateur Serge Joyal, faisait une sortie calculée au lendemain de la signature de l'entente sur la santé de septembre 2004, alors qu'il allait jusqu'à pressentir la fin du Canada si rien n'était fait rapidement. Un court extrait suffit pour illustrer les inquiétudes du sénateur :

> Il y a dans le projet dit du « fédéralisme asymétrique » le piège de la confusion et le miroir des illusions. Il fait naître l'espoir qu'en effeuillant les pouvoirs du fédéral, on renforcera à terme la capacité des Québécois de se développer selon leur génie propre. La dynamique ainsi créée pourra apparaître attrayante à certains mais elle n'en est pas moins pernicieuse : elle accrédite la thèse que les intérêts du Québec ne peuvent pas être bien servis dans le Canada...[15]

Des personnalités non francophones bien en vue se sont élevées ces dernières années pour mettre en valeur les qualités intrinsèques du fédéralisme asymétrique. Je pense ici à Jeremy Webber[16], Jane Jenson[17] et à Will Kymlicka[18] qui y ont vu des avenues intéressantes pour l'affirmation d'une communauté de langage, pour l'expression de deux régimes de citoyenneté différenciés ou pour le rétablissement d'un lien de confiance entre le Québec et le Canada hors Québec. Du côté institutionnel, l'apport presque oublié du Groupe de travail sur l'unité canadienne (la Commission Pépin-Robarts) a contribué à mettre en valeur cette approche[19], mais ses recommandations ont été vite « tablettées »par le gouvernement de Pierre Elliott Trudeau.

Ce qui nous amène aux questions normatives autour desquelles nous souhaitons développer plus avant la présente analyse.

DIMENSIONS NORMATIVES À EXPLORER

On peut déterminer trois principes de base à partir desquels le fédéralisme propre aux États-nations traversés par la diversité profonde[20] devrait opérer : il s'agit, en ordre d'importance croissant, du principe fonctionnel, du principe communautaire et du principe démocratique.

Le principe fonctionnel

Les arguments favorables à l'implantation de la formule fédérale insistent pour mettre en valeur la capacité du système à répondre efficacement aux attentes et aux besoins en provenance des citoyens, des communautés, des associations et des groupes sur un vaste territoire.

L'approche la plus classique dans ce domaine nous vient de l'Angleterre, pensons aux travaux de Kenneth C. Wheare qui justifie le principe fédéral essentiellement à partir d'arguments fonctionnalistes. Wheare constate, par exemple, que les gouvernements élus par de plus petites régions sont susceptibles de mieux refléter les attentes et les besoins des citoyens et de mettre en place des politiques efficaces et responsables[21]. Cette approche a en général été reçue favorablement au Québec.

L'ère pearsonnienne, plusieurs l'ont reconnu, a été caractérisée par une plus grande ouverture et beaucoup de flexibilité face aux demandes émanant du Québec. Cela s'est concrétisé par le retrait du gouvernement du Québec de certaines politiques gouvernementales pancanadiennes entre 1963 et 1968. Ce fut la période de l'établissement du Régime des rentes du Québec et de la création de la Caisse de dépôt et placement. Le fait que Pearson était en situation minoritaire a aussi un lien avec l'attitude plus ouverte de son gouvernement. En outre, à cette même époque, la Commission Laurendeau-Dunton avait été mandatée pour trouver un dénouement favorable à la pire crise constitutionnelle à laquelle le Canada ait dû faire face.

Toutefois, il a fallu attendre au lendemain de l'élection du Parti québécois, avec la création du Groupe de travail sur l'unité canadienne (Commission Pépin-Robarts) en 1977 avant d'entendre à nouveau parler de fédéralisme asymétrique, puis au lendemain de l'échec du projet d'accord du lac Meech en 1990 (Commission Spicer, Commission Beaudoin-Dobbie). Comme quoi toutes les périodes de grandes tensions constitutionnelles conduisent invariablement les politiques à envisager les mêmes solutions de rechange mais sans jamais véritablement passer à l'action.

Plus récemment, à la suite de l'élection du gouvernement libéral minoritaire de Paul Martin à Ottawa, les Libéraux ont d'abord fait un pas en avant en présentant l'Accord sur la santé de septembre 2004 sous l'éclairage du fédéralisme asymétrique, et puis ils ont reculé dans le cadre de la négociation sur la péréquation d'octobre 2004 à la suite de pressions importantes exprimées surtout en Ontario et en Alberta ainsi que dans la presse anglophone.

Soulignons que le principe fonctionnel a été fréquemment malmené par Ottawa. Pensons à la génération Trudeau-Chrétien qui y a vu les germes d'une avancée centrifuge et un danger d'effritement des politiques pancanadiennes. Trudeau, Chrétien et ceux qui partagent leur vision n'ont pas hésité à encadrer, limiter, déformer le principe fonctionnel en utilisant le pouvoir de dépenser du gouvernement central.

Le principe communautaire

Au cœur même du fédéralisme, on retrouve l'idée développée chez Althusius, Montesquieu et plus près de nous chez Livingston[22], Tarlton[23], Elazar[24] et selon laquelle le principe fédéral doit refléter et enrichir les sentiments communautaires à l'origine du pacte fédératif. Le projet politique n'est pas donc d'éradiquer ces différences mais de s'assurer qu'elles seront respectées par les représentants des différentes communautés, tout en encourageant l'émergence d'éléments dont les objectifs sont partagés. Le respect de ces conditions de base doit permettre d'alimenter le lien de confiance entre les communautés et d'encourager une culture respectueuse d'un pluralisme véritable.

Dans le cas canadien, Jeremy Webber reconnaît la présence de communautés politiques différenciées et en tire des enseignements importants pour l'accommodement de la diversité. Pour lui, les débats publics gagnent à se faire dans une langue commune afin d'éviter tout glissement qui conduirait à trahir les fondements mêmes des communautés historiques sur lesquels le pays a été érigé et exige la mise en place d'institutions en mesure de reconnaître et d'appuyer ce pluralisme identitaire[25].

La Suisse détient des enseignements utiles pour le Canada en matière de gestion de la diversité profonde. Les fondateurs de la fédération suisse ont cru bon de développer des institutions fédérales favorables à la continuité des différentes communautés linguistiques et des diverses traditions religieuses. Aussi les cantons possèdent-ils toute la souveraineté requise au chapitre de la législation linguistique, aidés en cela par le gouvernement central. Ils ont aussi pleine compétence lorsque vient le temps de reconnaître la citoyenneté juridique à leurs résidants[26].

Inspirée par la tradition consociationnelle, la Belgique s'est elle aussi dotée d'institutions en vue de reconnaître les communautés en leur attribuant des pouvoirs importants qui permettent de traduire les identités et les préférences de leurs citoyens.

Le principe démocratique

Le principe démocratique contribue à l'image moderne que nous pouvons nous faire du fédéralisme. Depuis les premiers travaux des spécialistes sur le fédéralisme, un constat revient constamment, soit la possibilité pour un État fédéral de regrouper les communautés politiques sur une base régionale pour enrichir le *demos*.

Souvent les auteurs ont vu le fédéralisme comme une façon novatrice d'empêcher la tyrannie de la majorité sur les communautés minoritaires. Les Américains, inspirés par un fédéralisme territorial, ont instauré des poids et contrepoids en misant sur la séparation des pouvoirs. La tradition américaine, bien qu'influente, a été enrichie par d'autres traditions fédérales qui nous viennent d'Europe ; pensons à nouveau aux apports des Belges et des Suisses.

La question centrale en est une de légitimité. Jusqu'à quel point les États membres de la fédération et le gouvernement central peuvent-ils faire la démonstration qu'ils parlent au nom de l'intérêt de tous ? Reg Whitaker a bien fait ressortir que les systèmes fédéraux tirent leur légitimité à partir d'une vision plus complexe de la représentation où certaines questions relèvent de l'entité fédérale alors que d'autres appartiennent aux États membres de la fédération. Souvent, et nous l'avons souligné, ces États sont en mesure de mieux répondre aux attentes de leurs citoyens alors que le gouvernement central est considéré difficilement accessible.

Dans *De l'esprit des lois* (1750), Montesquieu (1689-1755), identifié aux Lumières françaises, reconnaissait qu'au-delà de leur rôle comme acteurs sociaux les gens s'inscrivent au sein de groupes culturels, de peuples ou de nations. Il désigne la culture d'un peuple comme un esprit général. « Plusieurs choses gouvernent les hommes : le climat, la religion, les lois, les maximes du gouvernement, les exemples des choses passées, les mœurs, les manières [...][27]. »

En outre, Montesquieu met l'accent sur l'importance des petites républiques pour protéger la liberté des citoyens. Dans le but d'assurer à ces derniers que les institutions reflètent adéquatement leurs traditions, leurs cultures et la volonté générale, Montesquieu opte pour la petite république. Il écrit : « Dans une grande république, le bien commun est sacrifié à mille considérations ; il est subordonné à des exceptions ; il dépend des accidents. Dans une petite, le bien public est mieux senti, mieux connu, plus près de chaque citoyen ; les abus y sont moins étendus, et par conséquent moins protégés[28]. » Montesquieu précise aussi sa pensée en parlant de la république fédérative qu'il voit comme une avancée pour la démocratie :

> [L]a république fédérative [...] est une convention par laquelle plusieurs corps politiques consentent à devenir citoyens d'un État plus grand qu'ils veulent former. C'est une société de sociétés [...]. La confédération peut être dissoute, et les confédérés rester souverains. Composé de petites républiques, il jouit de la bonté du gouvernement intérieur de chacune ; et, à l'égard du dehors, il a, par la force de l'association, tous les avantages des grandes monarchies[29].

Les idées de Montesquieu quant à l'avènement de la république fédérale eurent des échos tout au long des siècles. C'est probablement Pierre Joseph Proudhon (1809-1865) qui les développa le plus adéquatement dans *Du principe fédéral et de la nécessité de reconstituer le parti de la révolution* (1863) où il élabore ses thèses sur la nécessité de limiter l'autorité centrale par la liberté des États membres et des régions au sein des grands ensembles. Le principe fédéral chez Proudhon permet donc à la fois de rassembler les communautés sous une même entité et de faire barrage à un gouvernement tyrannique.

Les travaux des chercheurs francophones, bien que souvent négligés par leurs collègues canadiens anglophones, ont beaucoup porté sur l'usage du fédéralisme comme façon de consolider le principe démocratique (voir les chapitres de Karmis, de Rocher ainsi que celui de Caron, Laforest et Vallières-Roland dans ce livre).

PERCÉES DU FÉDÉRALISME ASYMÉTRIQUE CHEZ QUELQUES PENSEURS CANADIENS

Le modèle westphalien dominant de l'État-nation a toujours la cote au Canada, à l'exception du Québec, où il est de plus en plus critiqué[30]. Ces remises en question viennent de partout. Aussi les avancées théoriques eu égard à la multination[31] et à l'émergence d'une démocratie multiscalaire[32] illustrent que le modèle westphalien répond de moins en moins aux attentes de la population.

Par ailleurs, les travaux de plusieurs universitaires tranchent avec cette orientation uniformisante. Parmi les analyses les plus percutantes sur la valeur normative du fédéralisme asymétrique pour le Canada, on trouve celles de Jeremy Webber qui a consacré un ouvrage à la question au début des années 1990. Dans *Reimaniging Canada*, Webber fait le constat que toutes les communautés politiques qui y vivent sont structurées autour d'une langue commune qui permet d'encadrer les débats, de donner un sens à la délibération et d'arriver à des compromis autour d'enjeux communs à la communauté de base. Il nous signale que quand « les Canadiens suivent un débat public, ils le font habituellement en étant attentifs à la version qui prend place dans leur propre langue commune. Lorsqu'ils se préoccupent des résultats du débat, ils le font dans les termes propres à la discussion qu'ils connaissent[33]. » Dans le sillon de Webber, Jane Jenson porte plus avant la réflexion et appelle de ses vœux l'émergence d'espaces de délibération permettant de renouer avec le dialogue démocratique au nom des trois projets collectifs en concurrence, c'est-à-dire ceux des nations autochtones, du Québec et du Canada. L'effort de théorisation de Jenson mérite que l'on s'y arrête puisqu'il vient alimenter la réflexion sur le fédéralisme multinational comme avenue possible dans la perspective d'un accommodement raisonnable.

> L'acceptation de l'asymétrie, dit-elle, au nom des trois projets collectifs [...] suppose réalisé, au sein de la majorité comme parmi chaque nation minoritaire, un large consensus autour de trois principes : premièrement, toute société est plus grande que la somme de ses composantes ; deuxièmement, il n'existe pas de hiérarchie entre les diverses loyautés que professe un citoyen ; et, troisièmement, il faut diversifier les lieux de dialogue[34].

Deux conditions importantes devront être remplies pour que puisse advenir le fédéralisme asymétrique au Canada. Tout d'abord, il faudra que les défenseurs du nationalisme majoritaire au Canada et au Québec acceptent que d'autres projets collectifs puissent être élaborés en toute légitimité et puis qu'aucune identité ne soit surdéterminante et qu'elle fasse dès lors place à la reconnaissance de l'autre.

Les avancées du fédéralisme asymétrique ne sont pas sans conséquence pour le Québec et pour les nations autochtones en particulier. Elles permettent de faire un saut qualitatif aux chapitres de la défense des différentes expressions du libéralisme, qu'il soit procédurier ou communautaire, ainsi que de la reconnaissance de la diversité profonde.

Les travaux plus récents de Michael Ignatieff, pensons à *La révolution des droits*, contribuent à renverser la vapeur au Canada anglais en donnant de la légitimité à l'asymétrie constitutionnelle.

> Le pouvoir réside maintenant avec la majorité alors que la cause juste est du côté de la minorité. La reconnaissance mutuelle doit rééquilibrer cette relation en trouvant une nouvelle pondération entre le pouvoir et la légitimité. C'est dans ces conditions seulement que nous serons en mesure de vivre ensemble en paix dans deux pays qui en font un, au sein duquel on retrouvera une communauté d'ayants droits égaux et une communauté de nations capables d'autodétermination[35].

En optant pour l'asymétrie, Ignatieff semble prendre une distance critique par rapport aux penseurs cosmopolitistes pour faire cause commune avec les libéraux communautariens. Il va même jusqu'à se solidariser avec la nation québécoise lorsqu'il écrit : « Le Québec a le droit d'être reconnu en tant que société distincte et ses politiques linguistiques, ses ententes en matière d'immigration, ses dispositions linguistiques doivent être différentes afin de protéger ce qui est différent dans cette province [...][36]. » Le nationalisme n'est plus vu par lui comme une expression narcissique mais plutôt comme une avancée authentique et légitime d'un projet sociopolitique.

Dans un monde traversé par la diversité profonde, le fédéralisme asymétrique constitue une forme institutionnelle originale et permet de donner une certaine flexibilité à la gouvernance.

Or, on l'a bien vu, au Canada tout traitement différencié est habituellement vu par bon nombre de Canadiens hors Québec comme étant l'expression d'un traitement inégal et de privilèges recherchés par les Québécois. Ces

mêmes Canadiens sont majoritairement, et certains le sont même viscéra-
lement, opposés à toute expression d'un statut le moindrement distinct
pour le Québec. On a pu le constater, entre autres, lors des débats entourant
la volonté québécoise d'appliquer la formule Gérin-Lajoie propre aux responsabilités provinciales sur les plans intérieur et extérieur[37], de même que dans
le cadre des projets d'accord du lac Meech de 1987-1990 et de Charlottetown
en 1992.

Les nationalistes canadiens se sont opposés aux quelques gestes qui ont
pu favoriser l'établissement d'un fédéralisme asymétrique au pays. Tour à
tour, ces deniers ont parlé de « pente glissante » vers la sécession du Québec,
de privilèges déterminés par les intérêts égoïstes d'un groupe ethnique, d'une
expression de ressentiment de la part de la nation minoritaire ou d'un mouvement contre la modernité.

D'autres auteurs canadiens ont plutôt mis l'accent sur les effets secon-
daires potentiels associés à l'implantation du fédéralisme asymétrique en
parlant d'un affaiblissement du leadership du gouvernement central et de
l'effritement de la volonté commune. Enfin, certains auteurs ont suggéré que
le Québec souhaiterait, une fois les pouvoirs rapatriés, continuer d'exercer
son influence au sein des institutions centrales dans ces mêmes domaines ;
ce qui confirme, selon ces mêmes auteurs, qu'il est impossible de satisfaire
aux demandes insatiables des Québécois.

Il est essentiel de garder à l'esprit, comme le constate John McGarry, que
« presque tous les États qui ont connu des sécessions au cours du 20e siècle
étaient soit des fédérations symétriques (par exemple l'Union soviétique,
la Yougoslavie et la Tchécoslovaquie) soit des États unitaires (le Royaume-
Uni, l'Indonésie, l'Éthiopie)[38] ». Ce constat devrait atténuer l'inquiétude des
opposants au fédéralisme asymétrique ; or, il n'en est rien. Il faut peut-être
chercher ailleurs les motivations de ces opposants, soit dans leur propre
nationalisme.

Or, sur la scène internationale, les démocraties libérales avancées n'ont
pas hésité à implanter des principes asymétriques afin de traduire de façon
plus juste les réalités sociologiques et politiques, et ce, même dans les cas où
les États ne sont pas dotés d'institutions fédérales. La France, le Royaume-
Uni, l'Espagne, tous des États unitaires, ont lancé des initiatives permettant
de répondre aux revendications des mouvements d'expression régionaliste

et nationaliste, ce qui a eu pour effet de calmer le jeu et surtout de permettre au Pays de Galles, à l'Écosse et à l'Irlande du Nord de même qu'aux nations historiques en Espagne (Catalogne, Pays basque, Galice), et aux Néo-Calédoniens et, de façon plus modeste, aux Corses de se doter d'institutions répondant davantage à leurs attentes.

Au lendemain de l'arrivée au pouvoir d'un gouvernement conservateur minoritaire en janvier 2006, sous le leadership de Stephen Harper, il sera intéressant de prendre la mesure de son *parti pris* provincialiste. Il sera aussi important de vérifier si, loin de permettre aux États membres de la fédération de s'assumer pleinement, cette démarche provincialiste ne constitue pas une façon pour l'État central de se dégager de ses responsabilités en matière de redistribution de la richesse collective. Sous le vocable d'un *fédéralisme d'ouverture*, Harper s'est engagé à reconnaître l'autonomie des provinces et en particulier les compétences du Québec en matière de culture. Le chef du Parti conservateur a déclaré qu'il accordera un plus grand rôle aux provinces dans leurs propres champs de compétence sur la scène internationale, aussi le Québec a-t-il été habilité à faire des représentations à l'UNESCO. Les intentions de Stephen Harper sont très claires quant au pouvoir fédéral de dépenser, qu'il voit comme un irritant important dans les relations fédérales-provinciales, puisqu'il a « donné naissance à un fédéralisme dominateur, un fédéralisme paternaliste[39] », dont la conséquence principale est celle du déséquilibre fiscal. Quoi qu'il en soit des intentions réelles du nouveau premier ministre Harper, le *fédéralisme d'ouverture* proposé pour répondre aux demandes de reconnaissance du Québec, lui a permis de toucher une corde sensible et surtout de faire des percées significatives au Québec tout particulièrement dans la région de la capitale nationale, ébranlant le confort du Bloc québécois.

Il est impératif de poursuivre plus à fond l'examen du fédéralisme asymétrique comme condition à la stabilité politique et à la justice et surtout de comprendre pourquoi les partis politiques qui se succèdent à Ottawa ne parviennent pas à aller au-delà de politiques dont les effets seraient reconnus *de jure*. Il s'agit, selon nous, d'un vice du système fédéral canadien qui ne parvient pas à assumer pleinement sa longue histoire ni à entrer dans un vrai dialogue multinational avec le Québec et, à plus grande échelle au pays, avec les Premières Nations. La multination canadienne adviendra sur le plan institutionnel le jour où le fédéralisme asymétrique sera perçu comme étant légitime. La défense et surtout l'institutionnalisation de ce principe peuvent donc être très porteuses pour la reconnaissance de la diversité nationale québécoise. Pour l'instant, le principal défi à relever est celui de la reconnaissance du Québec selon ses propres termes, c'est-à-dire en tant que nation pleinement constituée. Toutefois, ainsi que l'évoque Kymlicka : « Tant que les Canadiens anglophones vont s'accrocher à cet idéal d'une nationalité canadienne unitaire, ils n'accepteront jamais l'asymétrie qui découle d'une conception multinationale du fédéralisme canadien[40]. »

NOTES ET RÉFÉRENCES

1. Alfred Stepan, « Federalism and Democracy : Beyond the U.S. Model », *Journal of Democracy*, vol. 10, n° 4, 1999, p. 19.
2. Pour un plus long développement des usages politiques du fédéralisme, voir Alain-G. Gagnon, « The Political Uses of Federalism », dans Michael Burgess et Alain-G. Gagnon (dir.), *Comparative Federalism and Federation : Competing Traditions and Future Directions*, Toronto, University of Toronto Press, 1993, p. 15-44.
3. Claude Ryan, « La voie d'avenir : un fédéralisme asymétrique », *Le Devoir*, 14 juin 1999.
4. La Commission de l'unité canadienne, *Se retrouver : observations et recommandations* (le rapport Pépin-Robarts), Ottawa, Éditeur officiel, 1979, vol. 1, p. 93.
5. Selon les tenants de la gauche canadienne, le comité judiciaire du Conseil privé a contribué à entretenir une décentralisation certaine, ce qui aurait conduit à certains dysfonctionnements au moment de la Grande Dépression des années 1930 et de la Deuxième Guerre mondiale. Le même argument a été servi lorsqu'il a été question d'instaurer une formule de péréquation pour redistribuer la richesse collective à la fin des années 1950.
6. Cité dans André Burelle, « Mise en tutelle des provinces », *Le Devoir*, 15 février 1999.
7. Philip Resnick fait référence à ces deux formes de fédéralisme, voir « Towards a Multinational Federalism : Asymmetrical and Confederal Alternatives », *in* Leslie Seidle (dir.), *Seeking a New Canadian Parnership. Asymmetrical and Confederal Options*, Montréal, Institut de recherche en politiques publiques, 1994, p. 71-89.
8. Will Kymlicka, *La voie canadienne. Repenser le multiculturalisme*, Montréal, Boréal, 2003, p. 226.
9. David Milne, « Equality or Asymmetry : Why Choose ? », Ronald Watts et Douglas M. Brown (dir.), *Options for a New Canada*, Toronto, University of Toronto Press, 1991, p. 285. Watts caractérise cette forme d'asymétrie de « politique » alors qu'il désignera d'asymétrie constitutionnelle, les variations de responsabilités entre les États membres au sein d'une fédération. Voir R. L. Watts, *Comparaison des régimes fédéraux*, 2ᵉ édition, Kingston, Institut des relations intergouvernementales, Queen's University, 2002.

10. L'apport de Milne fut toutefois important au moment où Clyde Wells, premier ministre de Terre-Neuve, dénonçait les pratiques asymétriques comme étant illégitimes et que le projet d'entente du lac Meech était de plus en plus remis en question parce qu'il cherchait précisément à reconnaître au Québec des droits spécifiques.

11. Alain Dubuc, « Le carcan du fédéralisme uniformisateur », *La Presse*, 13 novembre 2004, p. A23.

12. Voir Alain-G. Gagnon et Joseph Garcea, « Quebec and the Pursuit of Special Status » dans R. D. Olling et M. W. Westmacott (dir.), *Perspectives on Canadian Federalism*, Scarborough, Prentice-Hall Canada, 1988, p. 304-324.

13. Gérald Beaudoin, « La philosophie constitutionnelle du rapport Pépin-Robarts », dans Jean-Pierre Wallot (dir.), *Le débat qui n'a pas eu lieu. La commission Pépin-Robarts, quelque vingt ans après*, Ottawa, Presses de l'Université d'Ottawa, 2002, p. 86.

14. Le Parti progressiste-conservateur sous les règnes de Robert Stanfield, de Joe Clark et de Brian Mulroney a été plus enclin à y voir des qualités intrinsèques contenant les fondements à toute refonte constitutionnelle sérieuse, se reporter à James Bickerton, Alain-G. Gagnon, Patrick Smith, *Partis politiques et comportement électoral au Canada : filiations et affiliations*, Montréal, Boréal, 2001.

15. Serge Joyal, « La fin du Canada ? D'une asymétrie à l'autre, il risque de rester bien peu de la fédération », *La Presse*, 22 octobre 2004, p. A19.

16. Jeremy Webber, *Reimagining Canada*, Montréal et Kingston, McGill-Queen's University Press, 1994.

17. Jane Jenson, « Reconnaître les différences : sociétés distinctes, régimes de citoyenneté, partenariats », dans Guy Laforest et Roger Gibbins (dir.), *Sortir de l'impasse. Les voies de la réconciliation*, Montréal, Institut de recherche en politiques publiques, 1998, p. 235-262.

18. Will Kymlicka, *La voie canadienne : repenser le multiculturalisme*.

19. Les commissaires précisaient toutefois qu'« une asymétrie constitutionnelle illimitée est intolérable car elle peut provoquer le démembrement de la fédération ». Voir Groupe de travail sur l'unité canadienne, *Se retrouver. Observations et recommandations*, vol. 1, Ottawa, Approvisionnements et Services Canada, 1979, p. 133.

20. La contribution de Charles Taylor est majeure en ce qu'il a apporté avec sa notion de « diversité profonde » une justification morale à partir de laquelle établir les revendications communautaires légitimes en sein des ensembles nationaux : voir son article « Le pluralisme et le dualisme », dans Alain-G. Gagnon (dir.), *Québec : État et société*, tome 1, Montréal, Québec Amérique, 1994, p. 61-84.

21. Kenneth C. Wheare, *Federal Government*, 4ᵉ édition, New York, Oxford University Press, 1964, p. 39-52.

22. W. S. Livingston, « A Note on the Nature of Federalism », *Political Science Quarterly*, vol. 67, mars 1952, p. 81-95.

23. Charles D. Tarlton, « Symmetry and Asymmetry as Elements of Federalism : A Theoretical Speculation », *Journal of Politics*, vol. 27, 1967, p. 861-874.

24. Daniel Elazar, *Exploring Federalism*, Tuscaloosa, University of Alabama, 1987.

25. Jeremy Webber, p. 183-228.

26. Wolf Linder, *Swiss Democracy : Possible Solutions to Conflict in Multicultural Societies*, Londres, The Macmillan Press, 1994, p. 22.

27. Montesquieu, *De l'Esprit des lois*, partie 3, livre XIX, chapitre 4.

28. *Ibid.*, partie 1, livre VIII, chapitre 16.

29. *Ibid.*, partie 2, livre IX, chapitre 1.

30. Il y a toutefois une frange des forces souverainistes qui s'en réclame advenant l'indépendance du Québec.

31. Alain-G. Gagnon et James Tully (dir.), *Multinational Democracies*, Cambridge, Cambridge University Press, 2001.

32. Geneviève Nootens, *Désenclaver la démocratie. Des huguenots à la paix des Braves*, Montréal, Québec Amérique, coll. « Débats », 2004.

33. Jeremy Webber, p. 204.

34. Jane Jenson, « Reconnaître les différences : sociétés distinctes, régimes de citoyenneté, partenariats, », dans Guy Laforest et Roger Gibbins (dir.), *Sortir de l'impasse : les voies de la réconciliation*, Montréal, Institut de recherche en politiques publiques, 1998, p. 254.

35. Nous avons préféré reprendre le passage original en anglais qui nous semble plus clair et que nous tirons de *The Rights Revolution*, Toronto, Anansi, 2000, p. 84 (traduction de l'auteur).

36. *Ibid.*, p. 120.

37. Pour une excellente présentation de la doctrine Gérin-Lajoie, voir Stéphane Paquin (dir.), *Le prolongement externe des compétences internes. Les relations internationales du Québec depuis la doctrine Gérin-Lajoie*, Québec, Presses de l'Université Laval, 2006.

38. John McGarry, « Asymmetrical Federalism and the Plurinational State », première version d'une étude préparée dans le cadre de la Troisième Conférence internationale sur le fédéralisme tenue à Bruxelles, 3-5 mars 2005, p. 11 de son texte (traduction de l'auteur), <www.federalism2005.be/fr/home/index/> (page consultée le 2 mars 2006).

39. Stephen Harper, Allocution prononcée devant la Chambre de commerce de Québec de l'honorable Stephen Harper, *Harper annonce le programme conservateur pour le Québec*, Québec, le 19 décembre 2005.

40. Will Kymlicka, p. 228.

10

ÉQUILIBRES ET DÉSÉQUILIBRES DANS LE PARTAGE DES RESSOURCES FINANCIÈRES *

Alain Noël

> *La plus grande différence entre Trudeau et moi dans les affaires fédérales-provinciales était qu'il voulait gagner les arguments mais était prêt à laisser les provinces partir avec l'argent, alors que j'étais heureux de céder sur les arguments mais voulais garder l'argent.*
>
> Jean Chrétien, *Straight from the Heart*, 1985[1].

Jusqu'au début des années 1990, les relations intergouvernementales canadiennes étaient dominées par les enjeux constitutionnels. La division des pouvoirs, la formule d'amendement, la réforme des institutions, la Charte des droits, et plus largement la politique des identités et de la reconnaissance monopolisaient l'attention. La distribution des ressources financières dans la fédération demeurait bien sûr importante, mais elle apparaissait soit comme une question d'intendance plutôt technique, soit comme un enjeu constitutionnel de plus. Le programme de péréquation, par exemple, a été constitutionnalisé en 1982, afin d'en assurer la pérennité. De la même façon, ce que le gouvernement fédéral appelle son « pouvoir de dépenser » a fait l'objet de propositions constitutionnelles dans le cadre des accords du lac Meech et de Charlottetown. Comme tous les autres, les problèmes financiers semblaient presque toujours ramener à la politique constitutionnelle.

L'échec du référendum sur l'accord de Charlottetown en 1992 a marqué la fin de cette époque. Un an plus tard, le Parti libéral du Canada prenait le pouvoir en s'engageant à ne plus parler de Constitution et à s'occuper en priorité de l'emploi. Très rapidement, les événements allaient modifier la donne encore un peu plus. D'une part, la victoire électorale du Parti québécois en 1994 plaçait le gouvernement fédéral sur la défensive dans le dossier de l'unité canadienne. D'autre part, la situation des finances publiques poussait Ottawa à mettre l'accent moins sur l'emploi que sur la lutte au déficit, ce qui s'est traduit par une révision majeure des transferts aux provinces. Alors que la fenêtre des réformes constitutionnelles se fermait presque définitivement, celle du partage des ressources fiscales s'ouvrait grand.

Les enjeux à cet égard sont nombreux, importants et complexes. On pense évidemment au déséquilibre fiscal, qui fait l'objet d'un large consensus au pays et que tous les partis politiques fédéraux à l'exception du Parti libéral du Canada ont reconnu et entendent corriger. Mais il faut aussi parler des multiples ententes sur le financement des soins de santé, dont la dernière à ce jour ouvrait la porte à l'idée d'un fédéralisme asymétrique, de la réforme en cours du programme de péréquation, et des tensions engendrées par la croissance de la rente pétrolière dans certaines provinces. Toutes ces questions concernent la façon dont les ressources sont partagées dans la fédération canadienne, soit entre les deux ordres de gouvernement, soit entre les provinces et territoires. Plus fondamentalement, elles soulèvent des débats qui mettent en cause différentes visions du fédéralisme et des communautés qui composent le pays, allant d'un modèle centraliste privilégiant la constitution d'une communauté indifférenciée à une conception décentralisatrice favorisant l'autonomie des provinces et des territoires, sur une base plus ou moins symétrique.

Ce chapitre fait le point sur ces différentes dimensions du partage des ressources financières dans la fédération canadienne, en insistant sur les enjeux politiques sous-jacents à des questions qui ne sont pas simplement techniques. L'analyse tente de démontrer comment des choix politiques essentiels sont faits, souvent de façon discrète, voire cachée, en agissant sur les grands programmes qui régissent ce partage des ressources. La règle d'or du fédéralisme fiscal, notent souvent les experts en parodiant une formule bien connue, c'est que celui qui a l'or fait la règle.

Le chapitre commence par une brève revue des principes associés au partage des ressources financières dans une fédération, revue qui souligne notamment l'importance d'une certaine correspondance entre la division des pouvoirs et le partage des ressources, correspondance qui n'exclut pas le recours à différentes formes de redistribution entre les ordres de gouvernement ou entre les entités fédérées. Puis, la seconde section se penche sur l'expérience canadienne, en comparant trois périodes distinctes depuis le début de la Deuxième Guerre mondiale : la première va de 1940 à 1977 et est dominée par les transferts fédéraux directs aux citoyens et les programmes à frais partagés ; la deuxième, de 1977 à 1995, voit s'imposer des transferts en bloc assortis de normes pancanadiennes ; et la dernière, qui commence en 1995, est celle de la lutte au déficit, de l'union sociale et du déséquilibre fiscal. La troisième partie traite des grands enjeux pour les années qui viennent, et notamment des réponses à apporter au déséquilibre fiscal et à la croissance des disparités entre les provinces.

PRINCIPES

> *Dans un État fédératif toutes les parties constituantes doivent pouvoir, de leur propre initiative et sous leur propre responsabilité, se procurer par l'impôt les ressources financières nécessaires à l'exercice de leurs juridictions respectives, sans quoi le régime perd son caractère fédératif.*
> Commission royale d'enquête sur les problèmes constitutionnels (Commission Tremblay), 1956[2].

Le politologue français Maurice Croisat propose une définition qui, en quelques mots, résume parfaitement ce qu'est le fédéralisme. « Une fédération repose sur une Constitution qui intègre des communautés séparées dans un même ensemble juridique, et définit les principes de leur autonomie et de leur participation aux institutions fédérales[3]. » Trois grands principes sont en jeu, explique Croisat. Le principe de séparation, qui implique que la souveraineté de l'État est partagée entre deux ordres de gouvernement, en fonction d'une division des pouvoirs établie constitutionnellement. Le principe d'autonomie, qui suppose qu'il n'y a pas de hiérarchie, de contrôle ou de tutelle entre les ordres de gouvernement, chaque ordre de gouvernement étant souverain dans les domaines de compétence établis par la séparation des pouvoirs. C'est en vertu de ce second principe que l'on devrait éviter de recourir à une métaphore verticale (paliers) pour décrire les ordres de gouvernement d'une fédération, qui ne sont justement pas dans une relation hiérarchique. Enfin, le principe de participation, qui demande une représentation et une implication des entités fédérées dans la prise de décisions fédérales. Très souvent, cette participation se fait par le recours à une deuxième chambre législative, représentative des entités fédérées. Au Canada, où le Sénat apparaît comme un instrument désuet et peu légitime, elle passe surtout par les relations intergouvernementales.

Le partage des ressources financières concerne d'abord et avant tout le principe d'autonomie. Pour être autonome, en effet, une entité fédérée doit disposer de ressources propres, lui permettant d'exercer ses compétences sans dépendre de transferts venant du gouvernement fédéral, transferts toujours susceptibles d'être accompagnés de conditions. Dans un énoncé classique et souvent repris sur la question, le constitutionnaliste de l'Université Oxford Kenneth C. Wheare expliquait que, pour que soit respecté, dans les faits comme dans la loi, le principe d'autonomie propre au fédéralisme, il fallait que chaque ordre de gouvernement dispose « sous son propre contrôle » de ressources financières « suffisantes pour exercer ses fonctions exclusives »[4]. Comme l'indique la citation mise en exergue de cette section, la Commission royale d'enquête sur les problèmes constitutionnels créée en 1953 par le gouvernement du Québec ne voyait pas les choses autrement.

En théorie, donc, le partage des ressources financières devrait correspondre à la division des pouvoirs, afin d'assurer l'autonomie des deux ordres de gouvernement. Ce principe d'autonomie n'exclut pas une redistribution des revenus à l'échelle de la fédération, puisqu'en exerçant ses compétences le gouvernement fédéral peut très bien réduire les inégalités entre les provinces, comme c'est le cas par exemple avec le programme de péréquation, avec l'assurance-emploi ou avec les mesures de développement régional. Le principe d'autonomie, cependant, n'est jamais simple à mettre en œuvre. D'une part, il n'est pas possible de définir exactement quelles sont les ressources financières « nécessaires » à l'exercice des compétences de chaque gouvernement. Quel que soit le domaine, les dépenses « nécessaires » ne peuvent être déterminées que par le jeu politique, en fonction des priorités des électeurs, des orientations des partis politiques, ou des problèmes concrets à résoudre. D'autre part, des principes contraires peuvent s'opposer à cet impératif d'autonomie, pour forcer des arbitrages qui seront, eux aussi, politiques.

Les économistes, par exemple, accordent beaucoup d'importance à la quête de l'équité et de l'efficience dans une fédération. La théorie économique est plutôt favorable au fédéralisme, dans la mesure où la division des pouvoirs et la décentralisation qui en résulte ont pour effet d'assurer une meilleure adéquation entre les préférences des citoyens de chaque région et les politiques publiques, tout en facilitant la prise de décisions informées, l'innovation et l'imputabilité. La décentralisation peut aussi avoir des coûts, cependant, en termes d'équité et d'efficience. Du point de vue de l'équité, d'abord, une trop grande décentralisation risque d'accentuer les disparités entre les régions et entre les citoyens[5]. En ce qui concerne l'efficience, le problème est associé à la mauvaise allocation des ressources qui pourrait résulter d'écarts trop grands entre les bénéfices fiscaux nets offerts par les provinces, ainsi qu'aux effets non prévus sur les autres gouvernements des politiques adoptées par une entité fédérée ou par le gouvernement fédéral (ce que les économistes appellent des externalités). Dans un bilan récent de la littérature sur le sujet, l'économiste canadien Robin Boadway reconnaît qu'il est très difficile de tirer des conclusions opérationnelles claires de ces notions qui demeurent très abstraites et rarement reliées aux institutions et aux pratiques réelles, et il admet que de telles conclusions relèvent nécessairement du jugement et des valeurs de l'analyste[6]. Boadway conclut tout de même qu'il apparaît souhaitable, dans une fédération, de maintenir un écart fiscal favorable au gouvernement fédéral, afin de permettre à celui-ci de promouvoir l'équité entre les régions et les citoyens et de préserver l'efficience de l'union économique[7]. Il s'inscrit ainsi dans le courant d'idées dominant au Canada anglais, qui favorise une gestion intégrée de l'interdépendance, même si celle-ci doit se faire au détriment de l'autonomie.

Au principe de l'autonomie mis de l'avant par Wheare et par la Commission Tremblay répond donc un principe opposé de solidarité et d'efficience. Ce principe a également été défendu par une commission royale, la Commission Rowell-Sirois mise sur pied par le gouvernement fédéral en

1937. Comme François Rocher l'explique dans sa contribution à cet ouvrage, les tensions entre ces deux principes définissent une grande part des débats qui ont mobilisé la fédération canadienne depuis la Deuxième Guerre mondiale.

Dans une analyse récente, Robin Boadway et Keith Banting tentent de réconcilier les deux principes en proposant de comprendre le Canada comme un ensemble de communautés de partage, associant des communautés à l'échelle des provinces et des territoires, où se définissent une bonne part des politiques sociales, et une plus grande communauté de partage fédérale, qui assure un minimum d'égalité et de comparabilité entre les régions[8]. Cette perspective n'est pas sans intérêt, mais elle est plus évocatrice qu'opérationnelle et ne permet pas vraiment de dépasser la tension définie par l'opposition entre les principes d'autonomie et de solidarité/efficience, surtout dans une fédération multinationale comme le Canada, où la quête de l'autonomie est également un enjeu identitaire[9].

Bien qu'il soit important de clarifier les principes en jeu, l'analyse des fédérations se prête donc mal à la formalisation, et elle ne saurait se réduire à quelques règles simples. Richard Bird, un économiste canadien qui a beaucoup contribué à l'étude de la question, note qu'il n'y a tout simplement pas de raccourci conceptuel ou quantitatif qui permette d'éviter une lecture attentive de l'histoire et des institutions de chaque fédération[10]. En d'autres termes, il faut reconnaître la tension qui existe entre les principes énoncés ici, sans penser trouver une formule qui offrirait une solution définitive, satisfaisante pour tous.

La façon de faire, par contre, a aussi son importance. Les fédérations reposent sur des pactes historiques, réels ou imaginés, et instaurent des règles que doivent suivre les différents gouvernements. Ceci implique, bien sûr, qu'il faut respecter la division des pouvoirs et des revenus établie par la Constitution (ce qui, on le verra, ne va pas toujours de soi). Mais au-delà du cadre juridique, le partage des ressources devrait aussi se faire sur la base de formules établies, connues et stables, afin d'éviter « que le gouvernement central décide du montant des transferts à sa discrétion[11] ». Des règles claires et publiques préviennent l'arbitraire, rendent les politiques publiques plus transparentes, favorisent l'imputabilité, et réduisent l'incertitude. De telles règles contribuent aussi à maintenir la confiance dans les relations intergouvernementales, ce qui a souvent fait défaut au Canada dans les années récentes[12].

Des trois principes à la base du fédéralisme découlent donc des impératifs spécifiques en ce qui concerne le partage des ressources. Aux principes de séparation et d'autonomie correspond l'idée d'une adéquation entre la division constitutionnelle des pouvoirs et celle des revenus, alors qu'au principe de participation répondent des attentes quant à l'équité et à l'efficience, et une exigence de clarté et de transparence dans les relations intergouvernementales. Dans la pratique, évidemment, la réalisation de ces principes pose toujours un problème, puisque ceux-ci demeurent très généraux et en partie contradictoires.

PRATIQUES

> *À quoi bon un minutieux partage des pouvoirs législatifs, si l'un des gouvernements peut le contourner et en quelque sorte l'annuler par son mode de taxation et sa manière de dépenser?*
>
> Commission royale d'enquête sur les problèmes constitutionnels (Commission Tremblay), 1956[13].

Dès l'origine, la fédération canadienne était un compromis. Dans un discours célèbre prononcé en 1865 à l'Assemblée législative du Canada-Uni, John A. Macdonald expliquait que même si personnellement il aurait préféré une union législative avec «un gouvernement et un parlement pour toutes les provinces», il avait dû se rendre à l'évidence qu'une telle union «ne saurait rencontrer l'assentiment du peuple du Bas-Canada», dont la langue, la foi et les institutions étaient différentes de celles de la majorité et devaient être reconnues et protégées[14]. Dans ce contexte, les fondateurs voulaient au moins s'assurer d'obtenir un gouvernement fédéral fort, ce qu'ils ont fait en attribuant à celui-ci les pouvoirs qui apparaissaient les plus importants à l'époque, de même qu'un pouvoir de désaveu permettant au gouvernement fédéral d'annuler une loi provinciale (maintes fois utilisé au début, ce pouvoir a été fortement contesté par les provinces et il est graduellement devenu désuet).

Sur le plan des ressources, la même logique a prévalu. L'Acte de l'Amérique du Nord britannique (AANB) de 1867 donnait au gouvernement fédéral le droit de percevoir des taxes et des impôts par tout mode de taxation, alors que les provinces n'avaient accès qu'aux champs d'imposition directe, tels que l'imposition de licences et de permis, les droits sur les terres publiques, la vente de produits et de services, et les impôts fonciers[15]. L'impôt sur le revenu, qui deviendra plus tard le mode de taxation prédominant, était accessible aux deux ordres de gouvernement. Mais il n'existait tout simplement pas, et pour encore plusieurs années il apparaîtrait comme « un moyen inadéquat, auquel l'expérience du passé et la mentalité populaire s'opposent péremptoirement[16] ». L'élément clé de l'AANB, c'était plutôt l'octroi au gouvernement fédéral des droits de douane et des taxes d'accise, qui représentaient à l'époque près de 80 % des revenus gouvernementaux[17]. Les ressources laissées aux provinces étaient en fait si modestes que, dès le départ, des transferts durent être mis en place pour permettre à celles-ci de fonctionner. Les premières décennies de la fédération canadienne mettent donc en scène « une chicane constante entre des provinces quémandeuses et un gouvernement fédéral radin, chacun à son tour s'entêtant pour quelques milliers de dollars en subventions[18] ».

Dans les décennies qui suivent, les provinces gagnent néanmoins en autonomie, en introduisant de nouveaux modes de taxation, qui compensent des transferts fédéraux inadéquats. Ces nouvelles taxes – sur les ventes, l'alcool ou les immatriculations automobiles par exemple – s'avèrent toutefois fragiles face aux aléas de la conjoncture économique et les revenus des provinces s'effondrent pendant la Grande Dépression de 1929-1939, alors même que les besoins explosent.

Ce sont donc des gouvernements provinciaux affaiblis qui acceptent, au début de la Deuxième Guerre mondiale, un amendement constitutionnel permettant au gouvernement fédéral d'adopter une loi en matière d'assurance-chômage (1940) et un accord cédant temporairement à Ottawa l'impôt sur le revenu des particuliers et des corporations (1942). Du point de vue du partage des ressources, l'Accord de location fiscale de 1942 apparaît particulièrement significatif. Par cet accord, en effet, les provinces redonnaient au gouvernement fédéral une place prééminente dans le partage des ressources, en lui cédant presque tout le champ de l'impôt direct.

L'accord de 1942 ne devait être qu'un arrangement temporaire, conçu pour permettre au gouvernement fédéral de financer l'effort de guerre. Les lois donnant effet à cet accord étaient d'ailleurs explicites à cet égard. La législation québécoise, en particulier, soulignait le fait que « la province ne sera pas censée avoir cédé, abandonné ou transporté au Dominion aucun des pouvoirs, droits, privilèges, aucune partie de la souveraineté lui appartenant[19] ». À la fin de la guerre, cependant, le gouvernement fédéral décide de reconduire l'entente, ce que toutes les provinces acceptent sauf le Québec et l'Ontario. Pour accommoder les deux gouvernements récalcitrants, Ottawa leur concède une part de l'impôt fédéral sur le revenu des particuliers et des droits sur les successions et leur cède l'impôt provincial sur les bénéfices des sociétés[20]. C'est ainsi que naît la notion, souvent évoquée depuis, des « points d'impôt ». Cette idée n'a de sens que dans la mesure où un espace fiscal intégré et plafonné est défini par le gouvernement fédéral, qui fixe le niveau des impôts et peut donc aussi déterminer les parts respectives de chaque gouvernement. En 1947, par exemple, 5 points de l'impôt sur le revenu des particuliers (5 % de l'impôt fédéral) sont accordés au Québec et à l'Ontario sous forme « d'abattement ». Les deux provinces n'utilisent pas immédiatement cet espace fiscal, mais en 1954 le gouvernement de Maurice Duplessis introduit un impôt provincial sur le revenu des particuliers équivalant à 15 % de l'impôt fédéral, obligeant ainsi Ottawa à reculer partiellement l'année suivante, en faisant passer l'abattement fédéral de 5 à 10 points pour le Québec[21]. C'était alors bel et bien en termes de points d'impôt que devait se comprendre le débat sur le partage des ressources.

En 1971, par contre, à la faveur d'une réforme majeure de la taxation, le gouvernement fédéral et les provinces s'entendent pour laisser tomber l'idée d'un espace fiscal intégré et plafonné, afin de permettre à chaque gouvernement de déterminer son propre niveau d'imposition, à partir du revenu défini par le gouvernement fédéral. En pratique, les deux ordres de gouvernement continuent de se coordonner et de négocier leurs politiques fiscales, et ce d'autant plus que le gouvernement fédéral perçoit les impôts pour toutes les provinces sauf le Québec[22]. Mais le partage des ressources devient moins rigide et de moins en moins compréhensible en termes de points d'impôt dotés d'une valeur définie. Dans la foulée de la création de l'Agence des douanes et du revenu du Canada en 1999, un pas de plus est franchi dans la même direction, pour permettre aux provinces de déterminer leurs propres structures d'imposition (ce que le Québec faisait déjà évidemment).

Plutôt que de prendre une part définie de l'impôt fédéral (« *tax on tax* »), les provinces déterminent dorénavant leurs propres tranches d'imposition et taux, à partir de la définition du revenu proposée par l'agence fédérale (« *tax on income* » ; celle-ci est devenue l'Agence du revenu du Canada). L'Alberta, par exemple, a maintenant un taux unique de 10 %, ce qui l'éloigne significativement d'autres provinces où la structure de l'impôt sur le revenu est demeurée progressive et peut atteindre des taux marginaux de près de 18 % (24 % au Québec)[23]. De façon générale, on assiste à une diversification des structures d'impôt au pays, en fonction des objectifs et des priorités des différents gouvernements[24]. Dans les circonstances, la notion de « points d'impôt » n'a plus guère de sens, puisqu'il n'y a plus d'espace fiscal intégré et plafonné que les deux ordres de gouvernement peuvent partager ou repartager. On devrait plutôt parler d'un débat récurrent sur l'occupation effective des différents champs de taxation par chaque ordre de gouvernement.

L'autonomie fiscale accrue des provinces se manifeste également par la part croissante de leurs ressources constituée de revenus en propre. En 1960, le gouvernement fédéral récoltait 60,8 % des revenus de taxes et impôts au pays, comparativement à 21,8 % pour les provinces et 17,3 % pour les municipalités. Les transferts fédéraux comptaient alors pour presque 30 % des revenus provinciaux. En 2004, par contre, les revenus du gouvernement fédéral ne représentaient plus que 38,7 % du total, contre 42,1 % pour les provinces et 11,7 % pour les gouvernements locaux (le reste allant en contributions au Régime de pensions du Canada et à la Régie des rentes du Québec). La part des transferts fédéraux dans les revenus des provinces était alors tombée à 15 %[25]. Comme on le verra, les transferts fédéraux sont également devenus moins conditionnels avec le temps.

À première vue, la tendance semble donc à la décentralisation. Les gouvernements des provinces récoltent de plus en plus leurs propres revenus, à un niveau et à des taux qu'ils choisissent, et ils sont de moins en moins dépendants de transferts fédéraux assortis de conditions[26]. La situation, cependant, n'est pas si simple. Pour la comprendre, il faut reprendre la même histoire, du point de vue des dépenses cette fois.

À la fin de la Deuxième Guerre mondiale, l'État jouait encore un rôle relativement modeste au Canada. Après la poussée vers le haut associée à l'effort de guerre, les dépenses de tous les gouvernements étaient retombées en 1950 à 24,2 % du produit intérieur brut (PIB), ce qui ne représentait guère plus de la moitié du niveau que nous connaissons aujourd'hui (42,2 % du PIB en 2004)[27]. Même la Grande Dépression des années 1930 n'avait pas suffi à remettre en question un modèle politique et social libéral, privilégiant le marché, le laisser-faire, et la charité privée et locale.[28] La dépression et la guerre ont néanmoins semé les germes du renouveau.

Le contexte politique, en effet, commence à changer au cours des années 1940. Le mouvement syndical croît et devient une force politique significative, et le Cooperative Commonwealth Federation (CCF), l'ancêtre du Nouveau Parti démocratique (NPD), fait des progrès, prenant notamment le pouvoir en Saskatchewan et tirant un peu le Parti libéral du Canada vers la gauche. Ensuite, au Canada comme ailleurs, de nouvelles idées circulent quant à la nécessité d'adopter des politiques de stabilisation économique et des mesures de soutien du revenu pour les travailleurs et les familles, tout en améliorant les services sociaux. Enfin, comme on l'a vu, le gouvernement fédéral dispose de revenus importants, et ce, dans un contexte où la croissance économique est forte et le niveau d'emploi élevé. L'heure de l'État-providence est arrivée. Le changement ne sera ni dramatique ni soudain, mais il s'inscrira dans une logique claire, que James Rice et Michael Prince ont qualifié de gradualisme avec une direction (*directed incrementalism*)[29].

Le gouvernement fédéral commence avec le soutien du revenu, par le biais de transferts directs aux personnes. L'assurance-chômage est créée en 1940, les allocations familiales en 1944, et le Régime de sécurité de vieillesse en 1951. Pour l'assurance-chômage et les pensions, la jurisprudence est claire et elle force Ottawa à obtenir des amendements constitutionnels avant d'intervenir dans des domaines de compétence provinciale. Dans le cas des allocations familiales, par contre, le gouvernement fédéral invoque simplement son « pouvoir de dépenser » en offrant directement des chèques aux familles, chèques qui ne sont pas conditionnels et que, en principe, chacun peut refuser. En procédant rapidement, le gouvernement Mackenzie King place les provinces devant un fait accompli. Le gouvernement du Québec, en particulier, s'oppose mollement à un programme peu intrusif et de toute évidence populaire[30].

Ces trois programmes ont en commun de créer un lien direct entre le gouvernement fédéral et les citoyens et d'établir des assises universelles pour la protection sociale au Canada, en créant des droits sociaux potentiellement accessibles à tous les citoyens. Au départ, ces droits sont fortement circonscrits et plutôt limités, mais ils deviendront plus accessibles et plus généreux à la faveur d'une série de réformes fédérales, dans les années 1960 et 1970 notamment[31]. À la même époque, en 1957, les premières mesures de péréquation sont introduites, afin de permettre aux provinces moins riches d'offrir à leurs citoyens des services comparables à des niveaux de taxation semblables.

Aussi dominant soit-il sur le plan des revenus et de la capacité administrative, le gouvernement fédéral ne peut guère aller plus loin sans la collaboration des provinces, puisque la protection sociale relève pour l'essentiel de leurs compétences. Un deuxième mode d'intervention se développe donc, les programmes à frais partagés. Introduit en 1912, mais peu utilisé au début, ce type de programmes se multiplie après la Deuxième Guerre mondiale. Il s'agit pour le gouvernement fédéral de s'engager à financer une partie des coûts de programmes encourus par les provinces (en général la moitié), à condition que celles-ci respectent des normes précises déterminées à Ottawa. De cette façon, le gouvernement fédéral intervient de manière décisive pour promouvoir la formation professionnelle et l'éducation postsecondaire, la santé publique et les services de santé, le développement urbain et rural, les services sociaux, et l'aide sociale. Souvent, ce sont les provinces qui prennent les premières initiatives, comme c'est le cas par exemple de la Saskatchewan avec l'assurance-hospitalisation et l'assurance-maladie. Mais c'est Ottawa qui favorise la diffusion de ces innovations et l'harmonisation des programmes en finançant le développement de mesures pancanadiennes assorties de normes fédérales.

De 1940 aux années 1970, le gouvernement fédéral est donc dominant, à la fois sur le plan des revenus et de la définition des dépenses, et il impose un modèle intégré de protection sociale, dont les piliers sont des transferts plus ou moins universels aux personnes, des mesures de péréquation pour égaliser les conditions entre les provinces, et des programmes à frais partagés pour soutenir le développement de l'éducation postsecondaire, des soins de santé, des services sociaux et de l'aide sociale. On parle parfois de fédéralisme de collaboration pour décrire cette période, mais il faut bien voir que cette collaboration se fait sur la base de relations très inégales, dans une logique plus hiérarchique que fédérale. Le gouvernement du Québec s'oppose d'ailleurs constamment à cette orientation, pour maintenir son autonomie et préserver ses compétences.

La situation commence à changer avec les années 1960. Au Québec, la Révolution tranquille et la modernisation de l'État donnent naissance à de nouvelles attentes. Plutôt que d'opposer une résistance passive aux intrusions fédérales, au nom du *statu quo* politique et social, le gouvernement du Québec définit son propre projet de transformation sociale, et demande la possibilité de se retirer avec compensation des programmes à frais partagés, dans le but de développer des politiques sociales répondant aux besoins spécifiques du Québec. Au début des années 1960, le gouvernement fédéral fait preuve d'ouverture à cet égard, et permet notamment au Québec de se retirer de certains programmes à frais partagés avec pleine compensation financière. C'est également à cette époque que le Québec crée la Régie des rentes du Québec, en parallèle au Régime de pensions du Canada. Cette ouverture atteint rapidement ses limites cependant, notamment avec l'arrivée au pouvoir de Pierre Elliott Trudeau, qui s'oppose à toute forme de statut particulier pour le Québec.

Les principaux changements quant au financement et à la définition des programmes sociaux viendront un peu plus tard, de la conjonction entre une demande plus générale d'autonomie de la part des provinces et la volonté de désengagement financier du gouvernement fédéral. Alors même que les gouvernements provinciaux se modernisent et, on l'a vu en considérant les revenus, gagnent en autonomie, le gouvernement fédéral s'endette, dans un contexte de ralentissement économique, d'inflation et de montée rapide des dépenses sociales. Dans les circonstances, les programmes à frais partagés apparaissent de plus en plus comme une contrainte lourde et peu utile, qui réduit le contrôle des deux ordres de gouvernement sur l'évolution de leurs dépenses. En 1977, les gouvernements s'entendent pour remplacer presque tous les programmes à frais partagés (sauf le Régime d'assistance publique du Canada [RAPC], qui concerne l'aide sociale et les services sociaux, et un ensemble de petits programmes moins importants, dans des domaines comme le développement régional, les langues officielles, l'agriculture ou les transports) par un transfert en bloc, le Financement des programmes établis (FPE)[32]. Les provinces gagnent ainsi de la flexibilité, puisque la plupart des conditions tombent. Quant au gouvernement fédéral, il réduit son engagement, en cessant de lier automatiquement ses dépenses à celles des provinces. Sentant le besoin de maintenir son autorité et une certaine visibilité en la matière, le gouvernement fédéral adopte en 1984 la Loi canadienne sur la santé, qui impose de nouveau des normes aux provinces, sous peine de sanctions financières. En pratique, ces sanctions seront rarement appliquées[33]. Mais l'idée de « normes nationales » apparaît tout de même effective politiquement, et un certain équilibre semble préservé, permettant de maintenir les arrangements instaurés dans la période précédente. Il faut garder à l'esprit également que pendant ces années, de 1976 à 1992, l'attention des citoyens et des politiciens est ailleurs, toute tournée vers l'unité nationale et le débat constitutionnel. La période s'ouvre en effet avec la première élection du Parti québécois et elle se termine avec le référendum sur l'accord de Charlottetown.

À l'ère du fédéralisme de collaboration, marquée par les transferts directs aux citoyens et les programmes à frais partagés (1940-1977), succède donc une période de transition, définie par des transferts en bloc et la mise en place de « normes nationales » (1977-1995). Les provinces gagnent alors en capacité et en autonomie. On parle d'ailleurs à l'époque de *province-building*. Le gouvernement fédéral conserve néanmoins un rôle important, par le biais des transferts directs aux citoyens, des programmes à frais partagés qui sont maintenus (dans l'aide sociale et les services sociaux notamment), et de transferts en bloc assortis de « normes nationales ».

Peu de temps après l'élection des libéraux de Jean Chrétien en 1993, la nécessité de réduire le déficit des finances publiques s'impose. Devant faire face à des taux d'intérêt en hausse et à des pressions à la baisse sur le dollar, notamment après la crise du peso mexicain en décembre 1994, le nouveau gouvernement fédéral décide de faire du déficit une priorité[34]. En février 1995, le ministre des Finances Paul Martin présente un budget très important, tant par les coupes qu'il impose dans les dépenses fédérales que par la reconfiguration et la réduction majeures des transferts aux provinces qu'il annonce. Le FPE et le RAPC sont fusionnés dans un nouveau programme beaucoup moins généreux, le Transfert canadien pour la santé et les programmes sociaux (TCSPS). D'un seul coup, et avant même d'avoir établi des règles pour la croissance future ou la répartition de ce nouveau financement en bloc, le gouvernement fédéral réduit ses transferts aux provinces de 6 milliards de dollars. Ceux-ci passent de 18,5 milliards pour 1995-1996 à 12,5 milliards pour 1997-1998[35]. Pour la période allant de 1994-1995 à 2001-2002, l'effet cumulatif de ces compressions budgétaires représente un manque à gagner de 36,9 milliards de dollars pour les provinces[36]. Pour le Québec, l'effet est encore plus prononcé, parce qu'à partir de 1999 les règles de répartition du TCSPS ne tiennent presque plus compte des besoins sociaux, ce qui pénalise davantage les provinces qui recevaient plus pour le RAPC. Très rapidement, le gouvernement fédéral atteint l'équilibre budgétaire, et il dégage même des surplus, qui deviendront de plus en plus importants. Ce redressement budgétaire, cependant, se fait « sur le dos des provinces », pour reprendre l'expression de l'économiste Thomas Courchene[37].

C'est là le paradoxe central de la période qui s'ouvre en 1995. En apparence, les provinces deviennent de plus en plus autonomes, puisqu'elles dépendent de moins en moins de transferts fédéraux et disposent de revenus autonomes croissants, qu'elles récoltent à peu près comme elles l'entendent. En même temps, les gouvernements provinciaux demeurent fortement contraints par des dépenses difficiles à contenir, en santé notamment, et ils peinent à maintenir l'équilibre budgétaire, alors même que le gouvernement fédéral réalise des surplus importants et peut se remettre à dépenser généreusement, tant dans les secteurs qui relèvent de ses compétences que dans des domaines de compétence provinciale. Avec le temps, le partage des revenus a bel et bien changé en faveur des provinces, mais pas suffisamment, compte tenu de l'évolution des coûts associés aux pouvoirs de chaque ordre de gouvernement. Comme le dit la formule, l'argent est à Ottawa, les besoins sont dans les provinces. Le déséquilibre fiscal est dorénavant au cœur des relations intergouvernementales.

ENJEUX

> *Il y a des matins où je veux leur donner de l'argent, puis le*
> *matin d'après je dis non. On verra ça au moment du budget.*
> Jean Chrétien, dans *La Presse*, 16 janvier 1999, p. B3.

Le budget fédéral de février 1995 impose des compressions budgétaires draconiennes dans les transferts aux provinces, mais il annonce aussi une réforme majeure de l'assurance-chômage (renommée assurance-emploi). Cette réforme allait faire chuter le pourcentage de chômeurs ayant droit à des prestations, de 83 % en 1989 à 42 % en 1997, alors même que d'importants surplus étaient générés par le programme[38]. Pour les gouvernements provinciaux, la réforme a aussi eu des conséquences, puisqu'une partie des chômeurs non couverts doit recourir à l'aide sociale, qui relève des provinces[39].

Devant ce virage brusque des politiques fédérales, les gouvernements des provinces décident de se concerter, et mettent en place un processus conjoint de réflexion sur les programmes sociaux. Les provinces demandent notamment un plus grand respect de la division des pouvoirs dans la fédération, et la mise en place de mécanismes de décision conjointe et de règlement des différends afin de prévenir d'autres réformes fédérales unilatérales[40]. Le débat sur l'union sociale est lancé. Sarah Fortin traite plus longuement de la question ailleurs dans ce livre. Disons simplement que ce débat ne réglera rien. Signée sans l'accord du Québec, l'Entente sur l'union sociale de février 1999 n'instaure ni règles ni mécanismes véritablement efficaces et, dans les années qui suivent, elle ne bloque pas les décisions unilatérales du gouvernement fédéral. De fait, par la suite on l'évoque rarement et elle devient effectivement caduque[41]. Le débat se déplace plutôt vers le financement de la santé qui, lui aussi, se règle de façon plus ou moins unilatérale, parfois avec des offres « à prendre ou à laisser » du premier ministre[42].

C'est que le problème dépasse les mécanismes de décision ou même le financement de la santé, et concerne tout le partage des ressources dans la fédération. C'est le constat que fait le gouvernement du Québec en créant la Commission sur le déséquilibre fiscal au printemps 2001. Présidée par l'ancien ministre libéral du Revenu Yves Séguin, la Commission a pour mandat d'analyser les causes et les conséquences du déséquilibre fiscal entre le gouvernement fédéral et les provinces, et de proposer des solutions pour corriger la situation[43]. Bien qu'il ne soit pas possible de présenter ici tous les éléments du rapport de la Commission, il est utile d'en considérer les grandes lignes, en actualisant certaines données essentielles.

Le premier défi de la Commission consistait à définir la notion de déséquilibre fiscal. Le concept, en effet, ne fait pas l'unanimité et il n'est pas simple à opérationnaliser. Il faut d'abord distinguer la notion de déséquilibre fiscal du concept courant en économie d'écart fiscal vertical. Un écart fiscal vertical est tout simplement un écart entre les revenus autonomes d'un gouvernement et ses dépenses effectives, écart qui est comblé par des transferts en provenance d'un autre gouvernement. En d'autres termes, l'écart fiscal vertical constitue une identité avec les transferts, quel que soit le niveau de ceux-ci. Simple à mesurer et normativement neutre, la notion d'écart fiscal vertical ne correspond pas vraiment à l'idée d'un déséquilibre fiscal, qui fait plutôt référence à un écart insatisfaisant, voire à un dysfonctionnement dans les finances de la fédération[44]. Pour rendre compte d'une telle situation, la Commission est partie du principe énoncé plus haut selon lequel dans une fédération chaque ordre de gouvernement devrait disposer de revenus autonomes suffisants pour assumer les dépenses relevant de ses compétences. Un écart fiscal vertical peut bien sûr exister, mais celui-ci ne doit pas être si important qu'il menace l'autonomie des entités fédérées. Autrement dit, il y a déséquilibre fiscal lorsque l'écart fiscal vertical est excessif. Le déséquilibre peut aussi se manifester par le caractère inadéquat ou conditionnel des transferts servant à combler cet écart. En somme, trois conditions sont nécessaires : pour que les finances d'une fédération soient équilibrées, l'écart fiscal vertical doit demeurer modeste, les transferts doivent corriger adéquatement cet écart, et ils ne doivent pas être conditionnels. Si ces conditions ne sont pas satisfaites, il y a un déséquilibre fiscal.

Le déséquilibre fiscal ne se mesure pas aisément, parce qu'il fait référence aux revenus et aux dépenses que les gouvernements devraient en principe avoir, compte tenu de la division des pouvoirs. Or, seul le processus politique peut déterminer le niveau exact des dépenses qu'une province devrait consacrer, par exemple, à la santé. Pour contourner ce problème, il faut considérer différents indicateurs qui nous informent sur l'équilibre budgétaire et l'évolution des revenus et des dépenses de chaque ordre de gouvernement, ainsi que sur l'évolution des transferts dans la fédération.

Le plus frappant de ces indicateurs est certainement la projection des soldes budgétaires réalisée pour la Commission par le Conference Board du Canada. Le Graphique 10.1 présente cet indicateur, fort révélateur des tendances à l'œuvre.

GRAPHIQUE 10.1

Projections des soldes budgétaires du gouvernement fédéral et du gouvernement du Québec, 2001-2002 à 2019-2020
(en milliards de dollars)

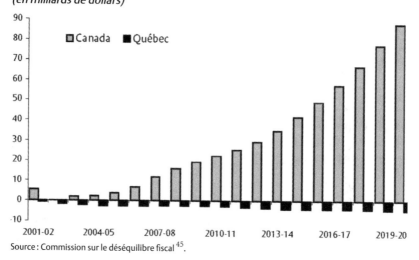

Source : Commission sur le déséquilibre fiscal [45].

Basées sur un scénario de *statu quo* de la politique fiscale et budgétaire et sur des hypothèses prudentes quant à l'évolution des dépenses, ces projections indiquent ce qui arriverait, toutes choses étant égales par ailleurs, si le partage des ressources actuel était maintenu. Le gouvernement fédéral dégagerait des surplus de plus en plus importants, alors que le gouvernement du Québec cumulerait les déficits budgétaires. Le Conference Board a obtenu des résultats semblables pour l'ensemble des provinces et territoires[46]. Des mises à jour récentes ont également confirmé la validité des conclusions initiales[47].

En réaction à ces projections, le gouvernement fédéral a soutenu qu'il était absurde de prétendre que les politiques publiques demeureraient inchangées pendant 20 ans. L'argument ne tient pas, évidemment, puisque le but de telles projections n'est pas de prédire le futur, mais de comprendre ce qui arriverait si justement rien ne changeait. Le ministère fédéral des Finances a d'ailleurs fait le même genre de projections en 2002, et il prédisait des surplus fédéraux encore plus importants que ceux déterminés par le Conference Board du Canada[48]. L'important, ici, ce sont moins les données exactes, qui sont forcément approximatives, que le caractère difficilement soutenable des tendances à l'œuvre.

Les mêmes tendances s'observent d'ailleurs quand on considère le passé récent, c'est-à-dire la structure des revenus et des dépenses de chaque ordre de gouvernement depuis huit ans. Entre 1997 et 2005, le gouvernement fédéral a constamment dégagé des excédents budgétaires, tout en engageant de nouvelles dépenses, en réduisant les impôts, et en remboursant une partie de sa dette. Dans cette même période, les provinces ont en général eu des soldes négatifs ou très légèrement positifs, sauf pour l'Alberta, dont la situation est exceptionnelle[49].

Comment expliquer un tel déséquilibre entre les deux ordres de gouvernement ? Au chapitre des ressources, le gouvernement fédéral dispose d'un certain avantage parce qu'une part plus grande de ses revenus provient de l'impôt sur le revenu des particuliers, dont la croissance est plus rapide que celle d'autres assiettes fiscales[50]. Mais cet écart de croissance n'est pas énorme et il ne constitue pas la cause principale du déséquilibre fiscal[51]. Le problème se trouve plutôt du côté des dépenses, qui augmentent plus rapidement dans les provinces qu'à Ottawa, principalement parce que les responsabilités ne sont pas les mêmes. Comme le montre le Graphique 10.2, l'essentiel des dépenses de programmes du gouvernement fédéral provient de transferts, aux personnes et aux provinces notamment, alors que 75 % des dépenses de programmes du gouvernement du Québec sont consacrés à la prestation de services gouvernementaux.

À peu près le tiers des dépenses de programmes du gouvernement fédéral est constitué de transferts aux personnes, par le biais de la sécurité de la vieillesse (20 % en 2000-2001) et de l'assurance-emploi (10 %). Même avec le vieillissement prévu de la population, l'évolution de ces transferts ne pose pas de problème particulier pour le gouvernement fédéral. Les coûts de la sécurité de la vieillesse, notamment, n'augmenteront que modérément,

GRAPHIQUE 10.2

Répartition des dépenses de programmes du gouvernement fédéral
et du gouvernement du Québec, 2000-2001

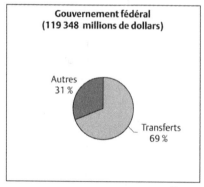

Gouvernement fédéral
(119 348 millions de dollars)

Autres
31 %

Transferts
69 %

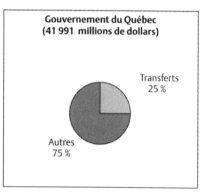

Gouvernement du Québec
(41 991 millions de dollars)

Transferts
25 %

Autres
75 %

Source : Commission sur le déséquilibre fiscal[52].

parce que la venue à maturité du Régime de pension du Canada et du Régime de rentes du Québec et celle, complémentaire, de nombreux régimes de pension privés, ont déjà réduit les recours aux programmes fédéraux de sécurité du revenu, tout en assurant de bons résultats en termes de redistribution. De tous les pays de l'OCDE, le Canada est l'un de ceux dont les régimes de sécurité du revenu pour les retraités semblent les plus soutenables à moyen terme[53]. En ce qui concerne l'assurance-emploi, les réformes des dernières années ont beaucoup réduit les coûts et elles ont fait du programme une source de revenus – et non de dépenses – pour le gouvernement fédéral, au point d'inquiéter la vérificatrice générale. Celle-ci répète chaque année depuis 1999 que le gouvernement ne respecte pas « l'esprit de la Loi sur l'assurance-emploi » en réalisant des excédents non justifiés, pour atteindre un surplus cumulatif de 48 milliards de dollars en 2005[54].

Quant aux transferts aux provinces, qui représentent environ 20 % des dépenses de programmes du gouvernement fédéral, on a déjà vu qu'ils ont été réduits de façon majeure à partir de 1995. Des améliorations ont été apportées ces dernières années, mais en termes réels, c'est-à-dire en pourcentage du produit intérieur brut, ces transferts demeuraient inférieurs en 2005-2006 à ce qu'ils étaient en 1993-1994, alors que les dépenses sociales des provinces ont beaucoup augmenté[55]. Ces transferts demeurent aussi largement à la discrétion du gouvernement fédéral, qui en contrôle donc bien l'évolution.

Du côté des provinces, la situation est très différente. En 2005-2006, par exemple, le gouvernement du Québec consacrera presque 43 % de ses dépenses de programmes à la santé et aux services sociaux, et un autre 25 % à l'éducation, aux loisirs et aux sports[56]. Dans les deux cas, la demande de services est forte et le maintien et le développement des institutions et des systèmes imposent des coûts fixes sur lesquels le gouvernement a relativement peu de contrôle. En santé, notamment, les progrès de la médecine et les changements démographiques et sociaux font accroître les coûts, au Québec comme ailleurs au Canada et dans le monde. Entre 2003-2004 et 2005-2006, par exemple, les dépenses en santé du Québec ont augmenté de 5,2 %, comparativement à 2,8 % pour l'éducation, et 2,5 % pour les autres programmes gouvernementaux. Le budget 2006-2007 prévoit des hausses encore plus fortes pour la santé (6,3 %) et l'éducation (5,4 %), combinées à un gel des dépenses pour l'ensemble des autres portefeuilles (-0,2 %)[57]. À ceci s'ajoutent les frais du service de la dette, qui ont tendance à augmenter dans les provinces, alors qu'ils diminuent pour le gouvernement fédéral, dont les surplus rendent possible une réduction assez rapide de l'endettement[58]. Contrairement à ce que Jean Chrétien suggérait en 2002, ce n'est donc pas « parce qu'il y a eu une meilleure administration à Ottawa qu'ils n'en ont eu au cours des dernières années au Québec » que les situations financières des deux ordres de gouvernement sont différentes[59]. Les provinces font face à des dépenses dont la croissance est forte et inéluctable, ce qui n'est tout simplement pas le cas pour Ottawa. L'écart fiscal vertical entre les provinces et le gouvernement fédéral se creuse donc, au point de devenir difficilement soutenable.

Les transferts ne corrigent pas adéquatement cet écart fiscal excessif. Alors même que les provinces faisaient face aux coûts croissants associés à l'exercice de leurs compétences, le gouvernement fédéral, qui ne subissait pas de telles pressions, coupait sévèrement dans ses transferts. En créant le TCSPS en 1995, Ottawa a aussi instauré un transfert discrétionnaire, dont la croissance n'était pas gouvernée par une formule établie, ni associée au développement des besoins. Insuffisants, les transferts fédéraux ont donc également été inadéquats.

Jusqu'à récemment, il en allait différemment pour l'autre grand programme de transfert fédéral, la péréquation. Contrairement aux transferts sociaux, qui sont justifiés en évoquant le « pouvoir de dépenser » du gouvernement fédéral, la péréquation est fondée constitutionnellement et relève explicitement des compétences fédérales. L'article 36(2) de la Loi constitutionnelle de 1982 engage le gouvernement du Canada à « faire des paiements de péréquation propres à donner aux gouvernements provinciaux des revenus suffisants pour les mettre en mesure d'assurer les services publics à un niveau de qualité et de fiscalité sensiblement comparables[60] ». Jusqu'en 2004, les paiements de péréquation étaient aussi gouvernés par une formule claire et transparente, quoique complexe. Le problème relevait alors des limites instaurées par le gouvernement fédéral pour plafonner les coûts du programme. En effet, le calcul des droits de péréquation se faisait en comparant la capacité fiscale d'une province non pas à celle des dix provinces, ce qui assurerait une redistribution fidèle aux objectifs énoncés dans la Constitution, mais plutôt à celle de cinq provinces dites représentatives (le Québec, l'Ontario, le Manitoba, la Saskatchewan et la Colombie-Britannique). En excluant l'Alberta du calcul, le gouvernement fédéral réduisait ses engagements, mais contredisait aussi la logique du programme. D'autres problèmes plus techniques se posaient aussi quant à la définition des assiettes fiscales, notamment en ce qui concerne le calcul des revenus des impôts fonciers. Toute solution au déséquilibre fiscal devait donc aussi prendre en compte les failles du programme de péréquation.

Enfin, la Commission sur le déséquilibre fiscal s'est penchée sur le « pouvoir de dépenser » que le gouvernement fédéral évoque pour justifier ses interventions dans des domaines de compétence provinciale (par le biais de transferts aux personnes, de transferts conditionnels aux provinces, de dépenses directes, ou de dépenses fiscales). Notant que ce « pouvoir » ne figure ni dans les lois constitutionnelles ni dans la jurisprudence, la Commission soulignait les problèmes que pose pour les provinces l'utilisation d'un instrument dont la constitutionnalité n'est pas établie et qui contredit la division des pouvoirs à la base de la fédération canadienne. Dans les années récentes, une part importante de la marge de manœuvre acquise par le gouvernement fédéral a servi à intervenir, directement ou indirectement, dans des champs de compétence provinciale. Le discours fédéral n'en fait d'ailleurs pas un secret, en énonçant régulièrement des priorités qui relèvent des compétences provinciales, qu'il s'agisse de la santé, des services de garde, ou de l'éducation postsecondaire[61].

Les dernières années n'ont pas changé beaucoup la situation en ce qui concerne le déséquilibre fiscal. À certains égards, on peut même parler de reculs. Les transferts sociaux aux provinces, il est vrai, ont été bonifiés. C'est le cas, en particulier, pour la santé. En septembre 2004, le gouvernement de Paul Martin s'est engagé à hausser dès 2004-2005 et 2005-2006 sa contribution pour les soins de santé (maintenant comptabilisée de façon distincte, dans le Transfert canadien en matière de santé [TCS]), pour ensuite augmenter cette contribution de 6 % par année pendant dix ans[62]. Ces hausses, cependant, suivent à peine la progression des dépenses provinciales pour la santé, qui augmentent au taux moyen de 7 % depuis plusieurs années, et le gouvernement fédéral demeure libre de revenir sur cette décision dans les années qui viennent[63]. Par ailleurs, l'autre portion des transferts sociaux, qui s'appelle maintenant le Transfert canadien en matière de programmes sociaux (TCPS) et qui a diminué beaucoup en raison de la priorité accordée à la santé, n'a pas fait l'objet d'un tel engagement[64].

La péréquation a subi une évolution un peu semblable. Depuis l'instauration de la norme des cinq provinces « représentatives », la valeur totale des paiements de péréquation avait graduellement diminué, passant de 1,17 % du produit intérieur brut en 1982 à 1,01 % en 2000. Si on avait maintenu la norme antérieure de dix provinces, ce déclin ne se serait pas produit[65]. À partir de 2000, le recul de la péréquation s'est encore accentué, pour atteindre un niveau de 0,8 % du PIB en 2005[66]. Ce dernier recul, qui s'explique principalement par la faiblesse de la croissance économique en Ontario, a contribué à relancer les discussions sur le programme de péréquation[67].

En octobre 2004, le gouvernement de Paul Martin a annoncé un « nouveau cadre » pour la péréquation, qui bonifiait les droits à court terme, mais changeait aussi radicalement la nature du programme. Auparavant, tant la somme totale des droits de péréquation que leur répartition étaient déterminées par l'application d'une formule comparant les écarts de capacité fiscale entre les provinces. Avec le nouveau cadre, la somme totale était définie par la Chambre des communes et seule la répartition relevait de l'application d'une formule. À court terme, ceci pouvait sembler avantageux pour les provinces puisque le nouveau cadre s'accompagnait d'une hausse du niveau de la péréquation et d'un engagement à augmenter ce niveau de 3,5 % par année pendant dix ans (ce qui demeure tout de même inférieur aux hausses prévues des revenus fédéraux et du produit intérieur brut). Le nouveau cadre rendait cependant la péréquation plus discrétionnaire, en laissant les autorités fédérales libres de décider du montant total sans avoir à respecter une formule établie. En faisant du total des droits une somme fixe, ce cadre plaçait aussi les provinces en concurrence pour le partage d'une enveloppe fermée, les gains de l'une ne pouvant se faire qu'au détriment des autres[68]. Ces logiques de discrétion et de concurrence se sont d'ailleurs déjà manifestées par la signature d'ententes particulières permettant à Terre-Neuve et Labrador et à la Nouvelle-Écosse de soustraire leurs revenus pétroliers extracôtiers du calcul des droits de péréquation, et à la Saskatchewan et à la Colombie-Britannique de calculer leurs droits de péréquation sur une base différente, et plus avantageuse, que celle utilisée pour les autres provinces. Ces ententes particulières, qui permettent à certaines provinces d'éviter que l'on tienne compte de leur enrichissement, vont directement à l'encontre du principe à la base du programme[69].

Les changements récents aux programmes de transfert n'ont donc pas éliminé le déséquilibre fiscal. Au contraire, les arrangements financiers régissant les relations entre le gouvernement fédéral et les provinces sont devenus encore plus discrétionnaires, laissant Ottawa à peu près libre de déterminer les sommes totales et les parts de chaque province. En parallèle, les écarts de revenus entre les provinces se sont accrus, au risque de créer aussi un déséquilibre fiscal horizontal. Les revenus des ressources naturelles, en particulier, engendrent des écarts importants entre les provinces. De janvier 1999 à septembre 2005, le prix du pétrole brut a plus que quadruplé, passant de 18 à 79 dollars canadiens le baril, et le prix du gaz naturel a aussi augmenté significativement[70]. Bien que d'autres provinces aient bénéficié de cette hausse (la Saskatchewan, la Colombie-Britannique, la Nouvelle-Écosse, Terre-Neuve et Labrador), aucune n'en a profité autant que l'Alberta, qui à elle seule récolte environ 60 % de l'ensemble des revenus provinciaux sur les ressources[71]. Grâce à ces revenus, l'Alberta est la seule province à réaliser des surplus budgétaires importants et à avoir éliminé sa dette[72]. Toute réforme du partage des ressources dans la fédération doit tenir compte de cette évolution.

Dans son rapport rendu public en mars 2002, la Commission sur le déséquilibre fiscal estimait qu'à court terme, les provinces avaient besoin de 8 milliards de dollars de revenus additionnels. Plutôt que de bonifier les transferts sociaux canadiens, qui demeurent discrétionnaires et sans liens avec les besoins sociaux distincts des provinces, la Commission recommandait de les abolir et de céder aux provinces l'espace fiscal nécessaire pour compenser cette abolition et combler le manque à gagner dont il est question dans le rapport. En comparant un réaménagement de l'impôt sur le revenu des particuliers et une réallocation des taxes à la consommation, la Commission concluait que la solution la plus simple, la plus stable et la plus adéquate, compte tenu des écarts de revenus entre les provinces, serait de céder à celles-ci la taxe sur les produits et services (TPS). Un tel réaménagement permettrait à la fois de réduire l'écart fiscal vertical à un niveau acceptable, d'éliminer des transferts sociaux inadéquats, et de restaurer l'autonomie des gouvernements provinciaux. La Commission recommandait aussi une réforme du programme de péréquation, afin notamment de revenir à la norme des dix provinces et de rétablir la logique du régime fiscal représentatif, en tenant compte de façon adéquate de toutes les sources de revenus et en éliminant les distorsions introduites par les ententes particulières. Enfin, la Commission réitérait l'opposition traditionnelle du Québec à l'utilisation par les autorités fédérales du « pouvoir de dépenser », pour faire indirectement ce que la Constitution ne permet pas de faire directement, et elle recommandait l'établissement de mécanismes plus ouverts et plus transparents de collaboration entre les gouvernements.

Les réactions initiales du gouvernement fédéral ont été très négatives, celui-ci niant même l'existence d'un déséquilibre fiscal et arguant que les provinces avaient de toute façon accès à presque toutes les sources de revenus[73]. Un large consensus sur l'existence du problème s'est néanmoins établi, parmi les gouvernements provinciaux, les partis d'opposition à Ottawa et la plupart des experts canadiens, ainsi que dans l'opinion publique au Québec et au Canada. Le débat porte dorénavant sur les solutions. Le gouvernement de Stephen Harper, élu en janvier 2006, s'est engagé à résoudre le problème en collaboration avec les provinces et en lien avec les conclusions du Comité consultatif sur le déséquilibre fiscal créé par le Conseil de la fédération et du Groupe d'experts sur la péréquation et la formule de financement des territoires mis sur pied par le gouvernement Martin. Les deux rapports étaient attendus pour le printemps 2006.

*

*   *

> *Les bons systèmes de taxation, comme les bons gouvernements, demandent des soins délicats, et une attention constante.*
>
> Richard Bird, Banque mondiale, 2000[74].

Depuis le début des années 1990, les arrangements qui président au partage des ressources dans la fédération canadienne se sont détériorés. L'écart fiscal entre le gouvernement fédéral et les provinces est devenu trop important, les transferts sociaux ont été coupés abruptement, puis partiellement restaurés, mais de façon largement discrétionnaire, et le programme de péréquation est devenu plus arbitraire et moins efficace comme mécanisme de redistribution. Les symptômes du déséquilibre qui en résulte sont multiples. De 1999-2000 à 2004-2005, les dépenses de fonctionnement du gouvernement fédéral ont augmenté de 8,6 % par année, ce qui donne une croissance moyenne de 50 % par ministère[75]. Pendant les mêmes années, les dépenses de programmes du gouvernement du Québec augmentaient presque deux fois moins vite, pour une croissance totale de 25,9 %, et plus de la moitié de cette croissance était attribuable à la santé et aux services sociaux[76]. Le gouvernement fédéral a bonifié les transferts aux provinces, mais en pourcentage du PIB, ceux-ci n'ont pas retrouvé la valeur qu'ils avaient au milieu des années 1990. Dans plusieurs domaines de compétence provinciale – en éducation postsecondaire, dans les services sociaux et dans la sécurité du revenu pour les familles par exemple –, Ottawa a préféré introduire ses propres programmes de dépenses plutôt que d'améliorer les transferts[77]. Bref, alors que le gouvernement fédéral dépense généreusement et réduit rapidement sa dette, les gouvernements des provinces peinent à maintenir l'équilibre budgétaire, freinent les dépenses dans presque tous les domaines hormis la santé, et n'arrivent pas à diminuer leur endettement. En même temps, les écarts de revenus entre les provinces se creusent, et le programme de péréquation réussit de moins en moins bien à réaliser son objectif constitutionnel, qui est de permettre aux différentes provinces d'offrir des services comparables à des niveaux d'imposition semblables. Les relations intergouvernementales souffrent de ces déséquilibres et du caractère discrétionnaire des politiques fédérales. En l'absence de règles et d'orientations claires, la confiance s'effrite et la coopération cède souvent le pas à l'unilatéralisme et aux confrontations.

Les principes énoncés au début de ce chapitre suggèrent trois conditions de réussite pour une réforme du partage des ressources dans la fédération canadienne. D'abord, la division des pouvoirs et l'autonomie des provinces doivent être respectées, ce qui suppose un nouveau partage des revenus, afin d'éviter un écart fiscal excessif. Ensuite, le besoin d'intégration économique et sociale, la recherche de l'efficience, et la volonté de préserver une certaine solidarité dans la fédération imposent une refondation du programme de péréquation, afin de renouer avec un programme qui dans le passé a reçu un appui presque inconditionnel de la part des citoyens canadiens, même parmi ceux qui habitaient les provinces les plus riches[78]. Enfin, la mise en place de règles stables, claires et transparentes devrait être privilégiée, afin de favoriser l'imputabilité, la prévisibilité et la coopération.

Concrètement, une telle réforme pourrait se faire par la cession de la taxe sur les produits et services aux provinces. C'était là une des recommandations principales de la Commission sur le déséquilibre fiscal, et cette suggestion a été entérinée par différents experts au Québec et au Canada, ainsi que par le Conseil canadien des chefs d'entreprise[79]. D'autres avenues sont également envisageables. Un document de travail de l'Institut C. D. Howe, par exemple, suggère un réaménagement des assiettes fiscales touchant à la fois l'impôt sur le revenu et les taxes de vente[80]. L'idée d'améliorer tout simplement les transferts sociaux a également de nombreux partisans au Canada[81]. Du point de vue présenté ici, elle apparaît moins satisfaisante.

En ce qui concerne la péréquation, un document rendu public en septembre 2003 par les ministres des Finances des provinces et des territoires proposait de revenir à la norme des dix provinces, d'inclure tous les revenus dans le calcul des droits et d'améliorer la collaboration entre les gouvernements[82]. Les consultations du Groupe fédéral d'experts sur la péréquation et la formule de financement des territoires suggèrent qu'un assez large consensus existe déjà autour de telles propositions, qui se situent parfaitement dans l'esprit du programme original. Il ne faut cependant pas sous-estimer les difficultés inhérentes à toute réforme du programme. Les ententes particulières signées depuis quelques années ont créé des précédents qui seront probablement défendus par ceux qui en bénéficient, et elles ont également affaibli la légitimité générale de la péréquation, qui est maintenant contestée jusqu'en Ontario, une province traditionnellement favorable à des politiques généreuses de redistribution dans la fédération[83]. L'engagement de Stephen Harper à soustraire les revenus des ressources naturelles non renouvelables du calcul de la péréquation rend également plus difficile une réforme cohérente du programme. De la même façon, la remise en question du « pouvoir fédéral de dépenser » sera difficile, parce que les pratiques passées ont largement institutionnalisé ce pouvoir, qui demeure par ailleurs bien accepté, et souvent célébré, à l'extérieur du Québec.

La rédaction de ce chapitre a été terminée peu de temps avant la présentation des conclusions du Comité consultatif sur le déséquilibre fiscal du Conseil de la fédération et du Groupe fédéral d'experts sur la péréquation et la formule de financement des territoires. Ces deux rapports vont servir de base de discussion à un nouveau gouvernement conservateur qui s'est engagé à s'attaquer au déséquilibre fiscal. Il est trop tôt, évidemment, pour dire ce qui ressortira de ces discussions. On peut toutefois prévoir qu'elles seront difficiles et longues. Comme le suggère Richard Bird dans la citation en exergue de cette conclusion, dans une fédération ce genre de question n'est jamais entièrement résolu. Le changement économique et la vie politique font en sorte que les enjeux liés au partage des ressources doivent régulièrement être rediscutés. L'important n'est donc pas de trouver la solution définitive, qui reste inévitablement hors de portée, mais plutôt de demeurer ouvert à la discussion et à la négociation, et d'accepter que dans un État fédéral les arrangements financiers demandent une attention constante, et une capacité de reconnaître et d'accommoder différentes conceptions de la communauté politique et de la justice sociale.

NOTES ET RÉFÉRENCES

*   Je remercie Alain-G. Gagnon et François Vaillancourt pour leurs commentaires et suggestions.

1. Jean Chrétien, *Straight from the Heart*, Toronto, McClelland and Stewart, 1985, p. 156 (traduction de l'auteur). Pour des raisons que j'ignore, cette phrase ne se trouve pas dans la version française des mémoires de Jean Chrétien. Voir Jean Chrétien, *Dans la fosse aux lions*, Montréal, Éditions de l'Homme, 1985, p. 171. Dans l'avant-propos, Chrétien note que les deux versions sont légèrement différentes.

2. Commission royale d'enquête sur les problèmes constitutionnels (Commission Tremblay), *Rapport de la Commission royale sur les problèmes constitutionnels*, volume III, tome II, Québec, 1956, p. 204.

3. Maurice Croisat, *Le fédéralisme dans les démocraties contemporaines*, troisième édition, Paris, Montchrestien, 1999, p. 25.

4. Kenneth C. Wheare, *Federal Government*, 4ᵉ édition (1946), Londres, Oxford University Press, 1963, p. 93 (traduction de l'auteur).

5. Cet effet est cependant loin d'être clair. Voir Robin Boadway, « Recent Developments in the Economics of Federalism », dans Harvey Lazar (dir.), *Canada : The State of the Federation 1999/2000 ; Toward a New Mission Statement for Canadian Fiscal Federalism*, Montréal et Kingston, McGill-Queen's University Press, 2000, p. 65.

6. *Ibid.*, p. 42-43 et 46.

7. *Ibid.*, p. 74.

8. Keith Banting et Robin Boadway, « Defining the Sharing Community : The Federal Role in Health Care », dans Harvey Lazar et France St-Hilaire (dir.), *Money, Politics and Health Care : Reconstructing the Federal-Provincial Relationship*, Montréal et Kingston, Institute for Research on Public Policy et Institute of Intergovernmental Relations, 2004, p. 40.

9. Alain Noël, « Social Justice in Overlapping Sharing Communities », dans Sujit Choudhry, Jean-François Gaudreault-Desbiens et Lorne Sossin (dir.), *Dilemmas of Solidarity : Rethinking Redistribution in the Canadian Federation*, Toronto, University of Toronto Press, 2006 (à paraître).

10. Richard M. Bird, « On Measuring Fiscal Centralization and Fiscal Balance in Federal States », *Environment and Planning C : Government and Policy*, vol. 4, n° 4, 1986, p. 402.

11. Robert D. Ebel et Serdar Yilmaz, « Le concept de décentralisation fiscale et survol mondial », dans Commission sur le déséquilibre fiscal, *Rapport*, Annexe 3 : *Recueil des textes soumis au Symposium international sur le déséquilibre fiscal*, Québec, Commission sur le déséquilibre fiscal, 2002, p. 161, <www.desequilibrefiscal.gouv.qc.ca>.

12. Harvey Lazar, « Trust in Intergovernmental Fiscal Relations », dans Harvey Lazar (dir.), *Canadian Fiscal Arrangements : What Works, What Might Work Better*, Montréal et Kingston, McGill-Queen's University Press, 2005, p. 26-30.

13. Commission royale d'enquête sur les problèmes constitutionnels (Commission Tremblay), *Rapport de la Commission royale sur les problèmes constitutionnels*, volume II, Québec, 1956, p. 219.

14. John A. Macdonald, dans Janet Ajzenstat, Paul Romney, Ian Gentles et William D. Gairdner, *Débats sur la fondation du Canada*, Québec, Presses de l'Université Laval, 2004, p. 309-310.

15. Commission sur le déséquilibre fiscal, *Rapport*, Annexe 1 : *Le déséquilibre fiscal au Canada : contexte historique*, Québec, Commission sur le déséquilibre fiscal, 2002, p. 10, <www.desequilibrefiscal.gouv.qc.ca>.

16. Discours du député Lucien Cannon à l'Assemblée législative du Québec, 12 novembre 1913. Cité dans *ibid.*, p. 12-13.

17. *Ibid.*, p. 10.

18. Wilfrid Eggleston et C. T. Kraft, cités dans David P. Perry, *Financing the Canadian Federation, 1867 to 1995 : Setting the Stage for Change,* Canadian Tax Papers, n° 102, Toronto, Canadian Tax Foundation, 1997, p. 7 (traduction de l'auteur).

19. *Loi concernant une convention entre le gouvernement fédéral et la Province pour la suspension de certaines taxes en temps de guerre,* S. Q. 1942, c. 27 ; citée dans Commission sur le déséquilibre fiscal, *Rapport,* Annexe 1, p. 29.

20. Perry, *Financing the Canadian Federation, 1867 to 1995,* p. 38-44.

21. *Ibid.*, p. 53 ; Commission sur le déséquilibre fiscal, *Rapport,* Annexe 1, p. 31-33.

22. Commission sur le déséquilibre fiscal, *Rapport,* Annexe 1, p. 46-47.

23. Richard M. Bird et François Vaillancourt, « Changing with the Times : Success, Failure, and Inertia in Canadian Federal Arrangements, 1945-2002 », dans Jessica Wallack et T. N. Srinivasan (dir.), *Federalism and Economic Reform : International Perspectives,* Cambridge, Cambridge University Press, 2006, p. 189-248 ; Karin Treff et David P. Perry, *Finances of the Nation 2005 : A Review of Expenditures and Revenues of the Federal, Provincial, and Local Governments of Canada,* Toronto, Canadian Tax Foundation, 2006, p. 3.11, <www.ctf.ca/FN2005/CHAP03.pdf>.

24. Geoffrey Hale, *The Politics of Taxation in Canada,* Peterborough, Broadview Press, 2002, p. 324-336.

25. Calculs de l'auteur, d'après les données de Treff et Perry, *Finances of the Nation 2005,* p. B6.

26. Richard M. Bird et Duan-jie Chen, « Federal Finance and Fiscal Federalism : The Two Worlds of Canadian Public Finance », *Canadian Public Administration,* vol. 41, n° 1, 1998, p. 67.

27. Treff et Perry, *Finances of the Nation 2005,* p. B6.

28. Keith Banting, « Canada : Nation-Building in a Federal Welfare State », dans Herbert Obinger, Stephan Leibfried et Francis G. Castles (dir.), *Federalism and the Welfare State : New World and European Experiences,* Cambridge, Cambridge University Press, 2005, p. 101.

29. James J. Rice et Michael J. Prince, *Changing Politics of Canadian Social Policy,* Toronto, University of Toronto Press, 2000, p. 66.

30. Banting, « Canada : Nation-Building in a Federal Welfare State », p. 106 ; Yves Vaillancourt, *L'évolution des politiques sociales au Québec, 1940-1960,* Montréal, Presses de l'Université de Montréal, 1988, p. 380-381 ; Dennis Guest, *The Emergence of Social Security in Canada,* Vancouver, University of British Columbia Press, 1980, p. 132.

31. Rice et Prince, *Changing Politics of Canadian Social Policy,* p. 66-78.

32. François Vaillancourt, « Federal-Provincial Small Transfer Programs in Canada, 1957-1998 : Importance, Composition and Evaluation », dans Lazar (dir.), *Canada : The State of the Federation 1999/2000,* p. 189-212.

33. Colleen M. Flood et Sujit Choudhry, « Consolider les fondements : la modernisation de la *Loi canadienne sur la santé* », Étude n° 13, Commission sur l'avenir des soins de santé au Canada, Ottawa, août 2002, p. 19-21, <www.hc-sc.gc.ca/francais/pdf/romanow/13_Flood_F.pdf>.

34. Edward Greenspon et Anthony Wilson-Smith, *Double Vision : The Inside Story of the Liberals in Power*, Toronto, Doubleday, 1996, p. 168-170 et 235-236.

35. *Ibid.*, p. 238 ; Thomas J. Courchene, « Half-Way Home : Canada's Remarkable Fiscal Turnaround and the Paul Martin Legacy », *Policy Matters*, vol. 3, n° 8, 2002, p. 23, <www.irpp.org>.

36. Commission sur le déséquilibre fiscal, *Rapport : Pour un nouveau partage des moyens financiers au Canada*, Québec, Commission sur le déséquilibre fiscal, 2002, p. 91, <www.desequilibrefiscal.gouv.ca>.

37. Courchene, « Half-Way Home », p. 33.

38. Direction générale de la recherche appliquée, Politique stratégique, *Analyse de la couverture assurée par le régime d'assurance-emploi*, Document W-98-35F, Ottawa, Développement des ressources humaines Canada, octobre 1998, p. 14, <www11.hrsdc. gc.ca/fr/sm/ps/rhdcc/indexe.shtml>.

39. Commission sur le déséquilibre fiscal, *Rapport*, p. 52 ; Tom McIntosh et Gerard W. Boychuk, « Dis-Covered : EI, Social Assistance and the Growing Gap in Income Support for Unemployed Canadians », dans Tom McIntosh (dir.), *Federalism, Democracy and Labour Market Policy in Canada*, Montréal et Kingston, McGill-Queen's University Press, 2000, p. 65-158.

40. Alain Noël, « Étude générale sur l'entente », dans Alain-G. Gagnon (dir.), *L'union sociale canadienne sans le Québec*, Montréal, Éditions Saint-Martin, 2000, p. 23-24.

41. Alain Noël, « Les prérogatives du pouvoir dans les relations intergouvernementales », *Enjeux publics*, vol. 2, n° 6(f), novembre 2001, p. 12-14, <www.irpp.org>.

42. Alain Noël, France St-Hilaire et Sarah Fortin, « Learning from the SUFA Experience », dans Sarah Fortin, Alain Noël et France St-Hilaire (dir.), *Forging the Canadian Social Union : SUFA and Beyond*, Montréal, Institut de recherche sur les politiques publiques, 2003, p. 1-3.

43. Les autres membres de la Commission étaient Anne-Marie d'Amours, Renaud Lachance, Andrée Lajoie, Nicolas Marceau, Alain Noël, et Stéphane Saintonge. Le point de vue présenté dans ce chapitre n'est, évidemment, que celui de l'auteur.

44. Commission sur le déséquilibre fiscal, *Rapport*, p. 18. Voir aussi à ce sujet : Harvey Lazar, France St-Hilaire et Jean-François Tremblay, « Vertical Fiscal Imbalance : Myth or Reality ? », dans Harvey Lazar et France St-Hilaire (dir.), *Money, Politics and Health Care : Reconstructing the Federal-Provincial Partnership*, Montréal et Kingston, Institut de recherche sur les politiques publiques et Institute of Intergovernmental Relations, 2004, p. 151.

45. Commission sur le déséquilibre fiscal, *Rapport*, p. 21.

46. Conference Board du Canada, *Projections des équilibres financiers des gouvernements du Canada et des provinces et territoires*, Ottawa, Conference Board du Canada, juillet 2002, p. 33, <www.conferenceboard.ca>.

47. Conference Board du Canada, *Projections des équilibres financiers des gouvernements du Canada et des provinces et territoires*, Mise à jour, Ottawa, Conference Board du Canada, février 2004, p. 34 ; et août 2004, p. 32, <www.conferenceboard.ca>.

48. Alain Noël, « "A Report That Almost No One Has Discussed" : Early Responses to Quebec's Commission on Fiscal Imbalance », dans Lazar (dir.), *Canadian Fiscal Arrangements : What Works, What Might Work Better*, p. 133.

49. France St-Hilaire, « Écarts et déséquilibres fiscaux : la nouvelle donne du fédéralisme canadien », *Options politiques*, vol. 26, n° 8, octobre 2005, p. 28-29 <www.irpp.org>.

50. Commission sur le déséquilibre fiscal, *Rapport*, p. 59-61.

51. St-Hilaire, « Écarts et déséquilibres fiscaux », p. 30 ; Comité permanent des finances, *Rapport du sous-comité sur le déséquilibre fiscal : L'existence, l'ampleur et l'élimination du déséquilibre fiscal*, Ottawa, Chambre des communes, juin 2005, p. 4, <www.parl.gc.ca/infocomdoc/38/1/parlbus/commbus/house/FINA/report/RP1914208//finarp13/finarp13-f.pdf>.

52. Commission sur le déséquilibre fiscal, *Rapport*, p. 33. Les dépenses de programmes n'incluent pas le service de la dette.

53. John Myles, « La maturation du système de revenu de retraite du Canada : niveaux de revenu, inégalité des revenus et faibles revenus chez les gens âgés », n° de catalogue 11F0oMPE n° 147, Ottawa, Statistique Canada, mars 2000, p. 1-4, <www.statcan.ca> ; Gerard Boychuk, « The Canadian Social Model : The Logics of Policy Development », Research Report F36, Family Network, Ottawa, Canadian Policy Research Networks, janvier 2004, p. 13 et 29, <www.cprn.org>.

54. Bureau du vérificateur général du Canada, *Rapport de la vérificatrice générale à la Chambre des communes*, Ottawa, novembre 2005, chapitre 8, p. 25, <www.oag-bvg.ca>.

55. St-Hilaire, « Écarts et déséquilibres fiscaux », p. 34 ; Comité permanent des finances, *Rapport du sous-comité sur le déséquilibre fiscal*, p. 13.

56. Gouvernement du Québec, *Budget 2006-2007 ; Plan budgétaire*, Québec, Ministère des Finances, mars 2006, section 2, p. 27, <www.finances.gouv.qc.ca>.

57. *Ibid.*, section 3, p. 21.

58. St-Hilaire, « Écarts et déséquilibres fiscaux », p. 30.

59. Jean Chrétien, cité dans Jean-Robert Sansfaçon, « Cet homme qui nous méprise », *Le Devoir*, 11 octobre 2002, p. A8.

60. *Loi constitutionnelle de 1982*, article 36(2).

61. St-Hilaire, « Écarts et déséquilibres fiscaux », p. 34 ; Comité de révision des programmes fédéraux, Volet 2 : *Un siècle d'intrusions : les dépenses intrusives du gouvernement fédéral dans les champs de compétence du Québec et des provinces*, Ottawa, Bloc québécois, mars 2004, p. 4 et 25-26, <www.bloc.org>.

62. Lors de la même rencontre, le gouvernement fédéral a aussi reconnu une très modeste asymétrie dans la fédération, en permettant au gouvernement du Québec de présenter ses propres indicateurs comparables sur les temps d'attente et les services de santé, une démarche qui de toute façon relève des compétences provinciales. Voir Alain Noël, « Déblocages ? », *Options politiques*, vol. 25, n° 10, novembre 2004, p. 48, <www.irpp.org>.

63. St-Hilaire, « Écarts et déséquilibres fiscaux », p. 32.

64. Luc Godbout et Karine Dumont, « Mettre cartes sur table pour résoudre le déséquilibre fiscal », Mémoire déposé au Sous-comité sur le déséquilibre fiscal du Comité permanent des finances du gouvernement du Canada, Chaire de recherche en fiscalité et en finances publiques, Université de Sherbrooke, avril 2005, p. 26-27, <www.usherbrooke.ca/adm/recherche/chairefiscalite/publications/cahiers/>.

65. Alex S. MacNevin, *The Canadian Federal-Provincial Equalization Regime : An Assessment*, Canadian Tax Paper n° 109, Toronto, Canadian Tax Foundation, 2004, p. 200 et

216 ; Ronald H. Neumann, « Submission to the Expert Panel on Equalization », Mémoire présenté au Groupe d'experts sur la péréquation et le financement des territoires, Ottawa, juillet 2005, p. 6, <www.eqtff-pfft.ca/francais/submissions.asp>.

66. J. Patrick Gannon, « Responses to the Key Questions on Equalization Raised by the Expert Panel on Equalization », Mémoire présenté au Groupe d'experts sur la péréquation et le financement des territoires, Ottawa, juillet 2005, p. 2, <www.eqtff-pfft.ca/francais/submissions.asp> ; Luc Godbout et Suzie St-Cerny, « La réforme fédérale proposée de la péréquation : le mauvais remède pour l'un des organes vitaux du fédéralisme fiscal canadien », Mémoire présenté au Groupe d'experts sur la péréquation et le financement des territoires, Ottawa, juillet 2005, p. 16, <www.eqtff-pfft.ca/francais/submissions.asp>.

67. Groupe d'experts sur la péréquation et la formule de financement des territoires, *Examen du programme de péréquation et de la formule de financement des territoires : principales questions à examiner*, Ottawa, 31 mars 2005, p. 15 <www.eqtff-pfft.ca/francais/issuespapero.asp> ; Michael Smart, « Some Notes on Equalization Reform », Mémoire présenté au Groupe d'experts sur la péréquation et le financement des territoires, Ottawa, juillet 2005, p. 6, <www.eqtff-pfft.ca/francais/submissions.asp>.

68. Alain Noël, « De la formule à l'enveloppe », *Options politiques*, vol. 26, n° 1, décembre 2004-janvier 2005, p. 67-68 <www.irpp.org> ; Godbout et St-Cerny, « La réforme fédérale proposée de la péréquation », p. 23-27.

69. Godbout et St-Cerny, « La réforme fédérale proposée de la péréquation », p. 27-29.

70. Les prix mentionnés sont ceux du pétrole léger de référence au Canada, le « Edmonton Par ». À la fin mars 2006, le prix était de 68 dollars le baril. Source : Division du pétrole, Ressources naturelles Canada, <www2.nrcan.gc.ca/es/erb/prb/francais> ; voir aussi Office national de l'énergie, « Données sur les prix de l'énergie à l'intention des Canadiens : pétrole brut et produits pétroliers ; mécanismes des marchés canadiens », <www.neb-one.gc.ca/energy/EnergyPricing/HowMarketsWork/CO_f.htm>.

71. André Plourde, « Natural Resource Revenues and Equalization : A Partial Overview of Selected Issues », Mémoire présenté au Groupe d'experts sur la péréquation et le financement des territoires, Ottawa, août 2005, p. 29, <www.eqtff-pfft.ca/francais/submissions.asp> ; MacNevin, *The Canadian Federal-Provincial Equalization Regime*, p. 212-213.

72. Todd Hirsch, « Beyond Alberta's Prosperity Dividend : A Western Accord to Pool Resource Wealth », *Options politiques*, vol. 26, n° 8, octobre 2005, p. 46-47, <www.irpp.org>.

73. Noël, « "A Report That Almost No One Has Discussed" ».

74. Richard Bird, « Subnational Tax Competition », Topic Brief, World Bank, Washington (D. C.), 7 septembre 2000, <www.worldbank.org/publicsector/tax/taxcompetition.htm> (traduction de l'auteur).

75. Ce calcul exclut les dépenses militaires dont la croissance a cependant été semblable (7,2 % par année). William B. P. Robson, « Out of Control : Reining in Soaring Federal Spending is a Critical Task for the Next Parliament », *E-Brief*, Toronto, C. D. Howe Institute, 12 janvier 2006, p. 5, <www.cdhowe.org>.

76. Calculs de l'auteur. Source : Gouvernement du Québec, *Budget de dépenses 2006-2007*, vol. 4, Québec, Conseil du trésor, 2006, p. 101-103, <www.tresor.gouv.qc. ca>.

77. St-Hilaire, « Écarts et déséquilibres fiscaux », p. 34.

78. Noël, « Social Justice in Overlapping Sharing Communities ».

79. Conseil canadien des chefs d'entreprise, *Du bronze à l'or : un plan de leadership canadien dans un monde en transformation*, Ottawa, 21 février 2006, p. 23-25 <www. ceocouncil.ca> ; Godbout et Dumont, « Mettre cartes sur table pour résoudre le déséquilibre fiscal », p. 47-52 ; Michael Smart, « Federal Transfers : Principles, Practice, and Prospects », C. D. Howe Institute Working Paper, septembre 2005, <www. cdhowe.org>.

80. Les auteurs proposent une réduction de la TPS de 7 % à 5 %, telle qu'elle a été promis par le Parti conservateur. Finn Poschmann et Stephen Tapp, « Squeezing Gaps Shut : Responsible Reforms to Federal-Provincial Fiscal Relations », C. D. Howe Institute Commentary, n° 225, décembre 2005, <www.cdhowe.org>.

81. Comité permanent des finances, *Rapport du sous-comité sur le déséquilibre fiscal : L'existence, l'ampleur et l'élimination du déséquilibre fiscal* ; Robin Boadway, « The Vertical Fiscal Gap : Conceptions and Misconceptions », dans Lazar (dir.), *Canadian Fiscal Arrangements : What Works, What Might Work Better*, p. 71-75 ; Thomas J. Courchene, « Pan-Canadian Provincialism — The New Federalism and the Old Constitution », *Options politiques*, vol. 25, n° 10, novembre 2004, p. 20-28.

82. L'Ontario, qui était alors en campagne électorale, n'était pas représentée lors de cette réunion. Ministres des finances des provinces et des territoires, *Renforcer le programme de péréquation*, septembre 2003, <www.finances.gouv.qc.ca/fr/documents/publications/PDF/Perequation.pdf>.

83. Voir <www.strongontario.ca>.

11

DE L'UNION SOCIALE CANADIENNE À L'UNION SOCIALE FÉDÉRALE DU CANADA (1990-2006)

Sarah Fortin

Écrire sur l'union sociale canadienne au Québec, en français, est à la fois un exercice périlleux et complexe. Périlleux, parce que le concept même d'une union sociale canadienne suscite habituellement deux réactions au Québec : au pire, une dénonciation en bonne et due forme de ce que plusieurs considèrent comme un détournement constitutionnel du partage des compétences convenu en 1867[1] ; au mieux, une réaction épidermique devant l'utilisation par le gouvernement fédéral de son pouvoir de dépenser. Au fil des années, ce pouvoir lui aura permis d'orienter les priorités dans des domaines qui devraient relever des provinces seules. En tout état de cause, dans la mesure où elle trouve un quelconque écho, c'est avant tout la suspicion et les récriminations que l'idée d'une union sociale canadienne soulève au Québec, beaucoup plus rarement l'enthousiasme.

C'est également un exercice complexe, car étudier l'union sociale canadienne entraîne l'examen d'une multitude de problématiques interconnectées qui vont des programmes sociaux comme tels, aux relations fédérales-provinciales, en passant par les questions budgétaires et fiscales. Comme l'a si bien écrit Yves Vaillancourt, « depuis les années 1930, au Canada, il est impossible de se pencher sur les réformes en matière de relations fédérales-provinciales sans se retrouver au cœur des dossiers de politiques sociales. Inversement, il est impossible de se pencher sur les réformes de politiques sociales sans se retrouver au cœur des dossiers de relations fédérales-provinciales[2] ».

À ceci, on doit également ajouter une dimension symbolique qui, pour plusieurs, fait de « l'union sociale » un des principaux lieux d'expression d'une communauté de sens canadienne, d'où l'importance que l'on attribue par exemple à la Loi canadienne sur la santé. Cette interprétation, qui est certes plus répandue à l'extérieur du Québec, a gagné en importance au cours des dernières années, l'union sociale étant en quelque sorte devenue le lien devant permettre de préserver l'unité canadienne devant les forces de la mondialisation et de l'économie du savoir. Dans ce nouveau contexte économique, pour un bon nombre de Canadiens, Ottawa a un rôle primordial à jouer, y compris dans les politiques sociales. Tom Courchene traduit bien cette réalité en écrivant que le principal argument pour un rôle accru du gouvernement fédéral dans la sphère sociale « tient au fait que l'essence de la construction nationale et de la stabilité électorale s'est aussi déplacée des mégaprojets d'exploitation des ressources naturelles vers les infrastructures et les politiques axées sur les citoyens dans des domaines comme la santé, l'éducation et la redistribution des revenus[3] ».

Enfin, étudier l'union sociale amène à nous attarder à des enjeux qui ont trait au rôle de l'État et à l'administration des programmes publics, et ceci est particulièrement vrai depuis 1999, avec la signature de l'Entente-cadre sur l'union sociale canadienne (ECUS). Depuis, on ne peut plus parler d'union sociale sans aborder des questions telles la gestion horizontale (coopération intergouvernementale et interdépartementale), la transparence, la participation des citoyens et l'imputabilité.

Comment parler, donc, d'une question aussi délicate et complexe ? À bien y penser, il n'est probablement pas nécessaire de réinventer la roue. Une des caractéristiques les plus frappantes de ce qui s'est écrit sur l'union sociale canadienne en général, et sur l'ECUS en particulier, est que ces analyses ont été rédigées dans une très vaste proportion, en anglais. À l'exception d'une poignée d'études préparées à la demande du gouvernement du Québec immédiatement après la signature de l'ECUS[4], et de quelques autres publiées avant ou après la signature de cette entente[5], pour une bonne part sous les auspices de l'Institut de recherche en politiques publiques (IRPP)[6], l'union sociale n'a pas fait l'objet d'une attention très soutenue en français. En ce sens, parler de l'union sociale canadienne en français est certes une entreprise risquée et délicate, mais c'est également une belle occasion de faire le point.

Ce chapitre vise à combler en partie ce vide. Nous le ferons en retraçant les grandes lignes de la genèse de l'union sociale canadienne, dans ses dimensions idéelles et empiriques, puis en faisant le point sur l'état de cette union sociale à la lumière des développements survenus au cours des dernières années.

L'UNION SOCIALE CANADIENNE. QUELLE UNION SOCIALE ?

D'entrée de jeu, il importe de distinguer le concept d'union sociale de son rejeton, l'Entente-cadre sur l'union sociale (ECUS), car il s'agit de deux phénomènes distincts.

Comme le note Michael Prince, l'union sociale est un concept multidimensionnel[7]. En premier lieu, écrit-il, c'est une série de processus et de structures, initiée par la Conférence des premiers ministres provinciaux en 1995. Prince réfère ici à la dynamique des relations intergouvernementales et aux diverses instances fédérales-provinciales et interprovinciales où les représentants des gouvernements se rencontrent pour négocier la résolution de différends liés aux politiques sociales. Historiquement, ce sont les rencontres annuelles des premiers ministres qui ont été le principal lieu de ces négociations, principalement au sujet de questions d'ordre financier, même si d'autres instances d'un niveau hiérarchique inférieur, par exemple les rencontres des ministres responsables de différents dossiers (par exemple, la santé ou l'éducation) ont également eu un rôle de concertation et de coordination important à jouer. Dans la deuxième moitié des années 1990, le Conseil ministériel sur la refonte des politiques sociales a joué un rôle décisif dans l'évolution de l'union sociale canadienne. Plus récemment, la création du Conseil de la fédération, en décembre 2003, est un excellent exemple d'une institution née des négociations entourant l'union sociale canadienne.

En second lieu, l'union sociale renvoie aux décisions prises et aux arrangements conclus par les gouvernements, incluant les plans d'action, les décisions budgétaires, les arrangements fiscaux, et les programmes sociaux. C'est sur ce plan que l'ECUS se situe, à côté d'autres ententes intergouvernementales, dont le Cadre multilatéral pour l'apprentissage et la garde des jeunes enfants (2003) et les récentes ententes sur la santé (septembre 2004) et la péréquation (2005).

Enfin, le concept d'union sociale renvoie à un ensemble de perspectives sur le fédéralisme et les politiques sociales ; plus largement, il sous-entend un « système de croyances » touchant le rôle et les relations qu'entretiennent l'État, l'économie, la famille et la communauté. En ce sens, « l'union sociale renvoie à la façon dont on conçoit en termes d'idées et d'infrastructure la politique sociale canadienne[8] », observe Prince.

C'est en s'appuyant sur cette dernière perspective, celle de la communauté, celle des idées, qu'il serait intéressant de retracer les grandes lignes de la mise en place et de l'adoption du concept d'union sociale au Canada, car c'est sur ce plan que les choses ont le plus changé au cours des dernières années. C'est également sur ce plan que les susceptibilités sont les plus grandes, et ce, pour l'ensemble des acteurs impliqués dans les dossiers sociaux, que ce soit les gouvernements ou les organismes de la société civile. C'est aussi parce qu'elle touche au cœur de la conception du rôle de l'État et du fédéralisme que l'émergence du concept d'une union sociale canadienne suscite autant de résistances chez certains ou obtient, au contraire, autant d'appuis. C'est également elle qui est la moins explorée au Québec.

Nous verrons par la suite que l'idée d'une union sociale est également tissée de trois autres fils : l'impasse budgétaire fédérale, les craintes suscitées par la mondialisation et une certaine conception de la gouvernance.

L'ÉLABORATION DE L'UNION SOCIALE

Contrairement à Michael Prince, on peut percevoir les premiers balbutiements de l'union sociale bien avant le processus de concertation interprovinciale entrepris dans la foulée du budget fédéral de 1995. On se souviendra que ce sont les compressions budgétaires dans les transferts aux provinces annoncées dans ce budget qui ont amené les provinces à former le Conseil provincial-territorial sur la refonte des politiques sociales, ce qui entraînera des négociations qui aboutiront, en 1999, à la signature de l'ECUS par tous les gouvernements canadiens, sauf celui du Québec. C'est souvent à cette entente qu'on pense quand on parle de l'union sociale.

Mais l'idée d'une union sociale canadienne est née plus tôt. Certains la font remonter aux travaux de la Commission royale sur l'union économique et les perspectives de développement au Canada (Commission Macdonald, 1983-1985). On se souvient habituellement de cette commission pour ses recommandations favorables à l'adoption du libre-échange avec les États-Unis, mais elle a également consacré une section complète de son rapport à l'avenir des programmes sociaux[9]. Son approche toutefois demeure traditionnelle dans la mesure où les enjeux sociaux y sont abordés sous l'angle de l'État-providence. Le concept d'une « union » sociale n'y est pas formellement évoqué.

C'est plutôt dans le cadre des discussions constitutionnelles de la fin des années 1980 (l'accord du lac Meech) et du début des années 1990 (l'accord de Charlottetown) que l'idée d'une union sociale canadienne émerge de manière plus explicite. Les discussions qui aboutiront à l'accord de Charlottetown de 1992 ont été un catalyseur particulièrement important. On se souviendra notamment de la proposition du premier ministre néo-démocrate de l'Ontario, Bob Rae, d'adopter une charte sociale.

Le consensus lui-même comportait une section portant sur « l'union sociale et économique » dans laquelle on proposait d'ajouter à la Constitution canadienne un nouvel article décrivant « l'engagement des gouvernements, parlements et législatures de la fédération envers le principe de la préservation et du développement d'une union sociale et économique[10] ».

Soumise à l'approbation des Canadiens le 26 octobre 1992, l'entente de Charlottetown sera rejetée à 54 %. Mais l'idée que le Canada était plus qu'une union politique et militaire, ou même qu'une union économique, les deux grands moteurs de développement du Canada depuis sa fondation en 1867, mais également une union sociale, était bien semée. L'adoption de l'Accord sur le commerce intérieur en juillet 1994, qui visait à renforcer l'union économique en réduisant les barrières à la circulation des personnes, biens, services et capitaux, a également contribué à mettre en lumière la nécessité de donner corps à l'union sociale et de la renforcer[11].

La publication en juin 1996 de « Building Blocks for Canada's New Social Union » par Margaret Biggs marque un point tournant dans le développement du concept d'une union sociale canadienne. Dans ce rapport, Biggs fait le point sur l'évolution dans le domaine des programmes sociaux au cours des années précédentes et propose quelques principes et mécanismes autour desquels une « nouvelle » union sociale canadienne devrait être élaborée. Surtout, elle propose une définition de l'union sociale claire, qui met l'accent sur la citoyenneté : « *L'éventail des droits et obligations qui concrétisent notre raison d'être et notre citoyenneté communes.* L'union sociale incarne notre sens collectif des responsabilités (entre citoyens), notre pacte fédéral (entre les régions et parmi elles) et notre contrat de gouvernance (entre citoyens et gouvernements)[12]. »

L'union sociale canadienne était née. Au cours de ces années, plusieurs autres chercheurs et universitaires canadiens contribueront à donner étoffe et profondeur à cette façon « nouvelle » de concevoir le Canada. Parmi eux, citons les travaux de Harvey Lazar, Keith Banting et de Jane Jenson. Particulièrement révélatrice de la portée et de la richesse de ce concept sera la façon dont on l'utilisera pour comprendre le développement des programmes sociaux des années d'après-guerre. Sous la plume de Biggs, par exemple, le rapport Marsh et le discours du trône de 1944, dans lequel le gouvernement fédéral invitait le peuple à adopter une « charte de la sécurité sociale pour tout le Canada », sont présentés comme des éléments d'un « *success story* » de l'union sociale canadienne.

Cette lecture des motivations ayant mené à la mise en place de l'État-providence canadien n'est pas nécessairement mauvaise. Mais il est important de noter que deux grandes considérations s'y trouvent plus ou moins absentes. Celle du Québec d'abord, qui veut que le pacte fédéral ne soit pas seulement un pacte entre les régions et les provinces, mais également un pacte entre deux nations. Et celle des classes sociales. Cette façon d'envisager les choses est peu présente dans le discours sur l'union sociale canadienne au cours des années 1990. Le citoyen a pris le devant sur le salarié.

Exception faite des discussions constitutionnelles de la fin des années 1980 et du début des années 1990, qui ont stimulé la réflexion et l'action autour du pôle social et de ce qui unit les citoyens dans une fédération, en réaction à des discussions qui étaient perçues comme trop exclusivement

axées sur le pôle politique et l'autonomie, particulièrement lors de la « ronde
Québec » des années 1985-1990, deux autres grandes forces objectives ont
contribué à l'adoption du discours sur l'union sociale canadienne. D'abord
les difficultés financières réelles que le gouvernement fédéral éprouvait au
cours des années 1980. Ensuite, les inquiétudes que soulevait le phénomène
de la mondialisation et de la restructuration du providentialisme dans les
pays développés.

Quand plus rien ne va

Au tournant des années 1990, la situation budgétaire du gouvernement fédéral est alarmante. Depuis le milieu des années 1970, à la suite de décisions
relatives à la politique fiscale (par exemple la décision d'indexer les tables
de l'impôt sur le revenu des particuliers) combinées à un contexte économique difficile, les dépenses encourues par Ottawa excédaient ses revenus.

GRAPHIQUE 11.1

Soldes budgétaires, gouvernements fédéral et provinciaux,
Canada, 1968-1999
(*en pourcentage du PIB*)

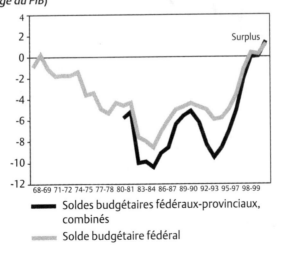

▬▬▬ Soldes budgétaires fédéraux-provinciaux,
combinés

▬▬▬ Solde budgétaire fédéral

Source : Tableaux de référence financiers, 2000, Finances Canada.

Tiré de : Don Drummond, « Deficit Elimination, Economic Performance and Social Progress in Canada in the
1990s », dans Keith Banting, Andrew Sharp et France St-Hilaire (dir.), *The Review of Economic Performance
and Social Progress*, Montréal, IRPP, 2001, p. 132.

Et la situation fut aggravée par la politique monétaire des années 1980. La flambée des taux d'intérêt était telle que les dépenses, notamment le service de la dette, augmentaient de manière spectaculaire, alors que les revenus, eux, diminuaient. Les Graphiques 11.1 et 11.2 illustrent comment la situation budgétaire d'Ottawa s'est détériorée à partir des années 1970, et ce, de manière plus marquée que celles des provinces, et comment elle s'est rétablie à compter de la fin des années 1990. Ainsi, le déficit budgétaire fédéral est passé de 1 % du PIB au début des années 1970 à près de 8 % en 1985, alors que la dette fédérale faisait plus que doubler au cours de la même période[13].

GRAPHIQUE 11.2

Surplus (+)/déficit (−) consolidé des administrations publiques, Canada *(en milliards de dollars)*

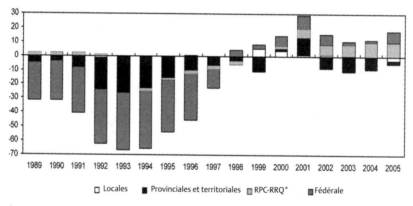

* *RPC-RRQ : Régime de pensions du Canada et Régime des rentes du Québec consolidés.*

Note : Les données consolidées des administrations fédérale, provinciales, territoriales et locales incluent les données de l'administration publique fédérale, RPC et RRQ pour les exercices financiers se terminant le 31 mars, les données des administrations provinciales et territoriales pour les exercices financiers se terminant le plus près du 31 mars et celles des administrations locales pour les exercices financiers se terminant le plus près du 31 décembre de l'année précédente.

Tiré de : *Statistiques sur le secteur public : supplément*, Ottawa, Statistique Canada (nº 68-213-SIF), 2005, p. 12.

Coïncidant avec l'arrivée au pouvoir des Conservateurs de Brian Mulroney, en 1984, plusieurs mesures furent prises par Ottawa pour tenter de faire face à la situation. On a ainsi désindexé partiellement les tables d'impôt, de sorte que la croissance économique se traduisait automatiquement par une croissance des revenus, ainsi que celle de divers bénéfices, notamment les allocations familiales et les pensions, de sorte que les dépenses diminuaient. Surtout, Ottawa a diminué les transferts aux provinces pour les programmes sociaux.

Rappelons que le financement des programmes sociaux mis en place au cours de la période de l'après-guerre, en particulier pendant les années 1960, dépend grandement des transferts en provenance d'Ottawa. Jusque vers la fin des années 1970, le principal mécanisme consistait à partager (selon la formule convenue du 50-50) les coûts entre les deux ordres de gouvernement. En 1977, on introduisit un nouveau mécanisme, celui du financement global, avec l'adoption du financement des programmes établis (FPE), ce qui mit fin aux programmes à frais partagés dans le domaine de la santé et de l'éducation. Toutefois, cette formule du partage des coûts persistera pour les autres programmes sociaux et de sécurité du revenu, relevant du Régime d'assistance publique du Canada (RAPC), jusqu'en 1996, au moment où on adoptera le Transfert canadien en matière de santé et de programmes sociaux (TCSPS). Le Tableau 11.1 retrace les principales transformations qu'ont connues les transferts fédéraux aux provinces depuis les années 1950[14].

Pour tenter de juguler son déficit, Ottawa a donc désindexé partiellement les paiements de transferts pour les programmes sociaux (santé et éducation) en 1985 et imposé un plafond aux transferts versés en vertu du RAPC, en 1990. De même, le plafond imposé par les libéraux aux paiements de péréquation en 1982 fut maintenu.

Les réformes apportées au régime d'assurance-chômage au début des années 1990, notamment celles touchant les critères d'admissibilité et le taux de remplacement du revenu, ont également eu d'importantes répercussions sur la santé budgétaire du gouvernement fédéral[15]. Comme le note Yves Vaillancourt :

> En restructurant son programme d'assurance-chômage, devenu assurance-emploi au milieu des années 1990, le gouvernement fédéral a transformé ce programme en une véritable 'vache à lait' qui lui aura permis de gagner sa propre lutte au déficit. C'est ainsi que ce programme qui, au début des années 1990, avait un déficit accumulé de 6 milliards de dollars s'est trouvé à générer un surplus accumulé de 36 milliards de dollars, le 31 mars 2001[16].

TABLEAU 11.1

Chronologie des principaux programmes de transfert en argent aux provinces : éducation, santé, aide sociale et péréquation, 1950-2005

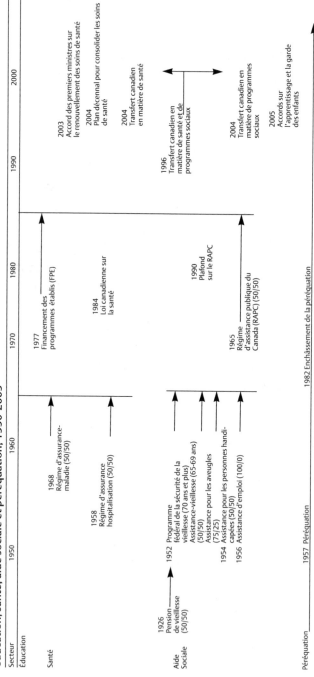

Source : Tiré et adapté de Stephen Laurent et François Vaillancourt, « Federal-Provincial Transfers for Social Programs in Canada : Their Status in May 2004 », document de travail IRPP n° 2004-07, p. 3. Note : Partage des coûts présenté selon le pourcentage assumé par le gouvernement fédéral / par le gouvernement provincial.

Cette réforme a également été critiquée pour ses effets indirects sur les budgets des provinces, car bon nombre des chômeurs écartés du nouveau programme d'assurance-emploi ont dû recourir à l'aide sociale[17].

Ces réformes étaient déjà difficiles à absorber pour les provinces et les Canadiens, mais le gouvernement fédéral allait frapper encore plus fort. Bien qu'elle se soit améliorée, la situation financière d'Ottawa continuait d'être préoccupante. En 1995, Ottawa terminera donc ce qu'il avait entrepris à compter de 1977 pour le financement de la santé, et combinera tous ses transferts aux provinces en un « financement global » (exception faite de la péréquation). Les deux principaux programmes de transfert en vigueur à ce moment-là, soit le RAPC, qui concerne les services sociaux et la sécurité du revenu, et le FPE, qui concerne l'éducation postsecondaire et la santé, furent ainsi fusionnés à compter du 1er avril 1996 en un seul programme : le Transfert canadien en matière de santé et de programmes sociaux (TCSPS).

L'époque des programmes à frais partagés, qui a commencé au cours des années 1960, est alors définitivement terminée. On met également fin à la prise en compte des conditions, à l'exception des normes de résidence relatives à l'aide sociale et les cinq conditions de la Loi canadienne sur la santé (l'universalité, l'intégralité, l'accessibilité, la transférabilité et l'administration publique) qui demeurent toujours en vigueur. Les transferts ne seront plus basés sur les besoins ou les coûts, mais, sur le nombre d'habitants, leur enveloppe sera globale et son montant restera à la discrétion d'Ottawa. En septembre 2004, un autre pas est fait lorsque des changements sont apportés au programme de péréquation[18].

Or, si la situation budgétaire du gouvernement fédéral était préoccupante au cours des années 1980, celle des provinces était à peine plus reluisante. Ce budget fédéral de 1995 annonce des temps plus difficiles encore.

Dans les faits, l'annonce de la création du TCSPS en 1995 se traduira pour les provinces par une diminution des transferts fédéraux de l'ordre de 7 milliards de dollars (ou 34 p. 100). En août 2001, on estimait que la contribution financière du gouvernement fédéral au partage des coûts des programmes provinciaux concernés par le TCSPS n'était plus que de 14 p. 100[19]. À titre indicatif, le Graphique 11.3 montre l'évolution des transferts fédéraux au Québec en proportion des dépenses pour les programmes sociaux. On voit que les transferts ont connu un déclin marqué à compter du milieu des années 1990, avant de recommencer à croître au tournant des années 2000.

GRAPHIQUE 11.3

Évolution du TCSPS en espèces au Québec, en proportion des dépenses de santé, d'éducation et d'aide sociale
(en pourcentage)

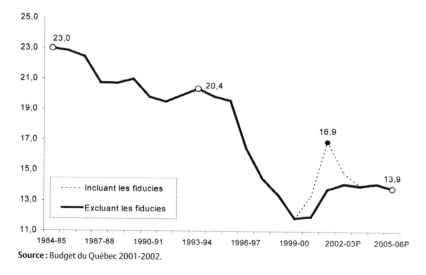

Source : Budget du Québec 2001-2002.

Tom McIntosh note que l'impact sur les provinces de ce nouveau transfert venait non seulement de la diminution des versements, mais également de l'absence d'une formule intégrée d'augmentation du transfert pour les années suivantes, ce qui laissait au gouvernement fédéral toute latitude de décider seul, et selon ses propres priorités, le montant qu'il transférerait aux provinces[20]. Cela marquait un changement complet de rapport entre les deux ordres de gouvernement comparativement à la situation qui prévalait dans le cadre des programmes à frais partagés, alors que c'était plutôt les décisions provinciales qui influaient sur la situation budgétaire fédérale. Par exemple, puisque les programmes de derniers recours (l'aide sociale) étaient financés à moitié par Ottawa, toute bonification des paramètres d'un programme provincial se traduisait par une augmentation des dépenses fédérales. En d'autres mots, les décisions budgétaires des provinces ne leur coûtaient que 0, 50 ¢ pour chaque dollar d'augmentation pour certains programmes sociaux. Le plafond imposé au RAPC en 1990 s'explique d'ailleurs en partie par la croissance des dépenses en Ontario et par les plans de cette province visant à réformer son programme d'aide sociale[21].

Concrètement, les provinces réagiront de deux façons à ces compressions budgétaires unilatérales. *Primo*, en amorçant le processus interprovincial visant à mieux encadrer le pouvoir fédéral de dépenser qui, ultimement, en 1999, aboutira à la signature de l'ECUS ; nous y reviendrons. *Secundo*, en sabrant dans leurs propres dépenses pour les programmes sociaux, les programmes de derniers recours en particulier[22].

En ce qui concerne la mise en place du discours sur l'union sociale canadienne, on comprendra que ces développements dans les politiques sociales, budgétaires et fiscales des gouvernements fédéral et provinciaux alimentent les craintes que bon nombre de Canadiens nourrissent quant à l'avenir du pays et de ses programmes sociaux. Avec les débats sur la réforme constitutionnelle, les décisions budgétaires d'Ottawa incitent, pour plusieurs et de manière impérative encore le développement d'une pensée cohérente autour de l'union sociale.

Pendant ce temps, sur la scène internationale...

Le discours sur l'union sociale sera également alimenté par les changements qui marquent la scène économique et la politique internationale. Il est ici question des transformations qui marquent l'État-providence, de l'accélération de la libéralisation des échanges commerciaux, dans ce qu'il est dorénavant convenu d'appeler la mondialisation (laquelle comporte bien entendu plusieurs autres composantes, tant politique que culturelle ou sociale), et de la montée, en corollaire, d'un discours néolibéral qui défend les vertus du marché avant toute chose et met l'accent sur les préférences des individus.

Ce qui préoccupe les observateurs ici, c'est bien sûr la lutte idéologique entre la gauche et la droite, autour du rôle de l'État, plutôt que les décisions budgétaires et le sort réservé aux différents programmes sociaux, qui ne sont, dans ce contexte, que des épiphénomènes de cette lutte.

Au titre des événements les plus marquants à ce sujet, on notera l'élection au Royaume-Uni de Margaret Thatcher en 1979 et, aux États-Unis, celle de Ronald Reagan en 1981. Au Canada, outre les décisions budgétaires fédérales sus-mentionnées, et leurs conséquences sur les budgets provinciaux, la signature du traité de libre-échange Canada-États-Unis en 1988, puis de l'Accord de libre-échange nord-américain en 1994, la fondation du Parti réformiste en 1990, l'élection de Mike Harris en Ontario en 1997 alimenteront la chronique[23].

On relève deux variantes dans cette approche. L'une s'appuie sur la littérature comparée de l'État-providence dans les pays avancés et emprunte plus volontiers les concepts de « contrat social », d'« inclusion sociale » et de « régime de citoyenneté » que celui d'union sociale. L'autre, plus critique, de l'économie politique, emprunte au féminisme, à l'écologisme et au marxisme.

Cette variante est plus analytique que la première, laquelle est généralement descriptive et apporte des informations sur les transformations qu'on peut observer (c'est à celle-ci que l'on doit, par exemple, le concept d'État d'investissement social[24]). Les travaux en économie politique mettent en lumière les rapports de pouvoir et s'efforcent de révéler la manière, souvent insidieuse, dont ces rapports se reproduisent. En regard de la reconfiguration des politiques sociales qui a cours depuis une quinzaine d'années, cette approche axée sur l'économie politique adopte une position assez orthodoxe sur le rôle de l'État et dénonce habituellement les tentatives de renouvellement de la gauche autour de la « troisième voie », qu'elle considère comme une dérive vers la droite[25]. Yves Vaillancourt explique : « Dans le cadre d'analyse binaire (État/marché) auquel la gauche traditionnelle demeure attachée, la défense de l'héritage des politiques sociales de l'aprèsguerre fait intégralement partie du programme progressiste d'aujourd'hui. En contrepartie, la critique de ces mêmes politiques sociales, qui faisait partie du patrimoine de la gauche des années 1970, est maintenant perçue comme une position qui relève inéluctablement du néolibéralisme[26]. » En ce qui concerne le développement de l'union sociale canadienne, ces deux courants de recherche et de pensée mettent en garde contre la tentation de croire que l'évolution de l'État-providence au Canada n'est que le reflet des difficultés financières d'Ottawa[27].

Par ailleurs, tout en étant critique des dispositions fiscales et budgétaires adoptées par Ottawa au courant des années 1990, on aura souvent tendance, sur le plan normatif, à faire valoir l'importance d'un gouvernement « central » fort. Cette préférence explique, au moins en partie, la méfiance que l'ECUS suscitera dans certains milieux qui la perçoivent comme une dangereuse décentralisation, comme elle explique la faveur dont jouira le gouvernement fédéral lorsque, une fois l'équilibre budgétaire retrouvé, il commencera à intervenir directement dans les domaines de compétence des provinces, parfois avec la collaboration des provinces, parfois sans elle, que ce soit en matière de santé (dépenses pour la réforme des systèmes de prestation des services, pour l'information sur la santé, pour la recherche et l'innovation en santé), d'éducation postsecondaire (Fondation canadienne pour l'innovation, chaires de recherche du Canada, Fondation canadienne des bourses du millénaire), de politique familiale (prestation nationale pour les enfants, amélioration des dispositions de l'assurance-emploi relatives aux prestations de maternité et parentales), au sujet des organismes communautaires (Accord entre le gouvernement du Canada et le secteur bénévole et communautaire, économie sociale) ou pour aider les sans-abri (initiative fédérale pour les sans-abri). L'importance que l'on accorde au gouvernement fédéral en matière de programmes sociaux ressort encore dans les discussions entourant l'adoption d'un programme canadien de services de garde pour les jeunes enfants.

Enjeux de gouvernance

Un dernier fil, le quatrième après les débats constitutionnels, les pressions budgétaires et les transformations de l'État-providence, achève de tisser la toile de l'union sociale, en particulier celle de l'Entente-cadre sur l'union sociale qui fut signée en 1999. Ce fil est celui de la gouvernance.

Sur ce plan, l'ECUS n'est qu'une des nombreuses manifestations d'une nouvelle approche de gestion axée sur les résultats qui s'inspire du nouveau management public et qui s'inscrit dans le sens de l'État d'investissement social. Cette observation est double : d'abord, l'ECUS n'est pas la seule entente de son genre ; ensuite, l'ECUS exprime une nouvelle approche dans la gestion des programmes publics.

Parce qu'elle concerne les programmes qui touchent le plus directement la population et aussi, sans doute, parce qu'elle concerne les secteurs exigeant les plus larges dépenses publiques, la signature de l'ECUS a suscité un certain émoi, en particulier dans les cercles impliqués en politiques sociales. Parce qu'elle concluait une période difficile dans les relations intergouvernementales et, possiblement aussi, parce qu'on espérait qu'elle annonçait des temps meilleurs (dans le reste du pays au moins[28]), ou inversement parce qu'elle semblait conforter l'opinion que l'on avait du régime fédéral (au Québec), on a peu remarqué que l'ECUS, dans les faits, n'était pas la seule entente de son genre. On trouve par exemple le même genre de méta-entente dans le commerce (l'Entente sur le commerce intérieur signée en 1994, avec le Québec), et en environnement (l'Accord pancanadien sur l'harmonisation en matière d'environnement signé en janvier 1998, sans le Québec)[29]. On trouve également de nombreuses ententes sectorielles, telles que l'accord de Vancouver signé par le gouvernement fédéral, la Colombie-Britannique et la ville de Vancouver (mars 2000), l'Accord entre le gouvernement du Canada et le secteur bénévole et communautaire (décembre 2001), le Cadre multi-latéral pour l'aide à l'employabilité des personnes handicapées (décembre 2003, sans le Québec).

Ce qui est particulièrement intéressant, c'est que ces ententes contiennent le même genre d'engagements à l'égard des grands principes comme la colla-boration, la coordination, la participation des citoyens et la transparence (imputabilité et reddition de compte) que ceux que l'on retrouve dans l'ECUS. D'une manière générale, les énoncés d'objectifs de ces ententes traduisent l'importance que l'on accorde aux résultats (plutôt qu'à la procédure) et à la concertation horizontale (entre les gouvernements, entre les ministères et entre le gouvernement et les citoyens). Ian Peach explique à ce sujet : « Quelle que soit la dénomination utilisée dans un pays donné (gouvernement décloi-sonné, gestion horizontale, stratégies pangouvernementales), on vise le même grand objectif de gestion publique par le biais d'innovations procédurales semblables : accroître la réceptivité des gouvernements aux besoins et atten-tes des citoyens en apportant des réponses coordonnées à volets multiples à des défis sociaux à volets multiples[30]. »

Sous cet angle, l'ECUS prend une tout autre allure. Il ne s'agit pas ici de nier l'importance de la dimension symbolique et des facteurs politiques et budgé-taires dans l'élaboration du discours autour de l'union sociale et la signa-ture de l'entente, mais simplement de révéler une autre facette significative. Les exemples d'entente intergouvernementale (et intragouvernementale) sont trop nombreux pour qu'ils relèvent du hasard. En regard de « l'histoire » de l'union sociale canadienne, la signature d'une entente telle l'ECUS aurait probablement été impensable en 1975.

L'ENTENTE-CADRE SUR L'UNION SOCIALE

L'Entente-cadre sur l'union sociale signée en février 1999 par tous les gouvernements canadiens, sauf celui du Québec, constitue l'expression la plus explicite de la réflexion entamée au début des années 1990 autour de l'union sociale canadienne.

Toutefois, bien qu'elle fasse écho aux discussions rapportées jusqu'ici autour de la nécessité de penser l'union sociale canadienne, par exemple, par sa clause numéro un (qui porte sur les principes) où on énonce que : « L'union sociale doit traduire les valeurs fondamentales des Canadiens – égalité, respect de la diversité, équité, dignité de l'être humain, responsabilité individuelle, de même que notre solidarité et nos responsabilités les uns envers les autres », cette entente est plus expressément encore l'aboutissement d'un processus de collaboration intergouvernementale, sur le plan des provinces dans un premier temps, dans la foulée du discours du trône de 1995, puis de collaboration fédérale-provinciale, à compter de novembre 1996. Ainsi, c'est avant tout un document administratif, sans force juridique, de nature intergouvernementale[31], qui concerne principalement la gouvernance de l'union sociale. Ses maîtres mots sont le partenariat, l'imputabilité, la transparence et la participation des citoyens.

Lors de la Conférence annuelle des premiers ministres provinciaux de 1995, les premiers ministres des provinces, sauf celui du Québec créent le Conseil interprovincial des ministres sur la réforme et la refonte des politiques sociales. Cet exercice est motivé par les compressions budgétaires annoncées dans les transferts aux provinces, et par le désir de celles-ci de mettre fin aux décisions unilatérales d'Ottawa à ce chapitre. Si le pouvoir de dépenser a suscité bien des réticences au cours des années, particulièrement au Québec, c'est maintenant le pouvoir fédéral de ne « pas » dépenser, et ce, de manière unilatérale, qui préoccupe les provinces.

Le Conseil a produit, en décembre 1995, un document de travail qui reflète les préoccupations de ces provinces en matière sociale[32]. Lors de la Conférence annuelle des premiers ministres provinciaux tenue à Jasper en août

1996, les chefs de gouvernement élargissent leur démarche en mettant sur pied le Conseil provincial-territorial chargé du renouvellement de la politique sociale. Ce conseil est chargé d'examiner, entre autres, le rôle que pourraient jouer les provinces dans la définition de normes nationales.

La quasi-défaite référendaire d'octobre 1995, du point de vue fédéraliste, a aussi eu ses effets auprès du gouvernement fédéral de Jean Chrétien qui a dès lors entrepris de démontrer qu'une réforme de nature non constitutionnelle de la fédération était possible[33]. C'est bien sûr le temps de la déclaration concernant le statut distinct du Québec à la Chambre des communes (et de la déclaration de Calgary par les premiers ministres provinciaux), mais aussi l'expression d'un désir de collaborer avec les provinces, et ce, paradoxalement, alors même qu'il procédait à des compressions unilatérales dans les transferts aux provinces.

Dans le budget fédéral de 1995, Ottawa avait déjà invité les provinces à développer « en collaboration, par accord mutuel, un ensemble de principes et d'objectifs communs qui pourraient régir le nouveau Transfert social canadien ». Dans le discours du trône de 1996, il reprendra l'idée d'une union sociale de manière plus explicite. Ottawa réitéra ainsi sa disposition à travailler « avec les provinces et avec les Canadiens à déterminer d'un commun accord les valeurs, les objectifs et les principes qui devraient soustendre le Transfert canadien en matière de santé et de programmes sociaux, et de là, l'union sociale en général[34] ». Ottawa s'engageait également à ne plus utiliser son pouvoir de dépenser pour créer de nouveaux programmes à frais partagés dans des domaines de compétence provinciale exclusive sans le consentement de la majorité des provinces. De plus, il s'engageait à faire en sorte que tout nouveau programme soit conçu de telle façon que les provinces qui s'en dissocieraient seraient indemnisées, à condition qu'elles adoptent un programme équivalent ou comparable.

Le gouvernement fédéral se joindra finalement aux démarches des provinces dans le cadre du Conseil fédéral-provincial-territorial sur la refonte des politiques sociales, dont la première réunion a eu lieu en novembre 1996, « pour collaborer dans un nouveau partenariat, au renouvellement du filet de sécurité sociale au Canada », avec comme priorité l'élaboration d'une prestation intégrée pour enfants et l'amélioration des programmes à l'intention des personnes handicapées[35]. Les négociations entourant l'adoption d'un accord-cadre sur l'union sociale seront formellement lancées à l'hiver 1998.

Le gouvernement du Québec demeurera un observateur jusqu'à l'été 1998, au moment où les provinces arrivent à l'entente de Saskatoon et lorsque le droit de retrait avec pleine compensation est convenu entre les acteurs[36]. L'accord qui sera finalement conclu, en février 1999, s'éloignera considérablement de cette entente et de la position adoptée par le Québec et soutenue par les autres provinces[37]. D'où le refus du Québec de signer. L'Entente-cadre sur l'union sociale canadienne (ECUS) fut reçue avec dépit au Québec, et considérée notamment comme une preuve supplémentaire que les fronts communs interprovinciaux étaient illusoires et ne permettaient ni de faire valoir les intérêts du Québec ni de défendre la position québécoise en matière de programmes sociaux[38].

Rappelons toutefois que si l'ECUS marque une fin de non-recevoir à la position québécoise, elle s'éloigne également d'une version provinciale de l'union sociale plus affirmée et mise de l'avant par les gouvernements de l'Alberta et de l'Ontario à l'été 1996, lors de la Rencontre des premiers ministres provinciaux. Cette version a été explicitée dans un document préparé pour le compte du gouvernement ontarien par Tom Courchene et intitulé « Convention sur les systèmes économiques et sociaux du Canada[39] ».

Contrairement au rapport aux premiers ministres préparé par le Conseil des ministres sur la réforme et la refonte des politiques sociales et à plusieurs autres documents subséquents[40], dans lesquels on fait valoir l'importance du rôle des provinces dans la définition des « standards nationaux », où l'on cherche à mettre fin à l'unilatéralisme d'Ottawa dans les programmes sociaux, mais où on reconnaît aussi un rôle important au gouvernement fédéral[41], cette autre proposition rejette le rôle d'Ottawa et confie aux provinces seules le leadership en matière de programmes sociaux. Ainsi, Courchene propose ce qui suit :

> [...] la conception et la prestation des services de santé, d'aide sociale et d'éducation relèveraient exclusivement de la compétence des provinces. C'est ainsi que serait appliqué le principe de la subsidiarité (principe de base n° 6). Les effets externes ou les éléments pancanadiens de la subsidiarité seraient visés par un accord interprovincial comportant des principes et des normes ainsi que des mesures garantissant la mobilité et la transférabilité. Du côté fiscal, cette

proposition intègre à la fois les principes de la péréquation et de la neutralité fiscale (principe de base n° 4). Surtout, cet accord interprovincial suppose le retrait complet du palier fédéral de ces secteurs, car les transferts de fonds seraient convertis en transferts de points d'impôt péréqués[42].

Cette approche par rapport au réaménagement des responsabilités des gouvernements en matière de programmes sociaux ne sera pas retenue par les provinces au cours de leurs délibérations s'échelonnant de 1996 à 1998[43]. Tout en marquant un recul par rapport au consensus de Saskatoon de l'été 1998, auquel Québec avait adhéré, l'Entente-cadre de février 1999 est néanmoins plus près de ce que cherchaient à obtenir les provinces (à l'exception du Québec) dans le plan mis de l'avant dans le rapport aux premiers ministres qu'on est prêt à l'admettre. Par exemple, les premiers ministres reconnaissaient dans ce document que : « Le système canadien de protection sociale englobe une série complexe de services et de programmes interdépendants, les gouvernements fédéral et provinciaux/territoriaux étant actifs dans la quasi-totalité d'entre eux[44]. » Ainsi, les provinces ne rejetaient pas le rôle d'Ottawa, mais cherchaient plutôt à le préciser (notamment au chapitre des responsabilités fiduciaires envers les Autochtones) et à empêcher toute décision unilatérale, tout en affirmant clairement leur leadership.

On pourrait certes débattre sur ce que les provinces ont gagné ou perdu entre 1996 et 1999. Par exemple, elles attendent toujours un mécanisme de règlement des différends. On pourrait aussi se demander si l'ECUS satisfait véritablement leur demande d'élaboration d'un cadre visant à guider le processus de réforme dans les domaines de responsabilité provinciale-territoriale. Et remarquer que le pouvoir fédéral de dépenser demeure encore une prérogative strictement fédérale : malgré les énoncés de collaboration, le gouvernement fédéral a souvent pris des initiatives unilatérales dans les domaines de compétence des provinces, que ce soit dans celui de l'éducation (les bourses du millénaire), de la santé (les fonds de transition) ou des services sociaux (les sans-abri).

On doit aussi noter que plusieurs priorités retenues par les premiers ministres, par exemple la prestation intégrée pour enfants, les programmes destinés aux personnes handicapées et la restauration des transferts aux provinces, notamment dans le domaine de la santé, ont effectivement été au cœur des négociations fédérales-provinciales et ont connu des développements significatifs au cours des années subséquentes.

Il est vrai que ces résultats demeurent bien modestes en regard des attentes. Comme le note Alain Noël : « La façon dont ce retournement a été réalisé est cependant révélatrice. En effet, une part importante de l'augmentation des transferts a pris la forme de versements ponctuels, conditionnels et accordés à des fins spécifiques, pour les soins de santé, la petite enfance ou l'éducation post-secondaire[45]. » Bon nombre d'ententes fédérales-provinciales plus récentes, par exemple les ententes concernant le financement de la santé en 2003 et en 2004, et la signature d'ententes bilatérales fédérales-provinciales sur l'apprentissage et la garde des jeunes enfants au cours de 2005, présentent le même air ciblé, ponctuel et conditionnel. Et elles sont étonnamment silencieuses relativement à l'ECUS, même si on y trouve des engagements similaires en matière d'imputabilité, de transparence et de collaboration[46].

Quelques auteurs proposent bien une interprétation plus généreuse de l'ECUS[47], mais en fin de compte, malgré les émois qu'elle aura suscités et les attentes qu'elle aura créées, la plupart des observateurs concluent que l'ECUS n'aura eu, en définitive, qu'un impact marginal sur l'évolution des programmes sociaux et des relations intergouvernementales, et bon nombre d'entre eux se montrent déçus devant l'absence de résultats concrets pour les politiques sociales[48]. Comme dans les autres secteurs où des ententes ont été signées, l'impact sur le contenu des politiques a été mitigé[49].

Pour résumer, on peut dire que la principale conclusion à laquelle les chercheurs qui se sont penchés sur cette entente sont arrivés est que l'ECUS n'aura été qu'une illusion. Par exemple, on a dit qu'elle n'était qu'une « coquille vide », « une opportunité manquée », « une entente mort-née » ou « mal implantée », une forme de coopération « sub-optimale »[50]. Plus de trois ans après la publication du rapport examinant l'ECUS, où l'on recommandait de continuer à consulter, de collaborer et de mener une nouvelle évaluation d'ici 5 ans[51], on est donc tenté de conclure, comme Roger Gibbins, que l'ECUS n'est que le fruit d'une simple conjoncture politique dont les principaux paramètres sont maintenant chose du passé.

L'UNION SOCIALE CANADIENNE EN 2006

Indéniablement, la conjoncture politique a considérablement changé comparativement à celle qui prévalait en 1999. Depuis, non seulement le gouvernement fédéral a-t-il réussi à rééquilibrer ses finances, mais il dégage, année après année depuis 1998, des surplus budgétaires pléthoriques, totalisant 63 milliards de dollars en huit ans[52]. Dans ce contexte, alors qu'en 1999 on s'inquiétait du pouvoir de ne « pas » dépenser d'Ottawa, on est revenu à la problématique de savoir comment il dépensera, et dans quel domaine. Résolues, les provinces se sont activées pour récupérer et améliorer les transferts en provenance d'Ottawa et, jusqu'à maintenant, à l'exception du transfert d'une partie de la taxe sur l'essence aux villes, ces « ré-investissements » se sont principalement faits dans les domaines de priorité des provinces : l'enfance et la santé. Tout récemment, les premiers ministres provinciaux annonçaient leur intention de poursuivre leur offensive relativement à l'éducation postsecondaire et au financement des universités[53].

La multiplication des surplus budgétaires fédéraux, alors que les provinces maintenaient difficilement leur propre équilibre budgétaire, a également introduit une nouvelle thématique, celle du déséquilibre fiscal vertical[54], en grande partie sous le leadership du Québec et du Conseil de la fédération créé en décembre 2003. Jusqu'en janvier 2006, le gouvernement fédéral refusait de reconnaître cette situation. L'élection de Stephen Harper à la tête d'un gouvernement conservateur minoritaire risque de modifier grandement l'évolution de ce dossier. Non seulement a-t-il promis qu'un gouvernement conservateur veillerait à éliminer le déséquilibre fiscal et respecterait les compétences provinciales, mais il a également annoncé que son gouvernement pratiquerait un « nouveau fédéralisme d'ouverture », notamment pour reconnaître les responsabilités culturelles et institutionnelles spéciales du Québec[55].

Ces bonnes dispositions envers le Québec s'inscrivent dans la tendance observée sous le règne de Paul Martin, comme l'illustrent la signature de l'entente finale Canada-Québec sur le régime québécois d'assurance parentale en mars 2005, l'Entente distincte sur la santé de septembre de la même année et l'Entente sur les services de garde un mois plus tard[56].

Finalement, la question de la péréquation a également refait surface. Plutôt à l'abri des turbulences qui ont caractérisé les autres programmes de transfert depuis vingt ans, la péréquation est redevenue un sujet controversé au tournant des années 2000. Ainsi, en octobre 2004, le premier ministre de Terre-Neuve et Labrador, Danny Williams, claquait la porte de la Conférence des premiers ministres à cause d'un litige concernant le traitement des revenus tirés par cette province de l'exploitation des ressources extracôtières dans le calcul de la péréquation[57]. Comme la Nouvelle-Écosse, Terre-Neuve désirait conserver la totalité des revenus tirés de ces activités, sans que cela n'affecte ses paiements de péréquation.

La question des ressources naturelles a été un des principaux problèmes auxquels ce programme s'est heurté depuis sa création. En 1982, par exemple, on avait opté pour la norme des cinq provinces pour évaluer la capacité fiscale de chaque province, excluant par le fait même la riche Alberta et sa manne pétrolière. Cette fois-ci, on a opté pour des ententes parallèles avec les provinces concernées. Ainsi, en janvier 2005, Ottawa a signé des ententes avec Terre-Neuve et Labrador et la Nouvelle-Écosse afin d'exclure du calcul de leurs capacités fiscales, les revenus tirés des ressources extracôtières[58]. Ces ententes à la carte n'ont toutefois pas été sans créer des remous dans les autres provinces, alors que la Saskatchewan, qui se plaignait que les revenus tirés de ses ressources naturelles étaient récupérés à plus de 100 %[59], et que l'Ontario dénonçait le fait qu'Ottawa investissait moins dans cette province qu'il n'en retirait de revenus, un écart de 23 milliards de dollars à ses dires, au cours des mois subséquents.

Ces questions budgétaires et financières nous rappellent que l'union sociale n'est pas qu'une vue de l'esprit, voire une construction élaborée en période difficile pour tenter de freiner le rétrécissement de l'État-providence ou de renforcer le sentiment de cohésion nationale, mais qu'elle touche des enjeux bien concrets, soit la capacité fiscale de plusieurs provinces à offrir des programmes sociaux semblables et de qualité à leur population. C'est certainement le cas des provinces plus pauvres. Rappelons à titre d'illustration que, en 2004-2005, la part des transferts fédéraux dans les recettes provinciales variait de 16 % en Alberta à 42 % en Nouvelle-Écosse[61]. Compte tenu de l'amélioration de la situation financière de certaines provinces atlantiques, de la performance hors du commun de l'Alberta, et des surplus budgétaires à Ottawa, il y a tout lieu de croire que ces questions coloreront les relations fédérales-provinciales des prochaines années. Au moment d'écrire ces lignes, les rapports des comités consultatifs mis sur pied par le gouvernement fédéral sur la péréquation et le Conseil de la fédération sur le déséquilibre fiscal étaient fort attendus.

Toutefois, si le sort qu'a connu l'ECUS s'explique en bonne partie par la transformation du paysage budgétaire et politique canadien, le fait que le Québec, deuxième province au pays en ce qui a trait à la population, ait refusé de l'entériner, compte également pour beaucoup dans sa désuétude. À ce sujet, l'élection d'un gouvernement libéral fédéraliste, au Québec, en avril 2003 n'aura pas modifié la donne[62]. Les ententes qui auront été paraphées par la suite dans le domaine social auront été signées en dépit et non en vertu de l'Entente-cadre.

L'arrivée de Jean Charest marque même un point de non-retour à cet égard. Ainsi, le mandat du Conseil de la fédération, dont il fut le principal instigateur, ne dit pas un mot de l'ECUS même si des thèmes et des engagements semblables à ceux de l'ECUS s'en dégagent. Ce conseil devait ouvrir la voie à « une nouvelle ère de coopération entre les provinces et les territoires[63] » en permettant « le dialogue et la concertation pour développer des approches concertées », notamment en matière de santé, d'éducation et de relations fiscales. Agissant strictement sur le plan interprovincial, le Conseil marque un retour en force des principes fédéraux, par exemple le « respect de la Constitution et du partage des compétences » et la reconnaissance des différences, et porte clairement la marque du Québec, par exemple dans le préambule où l'on rappelle que cette province n'a pas adhéré à la Loi constitutionnelle de 1982.

Il est un peu tôt pour faire un bilan des actions de ce tout jeune conseil, mais on peut d'ores et déjà remarquer qu'en le dotant d'un secrétariat permanent, les premiers ministres lui ont assuré l'assise institutionnelle et le soutien administratif qui manquaient à l'ECUS et, de ce fait, lui ont sans doute évité de tomber dans les mêmes limbes politiques. Reste que la logique des fronts communs sur laquelle le Conseil est fondé n'est pas nouvelle, tant s'en faut, et on saura bientôt si elle passera, mieux que par le passé, le test de la réalité politique canadienne[64]. À cet égard, les négociations portant sur le déséquilibre fiscal et le programme de péréquation seront déterminantes[65].

Les pérégrinations de l'union sociale canadienne au cours des années 1990 illustrent de manière quasi exemplaire comment l'évolution des programmes sociaux est intimement liée à la santé fiscale et budgétaire des gouvernements, aux aléas des relations fédérales-provinciales et aux préoccupations en matière d'unité canadienne. L'ECUS aura au moins eu le mérite de cristalliser notre attention sur cette interaction.

Même si le contexte politique est fort différent, les prochaines années seront également marquées à cette enseigne. Si la création du Conseil de la fédération, avec son approche plus formellement fédérale des questions sociales, et l'élection des Conservateurs de Stephen Harper en janvier 2006, avec leur fédéralisme « d'ouverture », semblent marquer une rupture significative en ce qui concerne la façon d'aborder les questions d'intérêt commun à toutes les provinces, il reste que les forces qui ont contribué à la visibilité du concept d'union sociale dans le reste du Canada (les forces progressistes et le nationalisme canadien) et à l'adoption de l'ECUS (la gouvernance et l'interdépendance des responsabilités des deux ordres de gouvernement) demeurent des forces avec lesquelles il faudra composer. On peut s'attendre qu'elles constituent des obstacles sur la voie de l'asymétrie et de la décentralisation tous azimuts.

À cet égard, tant le Conseil de la fédération que le nouveau gouvernement doivent encore faire la preuve qu'ils sont à la hauteur des défis qui s'annoncent, notamment en ce qui concerne le rôle du secteur privé dans le domaine de la santé et la réforme envisagée de la péréquation. Quant aux provinces, elles doivent démontrer que la latitude qu'offrent la formule du financement global peut être mise à profit pour améliorer les programmes et les services sociaux et que la concertation interprovinciale ne signifie pas nécessairement une course au plus petit dénominateur commun. Dans ce cas, peut-être alors verra-t-on émerger une « union sociale fédérale du Canada » qui respecte à la fois l'autonomie et la diversité voulues par les uns, tout en inspirant un sentiment commun d'appartenance et d'attachement tel qu'il est souhaité par les autres.

NOTES ET RÉFÉRENCES

1. L'Acte constitutionnel de 1867 octroie aux provinces la responsabilité en matière de programmes sociaux par les articles 92 et 93. Notons toutefois que la réforme constitutionnelle de 1940 donna à Ottawa la responsabilité en matière d'assurance-chômage. Par ailleurs, le gouvernement fédéral a également autorité en matière sociale par ses responsabilités relativement à la sécurité de la vieillesse (qui est une compétence partagée avec les provinces), la santé publique (par exemple l'autorisation et la réglementation sur les médicaments) et à l'endroit des vétérans et des Autochtones.

2. Yves Vaillancourt, « Le modèle québécois de politiques sociales et ses interfaces avec l'union sociale canadienne », *Enjeux publics*, vol. 3, n° 2 , Montréal, IRPP, janvier 2002, p. 8.

3. Thomas J. Courchene, « Hourglass Federalism – How the Feds Got the Provinces to Run Out of Money in a Decade of Liberal Budgets », *Options politiques*, avril 2004, p. 14 (traduction de l'auteure).

4. Voir Alain-G. Gagnon (dir.), *L'union sociale canadienne sans le Québec : huit études sur l'entente-cadre*, Montréal, Éditions Saint-Martin, 2000.

5. Voir notamment André Burelle, *Le mal canadien : essai de diagnostic et esquisse d'une thérapie*, Montréal, Fides, 1995 ; Robert B. Asselin, « L'union sociale canadienne : questions relatives au partage des pouvoirs et au fédéralisme fiscal », Ottawa, Bibliothèque du Parlement, 2001.

6. On trouvera ces études sur le site Web de l'IRPP dans la section « recherche » sous la rubrique « union sociale ».

7. Michael Prince, « SUFA : Sea Change or Mere Ripple for Canadian Social Policy ? », dans Sarah Fortin, Alain Noël et France St-Hilaire (dir.), *Forging the Canadian Social Union : SUFA and Beyond*, Montréal, IRPP, 2003, p. 125-126. Sur les différentes conceptions de l'union sociale, voir également Alain Noël, « Les trois unions sociales », *Options politiques*, novembre 1998.

8. Michael Prince, *op. cit.*, p. 126.

9. Commission royale sur l'union économique et les perspectives d'avenir du Canada, *Rapport*, volume 2, Ottawa, 1985.

10. Rapport du consensus sur la Constitution, Charlottetown, 28 août 1992.

11. Voir Mark R. Macdonald, « The Agreement on Internal Trade : Trade-offs for Economic Union and Federalism », dans Herman Bakvis et Grace Skogstad (dir.), *Canadian Federalism : Performance, Effectiveness , and Legitimacy,* Toronto, Oxford University Press, 2002, p. 138-158.

12. Margaret Biggs, « Building Blocks for Canada's New Social Union », *Working Papers,* n° F-02, Ottawa, Réseaux canadiens de recherche en politiques publiques, 1996, p. 1. Voir également Susan Peters, *Exploring Canadian Values : A Synthesis Report,* Ottawa Réseaux canadiens de recherche en politiques publiques, 1995 (traduction de l'auteure ; italiques dans l'original).

13. Voir Michael Mendelson, « Social Policy in Real Time », *Caledon Papers,* Ottawa, Caledon Institute of Social Policy, 1993 ; Joe Ruggieri, « Growing up : the evolution of provincial responsibility », dans Harvey Lazar (dir.), *Canadian Fiscal Arrangements : What Works, What Might Work Better,* Montréal et Toronto, McGill-Queen's University Press, 2005.

14. En plus de ces transferts en argent, le gouvernement fédéral a aussi transféré, à diverses occasions, des points d'impôt pour contribuer au financement des programmes sociaux. Par exemple, pour l'année fiscale 2004, le contribuable québécois avait droit à un abattement de 16,5 % qui diminue d'autant son impôt fédéral. Dans le calcul du montant total qu'il transfère aux provinces, Ottawa tient habituellement compte de ces points d'impôt. Dans ce chapitre, nous n'aborderons pas cet aspect de la question. Pour en savoir plus, on peut se référer à David B. Perry, *Financing the Canadian Federation, 1867 to 1995 : Setting the Stage for Change*, Association canadienne d'études fiscales, 1997.

15. Pour des analyses quant à l'impact de ces réformes sur les chômeurs, voir Ken Battle, « Relentless Incrementalism : Deconstructing and Reconstructing Canadian Income Security Policy », dans Keith Banting, Andrew Sharpe et France St-Hilaire (dir.), *The Review of Economic Performance and Social Progress*, Montréal, IRPP, 2001 ; Tom McIntosh, « When Good Times Turn Bad : The Social Union and Labour Market Policy », dans Tom McIntosh (dir.), *Building the Social Union : Perspective, Directions and Challenges*, Regina, Canadian Plains Research Center, University of Regina, 2002.

16. Yves Vaillancourt, « Le modèle québécois de politiques sociales et ses interfaces avec l'union sociale canadienne », p. 37. Selon Jim Stanford, ces changements comptent pour le quart de l'amélioration de la situation budgétaire fédérale. Voir « The Economic and Social Consequences of Fiscal Retrenchment in Canada in the 1990s », dans Keith Banting, Andrew Sharpe et France St-Hilaire (dir.), *The Review of Economic Performance and Social Progress*, Montréal, IRPP, 2001, p. 148.

17. Pour une analyse détaillée des interactions entre les programmes d'assurance-emploi et d'aide sociale, voir Tom McIntosh et Gerard W. Boychuk, « Dis-Covered : EI, Social Assistance and the Growing Gap in Income Support for the Unemployed Canadians », dans Tom McIntosh (dir.), *Federalism, Democracy and Labour Market Policy in Canada*, Kingston, SPS/McGill-Queen's University Press, 2000, p. 70-103. Ils font notamment valoir que, jusqu'au tournant des années 1990, il était plus fréquent pour les bénéficiaires de passer de l'aide sociale à l'assurance-chômage que l'inverse, et que les réformes apportées aux deux programmes dans les années 1990 ont rendu plus difficile pour ceux-ci l'utilisation de l'un ou l'autre programme.

18. Voir Alain Noël, « De la formule à l'enveloppe », *Options politiques*, décembre 2004-janvier 2005, p. 67-68. Le programme de péréquation est un programme de transfert sans condition instauré en 1957 et dont le principe a été enchâssé dans la Constitution canadienne en 1982. Il vise à permettre aux provinces d'offrir des services publics comparables d'une province à l'autre avec des niveaux d'imposition comparables. Pour l'exercice 2004-2005, la péréquation fait en sorte que toutes les provinces disposent de revenus d'au moins 6 217 $ par habitant. Voir <www.fin.gc.ca/FEDPROV/eqpf.html>.

19. Alain Noël, « Les prérogatives du pouvoir dans les relations intergouvernementales », *Enjeux publics*, vol. 2, n° 6(f), Montréal, IRPP, novembre 2001, p. 36.

20. Tom McIntosh, « Intergovernmental Relations, Social Policy and Federal Transfers after Romanow », *Administration publique du Canada*, vol. 47, n° 1, printemps 2004, p. 31.

21. Tom McIntosh et Gerard W. Boychuk, « Dis-Covered : EI, Social Assistance and the Growing Gap in Income Support for the Unemployed Canadians », p. 70.

22. Pour une analyse de l'évolution des dépenses fédérales et provinciales en matière de programmes sociaux durant cette période, voir Ken Battle, « Relentless Incrementalism », p. 183-229.

23. Voir David Laycock et Greg Clarke, « Framing the Canadian Social Contract : Integrating Social, Economic and Political Values Since 1940 », *Discussion Paper* n° P/02, Ottawa, Réseaux canadiens de recherche en politiques publiques, 2002 ; et Gregory J. Inwood, « Federalism, Globalization and the (Anti-) Social Union », dans Mike Burke, Colin Mooers et John Shileds (dir.), *Restructuring and Resistance : Public Policy in an Age of Global Capitalism*, Halifax, Fernwood Publishing, 2000.

24. Voir Denis Saint-Martin, « De l'État providence à l'État d'investissement social : un nouveau paradigme pour *enfant-er* l'économie du savoir ? », dans Leslie A. Pal (dir.), *How Ottawa Spends 2001-2002 : Power in Transition*, Montréal, McGill-Queen's University Press, 2001, p. 33-57 ; Gerard Boychuk, « The Canadian Social Model : The Logics of Policy Development », *CPRN Social Policy Architecture Papers*, Research Report F-36, Ottawa, Réseaux canadiens de recherche en politiques publiques, 2004.

25. Mel Watkins, « Politics in the Time and Space of Globalization », dans Wallace Clement et Leah F. Vosko (dir.), *Changing Canada : Political Economy as Transformation*, Montréal et Toronto, McGill-Queen's University Press, 2003, p. 19.

26. Yves Vaillancourt, *op. cit.*, p. 43. Vaillancourt est d'avis qu'il est possible et souhaitable de s'éloigner du modèle providentialiste et fordiste sans pour autant souscrire au modèle néolibéral.

27. Alain Noël note qu'« un nouvel État providence a commencé à prendre forme au Canada, mais cette évolution ne peut être simplement attribuée au désengagement financier des gouvernements ou à des réponses improvisées aux problèmes courants ». Selon lui, toutefois, le principal autre facteur qui entre en ligne de compte est le désir d'Ottawa de conserver le pouvoir et le contrôle. Voir « Les prérogatives du pouvoir dans les relations intergouvernementales », p. 8.

28. Barbara Cameron et Judy Rebick, « The Social Union Framework is a Step Forward », *The Globe and Mail*, 11 février 1999, p. A11 ; Greg Marchildon, « A Step in the Right Direction », *Inroads*, vol. 9, 1999, p. 124-133.

29. Selon Mark S. Wenfield, l'entente en environnement aurait même servi de modèle à l'ECUS. Voir « Environmental Policy and Federalism », dans Herman Bakvis et Grace Skogstad (dir.), *Canadian Federalism : Performance, Effectiveness , and Legitimacy*, Don Mills, Oxford University Press, 2002, p. 134.

30. Ian Peach, « Managing Complexity : the Lessons of Horizontal Policy-Making in the Provinces », *The Scholar Series*, Regina, Saskatchewan Institute of Public Policy, 2004 (traduction de l'auteure).

31. Ceci est vrai de la plupart des ententes intergouvernementales non constitutionnelles, tant au Canada qu'ailleurs. Voir à ce sujet Johanne Poirier, *The Functions of Intergovernmental Agreements : Post-Devolution Concordats in a Comparative Perspective*, Londres, School of Public Policy, University College London, 2001.

32. *Rapport aux premiers ministres*, décembre 1995.

33. Mark S. Wenfield fait le même constat en ce qui concerne la signature de l'entente sur l'environnement. Voir « Environmental Policy and Federalism », p. 134.

34. Voir Paul Martin, « Discours du budget », février 1995, <www.fin.gc.ca/budget95/speech/speechf.txt> (page consultée en février 2006) et « Le discours du trône », Trente-deuxième législature du Canada, février 1996, <www.pco-bcp.gc.ca>.

35. « Première réunion du Conseil fédéral-provincial-territorial sur la refonte des politiques sociales », communiqué, 27 novembre 1996.

36. Voir Joseph Facal, « Pourquoi le Québec a adhéré au consensus des provinces sur l'union sociale », *Options politiques*, novembre 1998, p. 12-13.

37. L'entente est disponible sur le site : <www.socialunion.gc.ca>. Pour des analyses approfondies de l'ECUS du point de vue du Québec, voir Alain-G. Gagnon (dir.), *L'union sociale canadienne sans le Québec*. Pour une analyse du rapport de force, favorable à Ottawa, que révèle cette entente, voir Alain Noël, « Les prérogatives du pouvoir dans les relations intergouvernementales ».

38. Pour une présentation des positions historiques du Québec, voir Secrétariat aux affaires intergouvernementales canadiennes, « Positions du Québec dans les domaines constitutionnel et intergouvernemental de 1936 à mars 2001 », disponible sur le site : <www.saic.gouv.qc.ca/institutionnelles_constitutionnelles/positions_1936-2001.htm>.

39. Thomas J. Courchene, *Convention sur les systèmes économiques et sociaux du Canada*, Document de travail préparé pour le ministre des Affaires intergouvernementales, Gouvernement de l'Ontario, 1996.

40. Voir par exemple Conseil provincial-territorial sur la refonte des politiques sociales, *Pour un renouvellement de l'union sociale canadienne*, document de discussion, avril 1997. Sur le site <www.socialunion.gc.ca>, on trouvera les communiqués de presse et autres documents préparés par les divers conseils créés pour revoir les politiques sociales.

41. Jane Jenson et Gérard Boismenu décrivent cette position dans « A Social Union or a Federal State ? : Competing Visions of Intergovernmental Relations in the New Liberal Era », dans Leslie A. Pal (dir.), *How Ottawa Spends 1998-99 : Balancing Act : The Post-Deficit Mandate,* Montréal et Kingston, McGill-Queen's University Press, 1998, p. 66-69.

42. Thomas J. Courchene, *Convention sur les systèmes économiques et sociaux du Canada,* p. 19.

43. Voir Jane Jenson et Gérard Boismenu, p. 70-71. Les petites provinces craignaient que cela n'entraîne la fin des transferts de péréquation et qu'elles soient ainsi à la merci des provinces plus riches.

44. Conseil des ministres sur la réforme et la refonte des politiques sociales, *Rapport aux premiers ministres* (1995). Cité dans « Premiers Release Report of the Ministerial Council on Social Policy Reform and Renewal », Communiqué, Conseil exécutif, Gouvernement de Terre-Neuve et Labrador, 28 mars 1996 (traduction de l'auteure).

45. Alain Noël, « Les prérogatives du pouvoir dans les relations intergouvernementales », p. 12.

46. Voir « Un plan décennal pour consolider les soins de santé », Secrétariat des conférences intergouvernementales canadiennes, 15 septembre 2004, <www.scics.gc.ca> ; « Pour aller de l'avant : l'apprentissage et la garde des jeunes enfants » *Accord de principe entre le gouvernement du Canada et le gouvernement du Manitoba,* 29 avril 2005, <www.gov.mb.ca/fs/publications.fr.html>.

47. Harvey Lazar, « Non-constitutional Renewal : Toward a New Equilibrium in the Federation » ; Bruno Théret, « L'union sociale canadienne dans le miroir des politiques sociales de l'Union européenne », *Enjeux publics*, vol. 3, n° 9, août 2002.

48. La déception était le dénominateur commun des mémoires déposés à l'occasion de la consultation menée pour l'examen statutaire de l'entente à l'automne 2002. Voir <www.unionsociale.gc.ca/menu_f.html> (page consultée en janvier 2006). Voir également les contributions dans la *Revue canadienne de politique sociale*, vol. 47, printemps 2001 ; Tom McIntosh, « As Time Goes By : Building on SUFA's Commitments », dans Tom McIntosh (dir.), *Building the Social Union : Perspectives, Directions and Challenges*, Regina, Saskatchewan Institute for Public Policy, 2002.

49. En ce qui concerne l'entente sur l'environnement, Mark Wenfield note : « Jusqu'à maintenant, l'expérience d'harmonisation donne à penser que de bonnes relations intergouvernementales ne se traduisent pas nécessairement par des résultats politiques significatifs » (traduction de l'auteure). Voir « Environmental Policy and Federalism », p. 134. De même, dix ans après son adoption, la mise en œuvre de l'entente sur le commerce intérieur souffre encore d'importantes ratées. À ce sujet, voir *Strengthening Canada : Challenges for Internal Trade and Mobility*, Winnipeg, Secrétariat du commerce intérieur, 2002.

50. Voir Sarah Fortin *et al.* (dir.), *Forging the Canadian Social Union*.

51. Conseil ministériel fédéral, provincial, territorial sur la refonte des politiques sociales, *Examen après trois ans de l'Entente-cadre sur l'union sociale (ECUS)*, juin 2003.

52. Thomas J. Courchene, « Accountability and Federalism in the Era of Federal Surpluses : The Paul Martin Legacy, Part II », document de travail de l'IRPP, n° 2006-01, Montréal, IRPP, 2006, p. 4.

53. En février 2006, le Conseil de la fédération organisait une conférence portant sur ce sujet.

54. Voir Commission sur le déséquilibre fiscal, *Pour un nouveau partage des moyens financiers au Canada, Rapport*, Gouvernement du Québec, 2002 ; France St-Hilaire, « Écarts et déséquilibres fiscaux : la nouvelle donne du fédéralisme canadien », *Options politiques*, octobre 2005, p. 27-35.

55. Voir à ce sujet son fameux « discours de Québec », prononcé le 19 décembre 2005 devant la Chambre de commerce de Québec.

56. Sur le congé parental, voir Communiqué, « Entente Canada-Québec sur le régime québécois d'assurance parentale : un gain pour les familles, un gain pour le Québec », Secrétariat aux Affaires intergouvernementales canadiennes, 1er mars 2005 ; sur les services de garde, voir « Entente finale Canada-Québec concernant l'apprentissage et la garde des jeunes enfants », 28 octobre 2005 ; sur la santé, voir « Fédéralisme asymétrique qui respecte les compétences du Québec », Secrétariat des conférences intergouvernementales canadiennes, 15 septembre 2004.

57. Communiqué de presse, « Premier's Speaking Notes », Ministère du Conseil exécutif, Gouvernement de Terre-Neuve et Labrador, 27 octobre 2004.

58. Ce privilège leur avait déjà été accordé au milieu des années 1980 lorsque ces provinces ont négocié le droit de percevoir des impôts et de recevoir des royautés sur les ressources au large des côtes.

59. Communiqué, « Saskatchewan Wants Same Equalization Deal », Conseil exécutif, Gouvernement de la Saskatchewan, 31 janvier 2005 ; Tom Courchene, « Confisca-

tory Equalization : The Intriguing Case of Saskatchewan Vanishing Energy Revenues » *ChoixIRPP*, vol. 10, n° 2 (mars 2004).

60. Warren Lovely, « Killing the Golden Goose ? », *Canadian Financing Quarterly*,
15 avril 2005 ; Thomas J. Courchene, « Vertical and Horizontal Fiscal Imbalances :
an Ontario Perspective », *Background Notes for a Presentation to the Standing Com-
mittee on Finance House of Commons*, 4 mai 2005.

61. D'après le ministère fédéral des Finances. Notons que ces chiffres incluent les paiements de péréquation et les transferts effectués en espèces et en points d'impôt.

62. Claude Ryan, un ancien chef du PLQ et vu comme le père spirituel des fédéralistes
québécois, avait d'ailleurs réservé un accueil froid à l'ECUS et en avait fait une analyse sévère. Voir « L'entente sur l'union sociale canadienne vue par un fédéraliste
québécois », dans Alain-G. Gagnon (dir.), *L'union sociale canadienne sans le Québec :
huit études sur l'entente-cadre*, p. 245-262.

63. « Un mot du premier ministre », dans Secrétariat aux Affaires intergouvernementales canadiennes, *Le Conseil de la fédération. Un premier pas vers une nouvelle ère de
relations intergouvernementales au Canada*, Gouvernement du Québec, Ministère
du Conseil exécutif, 2004, p. 5.

64. Voir à ce sujet André Burelle, « Conseil de la fédération : du réflexe de défense à
l'affirmation partenariale » ; Claude Ryan, « Le Québec et la concertation interprovinciale », dans *Constructive and Co-operative Federalism ? A Series of Commentaries on the Council of the Federation*, Institute of Intergovernmental Relations et
Institut de recherche en politiques publiques, 2003, tous deux disponibles sur le site :
<www.irpp.org>.

65. Pour un examen de différents scénarios de réforme du programme de péréquation,
et de leurs implications sur les budgets des provinces, voir « An Examination of the
Interaction Between Natural Resource Revenues and Equalization Payments :
Lessons for Atlantic Canada », *Document de travail IRPP*, n° 2004-10.

12

ÉCONOMIE SOCIALES, POLITIQUES SOCIALES ET FÉDÉRALISME AU CANADA

Yves Vaillancourt et Luc Thériault

Réfléchir sur les liens entre l'économie sociale et le fédéralisme canadien implique que l'on examine aussi les politiques sociales, leur évolution histori-que, leurs transformations récentes au Québec et au Canada. Ce qui conduit, inéluctablement, à s'intéresser aux interfaces entre les politiques publiques et le fédéralisme canadien. Nous ne prétendons pas ici faire œuvre originale. La littérature sur l'histoire des politiques sociales et des débats constitution-nels au Canada en témoigne éloquemment : la majorité des spécialistes des politiques sociales au Canada doivent tenir compte de la dimension cons-titutionnelle et, à l'inverse, nombre de spécialistes des réformes constitu-tionnelles doivent se pencher sur des dossiers de politiques sociales.

Ce qui est plus nouveau toutefois, c'est que, depuis le début des années 1990, il est presque impossible de parler des réformes de politiques sociales en cours au Québec et au Canada sans parler en même temps de l'écono-mie sociale ou du tiers secteur, du moins de la partie de l'économie sociale qui entretient des liens avec les politiques sociales, notamment avec celles qui prennent la forme de services de proximité à des populations socialement vulnérables. Cette façon d'aborder les liens entre les réformes de politiques sociales et les acteurs de la société civile s'apparente à celle qu'on retrouve dans certains écrits du Caledon Institute of Social Policy et du Canadian Policy Research Network qui insistent la nécessité de s'ouvrir à une nouvelle *social architecture* des politiques sociales québécoises et canadiennes[1]. Cette « nouvelle architecture » des politiques sociales passe justement par l'ouverture à un nouveau modèle dans lequel l'intervention de l'État continue d'être valorisée, comme à l'époque de l'essor du providentialisme, mais s'accompagne de modalités innovantes dans lesquelles « l'État stratège » accepte de construire les politiques sociales avec les acteurs de la société civile, notamment ceux de l'économie sociale et solidaire, pour faire reculer la marchandisation et avancer l'intérêt général ou le bien commun[2].

Dans des écrits précédents, nous avions souligné que l'économie sociale était partie prenante d'un modèle québécois de politiques sociales de « deuxième génération », sans toutefois laisser entendre que certains traits fondamentaux de la configuration québécoise ne pouvaient exister ni se développer ailleurs au Canada ou voire dans le monde[3]. En fait, nos recherches des 10 dernières années sur les croisements entre politiques sociales et les initiatives de l'économie sociale ou du tiers secteur, ont été grandement enrichies grâce à nos échanges avec des équipes de recherche européennes et latino-américaines qui s'intéressent à ces mêmes questions. En Europe, les chercheurs qui se passionnent pour les politiques sociales s'intéressent souvent en même temps aux pratiques de l'économie sociale et du tiers secteur, et vice versa. Ce constat correspond à une conclusion centrale de l'ouvrage collectif majeur publié sous la direction d'Adalbert Evers et de Jean-Louis Laville sous le titre : *Third Sector in Europe*[4]. La contrepartie ne se retrouve pas aux États-Unis, dans la mesure où la littérature sur le tiers secteur y croise peu la littérature sur les politiques sociales, sauf peut-être sur le rôle des organisations du tiers secteur dans la réforme de l'aide sociale.

Certes, les interfaces entre l'économie sociale et les politiques sociales sont moins tangibles dans les domaines de politiques sociales où il y a une forme de transferts monétaires à des individus (par exemple, assurance-emploi, sécurité de la vieillesse, régime des rentes) que dans les domaines de politiques sociales où l'on dispense des services collectifs (par exemple, services à domicile, les services de garde à l'enfance, le logement social, les services sociaux divers).

Dans ce chapitre, nous voulons examiner les liens qui se tissent au Canada, depuis une dizaine d'années entre l'économie sociale, les politiques sociales en transformation et le fédéralisme canadien. Tout d'abord, nous évoquons deux traditions de recherche sur le tiers secteur dans la littérature internationale, l'une qui met l'accent sur la non-lucrativité et l'autre sur l'économie sociale. Ensuite, nous analysons l'évolution de ces deux traditions de recherche à l'intérieur de l'espace canadien au cours des 10 dernières années, ce qui nous permet de constater que, jusqu'en 2003, la recherche sur le tiers secteur liée à l'économie sociale était bien ancrée au Québec, tandis que la recherche associée à la non-lucrativité était implantée dans le reste du Canada ; toutefois, nous verrons que ce clivage a eu tendance à s'estomper au cours des années 2004 et 2005, dans la mesure où les deux gouvernements fédéraux dirigés par Paul Martin ont pris en compte le concept d'économie sociale et ont adopté des politiques qui conféraient une place à l'économie sociale. Enfin, dans une troisième partie, nous nous penchons sur le cas des services de garde à la petite enfance qui s'est retrouvé au cœur d'un important débat portant sur des réformes de politiques sociales impliquant une valorisation de l'économie sociale et qui ont eu des répercussions sur les relations intergouvernementales lors des deux gouvernements Martin. Nous concluons en présentant quelques éléments d'analyse critique.

LES TRADITIONS DE LA RECHERCHE SUR LE TIERS SECTEUR

Dans l'ouvrage collectif qu'ils ont dirigé sur le tiers secteur en Europe, Evers et Laville ont relevé deux grandes traditions de recherche en ce domaine, l'une, d'origine américaine, est axée sur la non-lucrativité et l'autre, d'origine européenne, axée sur les coopératives et l'économie sociale. Toujours selon ces deux auteurs, dans les débats scientifiques internationaux des dix dernières années qui ont porté sur le tiers secteur, la tradition américaine avait eu tendance à exercer une certaine hégémonie. La tradition européenne aurait ainsi été tenue à l'écart. La pluralité et la richesse des analyses scientifiques qui en résultent s'en seraient ressenties.

Selon Evers et Laville, *la tradition de recherche américaine* sur le tiers secteur (*US Legacy*) met l'accent sur la non-lucrativité (*Non-Profit Sector*) et le bénévolat (*Voluntary Sector*), en privilégiant les modalités sociohistoriques connues dans les pays anglo-saxons, notamment aux États-Unis. Dans cette tradition, le tiers secteur est conceptualisé principalement à partir de ces deux dimensions. Il en résulte que les coopératives et les autres entreprises d'économie sociale sont exclues du concept de tiers secteur, sous prétexte qu'elles peuvent générer des surplus qui s'apparentent à des profits et qu'elles peuvent faire plus de place au salariat qu'au bénévolat. L'influence marquante de ce courant vient du projet de recherche comparatif sur le tiers secteur mené à la Johns Hopkins University[5]. La conception du tiers secteur émanant de ce projet a été, au cours des 15 dernières années, la vision qui a le plus marqué la littérature internationale sur ce sujet. Cette recherche comparative, grâce à un montage financier impressionnant provenant entre autres des grandes fondations américaines et européennes, a donné lieu à des études qui mesuraient la présence du secteur sans but lucratif dans pas moins de 26 pays. Cette vision a coloré fortement les travaux qu'on retrouve dans de prestigieuses publications comme la revue *Nonprofit and Voluntary Sector Quarterly* et la revue *Voluntas : International Journal of Voluntary and Nonprofit Organizations* de l'ISTR (*International Society on Third Sector Research*)[6].

Par contre, toujours selon Evers et Laville, *la tradition de recherche européenne* met l'accent sur l'économie sociale (les coopératives, les mutuelles, les associations à but non lucratif), de même que sur la démocratisation de l'économie et de la société. Elle est alimentée par l'expérimentation et l'institutionnalisation sociohistorique qui ont prévalu dans un certain nombre de pays européens comme la France, l'Allemagne, la Belgique, l'Italie. Elle est légitimée depuis une vingtaine d'années par certaines politiques développées au sein des instances politiques et bureaucratiques de l'Union européenne qui font explicitement référence à l'économie sociale et à ses trois grandes composantes, soit les mutuelles, les coopératives et les associations.

En mettant en lumière la spécificité de la tradition européenne qui valorise l'apport sociohistorique et théorique des initiatives de l'économie sociale, Evers et Laville ne recherchent pas à délégitimer la pertinence de la tradition américaine et des apports théoriques qui en émanent dans les débats publics et scientifiques sur le tiers secteur. Ils suggèrent plutôt, pour que les débats dans les universités et les organisations autour des politiques internationales, continentales et nationales soient élargis et enrichis de façon significative, de faire davantage place au dialogue entre les deux grandes traditions.

La thèse d'Evers et Laville a un double mérite. D'une part, elle a l'avantage de décloisonner et d'enrichir les débats dans les associations nationales et internationales qui s'intéressent au concept de tiers secteur[7]. D'autre part, elle permet de jeter un éclairage nouveau sur les débats scientifiques et, plus largement, sur les débats publics qui concernent le tiers secteur, les organismes à but non lucratif (OBNL) et l'économie sociale au Québec et dans l'ensemble du Canada[8]. En effet, la distinction entre ces deux traditions historiques concernant le tiers secteur est promise à une fécondité analytique et stratégique certaine si nous parvenons à l'appliquer à toute l'histoire du tiers secteur au Québec et dans le reste du Canada.

Quand on se penche plus particulièrement sur la décennie 1995-2005, on peut avancer deux postulats. Tout d'abord, de 1995 à 2003, la tradition européenne, était hégémonique au Québec tandis que la tradition américaine, était, elle, dominante au Canada anglais. Puis, de 2003 à janvier 2006, les deux traditions sont davantage entrées en dialogue, ce qui veut dire, entre autres, que la tradition européenne a fait une certaine percée dans la société civile canadienne et dans les politiques relevant de l'État fédéral.

Tiers secteur et économie sociale

Jusqu'en 1995, les concepts de tiers secteur et d'économie sociale étaient peu utilisés dans la littérature scientifique et dans les débats publics au Canada et au Québec[9]. Cela ne veut nullement dire que certaines pratiques qui en relèvent n'existaient pas. Il suffira, pour s'en convaincre, de rappeler que :

- l'histoire du mouvement coopératif a commencé il y a plus d'un siècle au Canada anglais tout comme au Canada français ;
- l'histoire des mutuelles, souvent négligée, a commencé, elle aussi, à la fin du XIXe siècle ;
- les organismes privés à but non lucratif, longtemps appelés organismes charitables, ou tout simplement organismes privés, ont fait partie de l'évolution des politiques sociales non seulement au Québec mais dans l'ensemble du Canada depuis le début du XXe siècle. Les organismes privés à but non lucratif ont donc occupé une place de premier

choix tant dans la législation québécoise concernant l'assistance publique, qui a prévalu de 1921 à 1971, que dans la législation fédérale appelée Régime d'assistance publique du Canada (RAPC) qui a été mise en œuvre de 1966 à 1996. Dans les deux législations, l'État prévoit en effet que des fournisseurs de services provenant du secteur privé à but non lucratif peuvent compléter l'offre de services d'assistance publique provenant du secteur public ;

• le gouvernement fédéral, à partir des années 1970 et jusqu'à son retrait du financement des nouveaux programmes de logement social en 1993, a encouragé le développement dans les provinces et les territoires de nouveaux projets de logement qui accordaient la préférence aux coopératives et aux OBNL d'habitation ;

• les organismes communautaires occupent une place significative dans l'évolution des politiques sociales québécoises depuis le milieu des années 1960 ;

• l'essor du développement économique communautaire (DEC) s'est déployé dans diverses régions du Canada, y compris au Québec, depuis le début des années 1980.

Il est ainsi clair que les deux traditions de recherche sur le tiers secteur dont parlent Evers et Laville sont *de facto* présentes dans l'histoire du développement économique et social au Canada depuis de nombreuses décennies. Toutefois, dans la littérature scientifique et les débats publics, les terminologies propres aux deux traditions sont assez récentes. Par exemple, le concept d'économie sociale n'est utilisé dans les débats publics et la littérature scientifique que depuis une dizaine d'années. Il est apparu au Québec en 1995 et s'est rapidement diffusé après 2003 dans le reste du Canada.

De 1995 à 2003 : deux solitudes

Le gouvernement du Québec reconnaît l'économie sociale

L'économie sociale tient une place importante dans l'histoire du développement économique et social du Québec depuis la fin du XIXᵉ siècle ; elle a connu un essor particulier après la Marche des femmes « Du pain et des roses » au printemps 1995. Il importe de bien saisir que la reconnaissance de l'économie sociale a d'abord été une revendication des mouvements sociaux avant d'être une initiative gouvernementale. C'est ce qui fait l'originalité du contexte institutionnel québécois dans lequel ont émergé des politiques publiques visant à soutenir le développement de projets d'économie sociale. Dans ce contexte, le Sommet sur l'économie et l'emploi de l'automne 1996 a constitué un moment historique charnière pour la reconnaissance et le développement de l'économie sociale dans plus d'une vingtaine de champs d'activités socioéconomiques (centres de la petite enfance, services à domicile, logement social, développement durable, tourisme social, coopératives forestières, etc.). Plusieurs de ces initiatives d'économie sociale qui ont reçu un appui des acteurs sociaux et politiques présents au Sommet de 1996 s'inscrivaient ainsi de manière originale dans des projets de réformes des politiques sociales[10].

Il faut souligner ici que le Chantier d'économie sociale, dès le Sommet de 1996, a joué un rôle d'intermédiaire entre les mouvements sociaux et l'État québécois pour favoriser une institutionnalisation plus poussée de l'économie sociale. La définition proposée par le Chantier et acceptée par les acteurs socioéconomiques et sociopolitiques présents au Sommet était large et inclusive[11]. Elle faisait place à des composantes marchandes et non marchandes, pour reprendre une terminologie souvent utilisée par la suite. En d'autres termes, elle faisait place non seulement à des entreprises qui vendent ou tarifent leurs biens et leurs services (par exemple, les services des Centres de la petite enfance [CPE] à 7 $ par jour par enfant), mais aussi à des organisations communautaires ou coopératives qui bénéficient du soutien des fonds publics et offrent gratuitement leurs services à des populations vulnérables, par exemple un organisme communautaire qui offre des services d'insertion à des sans-emploi qui ont des problèmes de santé mentale. Toutefois, au fil des années, on constate un rétrécissement de la définition de l'économie sociale dans certains milieux. Ce qui a eu pour effet, sur le plan des représentations, de réduire l'économie sociale à ses seules composantes marchandes. Voilà pourquoi certains considèrent que la politique de reconnaissance des organismes communautaires adoptée au cours des années 1990 et 2000 se situe hors du cadre de l'économie sociale. La définition de 1996 qui inclut dans la grande famille de l'économie sociale et solidaire les organismes communautaires de services, et aussi de défense des droits nous semble préférable.[12]

Au cours des années 1996 à 2003, la reconnaissance de l'économie sociale obtenue au Sommet de 1996 s'est traduite par développement de plusieurs pratiques d'économie sociale dont certaines étaient liées à des réformes originales de politiques sociales. Il faut par ailleurs préciser qu'ont également été reconnus les organismes communautaires qui, à l'intérieur de la définition inclusive de l'économie sociale, font partie de ce que certains appellent l'économie sociale non marchande. Dans le cadre des travaux du Laboratoire de recherche sur les pratiques et les politiques sociales (LAREPPS), nous nous sommes souvent penchés sur la question de l'émergence de ces nouvelles pratiques et politiques socioéconomiques qui peuvent mener à des innovations sociales. C'est ce qui nous a amenés à parler de l'émergence « fragile », mais réelle d'un nouveau modèle de développement plus démocratique et solidaire qu'on retrouve entre autres dans le domaine du logement social, des services de garde, du développement de l'employabilité de personnes socialement vulnérables. L'État québécois intervient sur le plan de la régulation et du financement, mais laisse aux acteurs de l'économie sociale un espace important sur le plan de la gestion et de la dispensation des services[13]. Ainsi, dans certains domaines de politiques sociales en transformation, notamment dans le logement social, les centres de la petite enfance et les services d'aide domestique à domicile, l'État québécois favorise les organismes d'économie sociale de services agréés plutôt que des organismes privés à but lucratif. Par contre, dans d'autres domaines, celui des ressources résidentielles pour personnes âgées en perte d'autonomie par exemple, l'État québécois a laissé au cours des vingt dernières années la porte grande ouverte à la concurrence du secteur privé à but lucratif.

Le gouvernement fédéral reconnaît
les organismes bénévoles et à but non lucratif

Que tout le Canada à l'exception du Québec, jusqu'en 2003, ait été marqué par la tradition américaine plus que par la tradition européenne du tiers secteur ne signifie pas pour autant que l'économie sociale n'ait pas émergé hors du Québec. Cela veut dire que ce concept, subjectivement et politiquement, n'a pas de résonance chez les acteurs concernés dans la société civile et dans la société politique, sauf en de rares exceptions, celle que représente Jack Quarter par exemple, qui utilise le concept depuis plus de 15 ans[14].

Quelques événements significatifs émanant du gouvernement fédéral, d'organismes de la société civile et de chercheurs peuvent illustrer cette affirmation :

1. Le *Voluntary Sector Initiative* (VSI) ou Initiative du secteur bénévole et communautaire (CISBC), fut développé par l'État fédéral de 1999 à 2004. (Nous préférons utiliser le sigle anglais VSI parce que cette démarche a été beaucoup plus connue et commentée au Canada anglais qu'au Québec.) Le gouvernement fédéral a investi 94 millions de dollars en cinq ans pour soutenir le VSI. Ce budget a permis de mener le projet de l'Enquête nationale sur les organismes bénévoles et communautaires, connu sous l'appellation *National survey on nonprofit and voluntary organisations* (NSNVO). De 1999 à 2004, le VSI a favorisé de multiples rencontres, la création de divers groupes de travail et la production de nombreux documents qui ont permis à des leaders du gouvernement et de l'administration fédérale et à des leaders d'organismes à but non lucratif et bénévoles de travailler ensemble afin d'identifier des priorités, des objectifs et des moyens d'action. Le VSI témoigne d'une certaine reconnaissance du secteur bénévole et communautaire par l'État fédéral, reconnaissance qui fut développée dans un contexte de relations plutôt asymétriques entre l'État et le tiers secteur[15].

2. Les organismes sociaux canadiens qui ont lancé des études sur le tiers secteur les ont menées, le plus souvent en s'appropriant la définition et le cadre théorique de la tradition américaine. Pour s'en convaincre, il suffit de s'en remettre aux travaux sur le tiers secteur menés par le Centre canadien de philanthropie[16], le *Canadian Policy Research Networks Inc.* (CPRN), le *Canadian Council of Social Development* (CCSD), le *Caledon Institute of Social Policy* et l'École de *Policy Studies* de la Queen's University (Kingston).

3. Depuis le tournant des années 1990 et 2000, un certain nombre de spécialistes reconnues des politiques sociales ont commencé à s'intéresser au tiers secteur en s'appropriant la définition dominante du

projet de la Johns Hopkins University. Pensons entre autres aux écrits récents de Keith Banting, Kathy Brock, Thomas Courchene, Judith Maxwell et de Susan Phillips[17]. Nous pensons aussi à une certaine littérature dans le domaine des politiques sociales concernant les personnes handicapées qui dénote une sensibilité croissante par rapport au rôle des organismes du tiers secteur dans la défense des droits et la dispensation alternative des services[18].

À l'automne 2002 et à l'hiver 2002-2003, pour discuter des interfaces entre l'économie sociale (ou le tiers secteur) et les politiques sociales en transformation, Yves Vaillancourt, un des auteurs de ce texte fait une tournée canadienne. Neuf provinces canadiennes ont ainsi été visitées pour amorcer une discussion en s'appuyant sur les résultats d'un livre publié en anglais et portant sur les configurations que l'on retrouve entre l'État et l'économie sociale dans quatre provinces canadiennes, soit la Saskatchewan, l'Ontario, le Nouveau-Brunswick et le Québec[19]. Dans les interventions publiques faites lors de cette tournée, l'idée qu'il faudrait favoriser un dialogue, voire une cohabitation, entre la tradition canadienne et la tradition québécoise du tiers secteur, a été mise de l'avant. Dans les milieux visités, notamment au Manitoba, en Colombie-Britannique, à Terre-Neuve et au Cap Breton, l'expérimentation québécoise en économie sociale a suscité beaucoup d'intérêt et fait écho à des expérimentations analogues en cours dans ces territoires. Pendant la courte vie des deux gouvernements Martin à Ottawa, de décembre 2003 à janvier 2006, l'importance et la visibilité du concept d'économie sociale allaient d'ailleurs s'accroître considérablement au Canada, à l'exception du Québec.

Cohabitation plus étroite au Canada entre économie sociale et tiers secteur

Le gouvernement libéral de Jean Charest qui prend le pouvoir à Québec au printemps 2003, à la différence du précédent gouvernement du PQ, ne semble pas avoir des idées claires sur l'économie sociale. En témoignent les tergiversations concernant les Centres de la petite enfance (CPE) depuis l'automne 2003. Peu de porte-parole du gouvernement Charest sont capables d'intégrer le concept d'économie sociale dans leurs interventions publiques. Le seul qui y soit parvenu est le ministre Michel Audet, responsable du développement régional. Il s'est fait rassurant au congrès pancanadien sur le développement économique communautaire à Trois-Rivières en mai 2004 en annonçant publiquement le renouvellement d'une subvention annuelle de 450 000 $ par année pour soutenir l'action du Chantier d'économie sociale. Mais quand on examine son discours[20], on constate qu'il s'intéresse uniquement à la composante marchande de l'économie sociale et qu'il le fait d'une façon « quasi marchande ». Non sans avoir donné plusieurs signaux qui laissaient présager le pire (soit l'abandon d'une politique universelle), le gouvernement Charest, au début, a maintenu pour l'essentiel des balises de la politique antérieure tout en augmentant dans les CPE le prix des places de 5 à 7 $ par jour pour chaque enfant. Toutefois, à l'automne 2005, il s'est lancé dans des projets de restructuration de la gouvernance des CPE qui ont alimenté depuis de fortes inquiétudes dans le réseau des CPE et, plus largement, dans les milieux intéressés à la promotion de l'économie sociale.

Paradoxalement, au moment où l'économie sociale semble perdre la cote auprès du nouveau gouvernement Charest à Québec, les deux gouvernements de Paul Martin[21] au pouvoir à Ottawa de décembre 2003 à janvier 2006 se sont montrés vivement intéressés à l'économie sociale. Dans plusieurs ministères fédéraux, on n'avait pas attendu que Paul Martin soit formellement installé au pouvoir pour commencer à s'intéresser à l'économie sociale. Le remplacement de Jean Chrétien par Paul Martin étant prévu depuis plusieurs mois. C'est ainsi que les hauts fonctionnaires du ministère du Développement des ressources humaines du Canada (DRHC), au début de décembre 2003, avaient organisé un symposium d'une journée sur l'économie sociale, dans le but de préparer le terrain.

À la suite des élections de juin 2004, le Parti libéral du Canada a conservé le pouvoir, mais avec un gouvernement minoritaire. Paul Martin s'est donc retrouvé à la tête d'un gouvernement fragile qui pouvait être dans l'obligation de retourner devant l'électorat à tout moment. Néanmoins, le dossier de l'économie sociale a continué d'occuper une place importante dans le programme gouvernemental.

Deux discours du Trône, en février et à l'automne 2004, en font mention. Dans la réponse du Premier ministre Martin au discours du Trône, on trouve pour la première fois une analogie qui allait revenir par la suite dans les discours des représentants du gouvernement fédéral : « [...] Nous entendons faire de l'économie sociale une composante clé du coffre à outils de la politique sociale canadienne »[22]. Bien que fréquemment utilisée par le Premier ministre et ses ministres, cette expression prometteuse n'allait toutefois pas être souvent expliquée. Par la suite, plusieurs porte-parole du gouvernement Martin, dont Eleni Bakopanos, secrétaire parlementaire chargée de l'économie sociale, répétèrent que « l'économie sociale est devenue une grande priorité du gouvernement du Canada »[23].

Le premier discours du budget du gouvernement Martin, pour l'année 2004-2005, annonçait de nouveaux fonds de 132 millions de dollars étalés sur cinq ans pour soutenir l'économie sociale dans l'ensemble du Canada. Cette somme sera principalement « engagée à améliorer l'accès des entreprises sociales aux programmes et aux services offerts aux petites et moyennes entreprises »[24]. À l'intérieur de l'enveloppe globale, un montant de 15 millions de dollars en cinq ans devait transiter par le Conseil de recherches en sciences humaines du Canada (CRSH) pour soutenir la recherche partenariale sur l'économie sociale dans l'ensemble du Canada. En novembre 2005, le CRSH annonçait d'ailleurs le financement de quatre (4) équipes de recherche multidisciplinaires chargées d'étudier la réalité et les enjeux de l'économie sociale dans quatre grandes régions du pays, soit dans les provinces atlantiques, au Québec, dans le sud de l'Ontario et dans les provinces des Prairies (Manitoba et Saskatchewan). Deux autres subventions analogues devaient être annoncées par le CRSH au début de l'année 2006, l'une pour la région de l'Alberta et de la Colombie-Britannique et l'autre pour les régions du Grand Nord canadien.

Il fut question aussi d'économie sociale dans les discours de Ken Dryden, ministre responsable de Développement social Canada (DSC) pendant les deux gouvernements Martin. DSC et Développement économique Canada (DEC) sont en fait les deux ministères fédéraux mandatés de manière plus explicite pour promouvoir les projets d'économie sociale. Toutefois, et c'est plutôt surprenant, ces deux ministères ne semblent pas toujours vouloir rendre opérationnelle l'économie sociale ni la définir de façon identique, comme si DSC s'intéressait davantage à l'économie sociale non marchande, et DEC, à l'économie sociale marchande.

Paradoxalement, alors que le gouvernement fédéral commence à se pencher sur le dossier de l'économie sociale, il semble ne plus s'intéresser à celui du VSI. Lancée pour cinq ans (1999-2004), cette expérience ne fut pas renouvelée à la fin de cette période, même si les derniers bilans produits à l'automne 2004 étaient fort positifs et incitaient à sa reconduction. Pourtant, le VSI relève lui aussi de Développement social Canada. Curieusement, les dossiers du VSI et de l'économie sociale ne semblent pas avoir fait l'objet de recoupement ni avoir été traités selon une approche gouvernementale cohérente et intégrée. Cela est possible dans la mesure où le VSI, en reprenant à son compte la tradition américaine du tiers secteur, ne s'est jamais reconnu dans la composante marchande de l'économie sociale représentée par les entreprises d'économie sociale et les coopératives. D'autre part, l'économie sociale, à laquelle s'intéresse le gouvernement Martin, semble vouloir se concentrer sur les seules activités marchandes. Ainsi, puisque le VSI s'intéresse peu ou prou aux associations et aux OBNL qui ont des activités marchandes, tandis que l'économie sociale que veut soutenir le gouvernement fédéral ne semble s'intéresser qu'aux activités marchandes, il n'est pas surprenant que les deux approches du tiers secteur se côtoient à la manière de deux solitudes à l'intérieur du même gouvernement.

Toutefois, même si la définition de l'économie sociale du gouvernement fédéral (tout comme celle du gouvernement du Québec) est assez restrictive et d'ordre économique, ce gouvernement semble parfois faire preuve d'une vision plus large et avoir un penchant social. C'est ainsi que Ken Dryden, dans ses discours, ne manque pas d'associer l'économie sociale à la création d'une « boîte à outils de politique sociale canadienne dont l'un des principaux volets sera l'élaboration d'un cadre stratégique plus large permettant d'établir les bases de l'économie sociale au Canada ».Il a ainsi donné des exemples concrets de l'économie sociale qui ne renvoient pas seulement au développement économique, mais aussi au développement social : « L'économie sociale est présente partout — la garderie, la coopérative de logement, le service de soutien aux aînés ou l'organisation de développement économique communautaire en sont tous des exemples[25] ». Voilà le type de manifestations de l'économie sociale qui nous intéresse plus particulièrement et que nous allons examiner de plus près.

LA PRÉSENCE FÉDÉRALE DANS LES SERVICES DE GARDE DES JEUNES ENFANTS

De façon surprenante, les dossiers de politiques sociales impliquant des interfaces avec l'économie sociale et dans lesquels le gouvernement fédéral semble s'être le plus investi, ces dernières années, sont précisément des dossiers dans lesquels il intervient indirectement. En effet, le gouvernement fédéral semble peu préoccupé d'intégrer l'économie sociale dans les programmes de politiques sociales comme la sécurité de la vieillesse, l'assurance-emploi, les services collectifs pour les anciens combattants et les communautés autochtones ou les initiatives pour contrer la pauvreté des enfants. Il s'agit pourtant là de domaines de politiques sociales sur lesquels l'État fédéral jouit d'une pleine compétence et dans lesquels il peut intervenir directement à partir de ses propres programmes et non par l'intermédiaire des programmes provinciaux et territoriaux. Dans ces domaines de politiques sociales qui sont donc clairement de compétence fédérale, ne serait-il pas pensable que l'économie sociale puisse un jour devenir une source d'innovations sociales comme elle l'a été dans certains programmes de politiques sociales de compétence provinciale? La question mérite d'être posée. Mais en attendant, les dossiers de politiques sociales auxquels le gouvernement fédéral s'est intéressé ces dernières années et dans lesquels il a établi un lien avec les initiatives de l'économie sociale, relèvent des domaines de politiques sociales, le logement social par exemple, ou les programmes concernant les personnes handicapées, les services d'apprentissage et de garde pour les jeunes enfants. Le dossier des services de garde qui s'est retrouvé au cœur de l'action des gouvernements Martin et des relations fédérales-provinciales au cours des années 2003-2006 illustrera bien notre propos.

Les interfaces fédérales-provinciales en matière de services de garde après 1996

De 1966 à 1996, le Régime d'assurance publique du Canada (RAPC) était encore en vigueur et les services de garde relevant des provinces étaient alors dispensés à 77 % par des organismes à but non lucratif. La gestion et la prestation de ce type de services, qui font partie de l'économie sociale, étaient particulièrement fréquentes dans des provinces qui avaient élu des gouvernements sociaux-démocrates, le Manitoba, la Saskatchewan, la Colombie-Britannique et le Québec par exemple. Toutefois, certaines provinces, dont l'Alberta, le Nouveau-Brunswick et Terre-Neuve, comptaient une proportion plus grande de fournisseurs de services relevant du secteur privé à but lucratif. En outre, en raison de l'esprit plutôt sélectif du RAPC, les provinces étaient invitées à mettre en œuvre une politique restrictive de services de garde qui ciblait des familles à faibles revenus. Dans les faits, certaines provinces ont repoussé les balises qui leur étaient imposées et ont développé leurs services de garde au cours des années 1970. Mais, pendant les décennies 1980 et 1990, dans le contexte des compressions budgétaires qui sévissaient à la fois à Ottawa et dans les provinces, le nombre de places de garderies est demeuré stable dans l'ensemble du Canada, tout en connaissant de légères progressions dans quelques provinces, dont au Québec[26].

Depuis la mort du RAPC, en avril 1996, le gouvernement fédéral continue de participer au cofinancement des programmes provinciaux et territoriaux de services de garde. Il le fait par l'intermédiaire du Transfert canadien en matière de santé et de programmes sociaux (TCSPS), un programme global de paiements de transferts fédéraux qui utilise la méthode du financement par bloc et a connu une cure d'amaigrissement de 30 % au moment de son apparition en 1996. Depuis la fin des années 1990, le gouvernement fédéral, dont les surplus augmentaient plus que prévu, a signé des ententes avec les provinces pour augmenter les transferts versés dans le cadre du TCSPS, à la condition cependant que les augmentations consenties soient consacrées uniquement à des dépenses provinciales de santé. En d'autres termes, les autres composantes du TCSPS prévues pour les dépenses provinciales d'éducation postsecondaire, de sécurité du revenu et de services sociaux, dont celles utilisées pour les services de garde, demeuraient les parties congrues dont la valeur réelle n'a cessé de diminuer de 1996 à 2006.

La réforme québécoise des CPE : une référence pour l'État fédéral

Ironiquement, c'est grâce à la disparition du RAPC en 1996 que le Québec a été en mesure de lancer une audacieuse politique de centres de la petite enfance, politique qui allait rompre avec l'approche sélective des décennies antérieures et devenir rapidement une référence pour les progressistes sociaux dans l'ensemble du Canada. Dans cette politique mise en œuvre dès 1997, nous pouvons relever les traits suivants[27] :

- le choix d'une politique publique qui mise sur la structuration de l'offre de services plutôt que sur le soutien de la demande ;
- l'orientation universelle qui permet de cibler les besoins des enfants de 0 à 6 ans dans toutes les classes sociales et pas seulement ceux des enfants des familles à faibles revenus, d'où l'objectif d'augmenter significativement et rapidement le nombre de places pour atteindre 200 000 places en 2006 ;
- la préférence, mais pas l'exclusivité, donnée à des fournisseurs de services relevant du secteur de l'économie sociale, ce qui favorise la participation des parents à la gestion démocratique des centres de la petite enfance ;
- un financement mixte misant principalement sur la contribution financière de l'État québécois (1,4 milliard de dollars en 2005), mais faisant appel à une modeste contribution complémentaire des parents usagers (7 $ par jour par enfant), laquelle est compatible avec le principe de l'accessibilité ou de l'« abordabilité ». Dans ce financement mixte, la participation des fonds publics représente environ 85 % des coûts du programme provincial ;
- une finalité double mettant l'accent sur le développement émotionnel, cognitif et social de l'enfant et favorisant l'accès des femmes au marché du travail ;
- une régulation de l'État pour assurer des standards de qualité ;
- une syndicalisation du tiers des employés, ce qui a eu des effets structurants pour l'amélioration des conditions de travail des éducatrices dans l'ensemble du secteur.

Au début des années 2000, la réforme québécoise des CPE commençait à devenir une référence pour les personnes intéressées au développement de services d'apprentissage et de garde pour les enfants dans les organismes sociaux, les mouvements sociaux et les milieux politiques dans plusieurs régions du Canada. Grâce à la diffusion d'écrits sur la question provenant de milieux universitaires et sociaux, la réforme québécoise suscitait un intérêt croissant dans les milieux préoccupés par la promotion de meilleures politiques sociales familiales dans l'ensemble du pays. Mais le gouvernement fédéral prit du temps avant de réagir.

Les services de garde sous les gouvernements Chrétien : bien des promesses, peu d'avancées

Il faudra attendre l'arrivée du gouvernement Martin en décembre 2003 pour que le gouvernement fédéral prenne des initiatives plus sérieuses. Pourtant, au cours des dix années antérieures, sous divers gouvernements libéraux majoritaires dirigés par Jean Chrétien de 1993 à 2004, le dossier des services de garde avait été présenté à quelques reprises comme une priorité dans le programme électoral des Libéraux. Dans le « Livre rouge » présenté lors de la campagne électorale de 1993, on formulait la promesse d'un programme national de garde d'enfants qui serait financé à 40 % par le gouvernement fédéral, à 40 % par les provinces et à 20 % par les parents. Puis, au cours de l'année 1994, il en fut encore dans les débats publics et les commissions parlementaires entourant la réforme Axworthy, laquelle devait tourner court lorsque lui fut préférée la réingénierie proposée dans le budget de Paul Martin en février 1995[28]. Pendant les années qui suivirent, le gouvernement Chrétien, absorbé pleinement par la recherche de l'équilibre budgétaire, oublia certaines de ces promesses de réformes sociales, dont celle du développement d'un programme national de garderies. Toutefois, en mars 2003, au cours de la dernière année du gouvernement Chrétien,

> les gouvernements fédéral, provinciaux et territoriaux [sans le Québec] ont conclu un nouveau Cadre multilatéral sur l'apprentissage et la garde des jeunes enfants (CMAGJE). Pour la première fois, les fonds fédéraux peuvent être affectés au développement de l'offre de services de garde de qualité : immobilisations et frais de fonctionnement, places de garde subventionnées, augmentations de salaires, formation, perfectionnement professionnel, et assurance de la qualité. [...] En outre, contrairement aux dispositions du RAPC, cette entente permet de verser des subventions aux établissements de garde d'enfants à but lucratif[29].

Avec le CMAGJE, le gouvernement fédéral s'engageait à verser 1,05 milliard de dollars aux provinces et territoires en cinq ans, soit pour les années budgétaires 2003-2004 à 2007-2008. Même s'il n'avait pas participé à l'élaboration de l'initiative multilatérale, le gouvernement du Québec devait recevoir sa part des fonds fédéraux, c'est-à-dire de 247 millions de dollars en cinq ans.

Les services de garde : une priorité des gouvernements Martin

Lorsqu'il remplace Jean Chrétien à la tête du PLC et du gouvernement fédéral en décembre 2003, Paul Martin avait des objectifs et des éléments de programmes à partir desquels il compte se démarquer de son prédécesseur. Comme nous l'avons vu précédemment, l'économie sociale figure dans son programme. L'objectif de promouvoir l'instauration d'un programme national de garderies en s'inspirant du modèle québécois des CPE fait partie de ses grandes priorités. Pour l'équipe Martin, l'action du gouvernement libéral fédéral dans le secteur des garderies, au cours des années 2000, devait s'apparenter à celle qu'un gouvernement libéral précédent avait menée, au cours des années 1960, dans le domaine de la santé. D'où l'annonce, faite dans le discours du Trône du 2 février 2004 :

> Les capacités d'apprentissage se forment dans les premières années de la vie d'un enfant. C'est pourquoi le développement de la petite enfance constitue une priorité nationale. C'est pourquoi nous voulons accélérer la mise en œuvre de l'entente fédérale-provinciale sur l'apprentissage et la garde des jeunes enfants[30].

Mais, comme nous le savons, le premier gouvernement Martin ne dura que quelques mois. C'est dans le cadre de cette campagne électorale du printemps 2004, que la promesse d'investir 5 milliards de dollars en cinq ans pour un système national de services d'apprentissage et de garde pour enfants fut souvent évoquée. À l'occasion, les porte-parole du PLC laissaient entendre que le programme de services de garde auquel ils se référaient puisait ses sources d'inspiration dans le modèle québécois des CPE, ce qui laissait entendre clairement, mais pas toujours explicitement, que l'économie sociale devait faire partie du dispositif.

Martin reprit le pouvoir, mais il était cette fois à la tête d'un gouvernement minoritaire. Pendant toute la durée du deuxième gouvernement Martin, le dossier des services d'apprentissage et de garde fut traité effectivement à la manière d'une priorité par Ken Dryden, le ministre responsable de ce dossier.

Comme le domaine des services de garde relevait de la compétence des provinces, pour avancer dans ce champ, le ministre fédéral responsable du dossier devait réussir à s'entendre avec les gouvernements provinciaux et territoriaux. Il lui fallait travailler à l'établissement de consensus à partir de rencontres fédérales-provinciales avec ses homologues provinciaux. Pour réaliser cette opération délicate, il pouvait aussi s'appliquer à déployer sur la scène publique un argumentaire qui viserait à recueillir des appuis auprès de l'opinion publique. C'est ce qu'il fit tout au long de l'automne 2004 à partir d'interventions au Parlement, mais aussi de conférences prononcées à l'occasion de colloques ou lors de rencontres avec des regroupements de la société civile.

Pour bien comprendre les grandes étapes de l'action du gouvernement fédéral dans le dossier de l'Apprentissage et de la garde des jeunes enfants (AGJE) pendant le deuxième gouvernement Martin, rappelons les éléments suivants :

- Pendant la campagne électorale du printemps 2004, promesse électorale du PLC de dépenser 5 milliards de dollars en cinq ans pour un programme national d'AGJE ;
- À l'automne 2004, identification à partir de réunions fédérales-provinciales-territoriales des ministres du Développement social des grands principes à mettre en relief dans le cadre des futures ententes fédérales-provinciales-territoriales concernant l'AGJE ;
- Dans le discours du budget fédéral de février 2005, annonce et prévision d'une somme de 5 milliards de dollars sur cinq ans pour la mise en œuvre de la politique d'AGJE.
- Au cours de l'année 2005, négociation et signature d'accords de principe bilatéraux sur l'AGJE entre le gouvernement fédéral et les gouvernements provinciaux ;
- À l'automne 2005, négociation et signature de trois ententes de financement concernant l'AGJE avec trois gouvernements provinciaux, soit ceux du Manitoba, de l'Ontario et du Québec ;
- L'entente avec le Québec a été signée le 28 octobre 2005. En vertu de cette entente, «les montants estimés de la contribution du Canada au Québec» devaient être de 152,8 millions $ en 2006-2007, de 269,7 millions $ en 2007-2008, de 269,1 millions de dollars en 2008-2009 et de 268,4 millions de dollars en 2009-2010[31].

En somme, le processus établi pour arriver à des ententes de financement impliquait dans un premier temps la signature d'une «entente de principe», puis, dans un deuxième temps, l'élaboration d'un «plan d'action [provincial] correspondant au libellé et à l'esprit de l'entente» et, dans un troisième temps, la signature d'une «entente de financement».

Dans sa manière de présenter sa politique d'AGJE, le ministre Dryden, au Parlement fédéral et à l'extérieur, insistait sur le fait qu'il s'agissait d'un «système national» qui devait être défini et appliqué dans un climat de coopération fédérale-provinciale et, du même coup, établissait qu'il fallait faire preuve de «flexibilité» pour surmonter un grand nombre d'embûches avant de mettre en place le programme.

Voici comment Dryden présentait le projet à la Chambre des communes le 19 octobre 2004 :

> Le temps est venu de mettre en place un système national pour l'apprentissage et la garde des jeunes enfants. Le temps est venu, puisque par la façon dont ils vivent, par leurs attentes pour l'avenir de leurs enfants, les Canadiens et Canadiennes ont affirmé qu'il était temps.
>
> Nous avons encore du chemin à faire et la tâche sera ardue. Comme nous l'avons appris au fil des années, nous ne pourrons pas y arriver seuls. Nous devrons travailler ensemble, collaborer avec les provinces, les territoires et nos partenaires. Nous devons faire preuve de souplesse, trouver un terrain d'entente, discuter, collaborer et faire des compromis. Les idéologies rigides ne nous conviennent pas[32].

En parlant ici d'un «système national» au singulier, le ministre Dryden mettait la barre très haute en faisant référence à l'objectif d'instaurer un programme national pancanadien dans un domaine de compétence provinciale. Vu d'une fenêtre provinciale, notamment québécoise, un tel objectif n'était pas dépourvu d'ambiguïté, puisque ledit «système national» canadien devait résulter de la juxtaposition cohérente de 13 systèmes provinciaux et territoriaux. Le ministre fédéral savait très bien que la cohérence nationale dans le domaine de l'AGJE au Canada ne pourrait émerger qu'à la condition que le gouvernement fédéral, en utilisant son pouvoir de dépenser et en offrant aux provinces et territoires des «subventions conditionnelles», puisse amener ces mêmes provinces et territoires à développer des systèmes provinciaux et territoriaux d'AGJE qui partageraient un certain nombre de caractéristiques communes. À cet effet, Dryden misait sur l'acceptation et le respect par toutes les provinces de certains principes communs, susceptibles de favoriser une certaine cohérence commune dans l'ensemble du Canada, tout en sachant que provinces et territoires ne partageaient pas toutes les mêmes orientations en matière de politique sociale familiale. C'était là un défi de taille.

Au début de novembre 2004, une rencontre fédérale-provinciale-territoriale des ministres concernés par le dossier de l'AGJE eut lieu à Ottawa. Sur la question des principes, cette réunion permit au ministre Dryden et ses collègues provinciaux de s'entendre sur quatre principes qui voulaient, dans le domaine de l'AGJE, faire le pendant aux cinq principes de la Loi canadienne sur la santé. Par la suite, ces quatre principes allaient être résumés et véhiculés à l'aide de l'abréviation « QUAD » utilisable en français aussi bien qu'en anglais :

« Q » pour Qualité
« U » pour Universalité
« A » pour Accessibilité
« D » pour Développement

En présentant ces quatre principes le 12 novembre 2004, dans le cadre d'une conférence nationale fort courue du Conseil canadien du développement social tenue à Winnipeg sur l'apprentissage et la garde des jeunes enfants, Ken Dryden, en se référant à la conférence fédérale-provinciale tenue une semaine auparavant, expliqua de la manière suivante le sens des quatre principes :

> Nous nous sommes entendus sur les définitions de base pour chacun des quatre principes. Que *qualité* signifie réglementé. Afin de s'assurer qu'il y a des normes de base en matière de santé et de sécurité, de formation du personnel ainsi que des ratios et autres éléments dont nous avons reconnu l'importance pour un développement sain de l'enfant. *Universalité* inclusive [...] signifie que le système sera ouvert sans discrimination, à tous les enfants, y compris les enfants ayant des besoins spéciaux.
> *Accessibilité* signifie que le système est abordable et disponible aux parents. *Développement* signifie que les programmes visent l'atteinte des objectifs de développement social, émotionnel, physique et cognitif pour les enfants dans le contexte communautaire et familial[33].

Voilà ce que Ken Dryden se plaisait, en novembre 2004, à présenter comme « les assises d'un système national d'apprentissage et de garde des jeunes enfants ». Il est intéressant de comparer ces assises avec celles identifiées par les experts invités par le Conseil canadien de développement social (CCDS) et qui avaient été chargés de préparer des documents de base et de les présenter au colloque national de Winnipeg. Ces spécialistes, notamment Rianne Mahon d'un côté, ainsi que Gordon Cleveland et Michael Krashinsky[34] tenaient des propos qui s'harmonisaient bien avec les quatre principes du QUAD. Mais ils attiraient l'attention sur l'importance d'un cinquième principe qui s'inspirait à la fois de la tradition ancienne du RAPC et du modèle québécois de CPE. Ce principe faisait pendant au cinquième principe de la Loi canadienne sur la santé. Il s'intéressait à la gestion et à la livraison des services en spécifiant que ces dernières avaient avantage à relever des organismes du secteur public ou du secteur privé à but non lucratif, plutôt que des organismes du secteur privé à but lucratif. C'était là une façon de faire référence à la préférence de principe que l'on retrouve dans le modèle québécois des CPE, soit la préférence accordée à l'administration et à la prestation de services relevant de l'économie sociale. Toutefois, ce cinquième principe ne fut pas incorporé formellement dans le QUAD, sans doute parce que le gouvernement fédéral savait qu'il ne pourrait l'imposer dans ses négociations avec les gouvernements provinciaux qui étaient attachés à la livraison de services relevant du secteur privé à but lucratif.

C'est ainsi que les quatre principes résumés par l'expression QUAD demeurèrent, tout au long de l'année 2005, au cœur des négociations entre le gouvernement fédéral et les provinces. On les retrouve dans les ententes de principes signées avec toutes les provinces et les ententes de financement signées avec trois provinces (Manitoba, Ontario, Québec). Au fil des négociations, le ministre Dryden prit l'habitude de parler moins spontanément d'un « système national » d'AGJE au singulier, mais de systèmes provinciaux au pluriel s'inspirant d'une « vision nationale commune reposant sur les principes QUAD, que les gouvernements fédéral, provinciaux et territoriaux ont tous acceptés l'automne dernier[35] ». Puis, le ministre du Développement social ajoutait dans un élan d'optimisme :

Et le plus beau, c'est que dans cinq ou dix ans, cela aura pris beaucoup d'ampleur et progressé d'une façon que nous ne pouvons même pas imaginer aujourd'hui [...] Nous n'aurons plus une mosaïque de bons et de mauvais services ou de services manquants. Nous disposerons, dans chaque province et chaque territoire, d'un système d'apprentissage et de garde des jeunes enfants complet[36].

Au moment où Dryden s'exprimait ainsi, le 24 novembre 2005, il était sur le point d'entrer dans une campagne électorale dont le dénouement, le 23 janvier 2006, allait signifier la perte du pouvoir pour le PLC et l'arrivée au pouvoir du Parti conservateur du Canada (PCC), un parti politique qui préférait une politique sociale familiale axée sur le soutien de la demande (exemple, l'allocation de 1 200 $ par année aux familles pour chaque enfant de moins de 6 ans), plutôt que le soutien à l'offre (exemple, la politique de l'AGJE).

À la tête d'un gouvernement minoritaire et conscient qu'il pouvait se retrouver d'un mois à l'autre en campagne électorale, le gouvernement Martin, entre juin 2004 et janvier 2006, s'est employé par tous les moyens à réussir sa politique nationale d'AGJE, c'est-à-dire à signer des ententes de principe et de financement avec le maximum de provinces de manière à être dans une position avantageuse pour parler de ses réalisations au moment de la prochaine campagne électorale. Dans ce contexte, les 4 principes du QUAD étaient assez précis sur certains points, notamment en prenant parti pour une politique sociale familiale qui passerait par la structuration de l'offre plutôt que de la demande, pour déplaire à des gouvernements provinciaux comme ceux de l'Alberta et du Nouveau-Brunswick et à un parti d'opposition, comme le PCC, lesquels avaient une préférence pour une structuration de la demande qui prendrait la forme du soutien au pouvoir d'achat des familles[37]. C'est ce qui explique d'ailleurs que les négociations ont traîné en longueur avec le Nouveau-Brunswick.

Par contre, les négociations avec le Québec demeuraient délicates pour d'autres raisons que nous nous contenterons simplement d'évoquer ici. D'une part, le Québec est la province d'où vient l'expérimentation de la politique d'apprentissage et de garde qui a inspiré la politique fédérale d'AGJE. D'autre part, le gouvernement de Charest au pouvoir depuis 2003 n'est pas celui qui a lancé la réforme québécoise des CPE en 1997. Il se situe en continuité avec cette réforme, mais il s'emploie à en infléchir certains traits comme la valorisation d'un mode de gestion privilégiant la formule de l'économie sociale. Donc, le gouvernement fédéral sait que le gouvernement Charest a besoin du cofinancement fédéral pour partager le fardeau de 1,4 milliard de dollars de fonds publics consacrés annuellement au programme québécois de services de garde à la petite enfance. Mais il sait aussi que le Québec, sous le PLQ comme sous le PQ, risque d'être intraitable sur le plan de la négociation de conditions imposées par le gouvernement fédéral dans un domaine de compétence provinciale. Cet ensemble d'éléments ramène la délicate question de l'asymétrie, une expression que le Premier ministre Martin a murmurée à l'occasion, non sans réticence, parce qu'il sait très bien que trop d'asymétrie octroyée au Québec risquerait de devenir rapidement un irritant inacceptable aux yeux d'autres provinces.

Malgré toutes ces embûches, une « entente finale » de financement a été signée entre le Québec et le Canada le 28 octobre 2005. Sans pouvoir l'analyser ici, signalons que, dans l'allocution qu'il a prononcée à Montréal en rendant publique cette entente, le ministre Dryden a tenu des propos étonnants. En effet, en s'exprimant d'une manière susceptible de froisser le gouvernement Charest, le ministre fédéral a louangé la politique développée « il y a près de huit ans » par le gouvernement du Parti québécois. Puis, après avoir caractérisé cette politique, Dryden s'est employé à la louanger : « Cela représentait une percée importante car, jusqu'à ce moment, il n'y avait aucune province ou territoire qui était prêt, qui voulait ou était capable, de nous montrer à quoi un système ambitieux de la petite enfance pouvait ressembler. » Puis, il ajoute que « ce système est une réussite » et que « Les actions du Québec ont démontré une puissante inspiration ». Enfin, il termine son allocution en disant qu'« en termes d'apprentissage et de garde des jeunes enfants au pays, Québec est premier[38] ». Cependant, il demeura discret sur la contribution de l'économie sociale à la « réussite » québécoise.

Dans ce chapitre, nous avons voulu examiner les interfaces entre l'économie sociale, les politiques sociales et le fédéralisme canadien au cours des dix dernières années (1995-2005). À cet effet, nous avons fait nôtres, dès le départ, des éléments de bilan de la littérature internationale sur le tiers secteur qui attirent l'attention sur la coexistence de deux traditions de recherche. En identifiant ces deux traditions, nous avons cherché moins à les opposer l'une à l'autre qu'à prendre position théoriquement et pratiquement en faveur de leur complémentarité. C'est ce qui nous a amenés, dans la première section du texte, à indiquer notre préférence pour une définition large et inclusive de l'économie sociale qui fait de la place à des composantes non marchandes (par exemple des organismes communautaires subventionnés par les pouvoirs publics qui offrent gratuitement leurs services), autant que marchandes (par exemple des CPE qui demandent aux parents de débourser 7 $ par jour par enfant).

Dans la deuxième section du texte, nous avons proposé un examen global des croisements entre l'économie sociale, les politiques sociales et le fédéralisme canadien au cours des dix dernières années en tenant compte de la distinction entre les deux traditions du tiers secteur et les deux grandes composantes de l'économie sociale définie de manière inclusive explicitées dans la première section. Cet examen nous a permis d'attirer l'attention sur deux périodes qui ressortent au cours des années 1995-2005.

Pendant les 26 mois de gouvernance fédérale sous l'égide de Paul Martin, c'est-à-dire entre le moment de la transition de Chrétien à Martin en janvier 2003 et la défaite du gouvernement Martin aux élections du 23 janvier 2006, nous pouvons noter des changements significatifs au chapitre des interfaces entre l'économie sociale, les politiques sociales et la dynamique fédérale-provinciale. À la différence des gouvernements de son prédécesseur, les deux gouvernements Martin ont manifesté un fort intérêt pour les initiatives d'économie sociale, du moins pour celles qui relevaient de l'économie sociale marchande. Pendant les mois qui ont précédé son arrivée au pouvoir, Martin avait laissé entendre qu'il avait l'intention de conférer une certaine priorité à l'économie sociale. Ensuite, sous sa gouverne, l'économie sociale a eu une importance indéniable, ce qui a eu des retombées en matière de politiques publiques tant sur le plan social que sur le plan économique. Cela veut dire que les interfaces entre l'économie sociale et les politiques sociales ont obtenu une visibilité certaine sous les gouvernements Martin.

Paradoxalement, les dossiers de politiques sociales les plus touchés ne sont pas ceux dans lesquels le gouvernement fédéral intervenait directement et qui relevaient de ses propres domaines de compétence (par exemple les politiques sociales concernant les communautés autochtones), mais bien ceux dans lesquels il intervenait indirectement par l'entremise de subventions conditionnelles aux provinces et aux territoires et qui appartenaient à des champs hors de ses compétences. C'est ce qui fait que les dossiers d'interfaces entre l'économie sociale et les politiques sociales pendant les gouvernements Martin étaient des dossiers sensibles sur le plan des relations fédérales-provinciales. D'où l'intérêt d'illustrer notre propos à partir du cas du dossier des services de garde aux jeunes enfants examiné dans la troisième section du chapitre.

Le dossier des services de garde est intéressant à scruter pendant la période 2003-2005, parce qu'il représente une priorité pour le gouvernement du Québec sous le PLQ depuis 2003 et sous le PQ de 1996 à 2003, mais aussi pour le gouvernement fédéral pendant le règne de Paul Martin.

Au départ, le projet d'un « programme national » de services d'apprentissage et de garde pour les jeunes enfants (AGJE), impliquant un engagement financier de 5 milliards de dollars en cinq ans, avait été largement publicisé lors de la campagne électorale du printemps 2004. Ce projet, comme l'avaient déclaré fréquemment tant le Premier ministre Martin que plusieurs membres de son équipe ministérielle, prenait sa source d'inspiration dans la réforme novatrice des CPE impulsée au Québec, depuis 1997, sous les gouvernements du PQ. Cela veut dire que l'économie sociale constituait un ingrédient important de l'exemple provincial qui inspirait le gouvernement Martin, puisque la préférence était accordée nettement aux CPE à but non lucratif, sur le plan de la gestion des CPE et de la dispensation des services, dans la politique familiale lancée par la ministre Pauline Marois dès 1997. Toutefois, dans la politique nationale de Martin, le rapport à l'économie sociale ne sera pas assumé explicitement, ce qui ne veut pas dire qu'il n'était pas reconnu implicitement comme étant un facteur important. En effet, le principe voulant que la gestion et la livraison des services d'AGJE relèvent de l'économie sociale ou d'organismes à but non lucratif accrédités par les provinces et les territoires ne sera pas retenu parmi les quatre principes de l'acronyme QUAD (Qualité, Universalité, Accessibilité et Développement) retenus à la suite de négociations fédérales-provinciales-territoriales menées au début de novembre 2004. Ces quatre principes, tout en n'incorporant pas celui de l'économie sociale, représentaient des exigences qui demeuraient contraignantes pour certaines provinces conservatrices. En effet, des provinces comme l'Alberta et le Nouveau-Brunswick auraient aimé utiliser les subventions fédérales, sans être astreintes à développer des politiques sociales familiales allant en direction de la structuration de l'offre de services d'AGJE. Leur vision les amenait plutôt à privilégier la structuration de la demande, au nom de la liberté de choix des parents.

Cette vision conservatrice correspond à celle du gouvernement du PCC dirigé par Stephen Harper qui, peu de temps après son entrée en fonction en février 2006, annonça son intention de mettre en vigueur sa promesse de structurer la demande en offrant une allocation de 1 200 $ par enfant de moins de 6 ans à partir du 1er juillet 2006. Il annonça également son intention d'honorer jusqu'au 31 mars 2007 les ententes de financement signées seulement avec trois provinces, soit à la fin de la deuxième année. Cela voulait dire qu'il annulerait les dispositions des ententes concernant les trois dernières années, ce qui laisse prévoir un manque à gagner de plus de 800 millions de dollars pour le Québec.

Lorsqu'on évalue le résultat de l'opérationnalisation inachevée de la politique nationale d'AGJE de Paul Martin au lendemain des élections de janvier 2006, on peut se demander quelle signification on peut dégager de ce qui s'est passé. Pourquoi est-ce que la politique de Martin est demeurée en plan ?

D'une part, on peut répondre que le fait d'avoir formé un gouvernement minoritaire plutôt que majoritaire a rétréci la marge de manœuvre de Martin au cours de la période s'intercalant entre le printemps 2004 et janvier 2006. Une telle explication contient certes une part de vérité. Mais, d'autre part, on peut souligner le fait que le gouvernement Martin visait à développer un « système national », c'est-à-dire canadien, dans un domaine de compétence provinciale. Cela le plaçait donc sur la corde raide et l'exposait à des embûches délicates sur le plan des relations fédérales-provinciales. C'est que le discours fédéral concernant le système national au singulier, dans ce domaine de politiques publiques, devait être réconcilié d'une manière ou d'une autre avec les initiatives de treize gouvernements provinciaux et territoriaux différents pour construire treize systèmes d'AGJE au pluriel. Bien sûr, les treize provinces et territoires étaient intéressés à recevoir l'argent du fédéral. Mais les conditions des subventions fédérales qui faisaient l'affaire des unes ne faisaient pas toujours l'affaire des autres. Le Québec, pour des raisons sociopolitiques bien connues, ne voulait pas de conditions même si son propre programme novateur avait inspiré le programme national et même une bonne partie des quatre principes ou conditions fixées dans les ententes de principes. Des provinces comme le Manitoba et la Saskatchewan, avec leur gouvernement social-démocrate et leur affection traditionnelle pour les programmes à frais partagés, n'avaient pas de problèmes avec les quatre principes du QUAD et auraient même pu s'accommoder d'une cinquième condition spécifiant que la gestion devait relever de l'économie sociale. D'autres provinces comme l'Alberta et le Nouveau-Brunswick, tout comme le PCC dirigé par Stephen Harper, n'aimaient pas le caractère à leurs yeux trop contraignant du QUAD dans la mesure où le programme présupposait que les provinces qui recevaient l'argent fédéral allaient devoir se commettre, d'une manière ou de l'autre, en faveur du développement de places de services de garde pour les jeunes enfants de moins de 6 ans dans leur province. Ces deux provinces ont signé un accord de principe comme les autres, mais non sans avoir favorisé l'insertion de libellés indiquant que les services de garde développés dans leurs provinces allaient pouvoir relever de garderies à but lucratif. En fin de compte, comment parler d'un programme national d'AGJE dont la source d'inspiration québécoise implique un fort usage de l'économie sociale, tout en respectant la maîtrise d'œuvre de treize gouvernements provinciaux et territoriaux dans un domaine d'intervention relevant d'abord de leur responsabilité ?

Avec l'arrivée du gouvernement Harper à Ottawa, c'est maintenant un nouveau chapitre de l'histoire qui s'ouvre. L'idée même d'une politique nationale d'AGJE devient obsolète pour ce gouvernement, et si les relations fédérales-provinciales sont amenées à prendre une nouvelle couleur, ce sera probablement sur la base d'autres dossiers et non sur celle des services de garde aux jeunes enfants.

NOTES ET BIBLIOGRAPHIES

1. K. Battle, et S. Torjman, *Architecture for National Child Care*, Ottawa, Caledon Institute of Social Policy, 2002 ; J. Jenson, *Éléments d'une architecture sociale pour le nouveau siècle*, communication préparée pour le colloque "Nouveau siècle, nouveaux risques" tenu à l'Université McGill les 18 et 19 novembre 2004.
2. Nous empruntons le concept « d'État stratège » à L. Côté, B. Lévesque et G. Morneau, « Les conditions gagnantes pour un changement en profondeur. Une vision partagée, une gouvernance appropriée et un État stratège », *Le Devoir*, 8 novembre 2005, p. A 7.
3. Y. Vaillancourt, « Le modèle québécois de politiques sociales et ses interfaces avec l'union sociale canadienne », *Enjeux publics*, vol. 3, n° 2, janvier 2002, 52 p.

4. A. Evers et J.-L. Laville, (dir.), *The Third Sector in Europe*. Cheltenham, Edward Elgar, 2004.

5. L. M. Salamon, H. K. Anheier *et al.*, (dir.), *The Emerging Nonprofit Sector : An Overview*, Manchester, Manchester University Press,1996.

6. V. Hodgkinson et A Painter, « Third Sector Research in International Perspective : The Role of ISTR », *Voluntas : International Journal of Voluntary and Nonprofit Organizations*, vol. 14, n° 1, mars 2003, p. 4-5.

7. Y. Vaillancourt, « Bridging Social Economy and Third Sector », *Inside ISTR*, Baltimore, Johns Hopkins University, vol. 12, n° 3, 2004, p. 5.

8. Y. Vaillancourt, « Le tiers secteur au Canada, un lieu de rencontre entre la tradition américaine et la tradition européenne », *Revue canadienne de politique sociale*, n° 57, à paraître en 2006.

9. C. Jetté, B. Lévesque, L. Mager et Y. Vaillancourt, *Économie sociale et transformation de l'État-providence dans le domaine de la santé et du bien-être : une recension des écrits (1990-2000)*, Sainte-Foy, les Presses de l'Université du Québec, 2000, p. 53-57.

10. B. Lévesque et M. Mendell, « L'économie sociale au Québec : éléments théoriques et empiriques pour le débat et la recherche », *Lien social et Politiques*, n° 41, automne 1999, p. 110-112 ; Y. Vaillancourt, F. Aubry et C. Jetté, (dir.), *L'économie sociale dans les services à domicile*, Québec, Presses de l'Université du Québec, 2003, p. 73-81.

11. Chantier de l'économie sociale, *Osons la solidarité*, Rapport du groupe de travail sur l'économie sociale, Montréal, Chantier de l'économie sociale, octobre 1996, 63 p.

12. Y. Vaillancourt, F. Aubry, M. Kearney, L. Thériault et L. Tremblay, « The Contribution of the Social Economy Towards Healthy Social Policy Reforms in Canada » dans D. Raphaël, (dir.), *Social Determinants of Health*, Toronto, Canadian Scholars' Press Inc., 2004, p. 314-317. M. Kearney, F. Aubry, L. Tremblay et Y. Vaillancourt, *L'économie sociale au Québec : le regard d'acteurs sociaux*, Cahiers du LAREPPS, n° 04-25, Montréal, UQAM-LAREPPS, 2004, 36 p.

13. Y. Vaillancourt et J.-L. Laville, « Les rapports entre associations et État : un enjeu politique », *Revue du MAUSS semestrielle*, n° 11, 1er semestre 1998, p. 119-135. G. Larose, Y. Vaillancourt, G. Shields et M. Kearney, « Contribution of the Social Economy in the Renewal of Policies and Practices in the Area of Welfare to Work in Quebec During the Years 1983-2003 », *Revue canadienne de développement de carrière*, vol. 4, n° 1, 2005, p. 11-28.

14. J. Quarter, *Canada's Social Economy. Co-operatives, Non-profits, and Other Community Enterprises*, Toronto, Lorimer, 1992, 208 p.

15. Voir le site internet du VSI : <http://www.vsi-isbc.ca/>.

16. M. H. Hall, C. W. Barr, M. Easwaramoorthy, S.W. Sololowski et L.M. Salamon, *The Canadian Nonprofit and Voluntary Sector in Comparative Perspective*, Toronto, Johns Hopkins University et Imagine Canada, 2005, 39 p.

17. K. G. Banting, *The Nonprofit Sector in Canada. Roles and Relationships*, Montréal et Kingston, McGill-Queen's University Press, 2000 ; K. L. Brock et K. G. Banting, (dir.), *The Nonprofit Sector and Government in a New Century*, Montréal et Kingston, McGill-Queen's University Press, 2001 ; T. J. Courchene, *A State of Minds. Toward a Human Capital Future for Canadians*, Montréal, IRPP, p. 111-120 ; K. L. Brock, (dir.), *Improving Connections Between Governments and Nonprofit and Voluntary Organizations*, Montréal et Kingston, McGill-Queen's University Press, 2002 ; S. D. Phillips,

avec l'aide de H. Echenberg et de R. Laforest, *Accord entre le gouvernement fédéral et le secteur bénévole et communautaire : Incidences pour le secteur bénévole et communautaire*, Ottawa, Initiative du secteur bénévole et communautaire, février 2001 ; S. D. Phillips, « SUFA and Citizen Engagement : Fake or Genuine Masterpiece ? », dans S. Fortin, A. Noël et F. St-Hilaire, (dir.), *Forging the Canadian Social Union SUFA and Beyond*, Montréal, IRPP, 2003, p. 93-124.

18. Ministres fédéral, provinciaux et territoriaux responsables des services sociaux, *À L'UNISSON : Une approche canadienne concernant les personnes handicapées*, document d'orientation, Ottawa, octobre 1998, p. 24 ; D. Cameron et F. Valentine, (dir.), *Disability and Federalism. Comparing Different Approaches to Full Participation*, Montréal et Kingston, McGill-Queen's University Press, 2001 ; A. Puttee (dir.), *Federalism, Democracy and Disability Policy in Canada*, Montréal et Kingston, McGill-Queen's University Press, 2002.

19. Y. Vaillancourt et L. Tremblay, (dir.), *Social Economy. Health and Welfare in four Canadian Provinces*. Montréal/Halifax, larepps/Fernwood, 2002.

20. M. Audet, *Notes pour une allocution à l'occasion de l'ouverture du Congrès pancanadien de développement économique communautaire (DEC)*, Hôtel Delta, Trois-Rivières, 19 mai 2004, 9 p. Voir .

21. Il nous apparaît important de bien distinguer les deux gouvernements Martin. Le premier est un gouvernement majoritaire qui exerce le pouvoir pendant 7 mois soit de décembre 2003 à juin 2004 ; le second, issu des élections de juin 2004, est un gouvernement minoritaire qui exerce le pouvoir pendant 19 mois, soit de juin 2004 à la fin de janvier 2006.

22. P. Martin, *Adresse du Premier ministre en réponse au discours du Trône*, le 3 février 2004, Ottawa, 21 p. E. Bakopanos, *Notes d'allocution à l'occasion du déjeuner de la deuxième journée de la conférence* « Nouveau siècle, nouveaux risques », Montréal, 19 novembre 2004, p. 3.

23. E. Bakopanos, *Notes d'allocution à l'occasion du déjeuner de la deuxième journée de la conférence* « Nouveau siècle, nouveaux risques », Montréal, 19 novembre 2004, p. 3.

24. K. Dryden, *Notes d'allocution devant le Comité permanent du développement des ressources humaines, du développement des compétences, du développement social et de la condition des personnes handicapées*, Chambre des communes, Ottawa, 23 novembre, 6 p.

25. K. Dryden, *Notes d'allocution devant le Comité permanent du développement des ressources humaines, du développement des compétences, du développement social et de la condition des personnes handicapées*, Chambre des communes, Ottawa, 23 novembre 2004, p. 5.

26. Y. Vaillancourt et L. Tremblay, (dir.), *Social Economy. Health and Welfare in Four Canadian Provinces*, p. 39-40 ; E. B. Ferguson et S. L. Prentice, « Consumer Involvement and Control in Child Day Care : A Legislative Analysis », *Revue canadienne de politique sociale*, n° 47, printemps 2001, p. 45-58 ; L. Lauzière, « Des services de garde pour tous », *Perception*, vol. 27, n° 1 et 2, 2004, p. 1-3.

27. Voir Y. Vaillancourt et L. Tremblay, p. 37-42. Canadian Policy Research Networks Inc. (CPRN), *Final Report : Child Care Policy Conference*, Ottawa, Université d'Ottawa, 18 octobre 2002, p. 11.

28. Y. Vaillancourt, F. Aubry, M. Kearney, L. Thériault et L. Tremblay, « The Contribution of the Social Economy towards Healthy Social Policy Reforms in Canada : A Quebec Viewpoint », dans D. Raphael, (dir.) *Social Determinants of Health*, p. 318-321.

29. R. Mahon, *L'apprentissage et la garde des jeunes enfants au Canada : Qui établit les règles ? Qui devrait les établir ?*, Document préparé pour la conférence nationale du Conseil canadien de développement social sur les services de garde au Canada, Des services de garde pour tous !, Winnipeg, 12-14 novembre 2004, p.9-10.

30. P. Martin, *Adresse du Premier ministre en réponse au discours du Trône*, 3 février 2004, p. 13.

31. Canada et Québec, *Entente de financement, le 28 octobre 2005. Entente Canada-Québec concernant l'apprentissage et la garde des jeunes enfants*, p.2.

32. K. Dryden, *Notes d'allocution pour l'honorable Ken Dryden ministre de Développement social Canada. Réponse au discours du Trône*, Ottawa, Chambre des communes, 19 octobre 2004, p. 3.

33. K. Dryden, *Notes d'allocution pour l'honorable Ken Dryden ministre du Développement social à la conférence nationale du Conseil canadien du développement social sur l'apprentissage et la garde des jeunes enfants intitulée Des services de garde pour tous!*, Winnipeg, 12 novembre 2004, p. 7.

34. Gordon Cleveland et Michael Krashinsky, *Le financement des services de garde et d'éducation des jeunes enfants au Canada*, Document préparé pour la conférence nationale du Conseil canadien de développement social sur les services de garde au Canada « Des services de garde pour tous », Winnipeg, 12-14 novembre 2004.

35. K. Dryden, *Notes pour l'allocution de Ken Dryden, ministre du Développement social, à l'occasion de la signature d'un accord de principe sur l'apprentissage et la garde des jeunes enfants*, Fredericton, 24 novembre 2005, p. 2.

36. K. Dryden, *ibid,*, Fredericton, 24 novembre 2005, p. 2.

37. Voir L. Thériault. « The National Post and the Nanny State : Framing the Child Care Debate in Canada », *Revue canadienne de politique sociale*, à paraître en 2006 dans le n° 57.

38. K. Dryden, Notes d'allocution pour Ken Dryden, ministre du Développement social à la signature d'un accord sur l'apprentissage et la garde des jeunes enfants, Montréal, 28 octobre 2005, p. 1-2.

13

LES VILLES DANS LE SYSTÈME INTERGOUVERNEMENTAL CANADIEN

Luc Turgeon

Les villes canadiennes ont longtemps été ignorées par les spécialistes du fédéralisme canadien. La majorité des ouvrages portant sur les relations intergouvernementales au Canada sont dénués de discussions sur la place des villes dans la fédération canadienne[1]. Ce silence n'est cependant guère surprenant compte tenu des pouvoirs et des ressources limités des autorités municipales. Créatures des provinces, sans réel pouvoir politique « extra-local », les villes canadiennes n'ont ni le pouvoir d'influence des villes françaises, ni les ressources des villes scandinaves dans la gestion de l'État-providence, ni les responsabilités des villes américaines dans le développement économique. Elles sont sans aucun doute les laissées-pour-compte de la fédération canadienne.

Les villes canadiennes sont cependant, comme l'affirme le titre d'un important ouvrage, de retour à l'avant-plan de l'actualité politique[2]. Le lobbying des maires des grandes villes canadiennes pour une nouvelle entente (*new deal for cities*) et la volonté exprimée du gouvernement fédéral d'élaborer une stratégie cohérente en matière de développement urbain laissent entendre que la question urbaine sera au cœur des relations intergouvernementales au cours des prochaines années.

Le présent chapitre tente de répondre à deux questions relativement simples. Premièrement, comment expliquer le retour des villes canadiennes comme enjeu des relations intergouvernementales après l'échec de la stratégie urbaine du gouvernement fédéral pendant les années 1970 ? Deuxièmement, dans quelle mesure le contexte intergouvernemental en matière municipale a-t-il changé depuis cette dernière vague de politiques urbaines et en quoi ces transformations vont-elles influencer la nature de la gouvernance urbaine au Canada ?

Dans la première section, nous nous penchons sur la place des villes dans l'ordre constitutionnel canadien et sur l'historique des relations fédérales-provinciales-municipales. Cette section vise à démontrer que, compte tenu du pouvoir fédéral de dépenser, la question des villes est un enjeu politique plutôt que constitutionnel. Dans la deuxième section, nous explorons le retour à l'avant-plan politique de la question urbaine au cours des dernières années, tout en mettant l'accent sur la montée de coalitions politiques appuyant le changement sur le plan municipal, particulièrement au Canada hors Québec, et sur la transition graduelle en cours de l'État néolibéral à l'État d'investissement social sur le plan fédéral. Cette transition est particu- lièrement importante pour comprendre la volonté exprimée par le gouver- nement fédéral de jouer un rôle prédominant dans le développement urbain. Finalement, dans la dernière section du chapitre, nous explorons la trans- formation de la dynamique intergouvernementale depuis les années 1970 et son impact sur la gouvernance des villes au Canada.

LES VILLES DANS L'ORDRE CONSTITUTIONNEL CANADIEN

L'Acte constitutionnel de 1867 est clair quant à la responsabilité exclusive des provinces en matière de politique municipale. La section 92-8 établit que « dans chaque province la législature pourra exclusivement faire des lois relatives [...] aux institutions municipales dans la province ». Dans cette perspective, les villes sont effectivement la créature des provinces. Cepen- dant, il est important de rappeler que, malgré l'arrêt Dillon aux États-Unis qui confirmait leur statut de créature des États[3], les villes américaines ont joué un rôle prédominant dans la dynamique intergouvernementale amé- ricaine contrairement à ce qui s'est passé au Canada. Alors que plusieurs villes aux États-Unis sont régies par des chartes municipales leur donnant une certaine autonomie locale tant en matière de fiscalité que de politiques publiques, les villes canadiennes sont pour la plupart régies par une loi municipale qui limite leurs champs d'intervention et leur capacité de générer des revenus. De plus, comme le note Andrew Sancton, alors que le fédéralisme canadien est interprété comme un pacte entre le gouvernement fédéral et les provinces, le fédéralisme américain est conceptualisé « comme un partenariat entre le gouvernement fédéral d'un côté, et les États et les villes de l'autre[4] ». Tant la Constitution canadienne que les lois provinciales et la culture politique limitent les zones d'autonomie des autorités municipales au Canada et leur capacité d'être des acteurs de premier plan au sein du système intergouvernemental canadien.

Les villes et les relations intergouvernementales : « Hyperfractionnement, quasi-subordination »

Dans un texte maintenant classique et revisité à l'occasion par les politologues[5], Stefan Dupré utilise l'expression relativement inélégante *hyper-fractionalized quasi-subordination* pour décrire les relations intergouvernementales entre villes et provinces au Canada[6]. Selon Dupré, trois principaux éléments différencient les relations fédérales-provinciales des relations provinciales-municipales. Dans un premier temps, alors que la relation entre le gouvernement fédéral et les provinces est fondée sur la Constitution, les relations entre villes et provinces reposent sur des lois statutaires facilement amendables. Dans un deuxième temps, la relation entre le gouvernement fédéral et les provinces en est une d'égal à égal alors que la relation entre les gouvernements provinciaux et les villes en est une de supérieur à subordonné.

Ces deux premiers aspects correspondent à ce que Dupré décrit comme la « quasi-subordination » des villes. Le terme « quasi » fait allusion au fait qu'il existe une limite à cette subordination dans la mesure où les représentants locaux sont élus démocratiquement et donc qu'ils sont les porte-voix d'une certaine volonté locale qui ne peut être ignorée. Il est à noter que dans le domaine des relations intergouvernementales, ce rôle quasi subordonné des villes a été renforcé pendant les années 1970 au Québec par l'adoption de l'article 3.11 de la Loi sur le ministère du Conseil exécutif. L'article stipule qu'un « organisme municipal ou un organisme scolaire ne peut, sans l'autorisation du gouvernement, conclure une entente avec un autre gouvernement au Canada, l'un de ses ministères ou organismes gouvernementaux ou avec un organisme public fédéral ». L'adoption de cet article constituait une réaction directe à la volonté exprimée au cours des années 1970 par le gouvernement fédéral de jouer un rôle plus actif dans les affaires urbaines.

La notion d'hyperfractionnement fait allusion au fait qu'en termes de complexité, si les relations fédérales-provinciales sont relativement simples avec un gouvernement fédéral et dix provinces, la multiplicité de représentants municipaux rend la relation municipale-provinciale fort complexe. Comme l'affirme Caroline Andrew, « la nature hyper-fractionnalisée de la relation réfère au fait que, tant au niveau provincial qu'au niveau municipal, il y a une multiplicité d'organismes engagés dans les relations provinciales-municipales. Le ministère des Affaires municipales dans chaque province n'est que l'un des acteurs provinciaux et le degré de coordination entre les différentes agences provinciales est limité[7]. »

L'ordre constitutionnel canadien ne permet donc pas aux villes de jouer un rôle de premier plan dans les relations intergouvernementales. De plus, il limite la possibilité d'établir des relations fédérales-municipales directes comme aux États-Unis ou dans la plupart des pays européens comme l'Allemagne ou encore la Grande-Bretagne. Or, cela ne signifie pas pour autant que le gouvernement fédéral n'a pas tenté ou n'est pas en mesure de jouer un rôle important dans le développement des villes.

Le gouvernement fédéral et le développement urbain

Contrairement aux États-Unis et à la plupart des pays européens, le Canada n'a pas développé après la Deuxième Guerre mondiale de partenariats formels avec les villes canadiennes. Une exception importante demeure la tentative d'établir une stratégie pancanadienne de développement urbain à la suite de la création, par le gouvernement Trudeau, du ministère d'État aux Affaires urbaines (MEAU). Le ministère, mis en place en 1971, avait pour principaux objectifs de coordonner les activités du gouvernement fédéral reliées au développement urbain et favoriser l'interaction entre les différents ordres de gouvernement[8].

Après avoir été incapable de coordonner les efforts des différents ministères, le MEAU tenta de favoriser une meilleure coordination intergouvernementale par l'organisation de sommets trilatéraux où siégeaient les municipalités. Cependant, après deux conférences, les provinces menées par l'Ontario et le Québec refusèrent de poursuivre l'expérience. Sans réel support à l'intérieur du gouvernement fédéral et constamment remis en cause par les provinces, le ministère fut aboli en 1979. Selon Caroline Andrew :

> Le ministère des Finances était convaincu que le ministère n'avait pas été un succès et la position constitutionnelle du gouvernement fédéral semblait être que si ce dernier souhaitait insister sur le respect par les provinces de ses champs de compétence, le gouvernement fédéral devait accepter la responsabilité provinciale sur les institutions municipales, dont les questions de développement urbain[9].

Si la capacité du gouvernement fédéral d'établir des contacts directs avec les municipalités a été historiquement limitée par le cadre constitutionnel canadien, il n'en demeure pas moins qu'il a joué un rôle important dans le développement urbain. Les politiques d'habitation de la Société canadienne d'hypothèque et de logement après la Deuxième Guerre mondiale, qui ont contribué à l'étalement urbain, demeurent l'exemple le plus probant du rôle central du gouvernement fédéral dans ce domaine. Malgré leur rôle crucial dans le développement des villes, il n'en demeure pas moins que les différents ministères et organismes du gouvernement fédéral ont rarement adopté un cadre de référence explicitement urbain dans l'élaboration de leurs politiques.

Outre le champ des infrastructures, où le gouvernement fédéral a maintenu une certaine présence, c'est en particulier dans le domaine social qu'il tente d'influencer depuis cinq ans l'évolution des villes canadiennes. À titre d'exemple, l'Initiative de partenariats en action communautaire mise en place en 1999 par le gouvernement fédéral vise à lutter contre l'itinérance dans les 10 plus grandes villes canadiennes. Les gouvernements municipaux sont désignés comme « entités communautaires » et doivent développer un plan de redressement sur le plan local, sélectionner les projets à la lumière des objectifs du programme et, par la suite, évaluer le succès du plan. Les provinces doivent cependant autoriser la participation des municipalités au projet. Un autre exemple récent est celui de la signature de l'accord de Vancouver (discuté dans la dernière section du chapitre), un partenariat entre le gouvernement fédéral, la Colombie-Britannique et la Ville de Vancouver pour la revitalisation socioéconomique du Downtown Eastside, quartier ravagé par des problèmes aigus de toxicomanie et d'itinérance. L'accord permet à la ville d'avoir son mot à dire quant à la façon dont différents programmes fédéraux et provinciaux sont implantés dans ce quartier défavorisé et lui donne également accès à des ressources financières significatives pour revitaliser le quartier.

Selon Jane Jenson et Rianne Mahon, de telles initiatives « démontrent de façon claire qu'il n'y a pas d'obstacles constitutionnels, même au Canada, à la possibilité pour le gouvernement fédéral d'avoir des relations directes avec les autorités municipales ». Elles affirment ainsi que la « question de l'inclusion ou de l'exclusion du gouvernement fédéral au sein de nouveaux mécanismes de gouvernance dépendra de choix politiques, et non pas de formalités constitutionnelles[10] ».

Le jugement ici est descriptif et non normatif. Bien que nous reconnaissions le manque d'assise constitutionnelle du gouvernement fédéral en ce qui a trait aux institutions municipales, nous reconnaissons également que la question du rôle du gouvernement fédéral dans le développement urbain ne se réglera pas tant dans l'arène judiciaire que par une nouvelle ronde de négociations fédérales-provinciales. Mais avant de nous pencher plus en détail sur la dynamique actuelle des relations intergouvernementales en matière de développement urbain, il importe de saisir l'intérêt croissant du gouvernement fédéral pour cette question.

LA QUESTION URBAINE ET LE PROGRAMME POLITIQUE DU GOUVERNEMENT FÉDÉRAL

Selon le politologue John Kingdon, un enjeu apparaît au sommet du programme gouvernemental lorsqu'une opportunité politique permet de lier problèmes, solutions et politique. Selon Kingdon, « les entrepreneurs politiques, des individus qui souhaitent investir leurs ressources afin d'avancer une solution ou un problème, sont responsables non seulement d'attirer l'attention de personnes importantes, mais également d'associer problèmes et solutions à l'activité politique[11] ».

La prochaine section illustre la façon dont la question urbaine est revenue à l'ordre du jour des relations intergouvernementales au Canada, et insiste sur la montée de nombreux problèmes urbains, la création de coalitions urbaines qui proposent un renouvellement des relations intergouvernementales et finalement la venue de nouvelles opportunités d'interventions rendues possibles par le passage du gouvernement fédéral d'un mode néolibéral à un mode d'investissement socioéconomique.

Un triple déficit en matière de développement urbain

Malgré leur pouvoir constitutionnel limité, les villes canadiennes ne peuvent plus être ignorées par le gouvernement fédéral et les provinces. Plus de 80 % des Canadiens vivent aujourd'hui en milieu urbain et 64 % habitent dans une agglomération urbaine de plus de 100 000 personnes. Les sept plus grandes agglomérations urbaines génèrent plus de 45 % du produit intérieur brut (PIB) canadien. Winnipeg est responsable de 67 % du PIB du Manitoba, Vancouver de 53 % du PIB de la Colombie-Britannique et la région métropolitaine de Montréal de 49 % du PIB du Québec[12]. De plus, un nombre grandissant de spécialistes ont montré que la qualité des infrastructures urbaines, qu'elles soient liées au transport, à la culture, à l'éducation ou à l'environnement, est primordiale pour assurer la compétitivité des États à l'heure de la mondialisation[13]. Comme l'affirme de façon pertinente Saskia Sassen, les villes sont « l'endroit où la mondialisation est à l'œuvre[14] ».

Malgré leur importance grandissante, les villes canadiennes souffrent d'un triple déficit qui menace leur avenir. Le premier déficit est un déficit fiscal. Alors que les revenus du gouvernement fédéral et des provinces ont augmenté de façon significative au cours des dix dernières années, les revenus des villes ont augmenté à un rythme plus faible que le taux d'inflation. De plus, les transferts du gouvernement fédéral et des gouvernements provinciaux aux municipalités – comme pourcentage des revenus municipaux – ont chuté de 44 % au cours des dix dernières années[15]. Un récent rapport de l'Organisation de coopération et de développement économiques (OCDE) sur le Canada notait d'ailleurs la situation financière plus que précaire des villes canadiennes, causée par leur pouvoir de taxation limité et leur dépendance vis-à-vis des revenus provenant de la taxe foncière[16]. À titre d'exemple, alors qu'en moyenne les villes américaines tirent 21 % de leurs revenus de la taxe foncière, ce pourcentage est de 49,5 % pour le Canada[17].

Le déficit fiscal a à l'inverse grandement contribué à un deuxième problème, un déficit d'infrastructures. Ce déficit est particulièrement troublant dans la mesure où les infrastructures urbaines, comme nous l'avons mentionné précédemment, sont de plus en plus considérées comme essentielles à la compétitivité des villes. Malgré la mise en place de programmes d'infrastructures tels que le Fonds canadien sur l'infrastructure stratégique, le Fonds sur l'infrastructure municipale rurale et les fonds municipaux verts, on estime le déficit d'infrastructures au Canada à plus de 60 milliards de dollars[18]. À cet égard, il faut noter que le Canada se place de plus en plus en arrière de son voisin américain. Alors que le gouvernement fédéral canadien allouait au début des années 2000 deux milliards de dollars dans différents programmes d'infrastructures, l'initiative *Liveable Communities for the 21st century* de l'administration Clinton contribua à l'investissement de milliards de dollars dans le domaine du transport, de l'environnement et du logement en milieu urbain. Le programme le plus important de cette initiative, le *Transportation Equity Act-21* (TEA-21), dispose d'un budget de 217 milliards de dollars sur une période de six ans afin de trouver des solutions à la question du trafic urbain et aux problèmes environnementaux qui y sont liés[19].

Un dernier déficit, tout aussi inquiétant, est le déficit social grandissant. Un nombre considérable d'études ont démontré l'augmentation des taux de pauvreté au Canada depuis les années 1970, en particulier dans les grandes zones métropolitaines. L'étude de Kevin Lee sur le développement social au Canada indique qu'entre 1990 et 1995, le taux de pauvreté augmenta de 33,8 % dans les régions métropolitaines du recensement, alors que la croissance fut de 18,2 % dans les régions non métropolitaines[20]. De plus, cette pauvreté est non seulement de plus en plus concentrée dans les régions métropolitaines, elle est plus forte dans les quartiers moins nantis où la pauvreté devient une réalité multidimensionnelle et intergénérationnelle. Fait tout aussi troublant, alors que le Canada vivait une période de croissance économique importante lors de la dernière décennie, le nombre d'itinérants n'a cessé d'augmenter, ce qui est le résultat direct du retrait du gouvernement fédéral du champ du logement social[21].

Il n'est guère surprenant, compte tenu de la dégradation du tissu socio-économique urbain, de constater la mobilisation croissante des autorités urbaines, des milieux d'affaires et des groupes communautaires appuyant un nouveau pacte pour les villes canadiennes.

Les coalitions sur le plan local favorables aux réformes

Au cours de la dernière décennie au Canada hors Québec, des coalitions locales hétéroclites se sont composées afin de mobiliser les citoyens derrière un programme de réformes. Ce discours émanant des villes a également trouvé écho dans le militantisme renouvelé de la Fédération canadienne des municipalités (FCM). Ces coalitions urbaines militent en faveur de réformes politiques qui risquent, si elles sont adoptées, de changer de façon majeure la dynamique des relations intergouvernementales.

Le premier axe de réforme proposé consiste à accroître l'autonomie des villes par l'adoption de chartes municipales permissives plutôt que restrictives[22]. À Toronto, où un tel mouvement est particulièrement actif, il constitue une réponse directe aux politiques municipales du précédent gouvernement Harris, perçu à plusieurs égards comme antidémocratique, et ayant contribué à un certain déclin de la ville de Toronto. Les différentes propositions d'adoption d'une charte municipale insistent toutes sur l'incapacité de la ville de Toronto de servir ses citoyens correctement compte tenu des limites imposées par les législations municipales et de ses sources limitées de revenus, et sur la nécessité donc de réformer la relation entre la ville de Toronto et la province de l'Ontario[23].

Il revient sans doute à la Colombie-Britannique d'avoir pris les devants en matière de réforme des institutions municipales en vue de donner une plus grande autonomie aux autorités municipales. L'introduction du *Community Charter Act* en 2002 visait à renouveler les relations provinciales-municipales afin d'atténuer le paternalisme provincial à l'endroit des villes et ainsi privilégier une gouvernance consultative plutôt qu'une gouvernance par décret. L'article 3 de la charte présente de façon explicite l'autonomie, la flexibilité et l'augmentation des fonctions et des pouvoirs des villes comme les principaux objectifs de la réforme.

Les coalitions locales ne se limitent pas à militer pour une transformation des relations provinciales-municipales. Ces coalitions revendiquent également une plus grande intervention fédérale directe dans le développement urbain et un plus grand rôle des municipalités dans les relations intergouvernementales, en particulier dans les domaines qui les touchent directement, comme le logement social. La ville de Toronto et les différentes coalitions favorables aux réformes ont été à l'avant-plan de ce débat. Ce militantisme est en partie le résultat, d'une part, du manque d'intérêt évident du précédent gouvernement Harris pour le développement urbain et, d'autre part, des problèmes fiscaux et socioéconomiques qui sont apparus dans la foulée de la création de la nouvelle ville de Toronto. Les députés de la région de Toronto, l'un des blocs les plus importants du caucus libéral, ont été particulièrement actifs. La députée Judith Sgro qui a présidé le comité spécial du caucus libéral sur le développement urbain de même que l'ancien secrétaire d'État aux infrastructures et communautés, John Godfrey, étaient d'ailleurs de la ville de Toronto.

Tout aussi important a été le militantisme renouvelé de la Fédération canadienne des municipalités. Lors de la campagne électorale de 2004, à titre d'exemple, la FCM réclamait des partis politiques en lice qu'ils se prononcent sur cinq enjeux importants pour les villes canadiennes : un nouveau partenariat intergouvernemental où les villes sont représentées et consultées ; un nouvel accord de partage des revenus ; des investissements en matière d'infrastructures ; des investissements en matière de développement communautaire ; et un partenariat visant à développer un agenda de recherche sur le développement durable et la qualité de vie dans les villes canadiennes[24]. De plus, reprenant le programme de réformes proposé dans un premier temps par l'ancien maire de Winnipeg, Glen Murray, la FCM a été en mesure de proposer des solutions concrètes au gouvernement fédéral, par exemple sur le transfert aux villes d'une partie de la taxe sur l'essence.

Les nouvelles coalitions appuyant la réforme, en ce qui a trait aux relations intergouvernementales, sont à plusieurs égards beaucoup plus puissantes que les coalitions de réforme des années 1960, et cela, pour plusieurs raisons. À Toronto, alors que les mouvements urbains des années 1960 étaient largement dominés par des membres de la nouvelle classe moyenne en réaction au programme de développement de la classe d'affaires, les coalitions de réformes sont maintenant menées par cette dernière. La Banque TD, à titre d'exemple, a joué un rôle important en matière de recherche sur les villes canadiennes. Les représentants du secteur privé ne se limitent cependant pas à des revendications de nature économique. En effet, la question du logement social occupe une place primordiale parmi les revendications du *Toronto City Summit Alliance* et du *Toronto Board of Trade*. Le *Toronto Board of Trade* a d'ailleurs mis sur pied avant l'élection provinciale de 2003 et l'élection fédérale de 2004 une campagne massive intitulée *Enough of Not Enough* qui encourageait les citoyens à contacter leur député provincial et fédéral afin de revendiquer une nouvelle entente pour la ville de Toronto. Les revendications de ces coalitions de réforme remettent en question de façon significative le fonctionnement du fédéralisme canadien en matière de développement urbain et en particulier affaiblissent la domination provinciale dans ce domaine.

Le programme du gouvernement fédéral en matière de développement urbain : le passage à l'État d'investissement social

Il n'est guère surprenant, compte tenu de la place centrale des villes dans la réalité socioéconomique canadienne, d'un côté, et de la mobilisation croissante de la société civile autour des villes, de l'autre, de constater la volonté exprimée par le précédent gouvernement libéral de Paul Martin de ramener les villes canadiennes à l'avant-plan du calendrier politique. L'ancien ministre des Infrastructures et des Collectivités, John Godfrey, justifiait ainsi en 2004 l'intervention directe dans le développement urbain en affirmant que « ce sont les municipalités qui nous ont demandé de remplir leurs trous pour les investissements durables, viables[25] ». L'actuel gouvernement conservateur minoritaire de Stephen Harper devra quant à lui se doter d'un programme urbain cohérent afin de percer dans les grandes agglomérations urbaines de Montréal, Toronto et Vancouver où le Parti libéral domine toujours.

La proposition pour une nouvelle entente pour les villes, la création d'un poste de secrétaire d'État aux infrastructures, le développement d'accords tripartites sur les questions sociales montrent l'intention claire du gouvernement fédéral de jouer un rôle proactif dans le développement urbain au Canada. Comme le propose cependant le modèle de John Kingdon évoqué précédemment, il faut plus qu'une simple mobilisation d'entrepreneurs politiques pour mettre de l'avant-plan un point particulier dans un programme politique. Il importe également, pour reprendre le titre d'un ouvrage de Leslie Pal, qu'il soit dans l'intérêt particulier de l'État de poursuivre un tel programme[26].

Nous croyons que l'importance du programme urbain au Canada s'inscrit généralement dans le passage d'une première phase de politiques néolibérales destructrices à une phase de reconstruction pour reprendre la terminologie de Neil Brenner et Nick Theodore[27]. Selon Brenner et Theodore, les années 1980 et la première moitié des années 1990 constituaient une période de destruction de l'architecture de l'État-providence mise en place de façon progressive après la Deuxième Guerre mondiale. Or, selon Brenner et Theodore, s'inspirant de Schumpeter et des travaux de l'école de la régulation, ce modèle néolibéral est à moyen terme instable et les effets de cette instabilité se font en particulier sentir en milieu urbain. Comme nous l'avons mentionné précédemment, l'orthodoxie de la lutte au déficit ne peut mener à long terme qu'à une série de déficits socioéconomiques. De telles instabilités mènent en retour à une deuxième période de reconstruction du tissu socioéconomique.

Ce qui caractérise cette transition est, dans un premier temps, une volonté de renouveler de façon proactive le rôle de l'État dans le développement socioéconomique afin d'assurer la compétitivité des sociétés occidentales dans une période de transition vers l'économie postindustrielle et, dans un deuxième temps, de réparer certains des dommages sociaux causés par le retrait de l'État dans les années 1980 et 1990. Nous reconnaissons ici le paradoxe que c'est la lutte au déficit qui a contribué au triple déficit (fiscal, économique, social), mentionné précédemment, qui a rendu possible l'intervention du gouvernement fédéral dans le domaine du développement urbain. C'est dans cette perspective qu'il faut interpréter la montée de l'idée de la troisième voie en Grande-Bretagne et l'appui du patronat britannique, par exemple, à des mesures de réinvestissements en matière de développement social et urbain. C'est également dans cette optique qu'il faut situer le renouvellement de la politique urbaine aux États-Unis.

Les politologues Denis Saint-Martin et Jane Jenson, à la suite d'Anthony Giddens, parlent d'État d'investissement social pour décrire cette nouvelle forme de l'État occidental[28]. Ce qui caractérise cet État d'investissement social, qui à plusieurs égards réfère à la troisième voie privilégiée par Tony Blair et son chancelier Gordon Brown, c'est la symbiose grandissante des politiques sociales, économiques et urbaines. En ce qui a trait aux politiques sociales et urbaines à titre d'exemple, elles sont vues comme un investissement contribuant à long terme, en particulier par le développement du capital humain, à la prospérité économique. L'ancien premier ministre Jean Chrétien, dans un document d'orientation sur la politique d'innovation canadienne, présente de façon précise les principaux objectifs de cet État d'investissement social :

> Dans la nouvelle économie mondiale du savoir du XXIᵉ siècle, la prospérité est tributaire de l'innovation, qui à son tour dépend des investissements que nous consacrons à la créativité et aux talents de nos citoyens. Il nous faut investir non seulement dans la technologie et l'innovation, mais aussi à la manière canadienne, dans la création d'une société inclusive où tous les Canadiens et les Canadiennes mettent à profit leurs talents, leurs compétences et leurs idées et où l'imagination, les savoir-faire et la faculté d'innover se conjuguent au mieux[29].

Trois principales caractéristiques définissent l'État d'investissement social. Dans un premier temps, ses partisans utilisent le langage du pragmatisme plutôt que les idéologies. Gordon Brown à titre d'exemple, en expliquant ses politiques sociales et économiques en Grande-Bretagne, parle souvent de jumeler les meilleurs aspects du développement économique américain avec les meilleurs éléments de la protection sociale européenne. À cet égard, l'État d'investissement social combine à la fois des éléments du keynésianisme et du laisser-faire, investissant de façon importante par exemple dans le renouvellement des quartiers pauvres, comme aux États-Unis et en Grande-Bretagne, mais encourageant l'apport du milieu des affaires et le développement d'un partenariat public-privé. Le retour d'un gouvernement plus interventionniste est d'ailleurs la deuxième caractéristique de l'État d'intervention sociale. Après plusieurs années de lutte au déficit, l'État central initie de plus en plus de nouveaux programmes et alloue des ressources importantes en matière de développement social et urbain.

Un troisième élément de l'État d'investissement social est la transformation de ce que l'on peut qualifier de géographie d'opération de l'État central. Dans la mesure où l'État d'investissement social opère à la croisée de différents domaines (économique, social et urbain), mais tente de limiter ses interventions directes, son principal rôle est d'assurer une certaine coopération entre différents acteurs socio-économiques locaux. Son rôle est donc moins de transférer les ressources de l'État vers les individus ou de développer des mécanismes quasi corporatistes sur le plan national, que de favoriser la coordination des acteurs locaux en mesure d'influencer le repositionnement des villes canadiennes, engin de développement économique dans la nouvelle économie. C'est dans ce contexte que Henning Schridde affirme que l'État central « tente de plus en plus d'influencer la forme et les conditions de coopération au niveau local par l'entremise de stratégie d'encadrement, d'information et d'incitatifs[30] ». Les initiatives du gouvernement fédéral en matière d'innovation, son plan d'action contre l'itinérance et celui visant le renouvellement des infrastructures favorisant le développement durable ont toutes en commun d'insister sur la consolidation de partenariats locaux.

Cette nouvelle géographie de l'État ne signifie pas pour autant, malgré le cliché du déclin de l'État-nation, un retrait du gouvernement fédéral, bien au contraire. Dans un premier temps, le gouvernement fédéral entend devenir l'un des principaux partenaires de ces coalitions locales. De plus, comme l'a conclu Nicola McEwen, dans la mesure où le déclin de l'État-providence a contribué à la montée du nationalisme au Québec et au Canada, le nouveau programme d'investissement social au Canada et en Grande-Bretagne constitue également une nouvelle vague de *nation-building*[31]. Le rapport Sgro sur le développement urbain au Canada ne cache pas d'ailleurs le double objectif de *community-building* et de *nation-building* du gouvernement fédéral, tout comme Paul Martin lors de la campagne électorale de 2004 :

> Selon des participants aux consultations du Groupe de travail, le gouvernement du Canada doit mieux coordonner ses programmes et ses dépenses dans les zones urbaines, renforcer ses relations avec ses partenaires des gouvernements et avec les dirigeants communautaires, s'occuper des questions touchant plusieurs domaines de compétences et des obligations internationales et il doit aussi stimuler le développement communautaire et national[32].
>
> Nous voulons un Canada où l'on est conscient du fait que les villes et les cités sont les endroits où les choses se passent. Nous voulons un Canada où les villes et les collectivités jouent un plus grand rôle dans le débat national. Nous croyons que la participation active de municipalités fortes et saines aidera tous les ordres de gouvernement à coopérer pour établir et atteindre de nouveaux objectifs nationaux[33].

Le développement de l'État d'investissement social au Canada et son application dans le domaine du développement urbain, dans la mesure où il constitue également un programme de *nation-building*, ne peut à long terme que contribuer à une nouvelle vague de diplomatie fédérale-provinciale. Dans la prochaine section, nous comparons le contexte actuel des relations intergouvernementales au Canada avec la situation des années 1970, et nous explorons à la lumière de certaines initiatives récentes du gouvernement fédéral des scénarios possibles en matière de relations fédérales-provinciales-municipales.

LE DÉVELOPPEMENT URBAIN ET LES RELATIONS INTERGOUVERNEMENTALES : QUELQUES PISTES D'EXPLORATION

La transformation du contexte des relations intergouvernementales

Quatre raisons principales peuvent être invoquées pour expliquer l'échec de la stratégie fédérale en matière de développement urbain au cours des années 1970 : le refus des provinces de laisser le gouvernement fédéral empiéter sur ce qu'elles considéraient comme leur domaine exclusif de compétence ; le refus du gouvernement fédéral de s'engager dans une querelle provinciale-fédérale à la veille du référendum québécois ; le manque d'organisation et l'amateurisme des villes canadiennes dans le domaine des relations intergouvernementales ; et la place limitée des acteurs de la société civile dans le domaine des relations intergouvernementales[34].

L'expression *province-building* est le terme utilisé par le politologue canadien Alan Cairns pour décrire l'expansion des gouvernements provinciaux et leur militantisme au cours des années 1960 et 1970[35]. Bien que le discours sur l'autonomie provinciale soit toujours important dans la rhétorique des provinces, en particulier en Alberta, au Québec et précédemment dans l'Ontario de Mike Harris, il ne fait pas de doute que les provinces canadiennes ne possèdent plus aujourd'hui la capacité qu'elles avaient dans les années 1970 de refuser l'intervention et les ressources du gouvernement fédéral. La double réalité de l'orthodoxie du déficit zéro dans un premier temps et le déséquilibre fiscal dans un deuxième temps fait en sorte que la marge de manœuvre des provinces canadiennes est extrêmement mince, alors que le gouvernement fédéral possède des surplus importants lui permettant de développer de nouveaux programmes et d'intervenir dans les champs de compétence des provinces. Comme le soulignaient Gérard Boismenu, Pascale Dufour et Denis Saint-Martin, le premier cabinet Martin comprenait un secrétaire d'État aux villes, une ministre du Développement social, chargée du développement d'une nouvelle politique sociale pancanadienne et un ministre responsable du développement des compétences, ce qui s'apparente au secteur de l'éducation[36]. Il s'agit, faut-il le rappeler, de trois domaines qui sont de compétence provinciale. Il n'est donc pas surprenant que les coalitions de réformes urbaines et les maires des grandes villes canadiennes se soient tournés vers Ottawa afin d'augmenter leurs revenus et trouver de nouvelles sources d'investissement pour leurs infrastructures.

Il existe donc une tension évidente entre, d'un côté, la volonté toujours exprimée par certaines provinces comme le Québec de maintenir leurs prérogatives en matière d'institutions municipales et, de l'autre, leur manque de ressources financières, situation qui n'est pas sans rappeler le conflit concernant le financement des universités canadiennes au milieu des années 1950. Cette situation est parfaitement reflétée dans le discours contradictoire et ambigu du gouvernement libéral de Jean Charest. Ainsi, à l'automne 2003, le ministre des Affaires municipales Jean-Marc Fournier invitait le gouvernement fédéral à investir dans le développement urbain et affirmait que le gouvernement québécois devait travailler à une intensification de la coopération fédérale-provinciale-municipale. De plus, le gouvernement libéral acceptait de signer, contrairement au précédent gouvernement péquiste, une entente avec la Fédération canadienne des municipalités afin d'avoir accès aux Fonds municipaux verts[37]. Le rôle du gouvernement québécois s'est limité dans ce dossier à proposer des projets dont le financement éventuel est décidé par un conseil d'administration sans aucune représentation provinciale et où le gouvernement fédéral occupe le tiers des sièges. Malgré cette acceptation implicite du pouvoir du gouvernement fédéral d'intervenir dans le domaine municipal, le ministre des Affaires intergouvernementales Benoît Pelletier affirmait subséquemment, que la compétence du Québec en matière municipale était présentement en cause, et que le gouvernement Charest entendait la défendre de façon vigoureuse, rappelant que « le gouvernement du Québec entend se faire respecter à titre de seul et unique interlocuteur en la

matière auprès d'Ottawa ». À l'extérieur du Québec, et en particulier maintenant en Ontario, à la suite de l'arrivée au pouvoir du gouvernement libéral de
Dalton McGuinty, de telles réserves sont moins fréquentes, et les provinces
s'associent de plus en plus aux villes pour favoriser l'intervention du gouvernement fédéral.

Un deuxième changement important constitue la volonté des villes canadiennes de jouer un plus grand rôle dans le domaine des relations intergouvernementales. Selon Ken Cameron, l'un des principaux obstacles au
développement des relations fédérales-provinciales-municipales au cours
des années 1970 venait du manque de ressources des autorités municipales
accordées aux affaires intergouvernementales, des chicanes internes au sein
de la Fédération canadienne des municipalités et, finalement, de la perception que la fragmentation des grandes régions métropolitaines au Canada
ne leur permettait pas de présenter un front uni[38]. Au cours des dernières
années, nombreux sont les changements qui permettent maintenant aux
villes de jouer un rôle plus important dans le domaine des relations intergouvernementales. Dans un premier temps, toujours selon Cameron, de
nombreuses villes canadiennes ont mis en place des structures institutionnelles spécialement consacrées à la question des relations intergouvernementales. Ensuite, la FCM semble avoir réglé les conflits entre grandes villes
et régions rurales qui ont si souvent limité sa capacité d'action et de mobilisation, et mis sur pied différents sous-comités consacrés à des préoccupations particulières comme le sort des grandes villes canadiennes. La FCM a
également développé une branche de recherche fort efficace qui est en mesure
d'avancer des propositions concrètes.

Bien qu'il soit trop tôt pour en arriver à des conclusions définitives, on
peut émettre l'hypothèse que la création des nouvelles villes fusionnées au
Québec et en Ontario, compte tenu du nombre de citoyens qu'elles représentent, ne peut à long terme que renforcer leur position dans l'arène intergouvernementale. Cela semble en effet être le cas à Toronto, où, comme nous
l'avons mentionné précédemment, nous observons une mobilisation et une
rhétorique « affirmationniste » sans précédent, soutenues par une société
civile fort active qui souhaite non seulement un plus grand rôle pour les
villes dans le système intergouvernemental, mais également une meilleure
représentation de ces mêmes groupes dans les discussions intergouverne-

mentales. Dans la période post-Charlottetown des relations intergouvernementales, où le gouvernement fédéral insiste de plus en plus sur l'importance
de consulter la société civile, la mobilisation de coalitions de réformes urbaines, en particulier au Canada hors Québec, ne peut que renforcer la position des villes canadiennes.

Quatre scénarios possibles en matière de développement urbain et de relations intergouvernementales

Certains des changements mentionnés dans la section précédente étant relativement récents, il est difficile d'établir de façon précise leur impact sur l'évolution des relations intergouvernementales en matière de développement
urbain. À la lumière d'initiatives récentes, nous présentons quatre scénarios
distincts, qui ne s'excluent pas mutuellement, sur l'évolution possible des
relations fédérales-provinciales-municipales.

Scénario 1 : La gouvernance multiniveaux

Le scénario le plus optimiste constitue la mise en place de véritables partenariats entre les trois ordres de gouvernement qui joignent leurs ressources
mutuelles afin de résoudre certains problèmes urbains. De tels partenariats
ont déjà été mis en place au Canada, entre autres dans la création de Montréal International par exemple et, dans une certaine mesure, lors de l'Entente
sur les infrastructures sous le premier gouvernement Chrétien.

Le prototype par excellence de la gouvernance multiniveaux que semble
vouloir favoriser l'État d'investissement social canadien est constitué par
l'accord de Vancouver, signé en 2000 par le gouvernement fédéral, le gouvernement de la Colombie-Britannique et la ville de Vancouver à la suite de
consultations avec les représentants de la société civile actifs dans la revitalisation du quartier Downtown Eastside. L'accord est supervisé par un comité
d'orientation formé d'un ministre fédéral, d'un ministre provincial et du
maire de Vancouver et mis en œuvre par un comité de gestion formé de
trois hauts fonctionnaires représentant également chaque ordre de gouvernement. L'accord prévoit la mise en commun des ressources, tant humaines
que monétaires, des trois paliers de gouvernement dans les domaines de la
santé et de la sécurité communautaire, de même que le développement éco-

nomique et social[39]. L'accord rehausse la présence des représentants municipaux et des représentants de la société civile, et permet également aux fonctionnaires fédéraux et provinciaux d'adapter leurs programmes respectifs aux réalités des résidants du Downtown Eastside. Le principal programme mis en place à la suite de l'adoption de l'accord est le *Four Pillars Drug Strategy* qui a mené à l'ouverture des premiers sites d'injection en Amérique du Nord. De tels accords, qui ont été également signés à Winnipeg et Regina, ont en commun de placer les autorités municipales sur un pied d'égalité avec les autres paliers de gouvernement et d'institutionnaliser des mécanismes de consultation qui limitent la possibilité d'actions arbitraires d'un ordre de gouvernement.

Scénario 2 : L'américanisation du fédéralisme canadien

À l'opposé de la gouvernance multiniveaux déjà en place à Vancouver, on retrouve le cas des fonds municipaux verts qui représente une certaine américanisation du fédéralisme canadien. Tout comme dans le cas des politiques urbaines aux États-Unis, les fonds municipaux verts constituent une tentative d'instaurer une relation directe entre les villes et le gouvernement fédéral à la fois par l'utilisation de son pouvoir de dépenser et par la mise en place d'une agence indépendante chargée de gérer les fonds fédéraux. Dans ce modèle, les représentants des municipalités ont une relation directe avec les représentants fédéraux, le rôle des provinces se limitant entre autres, dans le cas du Québec, à la transmission des demandes de subvention des villes. Le dernier mot revient cependant au conseil formé essentiellement des représentants du monde municipal et des représentants du gouvernement fédéral.

Le gouvernement fédéral tente également, comme dans le cas du programme de lutte contre l'itinérance, de financer non pas directement les gouvernements municipaux, mais plutôt des partenariats locaux qui sont responsables de la gestion des fonds et de leur redistribution. Dans la plupart des cas cependant, le gouvernement municipal constitue la principale agence chargée de développer des plans locaux d'action. Il faut cependant noter que dans les deux exemples mentionnés précédemment, le gouvernement fédéral a dans un premier temps signé des accords avec les autorités provinciales autorisant un tel rapprochement avec les municipalités. Il n'en demeure pas moins qu'à long terme, ces programmes augmentent la présence du gouvernement fédéral dans le développement urbain et limitent le rôle du gouvernement provincial à celui d'observateur plutôt qu'à celui de participant à part entière. Il est important de souligner que c'est par l'entremise de tels programmes que le gouvernement fédéral américain a augmenté son rôle dans le développement urbain à partir des années 1960. Les provinces sont limitées dans ce modèle à un rôle de lobbying afin d'assurer une juste distribution des ressources et le financement de certains projets jugés prioritaires[40].

Scénario 3 : Le renforcement du fédéralisme asymétrique

Malgré l'intérêt manifeste du gouvernement fédéral pour un rôle plus proactif dans le domaine municipal, et en particulier l'intérêt de la société civile au Canada hors Québec pour un tel rôle, il n'en demeure pas moins qu'un important malaise demeure au Québec. Or, divers récents accords signés dans le domaine du développement urbain contribuent dans une certaine mesure au renforcement du caractère distinct du Québec. À titre d'exemple, l'accord signé par le précédent gouvernement péquiste en matière de lutte contre l'itinérance est distinct des autres accords provinciaux. Alors que les fonds provenant de l'Initiative de partenariats en action communautaire et du Fonds régional d'aide aux sans-abri sont au Canada hors Québec directement distribués aux partenariats locaux dont le leadership est souvent exercé par les autorités municipales, au Québec les fonds sont transférés dans un premier temps au gouvernement du Québec qui achemine par la suite les fonds aux partenariats locaux.

Bien que le précédent gouvernement libéral de Paul Martin ait exprimé un certain appui pour le fédéralisme asymétrique dans le cas de l'Accord sur la santé en septembre 2004, un certain ressac au Canada anglais contre le concept du fédéralisme asymétrique pourrait rendre plus difficile dans un avenir rapproché une entente qui serait explicitement basée sur un statut distinct pour le Québec. L'ancien ministre Godfrey adoptait ainsi la ligne dure, quelques semaines à peine après la signature de l'Accord sur la santé, affirmant que dans un nouveau projet d'infrastructures, « les provinces devront s'engager à partager les objectifs nationaux fixés par Ottawa, dans une optique de développement durable [...][41] ». Il est encore trop tôt pour affirmer que le fédéralisme d'ouverture proposé par le nouveau gouvernement Harper contribuera à la mise en place d'accords distincts avec le Québec. Il n'en demeure pas moins que la logique de l'égalité des provinces préconisée par de nombreux députés conservateurs se conjugue difficilement avec le fédéralisme asymétrique.

Scénario 4 : Un nouvel échec ?

Un dernier scénario qu'il importe de considérer est celui d'un nouvel échec du gouvernement fédéral dans sa tentative de développer un programme pancanadien de développement urbain. Plusieurs facteurs sont effectivement en mesure de limiter le développement de véritables programmes « nationaux ». Premièrement, il est important de noter l'évolution du discours au cours des dernières années, qui est passé du développement des villes au développement des communautés. Certains commentateurs de la scène municipale voient dans ce changement plus qu'une question de vocabulaire, et affirment y déceler une reconnaissance du gouvernement fédéral de la difficulté de développer un véritable programme urbain compte tenu non seulement des réalités constitutionnelles, mais également de la réalité d'une carte électorale qui favorise les régions rurales et rend difficile tout programme politique particulièrement orienté vers les grandes villes canadiennes.

Dans un article publié dans le *Toronto Star*, l'ancien maire de Winnipeg Glen Murray, que plusieurs considèrent comme le parrain de l'idée d'un nouveau pacte pour les villes, exprimait un certain pessimisme quant à la possibilité d'un renouveau des relations intergouvernementales au Canada[42]. Murray déplorait le fait que le programme urbain du précédent gouvernement fédéral libéral semblait se limiter à la question des infrastructures et à un transfert modeste de la taxe sur l'essence aux municipalités. Il voyait également dans le refus des gouvernements provinciaux d'élargir les outils fiscaux à la portée des grandes villes l'échec le plus important de la campagne pour une nouvelle entente. Tout comme ce fut le cas au cours des années 1970, il se pourrait bien que le programme urbain se limite à de nombreux documents d'orientation et à des travaux universitaires, mais conduise à peu d'actions concrètes. Le nouveau gouvernement conservateur de Stephen

Harper, bien que s'étant engagé à poursuivre les initiatives du précédent gouvernement en matière d'infrastructures, ne semble pas partager l'enthousiasme du Parti libéral du Canada pour une stratégie pancanadienne de développement urbain.

Bien que reconnaissant la possibilité d'un échec de la stratégie urbaine du gouvernement fédéral, nous avons tout de même tenté de démontrer que la question urbaine allait, compte tenu de la transition vers l'État d'investissement social, être au cœur des relations intergouvernementales au Canada au cours des prochaines années. La nouvelle stratégie socioéconomique du gouvernement fédéral, basée sur les notions d'innovation, de capital social et humain, d'investissement en matière d'infrastructures, a pour principal objectif la transformation du tissu socioéconomique des villes canadiennes, outil de la croissance économique. Ce développement n'est pas seulement propre au Canada. De nombreux pays européens, de même que les États-Unis, ont adopté au cours des dernières années des programmes novateurs afin de faire face aux problèmes liés à l'exclusion sociale et à la décrépitude des infrastructures en milieu urbain.

Il ne fait pas de doute que les acteurs politiques ne pourront maintenir l'approche des vingt dernières années, ce que la politologue Caroline Andrew présente comme la honteuse tendance à ignorer les villes canadiennes[43]. Si pendant les années 1970 les villes canadiennes étaient encore vues comme relativement en santé, tel n'est plus le cas aujourd'hui. La compétitivité de l'économie canadienne et la réduction des inégalités au Canada dépendent de plus en plus de politiques socioéconomiques qui tiennent compte de la réalité et de la spécificité des différentes villes canadiennes. De plus, bien que le gouvernement conservateur se soit engagé à respecter les compétences provinciales, il n'en demeure pas moins que l'appui des électeurs des grandes villes canadiennes est une condition presque préalable à la formation éventuelle d'un gouvernement conservateur majoritaire. Il n'est donc pas dans l'intérêt de Stephen Harper de mettre fin aux actuels programmes de développement urbain mis en place au cours des dernières années.

Qu'en est-il au Québec ? Comment garantir à la fois le respect des compétences provinciales en matière municipale tout en assurant l'arrivée des ressources nécessaires au développement des villes québécoises et en particulier celui de Montréal ? Outre la lutte légitime et nécessaire pour un nouveau pacte fiscal, le Québec doit être dans le domaine municipal le leader qu'il a été, par exemple, dans le domaine des politiques de la petite enfance. Ce n'est qu'en assumant ce leadership que le Québec pourra forcer le gouvernement fédéral à respecter son champ de compétence, tout en s'assurant d'un certain consensus au Québec sur le respect d'un modèle québécois en matière de développement urbain.

NOTES ET RÉFÉRENCES

1. À l'exception d'Andrew Sancton, « Municipalities, Cities and Globalization : Implications for Canadian Federalism », dans Herman Bakvis et Grace Skogstad (dir.), *Canadian Federalism. Performance, Effectiveness and Legitimacy*, Don Mills, Oxford University Press, 2002, p. 261-277.
2. Caroline Andrew, Katherine Graham et Susan Phillips (dir.), *Urban Affairs : Back on the Policy Agenda*, Montréal et Kingston, McGill-Queen's University Press, 2002.
3. Dans son jugement, le juge Dillon de la Cour suprême de l'Iowa affirma que « les corporations municipales doivent leur origine, leurs pouvoirs et leurs droits à la législature de l'État. [...] Elles ne sont [...] que de simples locataires à la merci de la législature de l'État. » Cité dans Patrick J. Smith et Kennedy Stewart, « Beavers and Cats Revisited : Creatures and Tenants vs. Municipal Charter(s) and Home Rule. Has the Local-Intergovernmental Game Shifted ? », Texte présenté à la conférence *Municipal-Federal-Provincial*, Kingston, Queen's University, 9-10 mai 2003 (traduction de l'auteur).
4. Andrew Sancton, 2002, p. 263 (traduction de l'auteur).
5. Voir Caroline Andrew, « Provincial-Municipal Relations : or Hyper-Fractionalized, Quasi-Subordination Revisited », dans James Lightbody (dir.), *Canadian Metropolitics*, Toronto, Copp Clark Ltd., 1995, p. 137-160 ; Katherine A. Graham, Susan D. Phillips et Allan S. Maslove, *Urban Governance in Canada*, Toronto, Harcourt Brace and Company, 1998.
6. J. Stefan Dupré, *Intergovernmental Finance in Ontario : A Provincial-Local Perspective*, Toronto, Ontario Commission on Taxation, Government of Ontario, 1968.
7. C. Andrew, 1995, p. 137-138 (traduction de l'auteur).
8. Voir sur l'expérience du MEAU, Lionel Feldman et Katherine Graham, *Bargaining for Cities*, Toronto, Butterworths and Co., 1979 ; Elliot J. Feldman et Jerome Milch, « Coordination or Control ? The Life and Death of the Ministry of Urban Affairs », dans Lionel D. Feldman (dir.), *Politics and Government of Urban Canada*, Toronto, Methuen, 1981, p. 246-264.
9. Caroline Andrew, « The Shame of (Ignoring) the Cities », *Revue d'études canadiennes*, vol. 35, n° 4, 2000-2001, p. 104-105 (traduction de l'auteur).
10. Jane Jenson et Rinane Mahon, *Bringing the Cities to the Table : Childcare and Intergovernmental Relations*, Ottawa, Canadian Policy Research Network, 2002, p. 26 (traduction de l'auteur).
11. John W. Kingdon, *Agendas, Alternatives, and Public Policies*, 2ᵉ édition, New York, Harper College, 1995, p. 20 (traduction de l'auteur).

12. Prime Minister's Caucus Task Force on Urban Issues, *Canada's Urban Strategy: A Vision for the 21ˢᵗ Century*, Ottawa, Liberal Party of Canada, 2002, p. 1-2.
13. Richard Florida, *The Rise of the Creative Class*, New York, Basic Books, 2002; Richard Florida, *Cities and the Creative Class*, New York, Routledge, 2005.
14. Saskia Sassen citée dans Neil Bradford, *Why Cities Matter: Policy Research Perspectives for Canada*, Ottawa, Canadian Policy Research Network, 2002, p. 5 (traduction de l'auteur). La formulation en anglais est la suivante : « where the work of globalization gets done ».
15. Fédération canadienne des municipalités, *Élection 2004 : vers une nouvelle entente*, disponible sur le site : <www.fcm.ca/newfcm/java/frameFR.htm> (page consultée le 19 octobre 2004).
16. Organisation de coopération et de développement économiques (OCDE), *Examens territoriaux de l'OCDE : Canada*, Paris, OCDE, 2002.
17. Fédération canadienne des municipalités, 2004. Il est important de noter toutefois qu'au cours des dernières années, la Colombie-Britannique, l'Alberta, le Manitoba et le Québec ont adopté des arrangements fiscaux plus avantageux pour leurs municipalités.
18. Fédération canadienne des municipalités, 2004.
19. TD Bank Financial Group, *A Choice Between Investing in Canada's Cities or Disinvesting in Canada's Future*, Toronto, TD Bank, avril 2002, p. 11.
20. Kevin Lee, *Urban Poverty in Canada : A Statistical Profile*, Ottawa, Canadian Council on Economic Development, 2000, p. 8.
21. Jack Layton, *Homelessness : The Making and Unmaking of a Crisis*, Toronto, Penguin, 2000.
22. Historiquement, la plupart des chartes municipales au Canada limitent de façon explicite les domaines dans lesquels les villes peuvent intervenir, alors qu'une charte permissive permet aux villes d'intervenir dans tous les domaines qui ne sont pas explicitement exclus par la charte municipale.
23. Roger Keil et Douglas Young, « A Charter for the People ? A Research Note on the Debate about Municipal Autonomy in Toronto », *Urban Affairs Review*, vol. 39, nᵒ 1, 2003, p. 87-102.
24. Fédération canadienne des municipalités, 2004.
25. « John Godfrey va imposer des conditions au Québec dans le secteur municipal », *La Presse Canadienne*, 25 septembre 2004.
26. Leslie Pal, *The Interests of State : The Politics of Language, Multiculturalism and Feminism in Canada*, Montréal et Kingston, McGill-Queen's University Press, 1993.
27. Neil Brenner et Nick Theodore, « Cities and the Geographies of Actually Existing Neoliberalism », *Antipode*, vol. 34, nᵒ 3, 2002, p. 349-379.
28. Voir Denis Saint-Martin, « De l'État-providence à l'État d'investissement social : un nouveau paradigme pour *enfant-er* l'économie du savoir », Leslie A. Pal (dir.), *How Ottawa Spends 2000-2001 : Past Imperfect, Future Tense*, Toronto, Oxford University Press, 2000, p. 33-58 ; Jane Jenson et Denis Saint-Martin, « Building Blocks for a New Welfare State Architecture : From Ford to LEGO ? », Texte présenté à la conférence annuelle de l'Association américaine de science politique, Boston, 29 août-1ᵉʳ septembre 2002 ; Anthony Giddens, *The Third Way : A Renewal of Social Democracy*, Cambridge, Polity Press, 1998.

29. Gouvernement du Canada, *Le savoir, clé de notre avenir : le perfectionnement des compétences au Canada*, Ottawa, Développement des ressources humaines Canada, 2002, p. 3.

30. Henning Schridde, « Local Welfare Regimes and the Restructuring of the Welfare State : an Anglo-German Comparison », *German Policy Studies*, vol. 2, n° 1, 2002. Version électronique disponible sur Expanded Academic ASAP.

31. Voir Nicola McEwen, *Nationalism and the State : Welfare and Identity in Scotland and Quebec*, Bruxelles, Presses interuniversitaires européennes/Peter Lang, 2005 ; Nicola McEwen, « State Welfare and the Impact of Welfare Retrenchment on the Constitutional Debate in Scotland », *Regional and Federal Studies*, vol. 12, n° 1, 2002, p. 66-90. Voir également Martin Papillon et Luc Turgeon, « Nationalism's Third Way ? Comparing the Emergence of Citizenship Regimes in Quebec and Scotland », dans Alain-G. Gagnon, Montserrat Guibernau et François Rocher (dir.), *The Conditions of Diversity in Multinational Democracies*, Montréal, Institut de recherche en politiques publiques, 2003, p. 315-345.

32. Groupe de travail du premier ministre sur les questions urbaines, *La stratégie urbaine du Canada. Une vision pour le XXIe siècle*, Ottawa, Parti libéral du Canada, 2002, p. 8. Alors que la version française parle de « développement communautaire et national », la version anglaise est beaucoup plus explicite, faisant référence à l'importance de « [...] *enhance community and nation-building* ».

33. Paul Martin, Notes d'allocution à l'occasion de l'Assemblée générale annuelle de la Fédération canadienne des municipalités, 28 mai 2004. Disponible sur le site : - <www.liberal. ca/news_f.aspx ?type=news&news=546> (texte consulté le 19 octobre 2004).

34. Ken Cameron, « Some Puppets ! Some Shoestrings ! The Changing Intergovernmental Contex », dans Caroline Andrew, Katherine Graham et Susan Phillips (dir.), *Urban Affairs : Back on the Policy Agenda*, Montréal et Kingston, McGill-Queen's University Press, 2002, p. 303-308.

35. Alan C. Cairns, « The Governments and Societies of Canadian Federalism », *Revue canadienne de science politique*, vol. 10 , n° 4, 1977, p. 695-725.

36. Gérard Boismenu, Pascale Dufour et Denis Saint-Martin, *Ambitions libérales et écueils politiques. Réalisations et promesses du gouvernement Charest*, Montréal, Athéna, 2004, p. 150.

37. *Ibid*, p. 147-148.

38. Voir à ce sujet K. Cameron, 2002.

39. L'accord de Vancouver, *Accord de développement urbain entre le Canada, la Colombie-Britannique et la Ville de Vancouver concernant le développement social, économique et communautaire de la ville de Vancouver*, 9 mars 2000. Disponible sur le site : <www. vancouveragreement.ca>.

40. Voir sur le fédéralisme et le lobbying aux États-Unis, Anne Marie Cammisa, *Governments as Interest Groups : Intergovernmental Lobbying and the Federal System*, Westport, Praeger, 1995.

41. Jocelyne Richer, « Infrastructures municipales, Ottawa met des conditions », *Presse canadienne*, 26 septembre 2004.

42. Glen Murray, « How Cities Lost the New Deal », *Toronto Star*, 3 juillet 2005, p. A17.

43. C. Andrew, 2000-2001.

QUATRIÈME PARTIE

FÉDÉRALISME ET GESTION
DE LA DIVERSITÉ

L a plupart des États modernes sont aujourd'hui traversés par la diversité. Or, il s'avère que la stabilité de ces États dépend en grande partie de leur capacité de traduire cette réalité sur le plan institutionnel. C'est ainsi que sont apparues de nouvelles formes d'associations politiques de nature fédérale, confédérale ou même consociationnelle afin de refléter les traits sociétaux distinctifs de ces mêmes États. Au premier titre, les démarches d'affirmation de la citoyenneté sont venues enrichir les débats politiques dans les États fédéraux. Au Québec, par exemple, le projet d'une citoyenneté québécoise a permis de passer d'une vision parfois ethnocentrée à une approche multilogique et interculturelle de la réalité sociale et politique. La quête de la diversité et de son institutionnalisation nous invite aussi à une plus grande sensibilité quant aux revendications autochtones, revendications trop longtemps ignorées par les pouvoirs en place à Ottawa et dans les provinces. L'ensemble de ces enjeux ne concerne pas uniquement le Canada et le Québec, il touche aussi bon nombre d'autres États, d'où l'importance de jeter un coup d'œil comparé sur des sociétés elles-mêmes traversées par la diversité sociétale. Le cas de l'Espagne sera examiné ici ; bien que ce pays ne soit pas à proprement parler une fédération, il possède toutes les propriétés sous-jacentes au fédéralisme. Les enseignements pour le Canada et le Québec au chapitre de l'asymétrie sont fort nombreux.

Linda Cardinal et Marie-Joie Brady soutiennent, dans le chapitre 14, l'idée selon laquelle la citoyenneté et le fédéralisme canadien entretiennent une relation difficile. Tout d'abord, les auteures présentent le cadre législatif et administratif de la citoyenneté au Canada, lequel s'est précisé durant l'entreprise de construction nationale du milieu du XXe siècle. Cardinal et Brady comparent la conception de la citoyenneté présente au Canada à celle du Québec, laquelle diffère par l'importance qu'elle attribue aux devoirs de l'individu à l'égard de la collectivité, puis présentent les principaux discours sur lesquels se fonde la citoyenneté : nationaliste, social-démocrate, postimpérial et postcolonial. Cardinal et Brady indiquent comment chaque discours s'arrime au fédéralisme et aux modes de gestion de la diversité qu'il sous-entend. Cette analyse permet d'établir que le débat sur la citoyenneté a contribué à modifier les termes de notre compréhension des enjeux associés à la reconnaissance de la diversité mais également à reconduire les tensions qui lui sont associées. Le Canada représente un cas de figure parmi d'autres ; les tensions entre citoyenneté et fédéralisme étant loin d'être résolues, on peut croire que la relation difficile entre les deux ne fera que perdurer.

Dans le chapitre 15, Martin Papillon met en relief le défi que pose l'affirmation politique des peuples autochtones pour le fédéralisme canadien. Si les institutions canadiennes peuvent s'avérer un carcan contre lequel se butent les Autochtones, le principe fédéral offre néanmoins un cadre prometteur qui permet de rendre compte des revendications de ces derniers. Papillon note que si la dynamique actuelle incite à conclure que nous sommes encore loin d'un véritable fédéralisme postcolonial, certains développements méritent cependant notre attention, en particulier en ce qui a trait aux interactions entre gouvernements autochtones, provinciaux et fédéral dans le cadre de la définition et la mise en place des politiques publiques.

Le principal but poursuivi par Michael Burgess dans le chapitre 16 est d'attirer l'attention du lecteur sur la nature même du conflit et de la diversité au sein des États fédéraux. Burgess commence sa réflexion en présentant le nouveau millénaire comme un monde de différence et de diversité où évoluent déjà des tendances et des développements pouvant générer de nouvelles formes de reconnaissance constitutionnelle et politique de la différence, de la diversité et de la démocratisation. Une analyse conceptuelle de la diversité et du conflit débute avec une brève étude comparative du concept « fédéral », ce qui ouvre la voie à l'exploration du sens à donner à la territorialité et au pouvoir comme catégories conceptuelles relativement à la gestion de la diversité, et jette ainsi un éclairage rafraîchissant sur le rapport entre « unité » et « diversité » et entre « diversité » et les États fédéraux.

Kenneth McRoberts vient clore la quatrième partie en mettant dos à dos le Canada et l'Espagne ; il favorise pour ce faire une étude serrée de la mise en place du fédéralisme asymétrique comme mode de gouvernance sophistiquée pouvant répondre aux attentes des citoyens et des communautés nationales. McRoberts offre au lecteur une analyse approfondie des réalités canadiennes et espagnoles et illustre de façon convaincante que les États non fédéraux, comme l'Espagne, peuvent devenir des sources d'innovation significative pour le Canada, pays dont les traits fédéraux sont de moins en moins marqués.

14
CITOYENNETÉ ET FÉDÉRALISME AU CANADA : UNE RELATION DIFFICILE*

Linda Cardinal et Marie-Joie Brady

Il existe trois dimensions de la citoyenneté qui correspondent à autant de moments dans la constitution de sa définition contemporaine : l'autogouvernement, la justice et l'appartenance à la communauté politique. Selon John Pocock et Michael Sandel, la qualité de citoyen revient à ceux qui participent de façon active à l'autogouvernement et non uniquement à ceux qui s'entendent sur le contenu des décisions[1]. La citoyenneté est ce qui définit les hommes et les femmes comme des êtres politiques. Plus qu'« un moyen au service de la liberté, elle est la façon d'être libre[2] ».

Toutefois, la citoyenneté recèle une dimension exclusive. Celle-ci suppose toujours un « nous » et un « eux ». En outre, jusqu'aux XIXe et XXe siècles, les esclaves, les femmes, les Noirs, les ouvriers et les membres des peuples autochtones sont exclus de la citoyenneté et privés de ses bénéfices politiques, civiques et sociaux. L'identification à la communauté politique est aussi celle d'individus vivant dans un lieu particulier[3]. Nous sommes tous citoyens d'une cité, d'un bourg ou, depuis les XIXe et XXe siècles, d'un État-nation. Nous sommes américains, argentins, canadiens ou français. Il n'existe pas de citoyens du monde. Comme l'explique Hannah Arendt, nous appartenons tous à une nation à l'intérieur de laquelle l'individu réalise son humanité ou sa qualité de citoyen[4].

C'est l'avènement d'une conception de la citoyenneté fondée sur l'idéal de justice – d'inspiration romaine, puis libérale – qui lui a permis de devenir plus inclusive[5]. Au xixᵉ siècle, le développement progressif de l'État-providence a aussi rendu possible l'avènement d'une citoyenneté de type universaliste caractérisée par l'octroi de droits sociaux et économiques dans le cadre des États nationaux. Or, selon Jean L. Cohen, la mondialisation génère aujourd'hui des formes d'exclusion que l'État-nation ne serait plus en mesure de combattre de façon adéquate[6]. Elle considère que des catégories entières de la population comme les réfugiés économiques et sociaux échappent aux bénéfices de la citoyenneté. L'État-nation tarde aussi à réagir favorablement aux revendications d'autodétermination des minorités nationales, des nations minoritaires et des peuples autochtones.

En réponse à ces enjeux, J. Cohen et plusieurs autres ont proposé de conceptualiser la citoyenneté en termes postmodernes, postnationaux et post-souverains de sorte à la délier de la nation[7]. En effet, ceux-ci préconisent une forme ou une autre de décentrement de la citoyenneté. Ils pensent ainsi que l'État-nation sera davantage en mesure de répondre aux pressions internes et externes qui s'exercent sur lui et, éventuellement d'amorcer sa transformation vers un État multinational ou postsouverain. Dans un premier temps, il est proposé de reconnaître le principe d'une citoyenneté à paliers multiples : local, provincial, national, fédéral, supranational et international. Dans un deuxième temps, il est suggéré d'accorder des droits universels garantis par des instances supranationales ou postnationales afin de réduire au maximum les possibilités d'exclusion indépendamment de la forme de la communauté politique.

Ces enjeux ne sont pas sans faire écho au débat sur la citoyenneté au Canada et au Québec. Nous y constatons l'existence de plusieurs discours qui correspondent à autant de dimensions dans le débat contemporain sur la question, pensons notamment aux discours nationaliste, social-démocrate, postimpérial et postcolonial. Ceux-ci donnent un sens aux revendications de droits. Ils servent aussi à mieux comprendre le débat qui oppose la nation à la multination comme pôle intégrateur et lieu d'identification des citoyens. Le fédéralisme s'avère aussi un enjeu crucial dans ce débat. Il est le cadre politique, normatif et institutionnel d'aménagement de la citoyenneté au Canada, en plus d'être constamment mis en cause dans le débat sur les modalités d'exercice des droits, l'accommodement de la diversité multinationale et l'autogouvernement. Il existe aussi plus d'une conception du fédéralisme. En outre, selon la tradition francophone, le fédéralisme canadien vise à permettre à des peuples et à des provinces de vivre ensemble et à favoriser l'autogouvernement[8]. Dans une autre tradition, plus anglophone, il constitue un principe d'efficacité pour la formulation des politiques publiques et le développement d'une identité pancanadienne[9]. Enfin, il y a aussi ceux qui fondent le fédéralisme canadien sur la coopération, l'interdépendance, la concertation et la coopération entre entités fédérées[10].

Le débat sur la citoyenneté ne peut faire fi de ces traditions de pensée. Par elles passe la question de l'organisation du pouvoir à laquelle toute réflexion sur la question de la citoyenneté doit se confronter afin de résoudre le problème de l'exclusion. Par le fédéralisme passe le conflit mettant en cause le Québec et les Premières Nations dans leurs rapports avec le reste du Canada mais également celui qui oppose les provinces ou les mouvements sociaux au gouvernement central. Ainsi, nous soutiendrons, dans ce chapitre, que la citoyenneté et le fédéralisme au Canada entretiennent une relation difficile. En outre, nous verrons que les discours sur la citoyenneté s'élaborent en tension avec le fédéralisme plutôt qu'en complément comme le laisse entendre la théorie politique. Mais avant de procéder à notre étude de la relation difficile entre la citoyenneté et le fédéralisme, il s'avérera utile de rappeler le cadre législatif et administratif de la citoyenneté au Canada. Nous présenterons ensuite les principaux discours de la citoyenneté : nationaliste, social-démocrate, postimpérial et postcolonial, et leur conception du fédéralisme.

LE CADRE LÉGISLATIF ET ADMINISTRATIF DE LA CITOYENNETÉ AU CANADA

En 1946, le gouvernement canadien adopte une première loi sur la citoyenneté. Celle-ci fait suite à la promulgation, en 1910, d'une première politique d'immigration et, en 1914, de la Loi sur la naturalisation. Cette dernière sert à naturaliser les sujets britanniques vivant au Canada qui souhaitent être désignés à l'étranger comme Canadiens. En 1921, le gouvernement fédéral veut que le Canada soit éligible aux élections à la Cour internationale de justice. Enfin, en 1946, à la suite d'une visite au cimetière militaire de Dieppe,

Paul Martin père fait adopter la première loi sur la citoyenneté canadienne[11]. Celle-ci donne naissance à un nouveau statut, celui de citoyen canadien par rapport à celui de sujet britannique[12].

Selon P. Martin, la loi est d'autant plus nécessaire qu'il souhaite que ses compatriotes, nouveaux et anciens, aient davantage conscience de leurs buts et intérêts communs comme Canadiens[13]. Il ne voit pas dans la nouvelle loi l'expression d'un nationalisme étroit. Selon lui, la population canadienne manque de fierté nationale à un moment où elle doit davantage apprendre à jouer un rôle dans le monde. La Loi sur la citoyenneté, tout comme l'adoption d'un drapeau canadien, a constitué un symbole clé afin de développer cette nouvelle fierté.

Sur le plan administratif, la nouvelle loi a pour but de pallier certaines anomalies et confusions liées aux exigences de résidence des immigrants, au statut des femmes et à celui de sujet britannique ainsi qu'à la connaissance de l'anglais et du français. Toutefois, la citoyenneté canadienne n'existe pas encore sur le plan juridique[14]. Les citoyens canadiens demeurent des sujets britanniques jusqu'en 1977. À partir de ce moment-là, la citoyenneté devient un droit grâce à un ensemble de nouvelles mesures. En outre, l'exigence de résidence passe de cinq à trois ans, le traitement spécial accordé aux Britanniques est supprimé de même que les traitements différenciés selon le sexe ; la double citoyenneté est permise.

La nouvelle loi sur la citoyenneté a aussi constitué un cadre servant à dénoncer un ensemble de pratiques discriminatoires qui définissaient, jusqu'alors, le lien entre la Couronne britannique et ses sujets, soit les Premières Nations, les Britanniques, les Canadiens français et les immigrants. À l'époque, les Premières Nations vivant dans des réserves ont un statut réservé aux mineurs. Le statut d'infériorité des Canadiens français, notamment les multiples tentatives de les assimiler par les pouvoirs britannique et canadien-anglais, ainsi que le traitement différencié des catholiques par rapport aux protestants, minent le tissu social canadien. Plusieurs groupes déjà installés au pays depuis des générations, telles les populations chinoise et japonaise, n'ont pas le droit de voter aux élections canadiennes. Elles n'obtiennent ce droit qu'en 1949. Enfin, les femmes ont aussi un statut d'infériorité. Si le mouvement des suffragettes a constitué un jalon important dans le développement de la citoyenneté des femmes, celle-ci leur est accordée à la pièce. En

1916, seules les veuves des soldats de la Première Guerre mondiale obtiennent le droit de vote en guise de reconnaissance de l'effort de guerre de leurs époux. En 1917, celui-ci est généralisé à l'ensemble des femmes à l'exception des femmes des Premières Nations à qui l'on octroie le droit de vote qu'en 1960.

En somme, la Loi canadienne de la citoyenneté a contribué à créer de nouvelles exigences d'inclusion et de reconnaissance de droits sociaux et identitaires comme en témoigne, pendant les années 1960, la promulgation d'un ensemble de politiques identitaires pancanadiennes comme la Loi sur les langues officielles et la Loi sur le multiculturalisme. Enfin, l'adoption de la Charte canadienne des droits et libertés constitue l'aboutissement de ce mouvement vers une approche plus inclusive de la citoyenneté.

Par contre, la reconnaissance de droits ne fait pas l'économie de la citoyenneté. Celle-ci porte aussi sur des enjeux d'appartenance qui ne cessent de préoccuper la population canadienne. Depuis les années 1960, cette dernière doit composer avec l'avènement, sur la scène politique, d'un important mouvement d'affirmation dont le projet est de revoir le partenariat entre le Québec et le reste du pays. Le mouvement s'impose pendant les années 1980 et 1990 et oblige les Canadiens à débattre du statut du Québec au sein de la fédération canadienne. Par contre, jusqu'à présent, toutes les tentatives d'accommoder les demandes constitutionnelles du Québec ont échoué[15].

Pendant les années 1990, un nouveau mouvement d'affirmation de la nation canadienne s'impose aussi sur la scène politique. Son existence sera confirmée dans le cadre de la Commission Spicer mise sur pied par le gouvernement fédéral à l'époque afin de recueillir les propos de la population canadienne sur l'avenir de la citoyenneté au pays[16]. Les Canadiens y ont exprimé leurs inquiétudes quant à ce qu'ils percevaient comme la fragmentation du pays et comme une crise identitaire importante. En effet, la population, selon les commissaires, souhaite s'identifier à des valeurs communes dont la diversité ne serait qu'un élément parmi d'autres.

Pour sa part, quelques années plus tard, en 1995 plus exactement, le gouvernement du Québec organise un référendum afin de demander à la population de la province de lui donner un mandat de négocier une souveraineté-partenariat avec le reste du Canada. Le grand rendez-vous n'aura pas lieu malgré un résultat référendaire très serré. En effet, 49,4 % de la population souhaite accorder un tel mandat au gouvernement québécois comparativement à 50,6 % qui est contre ; un peu plus de 50 000 votes séparaient les deux camps. L'écart entre le Québec et le Canada n'en demeure pas moins très grand et les possibilités de rapprochement entre les deux collectivités se font rares. En 2004, le retour au pouvoir du Parti libéral avec à sa tête un nouveau chef, Paul Martin fils, a donné l'impression que le gouvernement avait l'intention de renouveler le fédéralisme, mais en vain. En 2006, l'élection d'un gouvernement conservateur a donné lieu à de nouveaux espoirs. Il est encore trop tôt pour déterminer si nous sommes en présence d'une structure d'opportunités politiques favorable à une plus grande prise en compte des préoccupations du Québec au sein de la fédération. Toutefois, l'on peut certainement associer l'élection de 10 députés conservateurs au Québec, une première depuis 1993, à la promesse d'un fédéralisme d'ouverture de la part du nouveau premier ministre, Stephen Harper.

Quoi qu'il en soit, à ce jour, le gouvernement central a opté pour le renforcement d'un projet de citoyenneté commune ou unificatrice plutôt que de reconnaître l'existence de la spécificité québécoise. Il s'assure aussi de barrer le plus possible la route à de nouveaux débats constitutionnels et adopte, en 1999, la Loi sur la clarté. Celle-ci doit encadrer une fois pour toutes les exigences devant être remplies par une province pour que le gouvernement du Canada reconnaisse les résultats d'une consultation référendaire, notamment si celle-ci porte sur la souveraineté au Québec[17].

Enfin, en 2002, lorsque le gouvernement central dépose un nouveau projet de loi sur la citoyenneté, il met résolument l'accent sur l'importance des valeurs canadiennes en proposant de modifier « le serment de citoyenneté afin d'y inclure une expression directe de la loyauté envers le Canada[18] ». Soulignons que le projet de loi veut également « autoriser le gouverneur en conseil à refuser la citoyenneté dans les rares cas où une personne fait preuve d'un manque de respect flagrant envers les valeurs canadiennes[19] ». Le projet de loi est mort au feuilleton. Toutefois, la même année, le rapport de la Commission Romanow sur la santé au Canada, *Guidé par nos valeurs. L'avenir des soins de santé au Canada*, constitue un cas de figure de cette nouvelle approche. Comme son titre le suggère, les valeurs canadiennes doivent servir de guide à l'action gouvernementale dans le domaine de la santé comme dans tout autre domaine de la vie publique afin de bâtir une économie forte. De surcroît, le Canada est engagé dans une vaste entreprise de promotion des valeurs canadiennes et de lui-même comme un modèle de société à imiter[20]. Parmi ces valeurs, nous trouvons notamment la démocratie, le pluralisme et les droits individuels[21].

En somme, le Canada souhaite se donner une vision forte de lui-même et de ses valeurs pour des raisons internes, mais aussi afin de mieux rivaliser avec ses compétiteurs sur le marché mondial et dans l'économie du savoir[22]. Dans cette foulée, son discours sur la citoyenneté devient aussi plus néolibéral et entrepreneurial que social et identitaire[23]. Ainsi, la reconnaissance de droits ne sert pas uniquement à reconnaître la diversité canadienne. Elle permettra au gouvernement du Canada de s'inscrire dans un certain nombre de domaines stratégiques comme l'enfance, l'éducation et la santé afin d'accroître la compétitivité du Canada dans l'économie du savoir.

Il existe aussi une histoire de la citoyenneté au Québec. Celle-ci remonte à l'époque des Patriotes, c'est-à-dire au XIXe siècle. Révoltés contre le régime britannique qu'ils considèrent injuste à l'égard de la population de la colonie, ceux-ci fondent leurs revendications sur l'idéal de l'autogouvernement[24]. Au XXe siècle, une partie importante de la population canadienne-française et québécoise se représente aussi la citoyenneté comme un moyen au service de l'indépendance du Canada à l'égard du Royaume-Uni. P. Martin père situe d'ailleurs, en partie, la première loi sur la citoyenneté dans le cadre de ce mouvement. Son adhésion à un projet de citoyenneté canadienne serait le résultat direct de sa socialisation en tant que Canadien français[25].

Le projet d'une citoyenneté québécoise n'a pas le même statut que sur le plan canadien. Il s'agit, de façon générale, d'une citoyenneté interne qui vise à rappeler les devoirs des citoyens à l'égard de leur collectivité. Mentionnons, à titre d'exemple, que la même année où le gouvernement fédéral adopte la Loi canadienne de la citoyenneté, Esdras Minville publie un ouvrage sur le citoyen canadien-français dans lequel il formule un ensemble de propositions liées à son effort de définition de l'enseignement du civisme au Québec. Celui-ci met l'accent sur l'importance de développer le sens de l'autonomie personnelle des Canadiens français. Cette dernière serait perçue comme étant « indispensable à l'accomplissement de [l]a destinée [des Canadiens français] selon les modes qu'imposent les formes présentes de la solidarité sociale[26] ». Selon E. Minville et plusieurs autres à l'époque, le Canadien français a une mission spéciale en Amérique du Nord, dictée par sa foi catholique et son appartenance à la culture française. Il ne peut s'y abstraire et sa citoyenneté se définit en rapport aux dimensions de sa culture.

Le débat sur la possibilité d'une citoyenneté québécoise se précise davantage dans les années 1990, en particulier dans le cadre des délibérations de la Commission des États généraux sur la situation et l'avenir de la langue française au Québec. L'on peut lire dans le rapport final de la Commission que la langue française est toujours au cœur de la définition de la citoyenneté au Québec, à la différence qu'aujourd'hui, celle-ci appartient à tous et non exclusivement au groupe majoritaire. En effet, selon les commissaires,

> [t]oute personne habitant le territoire du Québec, quelle que soit son origine, reçoit en partage la langue officielle et commune du Québec. Le français devient ainsi la voie d'accès privilégiée au patrimoine civique (valeurs, droits, obligations, etc.) commun à l'ensemble des Québécoises et des Québécois et sur lequel se fonde leur citoyenneté[27].

Selon Jean-François Lisée, une citoyenneté québécoise permettrait de donner davantage de légitimité à l'identité québécoise aux yeux des nouveaux arrivants, que le Québec soit souverain ou non[28]. Celle-ci pourrait notamment servir à renforcer sa singularité sur le continent américain autour de l'affirmation d'un projet de francophonie nord-américaine[29]. Le gouvernement du Québec n'a toujours pas donné suite à ce projet de citoyenneté. Toutefois, il existe un ministère de l'Immigration et des Communautés culturelles dont un des objectifs principaux est de voir à la sélection des personnes immigrantes et de faciliter leur intégration linguistique à la société québécoise[30].

LES DISCOURS DE LA CITOYENNETÉ

Il existe une multiplicité de discours au Canada pour donner un sens à la pratique de la citoyenneté ou pour l'évaluer et influencer l'orientation du débat. Parmi les plus importants, mentionnons les discours nationaliste, social-démocrate, postimpérial et postcolonial. Ceux-ci tentent de combiner les différentes dimensions de la citoyenneté – autogouvernement, justice et identité – afin de résoudre le problème de l'exclusion. Entre autres, le discours nationaliste accentue la fonction identitaire de la citoyenneté alors que le social-démocrate porte davantage sur l'idéal de justice. Le discours post-impérial et postcolonial apporte un éclairage particulier sur la question des conditions de participation à la vie démocratique. Dans cette section, nous présentons chacun des discours plus en détail et leur façon de faire face aux différentes tensions génératrices d'exclusion au sein de la société canadienne.

Le discours nationaliste de la citoyenneté

Ce discours comprend la citoyenneté en termes identitaires comme une dimension essentielle du développement d'un sentiment d'appartenance à la communauté politique ou à l'État-nation[31]. De façon générale, au Canada anglophone, les nationalistes adhèrent habituellement au principe selon lequel le gouvernement central est le porte-parole des intérêts supérieurs de la nation. Au Québec, le nationalisme est davantage présenté comme le véhicule d'un projet de fondation d'une société francophone en Amérique du Nord[32]. En simplifiant, au Québec, tout comme dans le reste du Canada, les nationalistes conçoivent la citoyenneté comme un moyen au service de la nation.

Par ailleurs, l'existence d'une rivalité importante entre les projets nationaux canadiens et québécois joue un rôle déterminant dans l'appréhension de leur potentiel rassembleur ou de leur capacité à favoriser une citoyenneté inclusive. Le projet national québécois est souvent décrit, au Canada anglophone, comme un projet de type ethnique et exclusif alors que le nationalisme canadien se perçoit comme étant davantage inclusif et ouvert sur le monde[33]. Au Québec, le nationalisme canadien est plutôt perçu comme étant fermé à la diversité multinationale du pays et le nationalisme québécois comme étant également civique et ouvert sur le monde.

Or, même si les nationalistes partagent un même engouement pour la nation, il existe plusieurs courants de pensée au sein des nationalistes canadien et québécois. En outre, les nationalistes de type libéral, que l'on pense à Will Kymlicka ou à Michel Seymour, fondent la réalisation de la citoyenneté sur la capacité des gouvernements à accommoder les minorités et à respecter les libertés individuelles[34]. La reconnaissance de droits polyethniques, de droits à l'autodétermination ainsi que de droits de représentation est considérée comme étant essentielle à l'intégration des différents groupes à l'État-nation et à leur appartenance à la communauté politique. Les principaux courants du féminisme canadien et québécois s'inscrivent aussi en partie dans ce mouvement d'idées tout comme ceux du multiculturalisme[35]. En effet, ceux-ci résistent davantage à une définition exclusive ou ethnique de la nation qu'ils ne cherchent à déconstruire cette dernière au point de refuser toute forme d'appartenance à un cadre national donné[36]. Ils s'identifient aussi souvent à un nationalisme antiaméricain et à un ensemble de droits collectifs, sociaux et culturels tels qu'ils sont inscrits dans la Charte canadienne, dans la Charte québécoise des droits et libertés ainsi que dans la Charte québécoise de la langue française.

Quant aux nationalistes plus conservateurs, ils sont habituellement plus favorables à l'idée d'accorder des droits individuels que des droits à portée collective ou à des groupes. En outre, Kenneth Carty et Peter Ward considèrent que l'octroi de droits collectifs rappelle davantage l'histoire monarchique et impériale du Canada qu'il ne permet une définition claire de ce qu'est une Canadienne ou un Canadien[37]. Ce raisonnement n'est pas anodin. Il cherche notamment à débarrasser le Canada d'un héritage qui n'emballe plus beaucoup la population tellement il est associé à tous les scandales de la famille royale au Royaume-Uni et à un processus de sélection du gouverneur général peu conforme aux exigences d'une société démocratique.

Le discours social-démocrate de la citoyenneté

Le discours social-démocrate met l'accent sur la dimension sociale et économique de la citoyenneté. Il porte, de façon plus précise, sur les conditions de réalisation de l'idéal de justice. Parmi les auteurs les plus associés à cette perspective, Jane Jenson[38], Gilles Bourque et Jules Duchastel[39] voient le développement de la citoyenneté selon une série d'étapes menant progressivement à l'État-providence et à l'avènement d'une citoyenneté universaliste et égalitaire. Influencés par l'approche de T. H. Marshall, ils considèrent cependant que l'avènement de l'économie néolibérale et de la mondialisation constitue un défi au maintien d'une citoyenneté sociale de type universaliste. Selon Bourque et Duchastel, celle-ci serait dorénavant plus particulière, plus culturelle et plus juridique[40]. Selon eux, l'avènement du néolibéralisme dans les années 1980 et 1990 aurait fait passer le débat sur les droits et la justice de l'espace de la démocratie représentative à une sphère technojuridique caractérisée principalement par le développement de nouvelles formes de gouvernance parallèles et le recours aux tribunaux comme mode de résolution de conflits[41]. Bourque et Duchastel font ainsi écho à la thèse d'Alan C. Cairns, au Canada anglais, selon laquelle, la logique des droits a pour effet d'accentuer la fragmentation de la vie politique étant donné sa reconnaissance de multiples éléments identitaires comme la langue, la culture, la religion et le sexe à titre de caractéristiques fondamentales[42]. A. Cairns considère notamment que la revendication des peuples autochtones d'être traités comme des nations nourrit une approche séparatiste nuisant à l'idéal d'une citoyenneté commune[43]. Il croit également que les mouvements sociaux anglocanadiens, notamment le mouvement féministe et les groupes multiculturels, ont miné l'unité du pays en refusant d'appuyer le gouvernement fédéral qui souhaitait, pendant les années 1980 et 1990, accorder un statut distinct au Québec[44].

À la différence d'A. Cairns, J. Jenson ne voit pas dans les mouvements sociaux les mêmes dangers pour le bien commun. Elle perçoit plutôt en eux les plus importants défenseurs de l'État-providence et de l'idée de « normes natio-nales » dans le domaine des politiques publiques. À la différence des critiques de la juridisation de la vie politique, pensons à celles de Rainer Knopff et de F. L. Morton[45], elle voit aussi d'un bon œil la constitutionnalisation de droits octroyés aux minorités de langue officielle, aux groupes ethniques, aux femmes, aux minorités visibles, aux personnes avec un handicap et aux Premières Nations. Elle critique surtout les effets du néolibéralisme sur la citoyenneté qui, selon elle, sert à discréditer le rôle politique des groupes dans le débat public en les taxant de groupes de pression. Elle voit aussi l'État se retirer peu à peu du projet d'une société civile participant activement à l'innovation sociale[46].

Il ne faudrait pas passer sous silence que dans le débat sur les droits sociaux, le gouvernement québécois a combiné compétitivité et nationalisme de façon distincte du reste du Canada[47]. Il a appuyé une classe d'affaires francophone et favorisé l'intégration de la province au sein de l'économie nord-américaine. Ainsi, le Québec a tenté de combiner un généreux régime de droits sociaux et économiques avec une ouverture plus importante au capital étranger[48]. Son action n'a pas toujours été différente de celle de l'État canadien. Toutefois, selon Jenson, bien des incompréhensions viennent de ce que le Canada anglophone ne tient pas compte du fait que le Québec applique ses pouvoirs étatiques différemment des autres provinces et du gouvernement canadien. Il cherche à utiliser les leviers économiques à sa disposition comme les caisses de retraite pour favoriser l'avancement de la société québécoise en tant que collectivité et non uniquement pour voir au bien-être de ses individus. Selon Jenson, le Québec et le Canada ont des régimes de citoyenneté qui se ressemblent mais dont les objectifs diffèrent radicalement. Le Canada cherche à protéger le bien-être des individus alors que le Québec souhaite aussi assurer le futur d'une collectivité.

Le discours postimpérial et postcolonial

Ce discours met l'accent sur la dimension plurielle et multinationale de la citoyenneté. Parmi les représentants de cette approche, Joseph Carens, Alain-G. Gagnon et James Tully définissent le Canada comme une démocratie multinationale[49]. Ils s'interrogent notamment sur la définition des conditions de justice et de participation des individus, des groupes et des nations vivant dans les démocraties nationales et multinationales à la vie citoyenne ou à l'autogouvernement.

J. Tully présente les démocraties multinationales à l'image d'une société contenant des nations entremêlées et multiculturelles dans un rapport plus ou moins égal entre elles[50]. Parmi ces nations, il considère que le Québec et les Premières Nations possèdent un droit à l'autodétermination reconnu en droit international. Celles-ci devraient donc normalement avoir la possibilité de se réaliser comme sociétés libres et démocratiques. Pour sa part, Carens suppute qu'il existe, au Canada, la possibilité bien réelle d'appartenir à deux communautés politiques[51]. Les droits et les devoirs des citoyens ne dépendent pas que de l'État central mais des différents ordres de gouvernement où ils sont exercés. À la différence de certains nationalistes, J. Carens considère d'ailleurs qu'il est faux de croire que l'ordre fédéral est ou doit être l'arbitre ultime dans ses affrontements avec les autres gouvernements, en l'occurrence les provinces[52].

Le discours postimpérial et postcolonial de la citoyenneté ne limite pas l'autogouvernement aux nations. Il se représente aussi les demandes de reconnaissance de la part des femmes, des minorités culturelles, linguistiques et religieuses comme des revendications d'autodétermination. Il considère que ces groupes doivent pouvoir contester, négocier et modifier les normes régissant leur participation à la démocratie afin d'être libres au même titre que les nations[53]. Comme l'explique Jocelyn Maclure, les individus deviennent des citoyens en participant à la délibération sur des enjeux communs ou uniques[54].

En somme, l'activité citoyenne se réalise dans le cadre d'un processus de discussion continu. Des décisions se prennent, des compromis se font et se défont selon les contextes et les enjeux. En effet, chez J. Maclure et J. Tully, un des objectifs des sociétés démocratiques est la réalisation d'un multilogue dans les meilleures conditions possibles de non-domination[55]. Une première condition est de reconnaître aux citoyennes et aux citoyens la liberté de changer les règles du jeu constitutionnel de reconnaissance mutuelle et d'association au fur et à mesure que changent les identités. Une deuxième est la possibilité de participer à la prise de décision car chaque décision qui affecte l'ensemble doit être prise par l'ensemble des citoyens. Celle-ci doit aussi être effectuée dans des conditions de délibération justes et équitables, sauf qu'il fort à parier que les décisions ne seront pas toujours adoptées à l'unanimité et que certains se sentiront exclus de la décision finale. Toutefois, dans un contexte de non-domination, les groupes savent qu'ils pourront éventuellement relancer le multilogue.

CITOYENNETÉ ET FÉDÉRALISME : UNE RELATION DIFFICILE

Au-delà de sa définition légale et administrative, la citoyenneté fait appel à la délibération ou encore à un multilogue plus qu'à une position donnée une fois pour toutes. Dans ce débat, la question des conditions de participation à l'autogouvernement ainsi que celles de l'appartenance et des droits interpellent les tenants des différents discours dans leurs tentatives de répondre à la question de l'exclusion. Chez les nationalistes, la citoyenneté constitue un espace de reconnaissance de droits individuels et collectifs plus que de participation. Pour leur part, les tenants du discours social-démocrate souhaitent concilier droits et participation alors que ceux qui adhèrent à l'approche postimpériale et postcoloniale insistent davantage sur l'autogouvernement que sur les droits. Dans chaque cas, comme nous le verrons plus bas, le fédéralisme prend une connotation particulière.

Nationalisme et fédéralisme

De façon générale, nous constatons que les tenants du discours nationaliste de la citoyenneté subordonnent le fédéralisme au thème de l'appartenance à la communauté politique ou à la nation. En l'occurrence, chez certains nationalistes conservateurs, le fédéralisme est non seulement associé à l'héritage impérial, mais il ajoute à la difficulté d'un projet bien défini d'appartenance des citoyens à une communauté politique nationale unique[56]. P. Carty et K. Ward évoquent la Charte plutôt que le fédéralisme comme moyen de favoriser l'identité. Ils y perçoivent des objectifs nationalistes d'énonciation des normes et des droits d'une citoyenneté commune canadienne fondée sur la primauté des droits individuels. La juridisation de la politique permet ainsi de nationaliser la citoyenneté alors que le fédéralisme serait un symptôme d'une époque dont ils souhaitent effacer la trace. Selon K. Carty et P. Ward, les tribunaux doivent définir des critères positifs en fonction desquels les gouvernements et les citoyens pourront mesurer leurs actions[57]. Ainsi, nous sommes en présence d'un projet de communauté nationale fondée sur une logique de droits individuels et un besoin très fort d'unité, un discours, comme nous l'avons vu plus haut, qui rejoint une tendance à l'œuvre au sein du gouvernement canadien notamment depuis les années 1980.

Par contraste, W. Kymlicka tout comme Seymour considèrent que le Canada constitue une fédération multinationale. Dit autrement, le Canada serait une nation au sein de laquelle coexistent plusieurs entités nationales et souveraines. Selon la perspective du fédéralisme multinational, il faut reconnaître les nations minoritaires au sein de la nation canadienne en leur permettant de participer à la gestion des affaires publiques d'égal à égal ou comme des partenaires. Le projet est certainement plus généreux à l'égard des groupes nationaux au sein du Canada que ne l'est celui d'une nation fondée sur une logique de droits individuels. Toutefois, W. Kymlicka anticipe les difficultés associées à ce projet. S'il existe un Canada anglophone, peu nombreux sont les Canadiens qui diraient spontanément qu'ils appartiennent à une nation canadienne-anglaise[58]. À l'instar de la nation canadienne-française, celle-ci semble bien être tombée en désuétude.

Comme l'explique également Kenneth McRoberts, il existe un hiatus entre la théorie de la multination et la réalité canadienne. Il y a des nations internes au Canada, mais celui-ci ne fonctionne toujours pas comme une société multinationale[59]. De plus, pour K. McRoberts, l'on oublie que c'est le fédéralisme plus que l'idée de multination qui a permis, jusqu'à présent, une ambiguïté favorable à la reconnaissance des besoins spécifiques du Québec. Il a rendu possible la coexistence de visions concurrentes de la citoyenneté et de la nationalité sans nuire à la stabilité du pays. Or, il reconnaît qu'il s'exerce dorénavant une pression très forte sur les citoyens pour qu'ils fassent un choix entre être canadiens d'abord et québécois ensuite ou vice versa.

Enfin, les nationalistes ne font pas longuement état des exigences d'interdépendance et de coopération nécessaires entre les différentes unités fédérées et les mécanismes de collaboration devant être mis en place à cette fin. Si nous sommes en présence d'un discours favorable au fédéralisme comme principe d'organisation, celui-ci permet difficilement de voir comment ces entités permettent le compromis nécessaire à une logique fédérale. En simplifiant, il nous semble que le discours nationaliste libéral sert à justifier la mise en place d'un parallélisme plutôt qu'un fédéralisme d'interdépendance et de coopération. La question de l'appartenance et de l'identité est posée en termes multiples mais le fédéralisme demeure subordonné à la nation.

Social-démocratie et fédéralisme

Le discours social-démocrate postule l'existence de plusieurs régimes de citoyenneté au Canada mais le fédéralisme semble y avoir été dépassé au profit d'une conception pancanadienne et particulariste des droits et de l'appartenance. J. Jenson, qui adhère à l'idée d'un fédéralisme multinational comme voie possible de réconciliation entre le Canada et le Québec, considère que trois principes doivent guider l'action du Canada dans le domaine de la citoyenneté. Selon elle, toute société est plus grande que la somme de ses composantes ; il n'existe pas de hiérarchie entre les diverses loyautés que professe un citoyen ; et il faut diversifier les lieux de dialogue[60]. Ainsi, elle reconnaît que « [l]e Canada peut certes, pour des raisons historiques qui lui sont propres, mettre l'accent sur les droits individuels ; mais cela ne l'autorise pas à nier, aux autres sociétés qui partagent son territoire, la possibilité de faire des choix différents[61] ».

Pour leur part, G. Bourque et J. Duchastel considèrent que le Canada et le Québec devraient se constituer en États associés plutôt que comme une fédération[62]. L'idéal serait de penser le pays comme une véritable confédération plus que comme une fédération et de le doter d'un parlement à l'européenne qui se situerait au-delà des nations. Le Canada pourrait ainsi ressembler à un État postsouverain et postnational.

Or, si le fédéralisme semble dépassé pour les tenants du discours social-démocrate, plusieurs qui s'identifient à l'idéal de l'État-providence continuent de croire qu'il peut être utile pour la gestion des politiques publiques. Ces derniers, que l'on trouve au Canada anglophone principalement, ont une approche pragmatique du fédéralisme. Avancée dès les années 1940, dans le cadre de la Commission Rowell-Sirois[63], cette position conçoit le fédéralisme en termes fonctionnels, c'est-à-dire comme un instrument en vue de l'atteinte d'une plus grande efficacité dans la formulation des politiques publiques[64]. Le débat naissant sur la mondialisation a servi de prétexte au renouvellement de cette approche qui, indirectement, tient pour acquis que le fédéralisme multinational serait caduc. De façon plus précise, l'on considère que des rapports de collaboration entre les différents ordres de gouvernement sont de plus en plus nécessaires étant donné les défis de la compétitivité et des exigences de l'économie du savoir. La gestion des politiques publiques exige donc une coordination plus efficace entre les différents acteurs gouvernementaux mais également entre eux et les acteurs non gouvernementaux afin de résoudre les problèmes sociaux et économiques et de favoriser l'innovation. Ainsi, les acteurs vont souhaiter revoir la logique d'affrontement qui oppose les provinces au gouvernement central afin de lui substituer une approche fondée sur un mélange de « normes nationales » et de subsidiarité. S'élabore aussi dans ce débat un discours de la gouvernance à multiples niveaux. Celle-ci reposera sur le besoin des divers acteurs de travailler ensemble à résoudre les problèmes au sein de la fédération canadienne en fonction d'objectifs ou de résultats précis ainsi qu'une reddition des comptes et une responsabilité accrue envers les citoyennes et les citoyens.

Cette nouvelle approche a contribué à baliser l'adoption d'ententes inter-gouvernementales au Canada dans un nombre important de domaines, que l'on pense aux affaires autochtones, au commerce intérieur ou aux infra-structures. Mentionnons la plus connue, soit l'Entente-cadre sur l'union sociale canadienne, dont l'objectif était d'assurer le maintien et le dévelop-pement d'une union sociale favorable à un meilleur aménagement des pro-grammes sociaux. Toutefois, le Québec a refusé de signer une telle entente[65].

Plutôt critique du fédéralisme fonctionnel, Alain Noël argue que les deux termes ne vont pas bien ensemble. Selon lui, celui-ci « fausse le jeu fédéral, en jaugeant la division des pouvoirs à l'aune des résultats, pour les individus, les communautés ou les grands ensembles[66] ». De fait, « [r]amener le fédé-ralisme à une forme d'optimisation des résultats de l'action publique pour les citoyens, en faire une façon décentralisée d'offrir des biens et des services, c'est justement nier sa spécificité, pour raisonner en termes universitaires[67] » ou « comme un État unitaire le fait face à ses régions[68] ». A. Noël considère que la meilleure base politique possible afin de réaliser la solidarité ou encore la citoyenneté sociale se situe sur le plan des communautés nationales[69]. Ainsi, il reprend à son compte la thèse multinationale et accepte la proposition de G. Bourque et J. Duchastel selon laquelle le Canada et le Québec devraient se constituer en États associés[70]. Pour Noël, relativement à la mondialisation, il importe de permettre « l'innovation là où elle émerge », plutôt que de privi-légier ou « de développer des approches nationales pour tout[71] ». La citoyen-neté ne pourrait que mieux s'en porter et la fédération canadienne aussi !

En somme, le débat sur le fédéralisme au sein de l'approche sociale-démocrate de la citoyenneté oscille entre l'idée d'États associés et celle d'un pays où le principe d'autogouvernement est subordonné au principe d'effi-cacité. Le fédéralisme est ici conçu comme une technique de gouvernement plus que comme un mode de représentation de la diversité multinationale.

Un fédéralisme pluraliste

De façon générale, les tenants du discours postimpérial et postcolonial de la citoyenneté adhèrent au projet d'un fédéralisme pluraliste au sein de démo-craties multinationales. Un tel projet se rapproche du fédéralisme multina-tional tel qu'il est proposé par W. Kymlicka et M. Seymour mais s'en distingue également par ses efforts de lui donner un ancrage historique et de renouer avec les débats sur la liberté civique dans les sociétés démocratiques et pluralistes. Le fédéralisme pluraliste a un théoricien que J. Tully reconnaît dans le juge Thomas-Jean-Jacques Loranger au XIXᵉ siècle, pour qui le fédéralisme au Canada ressemble à un « assemblage irrégulier et multiforme[72] ». S'intéressant de façon toute spéciale au Québec, il le présente comme « une société constitutionnelle souveraine et du même ordre, qui s'est gouvernée elle-même en vertu de ses lois et de ses coutumes durant des siècles et dont la composition est multiculturelle[73] ». Ainsi, le juge Loranger donne à J. Tully le fondement historique qu'il cherche pour penser la revendication pour l'auto-gouvernement dans le débat contemporain sur le fédéralisme canadien. Il procède de la même façon afin de justifier les revendications des Premières Nations en évoquant la tradition de la reconnaissance mutuelle qui a caractérisé leurs rencontres et échanges avec les Blancs dès leur premier débarquement sur l'île de la Tortue.

L'originalité de la démarche du fédéralisme pluraliste vient aussi de sa compréhension que les luttes de reconnaissance de la part des acteurs non nationaux constituent aussi des luttes pour la liberté. Ainsi, on ne peut exclure ces acteurs du compromis fédéral car il importe aux fédéralistes pluralistes de promouvoir une conception élargie de la liberté au sein des sociétés contemporaines fondées sur le multilogue.

En 2003, la création du Conseil de la fédération peut être considérée comme un exemple d'une nouvelle institution favorable à la redéfinition du fédéralisme en des termes inspirés du pluralisme, même s'il n'a pas toujours pas fait ses preuves et que l'enthousiasme à son égard ne semble pas vraiment au rendez-vous[74]. L'avènement, au sein des provinces, d'un nouveau mouvement en vue de réformer le mode de scrutin et d'accroître la participation politique des groupes montre aussi, comme l'a bien perçu J. Carens, que le niveau « national » – anciennement fédéral – n'est pas le seul lieu favorable à l'expression de la liberté démocratique.

En 2004, la signature d'une entente, entre le gouvernement fédéral et le Québec, qui reconnaît le principe d'un fédéralisme asymétrique, constitue également une ouverture à l'égard du pluralisme[75]. L'entente invoque la spécificité du Québec et sa volonté de maintenir sa marge de manœuvre dans le domaine de la santé[76]. Par contre, l'adoption d'une telle entente a provoqué un débat important sur les bienfaits du fédéralisme asymétrique au Canada. Comme l'a expliqué à l'époque le ministre responsable des Affaires inter-gouvernementales canadiennes pour le gouvernement du Québec, Benoît Pelletier, l'asymétrie permettra « d'augmenter la confiance mutuelle et d'améliorer de façon durable les rapports entre le Québec et le reste du Canada[77] ». Par contre, pour le sénateur Serge Joyal, ce type de fédéralisme pourrait mettre fin à l'idée même du Canada car toute forme de décentralisation ou de compromis allant dans le sens de l'asymétrie doit être comprise comme une menace à la souveraineté du pays et à son intégrité[78]. Comme si la recon-naissance du caractère distinct du Québec était une revendication irrece-vable malgré des pratiques asymétriques déjà existantes sur le plan législatif et normatif. De plus, les Canadiens reconnaissent la spécificité des Premières Nations, voire celle des Acadiens. Pourquoi la question du caractère distinct du Québec provoque-t-elle autant de réactions négatives ?

Pour leur part, en privilégiant le multilogue, les fédéralistes pluralistes donnent parfois l'impression d'avoir une conception purement langagière de la liberté qui fait l'impasse sur le refus obstiné d'une majorité d'acteurs de reconnaître la voix distincte du Québec sur le plan politique. Mentionnons également qu'ils n'ont pas une vision arrêtée des formes de fédéralisme nécessaires afin de permettre l'autogouvernement. Les démocraties multinationales peuvent comprendre des dimensions fédérales et confédérales. Celles-ci peuvent être de type asymétrique mais rien n'empêche un fédéralisme symétrique – bien que cela risque d'être improbable aux yeux de plusieurs – de permettre l'exercice de la liberté. L'important est de créer des conditions favorables à la participation des acteurs au multilogue.

En résumé, l'on peut constater que le Canada constitue un cas de figure de la relation possible entre la citoyenneté et le fédéralisme. Le mariage entre les deux semble plus facile au sein de la théorie politique que dans le débat politique canadien. Toutefois, force est de constater que nous sommes en pré-sence d'un nouveau vocabulaire. Nations, multination, États associés, droits individuels et collectifs, gouvernance fonctionnelle et multilogue sont les nouveaux termes à l'aune desquels nous sommes dorénavant conviés à éva-luer le fédéralisme au Canada et à penser la citoyenneté. Ces termes ont été formulés, à l'instar des débats au sein de la théorie politique récente, afin de résoudre la question de l'exclusion, sans toutefois constituer des réponses définitives à la tension qui perdure entre la citoyenneté et le fédéralisme. Nous avons vu que le fédéralisme constitue un espace institutionnel d'aménagement de la citoyenneté en tension avec l'idéal d'une communauté qui préconise un seul sentiment d'allégeance, tel que le conçoivent, en général, les nationalistes. Pour sa part, le récit social-démocrate reconnaît l'existence de plusieurs régimes de citoyenneté au Canada mais également que le fédéralisme semble y avoir été dépassé au profit d'une conception pancanadienne et particulariste des droits et de l'appartenance. Enfin, le rôle à accorder au fédéralisme par rapport au multilogue reste également à définir. Cette analyse nous permet de conclure que le débat sur la citoyenneté a contribué à modifier les termes de notre compréhension des enjeux associés à la reconnaissance de la diversité mais également à reconduire les tensions qui lui sont associées. Le Canada représente un cas de figure à cet effet ; les tensions entre citoyenneté et fédéralisme étant loin d'être résolues, on peut croire que la relation difficile entre les deux ne fera que perdurer.

NOTES ET RÉFÉRENCES

* Ce texte s'inscrit dans le cadre d'un projet de recherche financé par une subvention du Conseil de recherches en sciences humaines et sociales du Canada (n° 410-2003-0170). Nous remercions Pierre Boyer, Anne-Andrée Denault, Alain-G. Gagnon, Junichiro Koji et Jackie Steele de leurs judicieux commentaires et suggestions.

1. John G. A. Pocock, « The Ideal of Citizenship Since Classical Times », dans Gershon Shafir (dir.), *The Citizenship Debates*, Minneapolis, University of Minnesota Press, 1998, p. 31-42. Comme l'explique également Michael Sandel, l'autogouvernement correspond à « l'action de délibérer sur le bien commun et d'aider à façonner la destinée de la communauté politique ». M. Sandel, *Democracy's Discontent*, Cambridge, The Belknap Press of Harvard University Press, 1996, p. 5.

2. J. Pocock, *op. cit.*, p. 32.

3. M. Sandel, *Democracy's Discontent*, p. 5 ; Charles Taylor, *Philosophical Arguments*, Cambridge (MA), Harvard University Press, 1995, chapitre 11, « Invoking Civil Society », p. 204-224.

4. Hannah Arendt, « Le déclin de l'État-nation et la fin des droits de l'homme », *Les origines du totalitarisme. L'impérialisme*, Paris, Fayard, 1951, p. 239-292. Chez H. Arendt, lorsque l'État-nation refuse aux apatrides le droit d'agir et celui d'avoir une opinion, ils perdent en effet leur qualité d'être humain, voir p. 281.

5. T. H. Marshall, *Citizenship and Social Class*, Cambridge, Cambridge University Press, 1950.

6. Jean L. Cohen, « Changing Paradigms of Citizenship and the Exclusiveness of the Demos », *International Sociology*, vol. 14, n° 3, 1999, p. 245-268.

7. Parmi les nombreuses études de la question, voir Michael Keating, « Par-delà la souveraineté. La démocratie plurinationale dans un monde postsouverain », dans Jocelyn Maclure et Alain-G. Gagnon (dir.), *Repères en mutation. Identité et citoyenneté dans le Québec contemporain*, Montréal, Québec Amérique, Coll. « Débats », 2001, p. 67-102 ; Geneviève Nootens, *Désenclaver la démocratie*, Montréal, Québec Amérique, Coll. « Débats », 2004.

8. François Rocher, dans cet ouvrage, associe cette tradition à la Commission Tremblay. Pour une étude historique de ce fédéralisme, voir aussi l'ouvrage de Paul Romney, *Getting it Wrong. How Canadians Forgot Their Past and Imperilled Confederation*, Toronto, University of Toronto Press, 1999.

9. Cette tradition, pour reprendre F. Rocher, est incarnée par la Commission Rowell-Sirois. Voir aussi Albert et Raymond Breton, Marc Lalonde, Maurice Pinard, Claude Bruneau, Yvon Gauthier et Pierre Elliott Trudeau, « Manifeste pour une politique fonctionnelle », *Cité Libre*, mai 1964, p. 11-17.

10. Nous pensons ici aux travaux d'André Burelle. Voir notamment son ouvrage, *Le mal canadien : essai de diagnostic et esquisse d'une thérapie*, Saint-Laurent, Fides, 1995.

11. Paul Martin, « Citizenship and the People's World », dans William Kaplan (dir.), *Belonging : The Meaning and Future of Citizenship in Canada*, Montréal, McGill-Queen's University Press, 1993, p. 67.

12. Pierre Boyer, Linda Cardinal et David Headon (dir.), *From Subjects to Citizen : A Hundred Years of Citizenship in Australia and Canada*, Ottawa, Ottawa University Press, 2004. Selon Robert Bothwell, la citoyenneté canadienne d'avant 1946 n'a rien à voir avec l'acception ancienne de la citoyenneté du temps des Grecs. Elle correspond à une citoyenneté de sujet. R. Bothwell, « Something of Value ? Subjects and Citizens in Canadian History », dans *Belonging : The Meaning and Future of Citizenship in Canada*, p. 27-28.

13. P. Martin, p. 70.

14. Margaret Young, *La citoyenneté canadienne : la loi et la situation actuelle*, Gouvernement du Canada, Direction de la recherche parlementaire, Ottawa, octobre 1997, révisé au mois d'août 1998.

15. Alain G.-Gagnon, « Le dossier constitutionnel Québec-Canada », dans A.-G. Gagnon (dir.), *Québec : État et société*, tome 2, Montréal, Québec Amérique, Coll. « Débats », 2003, p. 151-174.

16. Commission Spicer, *Forum des citoyens sur l'avenir des citoyens*, 1991. Disponible sur le site : <www.uni.ca/spicer_part2html>.

17. Andrée Lajoie, « La Loi sur la clarté dans son contexte », dans A.-G. Gagnon (dir.), *Québec : État et société*, p. 175-190.

18. Citoyenneté et immigration Canada, « Communiqué 2002-38 », Ottawa, <www.cic.gc.ca/francais/nouvelles/02/0238-f.html#0238doc>, le 31 octobre 2002. Page consultée le 29 juin 2005.

19. Citoyenneté et immigration Canada, « Communiqué 2002-38 ».

20. Ce que Will Kymlicka a reconnu d'emblée lors de la conférence qu'il a prononcée à l'Université d'Édimbourg, « The Canadian Model of Diversity in a Comparative

Perspective », Eighth Standard Life Visiting Lecture, Édimbourg, Université d'Édimbourg, le 29 avril 2004.

21. Pour une étude de la question des valeurs canadiennes, voir Joseph Heath, *Le mythe des valeurs communes au Canada*, Ottawa, Centre canadien de gestion, 2003.

22. Thomas J. Courchene, « Social Policy and the Knowledge Economy : New Century, New Paradigm », *Options politiques*, vol. 25, n° 7, 2004, p. 30-37.

23. Janine Brodie, « Three Stories of Canadian Citizenship », dans Robert Adamoski, Dorothy E. Chunn et Robert Menzies (dir.), *Contesting Canadian Citizenship : Historical Readings*, Peterborough, Broadview Press, 2002, p. 63.

24. Louis-George Harvey, *Le printemps de l'Amérique française. Américanité, anticolonialisme et républicanisme dans le discours politique québécois, 1805-1837*, Montréal, Boréal, 2005 ; Gérard Bouchard, « Le rêve patriote, moment phare du passé québécois », *Le Devoir*, 27 juin, 2005, p. A7.

25. P. Martin, *op. cit.*

26. Esdras Minville, *Le citoyen canadien-français. Notes pour servir à l'enseignement du civisme*, Montréal, Fides, 1946, p. 337.

27. Commission des États généraux sur la situation et l'avenir de la langue française au Québec, *Le français, une langue pour tout le monde, une nouvelle approche stratégique et citoyenne*, Québec, Gouvernement du Québec, 2001, p. 13.

28. Jean-François Lisée, « La clé du dilemme linguistique ? L'originalité québécoise », Extrait du mémoire présenté devant la Commission des États généraux sur la situation et l'avenir de la langue française au Québec, *Le Devoir*, 12 décembre 2000, p. A7.

29. Gérard Bouchard, *La nation au passé et au présent*, Montréal, Boréal, 1999 ; Nicholas van Schendel, « Une américanité de la francophonie ? Les perceptions des migrants québécois », dans Donald Cuccioletta (dir.), *L'américanité et les Amériques*, Québec, Les éditions de l'Institut québécois de recherche sur la culture, 2001, p. 193-224.

30. Pour plus de détails, voir le site Internet du ministère de l'Immigration et des Communautés culturelles : <www.micc.gouv.qc.ca/> (page consultée le 29 juin 2005).

31. Le nationalisme canadien ne peut être défini uniquement comme un nationalisme canadien-anglais bien que les deux appartiennent sans contredit à la catégorie des nationalismes majoritaires alors que le nationalisme québécois tout comme les nationalismes autochtones sont des nationalismes minoritaires. Pour une excellente étude du nationalisme et du pluralisme au Québec, voir le chapitre de Dimitrios Karmis, « Pluralisme et identité(s) nationale(s) dans le Québec contemporain : clarifications conceptuelles, typologie et analyse du discours », dans A.-G. Gagnon (dir.), *Québec : État et société*, p. 85-116.

32. Soulignons ici l'importante contribution de Gérard Bouchard à ce discours. G. Bouchard, *La nation québécoise au passé et au présent*.

33. Ce point de vue est soutenu par un nombre important de nationalistes et de commentateurs du Canada anglais de plusieurs horizons. Voir Ronald Beiner (dir.), *Theorizing Nationalism*, New York, State University of New York Press, 1999.

34. Will Kymlicka, *La citoyenneté multiculturelle*, Montréal, Boréal, 2003. Michel Seymour, *La nation en question*, Montréal, Liber, 1999 ; « Le droit des peuples », *Bulletin d'histoire politique*, vol. 12, n° 3, 2004, p. 79-88.

35. Voir Sherrill Grace, Veronica Strong-Boag, Joan Anderson et Avigail Eisenberg, « Constructing Canada : An Introduction », dans V. Strong-Boag *et al.* (dir.), *Painting*

the Canadian Maple : Essays on Race and Gender and the Construction of Canada, Vancouver, University of British Columbia Press, 1998, p. 3-18 ; Sylvia Bashevkin, « In the Shadow of Free Trade : Nationalism, Feminism and Identity Politics in Contemporary English Canada », *Journal of Canadian Studies*, vol. 35, n° 2, 2000, p. 108-127.

36. Pour un bon exemple du débat sur les rapports entre le féminisme et le nationalisme au Canada, voir Jill Vickers et Micheline de Sève, « Introduction », *Journal of Canadian Studies*, vol. 35, n° 2, 2000, p. 5-34 ; M. de Sève, « Women's National and Gendered Identity : the Case of Canada », *Journal of Canadian Studies*, vol. 35, n° 2, 2000, p. 61-79.

37. R. Kenneth Carty et Peter Ward, « The Making of a Canadian Political Citizenship », dans R. K. Carty et P. Ward (dir.), *National Politics and Community in Canada*, Vancouver, University of British Columbia Press, 1986, p. 65-79.

38. De Jane Jenson, voir « Citizenship Claims : Routes to Representation in a Federal System », dans Karen Knop, Sylvia Ostry, Richard Simeon et Katherine Swinton (dir.), *Rethinking Federalism : Citizens, Markets, and Governments in a Changing World*, Vancouver, University of British Columbia Press, 1995, p. 99-118 ; et « Reconnaître les différences : sociétés distinctes, régimes de citoyenneté, partenariats », dans Guy Laforest et Roger Gibbins (dir.), *Sortir de l'impasse. Les voies de la réconciliation*, Montréal, Institut de recherche en politiques publiques, 1998, p. 235-262. Voir aussi J. Jenson et Susan D. Phillips, « Regime Shifts : New Citizenship Practices in Canada », *Revue internationale d'études canadiennes*, n° 14, 1996, p. 111-135 ; J. Jenson et Martin Papillon, « Les frontières de la citoyenneté sous tension : les Cris de la Baie James et la redéfinition de la communauté politique canadienne », dans Jules Duchastel (dir.), *Fédéralisme et mondialisation. L'avenir de la démocratie et de la citoyenneté*, Outremont, Athéna éditions, 2003, p. 133-150 ; J. Jenson, *Citizenship, Governance and the Provision of Services*, Ottawa, Réseaux canadiens de recherche en politiques publiques, 2003 ; Alexandra Dobrowolsky et J. Jenson, « Shifting Representations of Citizenship : Canadian Politics of "Women" and "Children" », *Social Politics*, vol. 11, n° 2, 2004, p. 154-180.

39. De Gilles Bourque et Jules Duchastel, voir Gilles Bourque, Jules Duchastel et Éric Pineault, « L'incorporation de la citoyenneté », *Sociologie et sociétés*, vol. 31, n° 2, 1999, p. 41-64 ; Gilles Bourque et Jules Duchastel, « Mondialisation, citoyenneté corporative et logique confédérale », dans *Fédéralisme et mondialisation. L'avenir de la démocratie et de la citoyenneté*, p. 117-132 ; Gilles Bourque, Jules Duchastel et Jacques Beauchemin, « Du providentialisme au néolibéralisme : de Marsh à Axworthy. Un nouveau discours de légitimation de la régulation sociale », dans *Cahiers de recherche sociologique*, n° 24, 1995, p. 15-47.

40. Gilles Bourque et Jules Duchastel, « Mondialisation, citoyenneté corporative et logique confédérale ».

41. Gilles Bourque, Jules Duchastel et Éric Pineault, « L'incorporation de la citoyenneté ».

42. Alan Cairns, « The Fragmentation of Canadian Citizenship », dans *Belonging : The Meaning and Future of Citizenship in Canada*, p. 181-220. Ce débat n'est pas unique au Canada. Voir aussi dans la revue *Prospect*, avril 2005, p. 20-25, les échanges sur

les possibilités d'une identité commune en Europe dans le cadre du projet d'une constitution européenne et au Royaume-Uni.

43. A. Cairns, *Citizens Plus*, Vancouver, University of British Columbia Press, 2000.

44. A. Cairns, *Charter vs Federalism*, Montréal et Kingston, McGill-Queen's University Press, 1992.

45. Rainer Knopff et F. L. Morton, *Charter Politics*, Scarborough, Nelson Canada, 1992 ; *The Charter Revolution & the Court Party*, Peterborough, Broadview Press, 2000.

46. Voir aussi les travaux de Pierre Hamel, Louis Maheu et Jean-Guy Vaillancourt, « Repenser les défis institutionnels de l'action collective », *Politique et Sociétés*, vol. 19, n° 1, 2000, p. 3-25 ; S. Phillips, « Interest Groups, Social Movements, and the Voluntary Sector : En Route to Reducing the Democratic Deficit », dans James Bickerton et Alain-G. Gagnon (dir.), *Canadian Politics*, 4e édition, Peterborough, Broadview Press, 2004, p. 343 ; Rachel Laforest et S. Phillips, « Repenser les relations entre gouvernement et secteur bénévole : à la croisée des chemins au Canada et au Québec », *Politique et Sociétés*, vol. 20, n°s 2-3, 2001, p. 37-68 et p. 3-25 ; Tanya Basok, « The Voluntary Sector and the Depoliticization of Civil Society : Implications for Social Justice », *Revue internationale d'études canadiennes*, n° 28, 2004, p. 113-132 ; Linda Cardinal et Luc Juillet, « Les minorités francophones hors Québec et la gouvernance des langues officielles au Canada », dans Jean-Pierre Wallot (dir.), *La gouvernance linguistique : le Canada en perspective*, Ottawa, Les Presses de l'Université d'Ottawa, 2005, p. 157-176.

47. François Rocher, « Le Québec dans les Amériques : de l'ALE à la ZLEA », dans A.-G. Gagnon (dir.), *Québec : État et société*, tome 2, Montréal, Québec Amérique, 2003, p. 455-480.

48. Peter Graefe, « Nationalisme et compétitivité : le Québec peut-il gagner si les Québécois perdent ? », dans *Québec : État et société*, tome 2, p. 481-504. La Grande-Bretagne serait aussi un cas de figure intéressant où l'on combine un engagement indéfectible à l'égard de l'État-providence et des politiques favorables à l'individualisme économique. Nick Pearce et Mike Dixon, « New Model Welfare », *Prospect*, avril 2005, p. 20-21.

49. Parmi leurs ouvrages les plus importants voir Joseph Carens, *Culture, Citizenship and Community : A Contextual Exploration of Justice as Evenhandedness*, Oxford, Oxford University Press, 2000 ; Alain-G. Gagnon et James Tully, (dir.), *Multinational Democracies*, Cambridge, Cambridge University Press, 2001.

50. J. Tully, « Introduction », dans *Multinational Democracies*, p. 3.

51. J. Carens, *Culture, Citizenship and Community*, p. 164.

52. *Ibid.*, p. 175.

53. J. Tully, « La conception républicaine de la citoyenneté dans le cadre des sociétés multiculturelles et multinationales », *Politique et Sociétés*, vol. 20, n° 1, 2001, p. 123-145.

54. Jocelyn Maclure, « L'intégration par la raison publique. Une esquisse », *Bulletin d'histoire politique*, vol. 12, n° 3, 2004, p. 57.

55. J. Maclure, *Ibid.* et J. Tully, « Introduction », dans *Multinational Democracies*, p. 6. Pour une étude plus détaillée de la notion de non-domination, voir Philip Pettit, « Minority Claims under Two Conceptions of Democracy », dans Duncan Ivison, Paul Patton et Will Sanders (dir.), *Political Theory and the Rights of Indigenous Peo-*

ples, Cambridge, Cambridge University Press, 2002, p. 199-215. Selon lui, la démocratie doit davantage accommoder les minorités et aménager une place à la contestation. Dans cette démocratie, il devrait y avoir des espaces permettant aux minorités de ne pas être brimées par les majorités.

56. R. K. Carty et Peter Ward, « The Making of a Canadian Political Citizenship », p.77.
57. *Ibid.*
58. En ce qui a trait à ce débat, voir Philip Resnick, *Thinking English Canada*, Toronto, Stoddart, 1994.
59. K. McRoberts, « Canada and the Multinational State », *Revue canadienne de science politique*, vol. 34, n° 4, 2001, p. 683-714.
60. J. Jenson, « Reconnaître les différences : sociétés distinctes, régime de citoyenneté, partenariats », dans *Sortir de l'impasse*, p. 254.
61. J. Jenson, *Ibid.*, dans *Sortir de l'impasse*, p. 255.
62. G. Bourque et J. Duchastel, « Démocratie et communauté politique supranationale », *Cahiers de recherche sociologique*, n° 28, 1997, p. 149-167.
63. Pour plus de détails, voir le texte de François Rocher dans cet ouvrage.
64. Thomas O. Hueglin, « New Wine in Old Bottles ? Federalism and Nation States in the Twenty-First Century : A Conceptual Overview », dans K. Knop, S. Ostry, R. Simeon, et K. Swinton (dir.), *Rethinking Federalism : Citizens, Markets, and Governments in a Changing World*, p. 209 ; Richard Simeon et Ian Robinson, « The Dynamics of Canadian Federalism », dans *Canadian Politics*, p. 101-126 ; T. Courchene, « Hourglass federalism – how the feds got the provinces to run out of money in a decade of Liberal budgets », *Options politiques*, vol. 25, n° 4, 2004, p. 12-17.
65. Voir l'article de Sarah Fortin dans cet ouvrage.
66. Alain Noël, « Le principe fédéral, la solidarité et le partenariat », dans *Sortir de l'impasse*, p. 270.
67. *Ibid.*
68. *Ibid.*, p.271.
69. *Ibid.*, p.280.
70. G. Bourque et J. Duchastel, « Démocratie et communauté politique supranationale », *Cahiers de recherche sociologique*, n° 28, 1997, p. 149-167.
71. A. Noël, p. 286.
72. James Tully, *Une étrange multiplicité : le constitutionnalisme à une époque de diversité*, trad. de l'anglais par Jude Des Chênes, Sainte-Foy, Presses de l'Université Laval, 1999, p. 139.
73. *Ibid.*
74. Pour une présentation du Conseil de la fédération, Marc-Antoine Adam, « The Creation of the Council of the Federation », *Democracy and Federalism Series*, n° 1, Institute of Intergovernmental Relations, School of Policy Studies, Queen's University, 2005. Pour une critique importante, André Burelle, « Conseil de la fédération : du réflexe de défense à l'affirmation partenariale », *Constructive and Co-operative Federalism ?*, Kingston, Institute of Intergovernmental Relations, School of Policy Studies, Queen's University, n° 3, 2003.
75. Voir le dossier spécial réalisé sur la question par Pierre Boyer, « Introduction. Asymmetrical Federalism : An idea whose time has come ? », *Inroads*, n° 17, 2005, p. 100-125 ; ainsi que la série sur le même sujet sur le site Internet de l'Institute for

Intergovernmental Relations de l'Université Queen's : <www.iigr.ca/browse_ publications.php?section=43>.

76. Benoît Pelletier, « Le fédéralisme asymétrique : une formule gagnante pour tous ! », *Asymmetry Series,* Kingston, Institute of Intergovernmental Relations, School of Policy Studies, Queen's University, n° 15b, 2005. Voir aussi B. Pelletier, « Nécessaire asymétrie », *La Presse,* 28 octobre 2004, p. A20.

77. B. Pelletier, « Le fédéralisme asymétrique : une formule gagnante pour tous ! ».

78. Sénateur Serge Joyal, *La Presse,* 22 octobre 2004, p. A20 ; Honourable John Roberts, « Asymmetrical Federalism : Magic Wand or "Bait and Switch" », *Asymmetry Series,* Kingston, Institute of Intergovernmental Relations, School of Policy Studies, Queen's University, n° 14, 2005.

15

VERS UN FÉDÉRALISME POSTCOLONIAL ? LA DIFFICILE REDÉFINITION DES RAPPORTS ENTRE L'ÉTAT CANADIEN ET LES PEUPLES AUTOCHTONES

Martin Papillon

Quelle est la place des Autochtones dans la fédération canadienne ? C'est aujourd'hui presque un cliché que d'affirmer l'importance des changements dans la relation entre les peuples autochtones et l'État canadien au cours des 30 dernières années. Du Livre blanc de 1969, qui proposait l'abolition du statut d'Indien afin de faire des Autochtones « des citoyens comme les autres », à la reconnaissance des droits ancestraux et issus de traités dans la Constitution en 1982, en passant par la négociation de traités modernes au Québec, en Colombie-Britannique et plus récemment au Yukon et au Labrador, sans parler de la création du territoire du Nunavut en 1999, il ne fait pas de doute que bien des choses ont changé. Si certains parlent de changement paradigmatique[1], d'autres pourtant affirment que les changements récents ne remettent pas fondamentalement en question l'héritage colonial et la logique de domination qui caractérisent les rapports entre l'État canadien et les peuples autochtones[2].

Qu'en est-il au juste ? Il est évident que les ententes récentes, notamment avec les Cris, les Inuits, et certaines communautés innues au Québec, permettent de croire à une transformation significative du rapport entre État et Autochtones. Pourtant, la Loi sur les Indiens, avec son système de mise en tutelle administrative, constitue encore aujourd'hui le principal mécanisme de gouvernance des Premières Nations[3]. De plus, la troublante situation économique et sociale de nombreuses communautés autochtones nous rappelle que l'héritage colonial pèse encore lourd à la fois sur la vie au sein de ces communautés et sur les relations qu'entretiennent ces dernières avec les institutions canadiennes[4].

Il est donc peut-être plus approprié de parler de période de transition. Une période au cours de laquelle se profilent dans l'espace public des enjeux fondamentaux en matière de justice, de développement économique et social, mais surtout des enjeux politiques. En effet, la principale revendication des peuples autochtones, au-delà d'un plus grand contrôle sur l'utilisation du territoire, en est une de liberté politique[5]. Ils revendiquent, comme toutes les nations minoritaires, un plus grand contrôle sur leur destinée. Cette revendication est d'autant plus légitime qu'ils n'ont jamais consenti, de manière explicite ou implicite, à leur intégration au sein de la fédération canadienne.

L'objectif de ce chapitre est de mettre en relief le défi que pose l'affirmation politique des peuples autochtones pour le fédéralisme canadien. Notre interrogation première porte sur la capacité des institutions fédérales canadiennes à s'adapter aux revendications de ces derniers. Dans un premier temps sera mise en relief l'importance du fédéralisme à la fois comme obstacle, mais aussi comme réponse au défi soulevé par l'autodétermination des peuples autochtones. Nous verrons que si les institutions du fédéralisme canadien peuvent s'avérer un carcan contre lequel butent les Autochtones dans leur quête d'autonomie, le principe fédéral qui allie autonomie et gouvernance partagée offre néanmoins un cadre conceptuel prometteur afin de rendre compte de ce que nous pourrions définir comme la dimension relationnelle de l'autodétermination.

Dans un deuxième temps, seront évalués les développements récents et nous insisterons précisément sur cette dimension relationnelle. Nous verrons que, si plusieurs aspects de la dynamique actuelle nous portent à conclure que nous sommes encore loin d'un véritable fédéralisme postcolonial, il n'en demeure pas moins que des changements importants méritent notre attention. Afin de véritablement saisir la dynamique actuelle, nous soulignerons en particulier l'importance de dépasser l'analyse « macro-institutionnelle », centrée sur l'interprétation judiciaire des droits et des traités, qui domine encore aujourd'hui la littérature canadienne sur les questions autochtones. En effet, plusieurs développements significatifs prennent aujourd'hui place sur le terrain moins grandiose certes, mais tout aussi important, de la gouvernance et des interactions entre gouvernements autochtones, provinciaux et fédéral dans le cadre de la définition et de la mise en œuvre des politiques publiques.

LE PRINCIPE FÉDÉRAL ET L'AUTODÉTERMINATION DES PEUPLES AUTOCHTONES

Depuis quelques décennies, malgré l'instabilité de plusieurs fédérations multinationales, nous assistons à un retour en force du fédéralisme comme mécanisme assurant la coexistence de groupes nationaux au sein d'une même entité politique. Nous n'avons qu'à penser à la Belgique, à l'Espagne, ou encore à l'Afrique du Sud. En fait, comme Alfred Stepan le souligne, toutes les sociétés multinationales démocratiques actuelles sont des fédérations ou des quasi-fédérations[6]. Il n'est donc guère surprenant qu'une forme d'association fédérative soit souvent évoquée comme réponse au défi posé par la coexistence des peuples autochtones et des sociétés issues de la colonisation européenne, que ce soit dans les Amériques ou ailleurs dans le monde. Les peuples autochtones ne sont d'ailleurs pas étrangers au principe fédératif. Les Haudenasaunee (Iroquois), les Mi'kmaq ou encore les Blackfoot plus à l'ouest, par exemple, développèrent des formes d'associations politiques de type fédéral ou confédéral avant l'arrivée des Européens en Amérique du Nord[7].

L'équation n'est cependant pas si simple. La situation des peuples autochtones vivant au sein de régimes fédéraux tels l'Australie, les États-Unis et le Canada, n'est pas nécessairement plus enviable que celles de leurs homologues au sein d'États unitaires, telles la Nouvelle-Zélande ou la Suède. En fait, le système fédéral canadien fut historiquement, et est encore dans une large mesure aujourd'hui, un obstacle à l'autodétermination des peuples autochtones. Plusieurs éléments participent à ce blocage institutionnel.

Les contraintes du système fédéral canadien

Tout d'abord, et ceci est fondamental dans un contexte fédéral, la Constitution canadienne ne reconnaît pas les peuples autochtones comme entités politiques constituantes. Si les puissances coloniales française et britannique entretenaient au départ des relations de type diplomatique avec les nations autochtones peuplant l'Amérique du Nord, ces dernières seront peu à peu marginalisées sur l'échiquier politique au cours du XVIIIe siècle. Celles-ci seront donc exclues des négociations portant sur la définition de la communauté politique canadienne, de ses institutions et ses mécanismes de représentation. Aucun délégué autochtone ne participe aux conférences de Charlottetown et de Québec en 1864, où sont posées les bases de ce qui deviendra la fédération canadienne. La seule mention faite des Autochtones dans la Loi constitutionnelle de 1867 est à l'article 91(24), qui précise la compétence du gouvernement fédéral sur « les Indiens et les terres réservées aux Indiens ». Les Autochtones sont donc réduits en 1867 à un objet de compétence gouvernementale.

De cette situation découle un ensemble de contraintes qui encore aujourd'hui jouent contre les aspirations autonomistes des peuples autochtones. D'une part, la Constitution canadienne, qui s'inspire du modèle britannique de souveraineté parlementaire, ne laisse que peu de place à l'expression d'une autorité autre que celle des parlements fédéral et provinciaux sur le territoire[8]. Ce modèle crée en quelque sorte, pour reprendre les mots d'Anthony J. Long, un « carcan institutionnel » contre lequel butent les Autochtones, et qui fonctionne de manière à limiter l'éventail de réponses possibles à leurs revendications[9]. Comme nous le verrons plus loin, sans véritable statut de partenaire fédératif, les organisations et gouvernements autochtones sont encore aujourd'hui largement exclus des divers mécanismes de relations intergouvernementales qui sont au cœur du modèle canadien de « fédéralisme exécutif ».

D'autre part, et c'est là tout le paradoxe de la situation des peuples autochtones, dans un contexte fédéral, les minorités « sans État » sont souvent plus vulnérables face aux intérêts régionaux qui bénéficient d'un lien plus direct avec les gouvernements provinciaux. C'est ce que d'autres appellent la « tyrannie des pouvoirs locaux » au sein des fédérations[10]. Au Canada, les Autochtones se retrouvent souvent en situation de vulnérabilité face aux intérêts des provinces, qui ont compétence sur les terres publiques et les ressources naturelles. Celles-ci chercheront naturellement à faciliter l'exploitation du territoire, souvent sans faire grand cas de la présence autochtone et des droits des Autochtones. Les exemples du développement hydroélectrique et de l'exploitation forestière au Québec, ou encore du pétrole et du gaz en Alberta, sont probants à cet égard. Les rapports conflictuels entre gouvernements provinciaux et autochtones ne sont d'ailleurs pas uniques au Canada. La Cour suprême américaine qualifiait déjà en 1886 les États américains « d'ennemis mortels » des nations autochtones[11].

Enfin, un dernier élément du difficile rapport qu'entretiennent les peuples autochtones avec le fédéralisme canadien mérite d'être soulevé. Les Autochtones ont longtemps été, et le sont encore aujourd'hui, des victimes bien involontaires des luttes de pouvoir entre le gouvernement fédéral et les provinces, en particulier en ce qui a trait à la prestation de services gouvernementaux. Paradoxalement, la question ici n'est pas tellement de savoir qui peut exercer sa compétence, mais plutôt qui *doit* le faire. Par exemple, la Loi sur les Indiens, dont la première version est adoptée en 1873, est le principal mécanisme à travers lequel le gouvernement fédéral exerce sa compétence constitutionnelle. Cependant, les Inuits, les Métis et la grande majorité des Indiens vivant hors réserves seront dès le départ exclus de l'application de la Loi. Les services aux Autochtones étant considérés par les provinces comme relevant de la responsabilité fédérale au sens de l'article 91(24) de la Loi constitutionnelle de 1867, ces derniers seront longtemps simplement ignorés par les deux ordres de gouvernement, tombant dans un vide juridique qui continue aujourd'hui à avoir des répercussions sur la coordination des services, mais surtout sur la qualité de vie des populations affectées[12].

En plus de manquer de légitimité aux yeux de certains, les institutions du fédéralisme canadien contribuent à maintenir les Autochtones dans une situation juridique qui ne fait qu'exacerber les conflits et renforcer le système d'exclusion hérité de la période coloniale. Les doutes exprimés par plusieurs dirigeants autochtones sur la capacité du système fédéral canadien à s'adapter à leurs revendications autonomistes peuvent donc facilement s'expliquer. Pourtant, ce qui est en cause ici n'est pas le fédéralisme en soi, mais bien son expression particulière dans le contexte historique canadien. C'est en ce sens que plusieurs penseurs, autochtones comme allochtones, nous invitent à repenser le fédéralisme au-delà des mécanismes institutionnels existants et à envisager un modèle d'association permettant de concilier la volonté d'autodétermination des peuples autochtones avec la nécessaire interdépendance entre ces derniers et la société et les institutions canadiennes.

Le fédéralisme : fondement d'une relation postcoloniale ?

Les revendications autonomistes contemporaines des peuples autochtones s'inscrivent dans la logique des grands mouvements de libération nationale qui marquèrent le xxe siècle, en particulier au lendemain de la Deuxième Guerre mondiale. Tout comme les francophones au Québec, les Autochtones empruntent au mouvement anticolonialiste le langage du droit des peuples. Bien que certains continuent à réfuter la valeur morale et historique du droit à l'autodétermination des peuples autochtones[13], le débat normatif s'articule aujourd'hui beaucoup plus autour de la signification du principe et sur son expression en termes juridique et politique que sur sa légitimité. Spoliés de leurs terres, inclus sans leur consentement au sein d'États dont les structures politiques et économiques les condamnent à la marginalité, victimes de politiques d'assimilation et d'oblitération culturelle dont ils peinent à se remettre aujourd'hui, les Autochtones cherchent d'abord à se libérer de cette « colonisation interne »[14]. C'est pourquoi ils revendiquent le droit de déterminer librement leurs destinées politiques[15].

Si les Autochtones empruntent le langage de l'autodétermination, il faut cependant situer ces revendications dans leur contexte. Étant donné la petite taille et les ressources souvent limitées des nations autochtones, rares sont celles qui peuvent aujourd'hui aspirer à l'exercice de l'ensemble des prérogatives associées à la souveraineté étatique[16]. De plus, « nous sommes tous là pour rester » comme le souligne la Cour suprême dans l'arrêt *Delgamuukw*[17]. En ce sens, la réalité démographique, socioéconomique et géographique des peuples autochtones appelle à une conception de l'autodétermination qui prend en compte l'interdépendance et les destins indissociables des sociétés partageant le territoire de ce qui est aujourd'hui le Canada[18]. L'autodétermination des peuples autochtones doit donc être conçue non pas simplement comme une recherche d'autonomie, mais aussi comme un processus de redéfinition de la relation qu'entretiennent ces derniers avec l'État. Plusieurs auteurs insistent aujourd'hui sur ce qu'Iris Marion Young définit comme la dimension relationnelle de l'autodétermination[19]. Par exemple, selon Michael Murphy :

> Une perspective relationnelle permet de prendre en compte les limites pratiques et éthiques de l'autodétermination dans un contexte de profonde interdépendance entre les groupes majoritaire et minoritaire et, en ce sens, souligne l'importance de créer des mécanismes de gouvernance partagée ou de coopération afin de gérer cette interdépendance de manière efficace et démocratique[20].

La nécessité de penser l'autodétermination en termes relationnels renvoie en quelque sorte au fédéralisme. Le contexte particulier des peuples autochtones invite cependant à dépasser la conception pour ainsi dire traditionnelle du fédéralisme comme un système de gouvernement où l'on retrouve, pour une seule communauté de citoyens, deux ordres de gouvernement dont les pouvoirs, définis par la Constitution, sont mutuellement exclusifs[21]. En effet, la très grande diversité, la petite taille et les ressources limitées des nations autochtones rendent difficile, sauf dans de rares exceptions, la création de provinces ou d'états au sens habituel du terme, et ce, même en acceptant la possibilité d'une forte asymétrie entre les partenaires fédératifs[22]. Cela dit, au-delà des fédérations modernes, il existe en fait plusieurs façons de traduire l'idée fédérale, ainsi définie par Daniel Elazar :

> Au cœur du principe fédéral repose l'idée que des peuples libres peuvent librement s'engager à créer une association politique de nature permanente, mais limitée à certains domaines d'intérêt commun, tout en conservant un espace d'autonomie qui leur est propre. [...] Le fédéralisme est une matrice institutionnelle combinant des espaces de gouvernance partagée et de gouvernance autonome[23].

Comme le souligne David Hawkes[24], les deux dimensions de l'autodétermination des peuples autochtones, soit la recherche d'un espace politique propre et de mécanismes assurant la coexistence, s'inscrivent particulièrement bien dans la logique du principe fédéral tel qu'il est décrit par Elazar –

une association fondée sur le libre consentement alliant gouvernance autonome et gouvernance partagée.

L'idée d'une « fédéralisation » des rapports entre le Canada et les peuples autochtones a fait l'objet de plusieurs réflexions théoriques ces dernières années. Le plus connu des modèles consiste à reconnaître les gouvernements autochtones comme troisième ordre de gouvernement *au sein* de la fédération canadienne, selon la vision proposée par la Commission royale sur les peuples autochtones[25]. Cette approche est cependant critiquée par certains puisqu'elle tient pour acquis la légitimité et l'unicité de l'ordre constitutionnel canadien[26]. Les peuples autochtones doivent négocier la portée de leur autonomie au sein d'un ordre politique qui, comme nous en avons discuté plus haut, est fondé sur le principe de suprématie des parlements fédéral et provinciaux. Autrement dit, ceux-ci peuvent décider ce qui est négociable et ce qui ne l'est pas.

C'est pourquoi d'autres auteurs suggèrent une approche qui s'éloigne du cadre fédéral existant et ils voient plutôt dans les premiers traités d'alliances conclus entre les puissances européennes et les peuples autochtones avant la période coloniale une forme d'association fédérale dont les fondements devraient être réactualisés. Ainsi, selon Sakej Henderson, les traités originaux, qui font partie de l'ordre constitutionnel canadien, constituent à la fois une reconnaissance de souveraineté mutuelle et l'expression d'une volonté d'association et de partage du territoire[27]. Ce « fédéralisme par traité » n'a jamais été aboli et en principe coexiste avec la fédération canadienne créée par l'Acte de l'Amérique du Nord britannique en 1867. Il s'agit donc de reconnaître la coexistence de deux types d'associations fédérales au Canada : le fédéralisme fondé sur les traités signés avec les peuples autochtones et le fédéralisme issu de la Loi constitutionnelle de 1867, qui est aujourd'hui hégémonique.

James Tully adopte un point de vue semblable en soutenant que le Canada devrait être conçu comme une fédération à deux paliers afin de réconcilier à la fois les récits constitutionnels conflictuels des Autochtones et ceux de la majorité de la population au Canada[28]. Ainsi, chaque nation autochtone devrait pouvoir négocier librement la nature de son association avec la fédération canadienne, créant ainsi non pas nécessairement un troisième ordre de gouvernement (quoique cette possibilité ne soit pas en soi exclue) mais une multitude d'associations confédérales coexistant avec celle-ci. La logique est donc inversée : il ne s'agit pas de négocier l'autonomie des gouvernements autochtones mais plutôt ce que ceux-ci souhaitent déléguer ou mettre en commun avec l'État canadien.

Le fédéralisme par traité est fondé sur la reconnaissance de la présence d'une pluralité d'ordres juridiques et politiques sur le territoire canadien[29]. Un tel modèle a l'avantage d'ouvrir la porte à une conception profondément asymétrique du rapport qu'entretiennent les peuples autochtones avec les institutions politiques canadiennes. Une association fédérale par traité pose cependant de nombreux défis d'ordre pratique. Notamment en matière de représentation au sein des institutions communes et d'imputabilité, en ce qui a trait aux transferts fiscaux entre gouvernements par exemple[30]. Malgré sa flexibilité, ce type d'association ne convient pas non plus nécessairement à l'ensemble des peuples autochtones. Les Inuits du Nunavut ou du Nunavik dans le nord du Québec semblent s'accommoder relativement bien de modèles de gouvernement public reposant sur le principe de la dévolution de pouvoirs au sein de la fédération canadienne[31]. Il serait également difficile d'envisager une telle structure pour l'importante population autochtone vivant en milieu urbain.

L'objectif n'est pas ici de trancher la question, mais de souligner la diversité des approches pouvant être envisagées afin de traduire la dimension relationnelle de l'autodétermination. À leur manière, ces différents modèles théoriques permettent de cerner les éléments constitutifs au cœur d'une relation fédérale répondant au principe d'autodétermination, soit la définition, par négociation entre parties consentantes, d'une association comprenant une sphère d'autogouvernance et une sphère de gouvernance partagée.

QU'EN EST-IL AUJOURD'HUI ?

Il est évidemment impossible de tracer ici un portrait complet des nombreux développements récents sur les plans juridique et politique en ce qui a trait à l'autonomie des peuples autochtones et à la dynamique des relations qu'entretiennent ces derniers avec les institutions de la fédération canadienne. Nous nous contenterons donc de souligner certains éléments centraux pouvant être associés à la dynamique relationnelle de l'autodétermination.

Les contours de l'autonomie politique

C'est sans aucun doute sur le plan juridique que les avancées les plus visibles en ce qui a trait à la redéfinition de la place des Autochtones au Canada ont eu lieu au cours des trente dernières années. Devant la résistance des gouvernements à reconnaître leur statut politique, les organisations et gouvernements autochtones ont su utiliser le langage des droits afin de gagner une place non négligeable sur l'échiquier canadien. Les tribunaux font donc souvent office de tribune politique pour les Autochtones.

Bien qu'elle ne l'ait jamais fait de manière explicite, plusieurs analystes se sont penchés sur la question de savoir si la Cour suprême avait ouvert la porte à une reconnaissance du droit inhérent à l'autonomie gouvernementale dans le cadre de ses décisions sur l'article 35 de la Loi constitutionnelle de 1982, créant ainsi indirectement un nouvel ordre gouvernemental au sein de la Constitution canadienne. Tous s'accordent pour dire que cette porte est bel et bien ouverte, mais que l'interprétation des droits ancestraux adoptée par la Cour suprême risque d'en faire un droit étriqué qui ne correspond pas véritablement à l'autogouvernance[32]. En effet, la Cour a clairement délimité les pourtours des droits reconnus à l'article 35 à l'exercice des activités, coutumes ou traditions « faisant partie intégrante de la culture distinctive » des peuples autochtones[33]. Dans l'arrêt *Pamajewon* datant de 1996, la Cour précisait que le droit à l'autonomie gouvernementale, s'il existe, doit être évalué au même titre que les autres droits ancestraux. La compétence gouvernementale autochtone serait limitée aux activités traditionnelles[34].

Au-delà des questions d'interprétation, il y a lieu de s'interroger si les tribunaux sont une arène appropriée pour définir les paramètres de l'autogouvernance et de la gouvernance partagée. D'une part, l'interprétation des droits autochtones par la Cour suprême est nécessairement limitée par les paramètres de la Constitution canadienne dont elle tire sa propre légitimité. D'autre part, la (re)construction d'une relation qui se veut plus légitime et équitable est un projet politique, qui doit faire l'objet de négociations et d'un consentement des parties. L'arbitrage des tribunaux est essentiel afin d'interpréter par la suite les paramètres de l'entente lorsque surviennent des conflits, mais il ne peut remplacer le processus politique visant à négocier les fondements de la relation[35].

Le gouvernement fédéral et, de plus en plus, les provinces prennent acte de cette réalité. En 1995, le gouvernement fédéral reconnaissait d'ailleurs que le droit inhérent à l'autonomie gouvernementale fait partie des droits reconnus à l'article 35, mais établissait du même coup une série de conditions à l'exercice de ce droit[36]. La politique fédérale énonce par exemple les domaines de compétence pouvant être négociés, et précise que l'exercice de l'autonomie gouvernementale doit s'inscrire dans les limites du cadre constitutionnel canadien. Autrement dit, la prépondérance des pouvoirs provinciaux et fédéraux est toujours présumée. De plus, le gouvernement continue d'exiger, au nom de la certitude juridique, que les Autochtones négociant leur autonomie dans le cadre de traités renoncent aux droits reconnus à l'article 35 de la Constitution, non spécifiés dans ces accords[37]. En ce sens, certains critiquent cette approche qui ne permet pas une négociation sur la base du principe d'égalité entre les parties[38].

Il est vrai que la majorité des ententes négociées jusqu'à présent limitent l'exercice du pouvoir des gouvernements autochtones à quelques domaines n'affectant pas le cœur des compétences fédérales et provinciales. De plus, sauf quelques exceptions, les compétences autochtones sont bel et bien sujettes à la prépondérance des lois fédérales et provinciales[39]. À ces limites formelles, il faut ajouter que le financement des gouvernements autonomes repose essentiellement sur le bon vouloir du gouvernement fédéral et des provinces ; ce qui contribue à limiter la marge de manœuvre des dirigeants autochtones et perpétue en quelque sorte la relation de dépendance établie sous le régime de la Loi sur les Indiens[40]. Le carcan fédéral discuté dans la première partie de ce texte semble donc véritablement limiter les possibilités d'une véritable autogouvernance fondée non pas sur le bon vouloir du gouvernement fédéral et des provinces, mais sur l'expression de la volonté politique des peuples autochtones.

Cela dit, plusieurs développements méritent d'être soulignés. Par exemple, la création du territoire du Nunavut a permis aux Inuits de choisir leurs institutions de gouvernance – un gouvernement public en l'espèce – et d'exercer l'équivalent des compétences législatives des provinces[41]. Si le gouvernement du Nunavut est largement dépendant des transferts fiscaux du gouvernement fédéral, il n'en demeure pas moins que les Inuits y contrôlent les leviers leur permettant de définir leurs propres priorités en matière de politiques publiques. Un autre développement significatif en Saskatchewan est la création d'un modèle d'autonomie réunissant l'ensemble des Premières Nations au sein d'un système intégré de gouvernements sur les plans local, régional et provincial, qui auraient compétence en ce qui a trait à un certain nombre de domaines[42]. D'autres ententes d'autonomie, pour les Nisga'a et les Premières Nations du Yukon par exemple, créent des modèles de gouvernance et de citoyenneté originaux qui ne s'inscrivent ni dans le cadre de la Loi sur les Indiens ni dans celui du fédéralisme canadien classique[43]. Il est encore trop tôt pour évaluer la véritable portée de ces développements, mais il semble clair que l'autonomie politique des peuples autochtones fait dorénavant partie du paysage politique et juridique de la fédération canadienne.

Consolidation des mécanismes internes de gouvernance : capacité et légitimité politique

Si la négociation d'ententes avec les autorités fédérales et provinciales est un élément essentiel de l'autogouvernance, le développement d'une véritable relation de gouvernement à gouvernement repose en grande partie sur la capacité et la légitimité interne des gouvernements autochtones. Le défi auquel font face ces derniers est de taille puisqu'il s'agit de briser le modèle de gouvernance « par le haut » associé au régime colonial et à la Loi sur les Indiens et recréer au sein des communautés une véritable vie démocratique alliant les pratiques de gouvernance traditionnelles aux exigences du gouvernement moderne.

À cet effet, un élément souvent négligé dans la littérature est la pratique, de plus en plus répandue au sein des communautés, y compris celles qui sont toujours sous l'autorité de la Loi sur les Indiens, d'affirmation unilatérale de souveraineté par la création de mécanismes ou d'institutions de gouvernance hors du champ juridico-politique de l'État. Par exemple, les Mohawks de Kahnawake ont établi leur propre force de police, les *Peacekeepers*, sans l'aval des gouvernements. Une fois la légitimité interne de celle-ci relativement bien établie, les gouvernements fédéral et québécois furent en quelque sorte tenus de la reconnaître dans le cadre d'une série d'accords tripartites[44]. Un processus similaire a été emprunté à Kahnawake et ailleurs en matière d'éducation ou de justice traditionnelle par exemple. De telles pratiques ont une valeur symbolique au moins aussi importante que leur portée réelle puisqu'elles constituent en fait une réaffirmation de l'autorité politique collective des communautés autochtones.

La consolidation de la gouvernance interne peut aussi passer par la négociation d'accords avec les gouvernements. Les gouvernements fédéral et provinciaux ont adopté, en particulier au cours de la dernière décennie, un ensemble de politiques favorisant la création de partenariats et la délégation administrative sectorielle dans la mise en œuvre des politiques s'adressant aux Autochtones. Que ce soit en matière d'éducation, de santé, d'administration de la justice, de services sociaux, de développement économique ou encore de formation de la main-d'œuvre, plusieurs programmes sont dorénavant gérés directement par les gouvernements autochtones. Un ensemble de programmes créés dans la foulée de l'énoncé politique de 1998, *Rassembler nos forces*, la réponse du gouvernement fédéral au rapport de la Commission royale sur les peuples autochtones, s'inscrivent dans ce sillon. Selon l'énoncé politique, l'objectif de ces programmes est de « permettre aux communautés autochtones de prendre en main leur développement économique et social[45] ». Par exemple, dans le cadre de la Stratégie de développement des ressources humaines autochtones, établie en 1999, l'initiative des projets à financer et la gestion de ceux-ci reposent entièrement sur les gouvernements et organisations autochtones. Plusieurs gouvernements autochtones ont ainsi mis en place leur propre stratégie de développement des ressources humaines, dont les objectifs et le contenu sont définis non pas à Ottawa, mais au sein des communautés. Des initiatives semblables font partie de la politique autochtone québécoise adoptée en 1998[46].

Ces politiques, qui s'inscrivent dans le cadre plus large de la restructuration de l'État et de la déconcentration du processus de gouvernance associée à la logique néolibérale, ne changent rien au statut juridique des gouvernements autochtones. On pourrait en fait dire qu'elles ne font que consolider le lien de dépendance par rapport à l'État puisque ce dernier contrôle le financement des programmes et s'assure de l'imputabilité directe des gouvernements et organismes autochtones. Cependant, la combinaison de la logique de partenariat qui motive ces programmes et de la reconnaissance constitutionnelle dont bénéficient les peuples autochtones contribue à consolider de manière significative la légitimité des organisations et gouvernements autochtones en tant qu'intermédiaires entre l'État et les citoyens autochtones. Cette légitimité donne aux organisations et gouvernements une certaine marge de manœuvre dont plusieurs profitent dans le cadre de la mise en œuvre des politiques et souvent même dans la définition des objectifs de celles-ci[47].

L'expérience des Cris de la Baie James et des Inuits du Nunavik, qui pratiquent une forme d'autonomie administrative dans plusieurs secteurs depuis plus de vingt ans en vertu de la Convention de la Baie James et de lois qui lui sont associées, est significative en ce sens. Ceux-ci ont, au sens strictement juridique, des pouvoirs délégués limités, semblables à ceux de municipalités. Ils sont pourtant parvenus à développer une expertise et une capacité administrative significatives qui leur permettent aujourd'hui d'exercer, en pratique, une forme d'autogouvernance non négligeable dans certains domaines[48]. La consolidation des mécanismes de gouvernance cris autour du Grand Conseil des Cris et de l'Administration régionale crie a aussi permis à ces derniers de développer une capacité de coordination politique grâce à laquelle ils peuvent établir un rapport de forces avec les gouvernements, en particulier dans le cadre de négociations concernant la mise en œuvre, toujours partielle, de la Convention. La signature de la Paix des braves à l'hiver 2002 avec le gouvernement du Québec, sur laquelle nous reviendrons, est largement le produit de ce rapport de forces. Les Inuits du Nunavik, à travers la gestion des organismes publics créés dans le sillage de la Convention, ont également acquis une expertise et une capacité politiques qui leur permettent aujourd'hui de négocier avec Québec et Ottawa la création d'un gouvernement public autonome dans le nord du Québec[49].

Plusieurs éléments convergent donc vers un renforcement « par le bas » des mécanismes de gouvernance autochtone, contribuant par le fait même à consolider la légitimité et la capacité de ces institutions. Ce phénomène contribue également à faciliter le développement de mécanismes de gouvernance partagée qui, sans avoir tous les attributs d'une relation fédérale, s'en rapprochent néanmoins.

Les mécanismes de gouvernance partagée
au sein de la fédération canadienne

Dans le contexte d'une association fédérale, la gouvernance partagée renvoie d'abord aux institutions permettant de gérer l'interdépendance de manière démocratique au sein d'un espace politique commun. Étant donné la capacité souvent limitée des gouvernements autochtones, un nombre important de politiques touchant aux intérêts des communautés doit nécessairement être géré par le gouvernement fédéral ou les provinces. La gouvernance partagée dans le contexte autochtone nécessite donc une forme de représentation au sein des institutions de la fédération canadienne. Cette dimension de la gouvernance partagée est à la fois sous-estimée dans la littérature sur l'autodétermination des peuples autochtones mais aussi perçue avec une certaine suspicion par les Autochtones eux-mêmes. Pour Taiaike Alfred, par exemple, une telle participation sous-entend une reconnaissance de la souveraineté canadienne sur les peuples autochtones[50]. Pourtant, d'autres insistent sur l'importance d'investir ces institutions afin d'en transformer les pratiques et de les rendre plus sensibles et ouvertes à la réalité autochtone[51].

Comme nous l'avons vu en première partie de ce chapitre, le système canadien n'est cependant pas particulièrement propice à la représentation des minorités qui ne bénéficient pas d'assises gouvernementales. Aucune institution ou mécanisme ne facilite la représentation des Autochtones au sein des institutions fédérales, qui repose d'abord sur le principe majoritaire et ensuite sur la représentation régionale et provinciale. Un certain nombre de propositions visant à réformer le système électoral afin d'assurer une plus grande représentation autochtone au sein du Parlement fédéral sont jusqu'à maintenant restées lettre morte[52]. Tout comme la proposition de la Commission royale sur les peuples autochtones concernant la création d'une troisième chambre au Parlement fédéral afin d'assurer la représentation des intérêts des peuples autochtones dans le processus politique. Nous sommes donc loin d'une participation significative au sein des institutions communes de la fédération canadienne.

Cependant, la gouvernance partagée ne s'arrête pas à la représentation au sein des institutions communes. En fait, la gouvernance partagée dans le système fédéral canadien repose en grande partie sur le développement de mécanismes intergouvernementaux et de ce qu'on appelle aujourd'hui le « fédéralisme exécutif ». En plus des rencontres au sommet des premiers ministres et des rencontres des ministres sectoriels, le fédéralisme exécutif comprend également un important réseau de conseils et d'organismes fonctionnant sur le plan administratif. La participation des Autochtones au fédéralisme exécutif canadien se fait principalement à travers les organisations autochtones pancanadiennes, telles que l'Assemblée des Premières Nations (APN), Inuit Tapiriit Kanatami, le Ralliement national des Métis, le Congrès des peuples autochtones (représentant les Indiens sans statut) et l'Association des femmes autochtones du Canada.

Cette participation est cependant d'abord ponctuelle et dépend largement du bon vouloir du gouvernement fédéral. Alors que certaines organisations avaient un siège à la table constitutionnelle lors des négociations entourant l'accord de Charlottetown, elles furent depuis largement exclues des rencontres des premiers ministres. L'APN tenta en vain de participer aux négociations de l'Entente-cadre sur l'union sociale, mais dut se contenter de consultations informelles avec le gouvernement fédéral et d'un engagement de la part des gouvernements à collaborer « afin de répondre aux besoins des peuples autochtones[53] ». Les organisations autochtones participent depuis à un nombre grandissant de rencontres interministérielles administratives servant à préparer le terrain ou assurer le suivi des rencontres au sommet, mais leur statut demeure *ad hoc* et avant tout consultatif[54].

Cette participation accrue permet sans doute d'assurer une place, du moins pour l'instant, aux questions autochtones à l'ordre du jour intergouvernemental, mais elle ne fait que confirmer les limites structurelles du fédéralisme canadien. En effet, les organisations autochtones ne sont pas des gouvernements et n'exercent aucune juridiction en soi. En ce sens, leur place à la table intergouvernementale risque de demeurer précaire. L'exception à cette règle est évidemment le Nunavut qui, en tant que territoire, participe d'office aux forums intergouvernementaux.

Au-delà des institutions de la fédération canadienne :
un nouveau fédéralisme exécutif ?

Les développements les plus significatifs en matière de gouvernance partagée se situent en fait en dehors des institutions du fédéralisme canadien, dans le cadre de relations bilatérales et trilatérales servant à assurer la coordination entre gouvernements autochtones et les deux ordres de gouvernement dans plusieurs domaines de politiques. En fait, paradoxalement, plus les gouvernements autochtones exercent de responsabilités, plus les mécanismes intergouvernementaux deviennent importants. L'émergence de ces relations est en partie un corollaire de la négociation d'un nombre grandissant d'ententes d'autonomie gouvernementale dans le cadre de traités mais aussi d'ententes sectorielles de dévolution et de décentralisation administrative dont nous avons déjà fait mention. La négociation d'accords sur le transfert de certaines responsabilités administratives exige en effet un suivi considérable, tant en matière budgétaire qu'en matière de coordination des politiques et des programmes. On peut penser par exemple à l'éducation, où les gouvernements ou commissions scolaires autochtones autonomes doivent non seulement négocier les budgets, mais aussi s'entendre avec les provinces afin de garantir la reconnaissance des diplômes et assurer l'accès de leurs jeunes citoyens à l'éducation supérieure.

Plusieurs gouvernements autochtones ont aujourd'hui une division administrative consacrée aux relations « intergouvernementales », tout comme les ministères fédéraux et provinciaux ont dorénavant des unités particulières spécialisées dans la négociation et le suivi des ententes avec les gouvernements autochtones[55]. Ces relations sont certainement inégales, au sens où les gouvernements fédéral et provinciaux tiennent les cordons de la bourse et peuvent en quelque sorte imposer leurs conditions aux autorités autochtones. Pourtant, dans certains cas, ces dernières arrivent à établir un rapport de forces reposant en partie sur le régime juridique créé par la reconnaissance des droits autochtones et la protection constitutionnelle des traités, mais aussi par la consolidation de leur légitimité au sein des communautés et de leur capacité administrative et politique.

Nous avons déjà mentionné la négociation de la Paix des braves entre les Cris de la Baie James et le gouvernement du Québec. Dans le cadre de ces négociations, qui faisaient suite à de nombreuses années de relations acrimonieuses sur l'interprétation de la Convention de la Baie James, les dirigeants cris ont réussi à négocier directement avec les politiques aux plus hauts échelons du gouvernement du Québec[56]. Les partis convinrent de négocier sur la base d'une reconnaissance mutuelle, « de nation à nation » et de bonne foi, en partant du fait que les Québécois et les Cris avaient avantage à s'entendre puisqu'ils partagent un même territoire[57]. Si la portée véritable de l'entente demeure l'objet de débats, il n'en demeure pas moins qu'il s'agit d'un tournant majeur dans la relation entre les Cris et le gouvernement du Québec[58]. Parmi les éléments clés de l'entente, soulignons le transfert aux Cris de la responsabilité en matière de développement économique et social au sein des communautés, et la mise en place d'un régime forestier permettant à ces derniers de participer à la définition des plans d'exploitation de la ressource sur leur territoire[59]. L'entente crée également un comité de liaison permanent, visant à faciliter la coordination et la résolution de conflits entre le Québec et les Cris.

Cette entente démontre l'importance grandissante des relations bilatérales et trilatérales visant à coordonner et réorganiser non pas le statut des peuples autochtones au sein de la fédération mais plutôt les politiques publiques et leur mise en œuvre. Dans le cas de la Paix des braves, il s'agit d'abord de développement économique et d'exploitation des ressources naturelles. Ailleurs, il peut s'agir de l'éducation ou de l'administration de la justice[60]. Sans qu'il soit question de gouvernance fédérale proprement dite, il s'agit certainement d'une nouvelle forme de gouvernance partagée à ordres multiples pouvant modifier de manière significative le rapport qu'entretiennent certaines nations autochtones avec les institutions de la fédération canadienne.

Un modèle de gouvernance quasi fédéral ?

La Paix des braves fait figure d'exemple étant donné le virage majeur que cette entente représente dans le cadre des relations entre le Québec et les Cris. Derrière cette entente se cache cependant une tendance observée ailleurs. L'entente ne modifie en rien le statut des Cris au sein de la fédération ni la nature des droits reconnus dans le cadre de la Convention de la Baie James. Juridiquement parlant, l'esprit « colonial » de la convention[61], avec sa clause d'extinction des droits et son modèle d'autonomie limitée, est toujours présent. Pourtant, politiquement, l'entente change radicalement la donne. Elle donne au Grand Conseil des Cris une légitimité et des outils économiques et politiques qui dépassent largement l'esprit de la Convention. En ce sens, la logique de reconnaissance des droits semble, pour l'instant du moins, reléguée au second plan au profit d'une relation politique plus pragmatique. Cette approche favorise la consolidation des mécanismes de collaboration assurant aux gouvernements et organisations autochtones une voix au chapitre dans le développement et la mise en œuvre des politiques, même si cela se fait au prix de la légitimation du *statu quo* juridique.

La Paix des braves s'inscrit également dans la logique de partenariat et de dévolution qui domine aujourd'hui le programme gouvernemental des politiques autochtones. Tant du côté fédéral que des provinces, l'objectif est de transférer aux gouvernements autochtones la gestion des politiques publiques. Cette dynamique, encore une fois, ne change pas le statut juridique des gouvernements autochtones, mais consacre néanmoins leur place sur l'échiquier politique et crée une logique d'interdépendance qui, dans les faits, transforme de plus en plus le processus de développement et de mise en œuvre des politiques autochtones vers un mode de gouvernance partagée.

L'Entente Cris-Québec souligne également en ce sens l'importance, désormais incontournable, des provinces dans le dossier autochtone. Alors que ces dernières étaient jusqu'à récemment réticentes à s'investir dans le champ politique autochtone, les avancées en matière de droits ancestraux et la place grandissante des enjeux socioéconomiques associés aux Autochtones changent la donne. Le Québec n'est pas seul. L'Alberta, la Colombie-Britannique, la Saskatchewan et plusieurs autres provinces ont développé leurs propres politiques autochtones. Il est donc de plus en plus difficile de parler de relation bilatérale entre « l'État canadien » et les peuples autochtones. Ces relations sont aujourd'hui de plus en plus tripartites.

Enfin, la Paix des braves s'inscrit dans une dynamique qui favorise le développement de structures de gouvernance partagée de type « exécutif » plutôt que la participation des Autochtones au sein des institutions communes de la fédération, en particulier le Parlement. Cette relative absence de développement en ce qui a trait aux mécanismes de représentation « au centre » s'explique en grande partie par la réticence des peuples autochtones à intégrer des institutions qui nient en quelque sorte leur présence politique en refusant de leur reconnaître un statut quelconque au-delà de leur poids démographique et de leur capacité de jouer le jeu des groupes d'intérêts. Devant le manque de flexibilité de la fédération canadienne, est-ce que la gouvernance partagée de type exécutif, aujourd'hui dominante, nous rapproche du modèle confédéral fondé sur la coexistence de deux types de fédéralisme au sein de l'espace politique canadien ?

À la lumière de notre analyse des développements récents en matière d'autogouvernance et de gouvernance partagée, il est difficile de conclure à l'émergence d'un véritable modèle fédéral, fondé sur le développement d'une relation d'égal à égal entre partenaires consensuels. Par contre, il faut souligner l'importance du processus de consolidation des gouvernements autochtones par la pratique plutôt qu'à travers les grandes manœuvres constitutionnelles ou juridiques. Un pouvoir autochtone moins formel, mais certes significatif, fait peu à peu sa place au sein, ou peut-être serait-il plus juste de dire dans l'orbite, des institutions de la fédération canadienne. Cette consolidation entraîne le développement de dynamiques de gouvernance à ordres multiples qu'on pourrait qualifier de quasi fédérales. Les ramifications de ces développements pour la place des Autochtones sur l'échiquier canadien restent à approfondir.

NOTES ET RÉFÉRENCES

1. Voir par exemple Sally Weaver, « A New Paradigm in Canadian Indian Policy for the 1990s », *Canadian Ethnic Studies*, vol. 22, n° 3, 1991, p. 8-18 ; Michael Howlett, « Policy Paradigm and Policy Change : Lessons from the Old and New Canadian Policies towards Aboriginal People », *Policy Studies Journal*, vol. 22, n° 4, 1994, p. 631-49.
2. Kiera Ladner et Michael Orsini, « De "l'infériorité négociée" à "l'inutilité de négocier" : la Loi sur la gouvernance des Premières Nations et le maintien de la politique coloniale », *Politique et Sociétés*, vol. 23, n° 1, 2004, p. 59-88 ; G. Alfred Taiaiake, *Peace, Power and Righteousness : An Indigenous Manifesto*, Toronto, Oxford University Press, 1998 ; Joyce Green, « Autodétermination, citoyenneté et fédéralisme : pour une relecture autochtone du palimpseste canadien », *Politique et Sociétés*, vol. 23, n° 1, 2004, p. 9-32.
3. Suivant la sémantique établie par l'article 35 de la Loi constitutionnelle de 1982, il est de mise de faire la distinction entre trois « catégories » au sein de la population autochtone au Canada : les Premières Nations, encore parfois appelées Indiens, les Inuits et les Métis. L'expression « peuples autochtones » est utilisée pour désigner

ces trois groupes. L'espace manque ici pour rendre justice aux nuances et différences en matière de statut juridique et de rapport historique à l'État entre ces trois groupes.

4. Un récent rapport du Comité des droits de l'homme des Nations Unies rappelait qu'alors que le Canada est au 7ᵉ rang de l'Indice du développement humain des Nations Unies, les peuples autochtones du Canada se retrouveraient au 48ᵉ rang sur 174 pays. Voir <www.cbc.ca/story/canada/national/2005/04/11/UNNatives-050411.html>.

5. Voir à ce sujet James Tully, « The Struggles of Indigenous Peoples for and of Freedom », dans Duncan Ivison, Paul Patton et Will Sanders (dir.), *Political Theory and the Rights of Indigenous Peoples*, Cambridge, Cambridge University Press, 2001, p. 36-59.

6. Alfred Stepan, « Federalism and Democracy : Beyond the U.S. Model », *Journal of Democracy*, vol. 10, n° 4, 1999, p. 19-34.

7. Robert Williams dresse un portrait captivant des structures politiques développées par les peuples autochtones en Amérique du Nord avant et même durant la période coloniale. Iris Marion Young souligne également les débats sur l'influence qu'auraient eue les principes guidant la Confédération iroquoise sur les débats entourant la création de la fédération américaine. Voir Robert Williams, *Linking Arms Together : American Indian Treaty Vision of Law and Peace, 1600-1800*, Oxford, Oxford University Press, 1997 ; ainsi que Iris M. Young, « Hybrid Democracy : Iroquois Federalism and the Postcolonial Project », dans Duncan Ivison, Paul Patton et Will Sanders (dir.), *Political Theory and the Rights of Indigenous Peoples*, Cambridge, Cambridge University Press, 2001, p. 237-258.

8. Les compétences fédérales et provinciales sont réputées exhaustives selon une décision du Conseil privé de Londres de 1912 maintes fois reprise dans la jurisprudence : « *whatever belongs to self-government in Canada belongs either to the Dominion or to the provinces, within the limits of the British North America Act* », *A.-G. Ont. V. A.-G. Can.* (1912) A.C. 571.

9. Anthony J. Long, « Federalism and Ethnic Self-Determination : Native Indians in Canada », *Journal of Commonwealth & Comparative Politics*, vol. 29, n° 2, 1991, p. 192-211.

10. William Riker, *Federalism : Origin, Operation, Significance*, Boston, Little, Brown, 1964. Dans le contexte des questions autochtones, voir à ce sujet Cristina Scholtz, « Obstructing Justice ? Federalism and Indigenous Land Claim Negotiations in Australia, Canada and New Zealand », présenté au Congrès annuel de l'Association canadienne de science politique, Halifax, Nouvelle-Écosse, mai 2003.

11. Selon la fameuse formulation souvent reprise de la Cour dans *United States v. Kagma* 118 U.S. 375 (1886), « *the people of the state where they are found are their deadliest enemies* ». En Australie, jusqu'à ce que la Constitution soit modifiée en 1967 afin de donner au gouvernement du Commonwealth un rôle plus explicite pour favoriser le développement des communautés autochtones, ces dernières se retrouvaient dans une large mesure à la merci de la volonté expansionniste des États. Voir Nicolas Peterson et Will Sanders, *Citizenship and Indigenous Australia. Changing Conceptions and Possibilities*, Cambridge, Cambridge University Press, 1998, p. 7.

12. D'autres dispositions de la Loi, notamment l'article 88 qui rend les « lois d'intérêt général » des provinces applicables au sein des réserves viennent encore compliquer la donne. Pour une discussion plus détaillée des zones grises entre les compétences

fédérales et provinciales, voir entre autres Anthony J. Long et Menno Bolt, *Governments in Conflict ? Provinces and Indian Nations in Canada*, Toronto, University of Toronto Press, 1988 ; Rhada Jhappan, « The Federal-Provincial Power-Grid and Aboriginal Self-Government », dans François Rocher et Miriam Smith (dir.), *New Trends in Canadian Federalism*, Petreborough, Broadview, 1995, p. 11-85 ; et, pour une analyse juridique détaillée, Sébastien Grammond, *Aménager la coexistence. Les peuples autochtones et le droit canadien*, Bruxelles, Bruylant, 2003, en particulier le chapitre 5.

13. Tom Flanagan, *First Nations ? Second Thoughts*, Montréal et Kingston, McGill-Queen's Press, 2000.

14. James Tully, « The Struggles of Indigenous Peoples for and of Freedom », 2001, p. 37.

15. L'espace manque ici pour explorer plus en détail les fondements normatifs du droit à l'autodétermination des peuples autochtones. Voir à ce sujet, en plus de James Tully, « The Struggles of Indigenous Peoples for and of Freedom », Patrick Macklem, *Indigenous Difference and the Constitution of Canada*, Toronto, University of Toronto Press, 2001 ; et Will Kymlicka, *Politics in the Vernacular : Nationalism, Multiculturalism, and Citizenship*, New York, Oxford University Press, 2001, chapitre 5.

16. Alan Cairns, *Citizens Plus : Aboriginal Peoples and the State*, Vancouver, UBC Press, 2000, p. 23.

17. *Delgamuukw c. Colombie-Britannique*, (1997) 3 R.C.S. 1010, au paragraphe 273.

18. Voir à ce sujet John Borrows, « Landed Citizenship : Narratives of Aboriginal Political Participation », dans Will Kymlicka et Wayne Norman (dir.), *Citizenship in Diverse Societies*, Oxford, Oxford University Press, 2000, p. 326-344.

19. Iris Marion Young, « Self-determination as non-domination. Ideas applied to Palestine/ Israel », *Ethnicities*, vol. 5, n° 2, 2005, p. 121-145.

20. Michael Murphy, « Relational Self-Determination and Federal Reform », dans Michael Murphy (dir.), *Canada : The State of the Federation 2003. Reconfiguring Aboriginal-State Relations*, Montréal et Kingston, McGill-Queen's University Press, 2005, p. 3-35, à la page 10 (traduction de l'auteur).

21. Pour une discussion des différentes conceptions du fédéralisme, voir Ronald Watts, *Une comparaison des régimes fédéraux*, 2ᵉ éd., Kingston, Institut des relations intergouvernementales, Queen's University, 2002.

22. Le Nunavut fait ici figure d'exception. Certains ont proposé la création de provinces autochtones déterritorialisées réunissant plusieurs nations, mais cette proposition sous-estime l'importance du territoire et la diversité des peuples autochtones.

23. Daniel J. Elazar, *Exploring Federalism*, Tuscaloosa, University of Alabama Press, 1987, à la page 5 (traduction de l'auteur).

24. David Hawkes, « Indigenous Peoples : Self-Government and Intergovernmental Relations », *International Social Science Journal*, vol. 167, n° 1, 2001, p. 153-161.

25. Commission royale sur les peuples autochtones, *Rapport final*, Ottawa, Groupe Communication Canada, 1996, vol. 2.

26. Kiera Ladner, « Negotiated Inferiority : The Royal Commission on Aboriginal Peoples' Vision of a Renewed Relationship », *The American Review of Canadian Studies*, vol. 31, n° 1, 2001, p. 241-264.

27. J. Sakej Henderson, « Empowering Treaty Federalism », *Saskachewan Law Review* vol. 58, n° 2, 1994, p. 271-315.

28. James Tully, *Strange Multiplicity : Constitutionalism in an Age of Diversity*, Cambridge, Cambridge University Press, 1995.

29. Sur le principe de continuité des ordres juridiques autochtones et la notion de pluralisme juridique, voir Andrée Lajoie, J.-M. Brisson, S. Normand, A. Bissonnette (dir.), *Le statut juridique des peuples autochtones au Québec et le pluralisme*, Montréal, Yvons Blais, 1996.

30. Pour une discussion plus détaillée des contraintes associées aux divers modèles fédératifs, voir Will Kymlicka, *Politics in the Vernacular*, 2001, p. 110.

31. Voir à ce sujet le rapport final de la Commission du Nunavik. *Partageons. Tracer la voie vers un gouvernement pour le Nunavik*, mars 2001.

32. Voir l'analyse de Michael Asch, « From Tierra Nullius to Affirmation : Reconciling Aboriginal Rights with the Canadian Constitution », *Revue canadienne Droit et Société*, vol. 17, n° 2, 2002, p. 23-39.

33. *R. c. Van der Peet*, [1996] 2 R.C.S. 507.

34. *R. c. Pamajewon* [1996] 2 R.C.S. 821, p. 20. Cette interprétation restrictive est, depuis, remise en question, notamment dans un *obiter* du juge Binnie dans l'arrêt *Mitchell* qui soulève la possibilité d'une autonomie fondée sur le principe de « souveraineté partagée ». *Mitchell c. M.R.N.* (2001) 1 R.C.S. 911, p. 976. Dans l'arrêt *Campbell c. British Columbia* (2000) 4 C.N.L.R. 1, un tribunal de première instance indiquait que la négociation de traités ou d'ententes d'autonomie affectant le partage des compétences au sens de la Loi constitutionnelle de 1867 ne nécessitait pas un amendement constitutionnel puisque ces traités ne font que reconnaître en droit interne un droit *préexistant* à la création de la fédération canadienne.

35. La Cour a d'ailleurs elle-même reconnu ses propres limites en ce sens, par exemple dans l'arrêt *Delgamuukw*, le juge Lamer enjoignait la Couronne à négocier avec les Autochtones les compromis nécessaires en matière d'exploitation des ressources et d'accès au territoire (au paragraphe 186).

36. Voir *L'autonomie gouvernementale des Autochtones : l'approche du gouvernement du Canada concernant la mise en œuvre du droit inhérent des peuples autochtones à l'autonomie gouvernementale et la négociation de cette autonomie*, Ottawa, Ministère des Affaires indiennes et du Nord canadien, 1995.

37. Les clauses d'extinction des droits visent d'abord les droits territoriaux, mais s'appliquent par extension au droit à l'autonomie gouvernementale. Ces clauses sont évidemment dénoncées par les nations autochtones signataires de traités, notamment les Cris de la Baie James au Québec et les Nisga's en Colombie-Britannique.

38. Voir par exemple Taiaiake Alfred, *Peace, Power and Righteousness : An Indigenous Manifesto*, 1998, p. 300 ; ainsi que Jocelyn Maclure, « Définir les droits constitutionnels des peuples autochtones. Une évaluation normative de la "nouvelle" approche du Québec », dans *Éthique publique*, vol. 7, n° 1, 2005, p. 35-62.

39. Les Nisga'a de la Colombie-Britannique et les Premières Nations du Yukon ont compétence exclusive dans certains domaines (culture, citoyenneté et aménagement du territoire par exemple).

40. Voir à ce sujet Michael J. Prince et Frances Abele, « Paying for Self-Determination : Aboriginal Peoples, Self-Government and Fiscal Relations in Canada », dans Michael Murphy (dir.), *Canada, : The State of the Federation 2003. Reconfiguring Aboriginal-State Relations*, Kingston, McGill-Queen's Press, 2005, p. 237-260.

41. Voir Jack Hicks et Graham White, « Nunavut : Inuit Self-Determination through a Land Claim and Public Government ? », dans Keith Brownsey et Michael Howlett (dir.), *The Provincial State in Canada*, Peterborough, Broadview Press, 2001, p. 389-439.

42. Au moment d'écrire ce texte cependant, les négociations entre le gouvernement de la Saskatchewan, le gouvernement fédéral et l'Association des Premières Nations de la Saskatchewan étaient suspendues indéfiniment.

43. Pour un aperçu des divers arrangements existant en matière de structure de gouvernance, de citoyenneté ainsi que de compétence des gouvernements autonomes, voir Michael Murphy et Helena Catt, *Sub-State Nationalism. A Comparative Analysis of Institutional Design*, Londres, Routledge, 2002, p. 53-107.

44. La force de police fut d'abord créée au cours des années 1960. Le premier accord tripartite fut signé en 1995.

45. *Rassembler nos forces* : plan d'action du Canada pour les Autochtones, Ottawa, Ministère des Affaires indiennes et du Nord canadien, 1998, p. 8.

46. La politique, intitulée *Partenariats, développement, actions*, comprend notamment la création d'un fonds pour les initiatives de développement économique en milieu autochtone.

47. Pour une analyse en ce sens, voir Martin Papillon, « Entre l'héritage colonial et la recherche d'autonomie politique : les peuples autochtones dans la tourmente des réformes de l'État-providence », *Lien social et politiques-RIAC*, vol. 53, printemps 2005, p. 129-142.

48. Le Grand Conseil des cris et l'Administration régionale crie gèrent un budget annuel dépassant les 120 millions de dollars pour une population de 14 500 personnes réparties dans neuf communautés. À ce montant, il faut ajouter les budgets de la Commission scolaire crie et des autres organismes contrôlés par les Cris.

49. Les négociations, toujours en cours, concernent les suites à donner au rapport de la Commission du Nunavik, *Partageons. Tracer la voie vers un gouvernement pour le Nunavik*, 2001.

50. Alfred, *Peace, Power, Righteousness*, 1998, p. 110-111.

51. Voir par exemple John Borrows, « Landed Citizenship : Narratives of Aboriginal Political Participation », dans Will Kymlicka et Wayne Norman (dir.), *Citizenship in Diverse Societies*, Oxford, Oxford University Press, 2000, p. 326-344 ; et Joyce Green, « Autodétermination, citoyenneté et fédéralisme : pour une relecture autochtone du palimpseste canadien », *Politique et Sociétés*, vol. 23, n° 1, 2004, p. 9-32.

52. La Commission royale sur la réforme électorale et le financement des partis (1991) proposait la mise en place de circonscriptions autochtones. L'accord de Charlottetown incluait une disposition en ce sens ainsi qu'une garantie concernant la représentation au Sénat. Pour une discussion de ces réformes, voir Tim Schouls, « Aboriginal Peoples and Electoral Reform in Canada : Differentiated Representation versus Voter Equality », *Revue canadienne de science politique*, vol. 29, n° 4, p. 729-748.

53. Gurson Dacks, « The Social Union Framework Agreement and the Role of Aboriginal Peoples in Canadian Federalism », *The American Review of Canadian Studies* vol. 31, 2001, p. 301-315.

54. Par exemple, les principales organisations autochtones furent invitées à une rencontre des premiers ministres consacrée aux enjeux économiques et sociaux pour les Autoch-

tones les 24 et 25 novembre 2005. Pour plus de détails sur cette rencontre, voir <www.scics.gc.ca/cinfo05/800044004_f.pdf>.

55. Au Québec, en plus du Secrétariat aux affaires autochtones, les ministères ont tous au moins un coordonnateur responsable du dossier autochtone. Voir <www. autochtones.gouv.qc.ca/index.asp>.

56. Les négociations relevaient directement du bureau du premier ministre et du secrétaire général du Conseil exécutif, le plus haut fonctionnaire de l'État québécois.

57. Ted Moses, *Comments on the Signing of the Agreement in Principle, Quebec, October 23, 2001*, Montréal, Archives du Grand Conseil des Cris, 2001.

58. Pour une perspective critique, voir Jocelyn Maclure, « Définir les droits constitutionnels des peuples autochtones. Une évaluation normative de la "nouvelle" approche du Québec », 2005.

59. Le gouvernement du Québec versera 3,5 milliards de dollars aux Cris en compensation et dans le cadre du transfert de responsabilité en matière de développement économique et social des communautés, en plus de certains montants indexés en fonction des revenus provenant de l'exploitation des ressources naturelles sur le territoire. Les Cris renoncent en échange à une série de poursuites judiciaires entamées contre le gouvernement du Québec et acceptent un projet de développement hydroélectrique sur la rivière Rupert. L'*Entente concernant une nouvelle relation entre le gouvernement du Québec et les Cris du Québec* est disponible sur le site : <http://www. autochtones.gouv.qc.ca/relations_autochtones/ententes/cris/ententes_cris.htm>.

60. Une entente conclue en 1997 transfère aux Mi'kmaq de la Nouvelle-Écosse la pleine responsabilité en matière d'éducation primaire, secondaire et postsecondaire en coordination avec la province.

61. Renée Dupuis, « Un accord signé au 20ᵉ siècle dans l'esprit de la politique britannique coloniale du 18ᵉ siècle », dans Alain-G. Gagnon et Guy Rocher (dir.), *Regards sur la Convention de la Baie-James et du Nord québécois*, Montréal, Québec Amérique, 2002.

16

GÉRER LA DIVERSITÉ DANS LES ÉTATS FÉDÉRAUX : APPROCHES CONCEPTUELLES ET PERSPECTIVES COMPARATIVES *

Michael Burgess

À l'aube du nouveau millénaire, nous sommes entrés dans un nouveau monde traversé par la différence et la diversité. La fin de la Guerre froide et les répercussions globales propres à l'après-11 septembre signifient que le monde contemporain est plongé dans un nouvel âge de dangers et d'incertitudes sans précédent. Il s'agit là d'un mélange très instable de possibilités et de probabilités. Mais ces dangers et incertitudes ne se limitent pas aux définitions de la réalité entourant les questions de sécurité et militaires, et ne sont pas nécessairement en lien avec les menaces d'actes terroristes, le trafic de la drogue, le sida ou l'immigration illégale. Ils sont plutôt inscrits dans des réalités sociales qui ont toujours été intrinsèques à l'État moderne, mais sont souvent restés silencieux. Le nouveau millénaire a coïncidé avec le déchaînement de puissantes forces de différenciation idéologico-culturelles, qui ont acquis une importance politique inattendue à travers le monde et qu'on ne peut ignorer, étouffer ou éradiquer violemment. De l'Indonésie au Sri Lanka, du Nigeria au Soudan, de Chypre à la Russie et de l'Irak au Liban, nous sommes les témoins de politiques identitaires, de luttes pour de nouvelles formes d'autodéfinition, de tolérance, de droits civils et de la personne, et de libertés. Nous sommes entrés dans une ère nouvelle des revendications des groupes minoritaires sur les plans politique et constitutionnel[1]. Les Chypriotes turcs, les Tamouls au Sri Lanka, les Kurdes en Irak, la région du Darfour au Soudan et plusieurs autres identités minoritaires ont formellement joint leur voix à ceux qui clament en chœur la reconnaissance officielle et les accommodements formels dans la *polité*.

Nous devons aujourd'hui faire face à un nombre grandissant d'États dont les sociétés affichent toutes les caractéristiques indélébiles du multiculturalisme, du multilinguisme et du multinationalisme. Plusieurs de ces tendances et de ces développements contemporains ne sont pas nouveaux ; ils sont devenus des réalités depuis plus d'une décennie et, dans certains cas, depuis beaucoup plus longtemps encore. Mais l'expression de cet impératif de différenciation sociale s'est récemment accélérée et accentuée dans certaines régions du monde. Sa signification politique contemporaine a été soulignée par une couverture médiatique très large qui l'a liée avec succès aux valeurs, aux inquiétudes et aux préconceptions de la gestion de conflits propres au monde occidental. On a pu ainsi assister à une impulsion, tant sur les plans intellectuel que pratique, de la politique qui s'élève hors de ce nouveau monde de différence et de diversité, et permet d'aborder cet enchaînement remarquable d'événements, de tendances et de développements, et que de nouvelles questions soient posées et pour que les anciennes puissent être reformulées en tenant compte des circonstances nouvelles.

Dans ce contexte, une question est apparue, et elle est plutôt frappante, qui se formule comme suit : Qu'est-ce qui a changé dans l'univers des États-nations et puisse servir à accroître la signification contemporaine de l'idée fédérale ? La réponse est en fait une combinaison de quatre phénomènes, interreliés et se chevauchant de façon complexe, offrant certains indices qui permettent d'avancer une explication satisfaisante. Ces quatre phénomènes se déclinent de la façon suivante :

- Une réaffirmation de la politique de la différence et de l'autodétermination, surtout en Europe centrale et en Europe de l'Est et graduellement dans les États du Moyen-Orient (par exemple le nouveau *modus operandi* du conflit israélo-palestinien).

- Un nouvel intérêt international eu égard à la légitimité et la reconnaissance de la différenciation sociale et de l'hétérogénéité, même envers l'Islam, suggérant un besoin d'accommodement politique et constitutionnel (par exemple le cas des musulmans chiites et sunnites en Irak).

- La reconnaissance des droits de la personne et la moralité des interventions humanitaires des Nations Unies dans les affaires internes des États souverains, surtout ceux qui ont été désignés comme des « *États voyous* ». Cela inclut les droits collectifs de communautés entières (par exemple le cas du Darfour au Soudan).

- L'expression de nouveaux processus de démocratisation au Moyen-Orient, partiellement enclenchés par l'invasion américaine en Irak (par exemple au Liban, en Égypte et en Arabie saoudite).

Ces tendances et ces développements contemporains repérables incitent ceux d'entre nous qui s'intéressent à la pertinence concrète du fédéralisme dans le monde actuel à réfléchir à cette nouvelle reconnaissance politique de la différence, de la diversité et de la démocratisation. Cela nous incite à revoir soigneusement la nature du conflit, de la diversité et du type d'unité qui peut être forgée dans des circonstances souvent peu encourageantes. En bref, il y a un besoin de repenser et de réaffirmer certaines des catégories conceptuelles de base à la lumière d'une interprétation comparative.

DIVERSITÉ ET CONFLIT

Nous commençons par un court examen de la notion de *diversité* dans les fédérations que nous distinguerons de celle de *conflit*, car il y a souvent confusion entre ces deux mots dans les discours politiques sur le fédéralisme et les fédérations[2]. Pour certains observateurs, plus la diversité existe en politique, plus les conflits s'ensuivent. Ainsi, les États fédéraux sont beaucoup plus portés vers les conflits, ils passent une grande partie de leur temps à la poursuite d'un consensus qui est fréquemment insaisissable. Dès lors, il est important de faire une distinction entre les notions de diversité et de conflit pour éviter de mal interpréter l'importance théorique et les implications empiriques que ces deux concepts ont sur les études comparatives du fédéralisme et des fédérations. Commençons donc par définir et clarifier ce que nous entendons précisément par ces termes.

Par diversité, nous nous référons aux formes et aux types spécifiques correspondant au fédéralisme en tant que réalité empirique. Cela veut dire que la science politique et les politologues peuvent travailler seulement avec ce qui existe comme réalité sociale ayant une portée politique. Pour les politiciens, il s'agit de se servir de la politique pour changer la réalité sociale. Daniel Elazar fait un usage analogue au nôtre de la diversité en mettant l'accent sur l'« existence politiquement significative de la diversité » et l'élargit en des termes non équivoques : « La diversité se manifeste à travers la nationalité ou l'ethnie, la religion, l'idéologie, les facteurs sociaux ou des intérêts qui peuvent ou non acquérir une forme politique[3]. » Conséquemment, l'unité fédérale n'est pas seulement ouverte à l'expression politique de la diversité, mais par son origine, elle est un moyen d'accommoder la diversité comme un élément légitime de la *polité*. Le fédéralisme est ainsi présenté comme un concept normatif faisant siennes certaines hypothèses, interprétations et valeurs sur la nature de la différence et de la diversité. Le fédéralisme non seulement tolère-t-il d'une manière passive ces croyances et présuppositions, mais prescrit des accommodements à l'intérieur des fédérations qui désirent activement célébrer, nourrir et chérir cette différence et cette diversité. C'est précisément ce à quoi se référait Charles Taylor quand il parlait de la place du Québec dans le Canada, comme faisant partie de la raison d'être de la fédération et faisant aussi partie – une partie intégrante – de ce que cela veut dire *être canadien*[4].

Le conflit est inhérent à la nature même du politique. Cependant, il faut préciser qu'il se manifeste de diverses manières. Nous comprenons ici le conflit comme le résultat, ou du moins le sous-produit, de la différence et de la diversité. Il faut aussi le concevoir comme non violent, pour la simple raison que la violence, la coercition et le recours aux armes signalent l'échec du processus politique, du politique même. Conséquemment, le type de conflit auquel nous nous référons n'est pas le phénomène négatif implicite aux arguments cités plus tôt, il s'agit de son contraire. Le conflit est en fait positif, même vertueux, c'est un révélateur de l'état de santé de la *polité* qui doit, d'une part, reconnaître et, d'autre part, relever les durs défis idéologico-culturels posés par les formes de diversité les plus en vue politiquement. Le conflit, comme produit de la diversité, est alors parfaitement légitime ; il fait partie intégrante des institutions et du comportement humain.

Ceci vient clarifier notre position et permet d'éviter des conceptions non fondées à propos de la relation entre la diversité et le conflit. Ils sont tous les deux inhérents à la *polité*. La diversité et le conflit font partie de la réalité sociale. Mais la manière dont nous avons présenté la relation entre la diversité et le conflit soulève plusieurs questions. Il est clair qu'il y a plusieurs types de diversité et différentes formes légitimes de conflits non violents. Nous pouvons classer les exemples selon des catégories socioéconomiques ou idéologico-culturelles. Dans les faits, il est évident que ces catégories se recoupent, s'entremêlent même, mais dans une démarche en sciences sociales, il est utile de les différencier selon deux catégories distinctes. La première se réfère aux questions de politiques gouvernementales correspondant à l'allocation, la distribution et la redistribution des ressources alors que la seconde catégorie se rapporte plutôt à un phénomène plus viscéral, profondément ancré et enraciné, dérivé des questions propres à l'identité et à la définition de soi. Les questions relevant de la politique identitaire, cela ne surprendra guère, sont habituellement (mais pas toujours) plus difficiles et posent un plus grand défi au politique étant donné leur nature peu négociable. Il est beaucoup plus facile dans l'arène politique d'échanger des ressources en termes de valeurs socioéconomiques, que d'en arriver compromis sur des questions touchant l'identité puisque celles-là peuvent souvent être construites comme les équations d'un jeu à somme nulle. Cette brève introduction nous conduit au cœur même de ce que signifie la condition fédérale.

LA CONDITION FÉDÉRALE

La condition fédérale se décline à partir de trois mots qui s'imbriquent logiquement dans la séquence suivante : préconception, prédisposition et prescription. La préconception mène à la prédisposition, laquelle, prend éventuellement la forme sur le plan politique d'une prescription. Voyons un peu plus en profondeur où cette logique nous conduit. La *polité* fédérale s'appuie sur certaines préconceptions partagées, des valeurs, des croyances et des intérêts qui ensemble présupposent des politiques de reconnaissance, de coopération, de compromis et d'accommodement. La *polité* tire donc son essence des notions de dignité humaine, de tolérance, de respect, de réciprocité et de consentement. Et puisque l'idée fédérale est établie sur les principes de la différence et de la diversité, comme nous l'avons déjà observé, sa conception même présuppose une orientation particulière en termes politiques. Cette orientation doit être logiquement interprétée comme une prédisposition à soutenir une idée particulière de l'État et de la société. Que cela mène ou non à la création d'une fédération bien développée, à l'une des nombreuses variétés d'arrangement de type fédéral ou à une simple dévolution des pouvoirs est largement déterminé par les conditions sociohistoriques et les circonstances politiques particulières, mais l'idée est sujette à discussion et il en découle des conséquences pratiques. Il s'agit en bref d'une prescription, d'une recommandation, d'une approche empirique normative permettant de gérer le conflit dans les sociétés au sein desquelles on trouve des niveaux prononcés de différence et de diversité ayant une proéminence politique.

Avant de réfléchir plus en détail sur les conséquences théoriques et pratiques de ce questionnement essentiellement normatif de la condition fédérale, attardons-nous un instant sur la question des sociétés dites fédérales. Il s'agit d'un concept qui fut introduit dans le débat sur le fédéralisme dès 1952 par William Livingston, dans son remarquable article intitulé « Note on the Nature of Federalism[5] ».

Il est important de noter qu'aujourd'hui les formulations trop souvent fourre-tout d'hétérogénéité et d'homogénéité, bien qu'utiles pour l'analyse, peuvent aussi servir à simplifier exagérément, parfois même conduire à porter des jugements et à tenir des propos tout simplement erronés sur le fédéralisme et les fédérations. Par exemple, l'affirmation répandue dans la littérature selon laquelle une société particulière est socialement hétérogène peut être parfaitement défendable en termes de composition multiculturelle, multiethnique, multilingue ou multinationale. Cela pourrait exiger une réponse fédérale institutionnelle tangible, mais on fait alors souvent face à une idée reçue selon laquelle le fédéralisme n'est pas aussi indispensable dans une société qui se dit socialement homogène – en d'autres termes, qui est son contraire. En bref, la juxtaposition facile d'une société socialement hétérogène avec une société socialement homogène a tendance à nous amener sur un terrain invitant, mais franchement décevant. Cela revient à dire, par exemple, que des pays comme la Belgique, la Suisse, le Canada, l'Inde et la Malaisie requièrent une prescription fédérale étant donné leur hétérogénéité sociale évidente alors que pour des pays comme l'Australie, l'Autriche et l'Allemagne, par la simple vertu de l'absence de l'hétérogénéité sociale mentionnée plus haut, l'impératif fédéral semblable serait absent. Voilà pourquoi ces fédérations constituent une sorte de casse-tête pour certains chercheurs, alors que d'autres ont souvent évalué les fondements fédéraux de ces États.

Il s'agit d'une supposition risquée pour la simple raison qu'elle noircit trop le trait et ne nous permet pas de bien comprendre ce qu'est l'hétérogénéité sociale, et qu'elle sous-estime et donne une image fausse de la nature, de l'importance et de la signification politique de l'homogénéité sociale. Il s'agit là du fruit d'une supposition non fondée dans la littérature à propos de la nature du conflit social lui-même. Il y a une prédisposition naturelle à présumer que certaines formes idéologico-culturelles propres aux conflits sociaux, comme le nationalisme subétatique, la religion et les différences linguistiques, sont plus viscérales, portent à la division et ultimement incitent à agir alors que, à l'opposé, les grands conflits de nature socioéconomique sont habituellement influencés par les politiques gouvernementales, lesquelles sont façonnées et élaborées selon les conditions changeantes de l'économie politique. Ainsi, la première catégorie incarne une variété de diversités idéologico-culturelles qui sont plus facilement mobilisables lorsque vient le temps de produire un discours constitutionnel et politique bien défini et capable de rassembler le grand public, beaucoup plus que la seconde catégorie, cela pour la simple raison que celle-ci est fondée sur des questions d'identité.

Dans les faits, des sociétés identifiées comme socialement homogènes, où par exemple la diversité est largement de nature socioéconomique, peuvent être fédérales et cela, même si elles sont différentes des autres fédérations qui sont segmentées culturellement. En excluant pour un moment la question de la territorialité et de la spécificité historique, il faut mettre l'accent sur les différentes formes que peut revêtir la diversité dans ce type de fédération. L'homogénéité sociale ne signifie pas qu'il y ait absence complète de clivages sociaux importants politiquement. L'Allemagne, par exemple, est beaucoup plus complexe que pourraient nous le laisser croire des indices simplistes d'homogénéité sociale. Avec une population de plus de 82,6 millions d'habitants, c'est le plus peuplé des pays membres de l'Union européenne avec 7,3 millions d'habitants en provenance de l'étranger, ce qui équivaut à près de 9 % de la population totale. Cela laisse entrevoir une diversité importante, laquelle est renforcée par l'afflux de nouvelles vagues « d'immigrants économiques », la croissance des minorités ethnoculturelles et la présence de 16 *landers* aux traditions locales et dialectes régionaux fort différents. L'idée préconçue d'une société allemande uniforme, linguistiquement homogène, conduit à une interprétation faussée de sa riche diversité sociale.

Des différences importantes, des identités plurielles et des intérêts composites caractérisent les sociétés et les économies des fédérations, ce qui permet à ces dernières d'entretenir avec succès les États membres alors que ceux-ci s'appuient sur des groupes d'intérêt territoriaux et se nourrissent de valeurs, de croyances, de coutumes et de traditions qui ont résisté au temps et conservé une signification politique durable et dont les expressions sont multiples.

La condition fédérale n'est pas de limiter la signification d'un type particulier de clivage social ou d'identités. C'est une chose de suggérer qu'une constellation particulière de clivages idéologico-culturels se prête à une prescription fédérale, mais c'est autre chose d'affirmer que l'absence de ces caractéristiques sociétales rend inopérante l'idée fédérale.

LA TERRITORIALITÉ ET LA GESTION DE LA DIVERSITÉ

Récemment, suffisamment de recherches ont été menées sur la vaste question des concepts spatiaux en politique pour discuter avec plus d'assurance de l'impact de la territorialité sur les fédérations et le fédéralisme. Nous savons, par exemple, que la composition démographique et la répartition spatiale de la population dans un pays donné ont des répercussions et des implications très importantes sur les relations État-société. À l'intérieur des fédérations, elles ont une résonance spéciale à cause de la nature même de l'État. Puisqu'une fédération est *ipso facto* une forme particulière d'État fondé sur la reconnaissance formelle, structurelle et institutionnelle de la diversité, la distribution spatiale de plusieurs types d'identité et d'intérêt a une incidence directe sur son fonctionnement.

Le cadre institutionnel a une influence capitale sur le fonctionnement de la fédération. Plus précisément, la répartition territoriale et non territoriale des différents intérêts et des identités est liée aux questions fondamentales de représentation, de définition et de reconnaissance des minorités, et soulève des questions de responsabilité politique, de légitimité et ultimement de justice et de stabilité. Par conséquent, les questions de territorialité et de fonctionnalité doivent être des facteurs pris en compte dans une analyse consacrée à la gestion de la diversité dans les États fédéraux. De quelle façon les identités collectives distinctes sont-elles réparties dans la *polité* ? Comment sont définies les minorités ? Qui les définit ? Où sont-elles concentrées ? Quelles institutions ont été prévues pour que les voix des minorités soient entendues ? De quelle façon les minorités reconnues répondent-elles aux attentes de leur(s) propre(s) minorité(s) ? De quelle manière les fédérations répondent-elles aux revendications non territoriales, aux demandes et aux pressions de nature fonctionnelle comme à celles émanant des groupes multiculturels ou des communautés linguistiques ou à celles se rapportant aux politiques de genre ou aux groupes ayant certains handicaps ?

Dans certains cas, il est probablement justifié d'avancer que cela n'a rien à voir avec la condition fédérale. Certaines de ces questions se posent naturellement aujourd'hui dans la plupart des *polités* et on peut y répondre en utilisant les mécanismes et les outils de prise de décision traditionnels associés à la décentralisation, à la déconcentration administrative, aux processus légaux ou aux techniques de la consociation. L'idée principale est de pouvoir évaluer l'importance des enjeux politiques propres à la diversité sur le territoire, à la concentration des groupes ou à leur étalement selon le cas. Dans les faits, bien sûr, les éléments propres à la diversité s'entremêlent pour constituer une constellation particulière de modèles de clivages. Ces dernières pouvant avoir un impact sur le fonctionnement d'une fédération où les clivages se chevauchent, contribuant dès lors à atténuer ou à éviter le conflit – comme en Suisse –, ou participent à cloisonner en polarisant le conflit comme c'est le cas en Belgique.

La territorialité exerce une grande influence au sein de l'Union européenne (UE) ; cela est largement dû au processus d'intégration qui a mené à sa construction. Puisque l'UE a été bâtie largement par les gouvernements des États-nations, les bases territoriales du politique ont été préservées et cela a donné à la *polité* fédérale son caractère hybride, multinational, multilingue, multiculturel et multiethnique. Il n'en demeure pas moins que l'UE possède des caractéristiques institutionnelles et politiques non territoriales – pensons à son statut supranational, au rôle et à l'impact de la Commission européenne, à la Cour européenne de justice, au Parlement européen et à plusieurs autres exemples d'activités menées par des groupes d'intérêts transnationaux. Mais il demeure que dans le cas des politiques gouvernementales, l'interface entre les gouvernements nationaux et les institutions centrales de l'UE font naître un amalgame de politiques, de législations et de lois proprement européennes qui, bien qu'elles transcendent le niveau des États-nations territoriaux, sont inscrites territorialement en ce qu'elles ne s'appliquent qu'aux États membres et aux citoyens qui forment actuellement l'Europe des 25. L'UE conserve toujours des limites légales qui érigent des frontières territoriales externes, dont les pays limitrophes, comme la Croatie, la Bulgarie, la Roumanie et la Turquie, peuvent témoigner.

La territorialité devient alors un immense sujet avec d'énormes implications pour la gestion de la diversité dans les États fédéraux. Cela s'étend aux autres sphères de recherche, et inclut des sujets comme la représentation, la participation, les partis politiques, les groupes d'intérêts et les complexités de l'asymétrie. La territorialité demeure toutefois la base prépondérante pour procéder à la gestion de la diversité dans les États fédéraux et représente le fondement des relations de pouvoir pour les États eux-mêmes.

LE POUVOIR ET LA GESTION DE LA DIVERSITÉ

Si l'on reconnaît qu'il y a deux types fondamentaux de diversité dans les États fédéraux, soit celui du type *original* qui sert à créer et à façonner la fédération et celui qui s'est développé *subséquemment* à sa création, à la suite des changements et des mutations au sein même de la fédération, il est alors possible de les relier à la notion de pouvoir et aux relations de pouvoir. Clairement, comme le suggère Charles Taylor, si la principale raison d'être du Canada était de préserver et de promouvoir l'identité distincte et la culture du Québec, nous pouvons comprendre pourquoi – étant donné l'échec ou le refus d'Ottawa d'obtempérer – les divers gouvernements à se succéder au Québec ont été désireux de prendre le contrôle de leur propre destinée.

Ces gouvernement ont cherché à harnacher le vaste potentiel que constituent les ressources du pouvoir d'État (dans le contexte de l'ordre constitutionnel fédéral existant) en faisant appel au nationalisme dans leur quête d'autonomie et d'autodétermination à l'intérieur de la fédération canadienne.

En d'autres termes, si la condition fédérale se résume à la reconnaissance et à l'accommodement de la diversité, cela implique un rôle à définir pour l'exercice du pouvoir et pour la mobilisation des ressources étatiques en vue de faciliter l'établissement d'un consensus sur le sens que la diversité doit revêtir, tout en précisant quelles sont les formes particulières de diversité pouvant être jugées acceptables et tolérables. Deux questions se posent dès lors : qui est en mesure de définir le type de diversité et quels sont les choix pouvant faire l'objet de débats en vue de la réalisation d'un train de mesures gouvernementales ?

Pour être acceptées comme authentiques aujourd'hui, les fédérations doivent être, ou doivent s'inscrire, dans le sillon des pays de démocratie libérale constitutionnelle capitaliste, avec un gouvernement encadré, tirant sa légitimité de la volonté populaire et de la règle de droit. Cela pour la simple raison que la démocratie libérale et le capitalisme sont maintenant largement vus comme étant interdépendants. Ce contexte constitutionnel, politique, économique et légal est d'une importance cruciale pour notre compréhension et notre appréciation de la façon dont est définie la diversité et des types de diversité considérés comme légitimes. La réponse ne coule pas de source, car elle est complexifiée par l'irrésistible combinaison des impératifs de l'accumulation du capital et de la recherche du profit de l'économie capitaliste, en conjonction avec les libertés accordées dans les démocraties libérales et soutenue en cela par la protection des libertés individuelles et l'autonomie (ajoutons un intérêt grandissant pour la sécurité). Les définitions de la diversité doivent dorénavant satisfaire ces impératifs.

La diversité particulière exprimée par le Québec à l'intérieur du Canada est intéressante dans cette perspective, puisque la Révolution tranquille des années 1960 n'a pas seulement servi à émanciper l'identité québécoise sur le plan individuel, mais elle a contribué à renforcer l'identité collective d'une nation dans son ensemble. Au même moment, on a assisté à l'accumulation à grande échelle du capital par l'entremise des investissements publics et privés, à la croissance des entreprises et des profits, à une formation de plus haut niveau, à une diversification des emplois, à plus de recherche, à une formation mieux adaptée et à un développement technologique supérieur débouchant sur ce que l'on a appelé le *Québec inc.*, un modèle de succès économique pour le reste du Canada. Ce modèle économique a contribué à la mise en place d'un projet national, dont il faisait partie intégrante d'ailleurs, voué à combattre la périphérisation grandissante de l'économie provinciale dans le contexte changeant de l'économie politique nord-américaine[6].

La littérature scientifique en économie politique est particulièrement appropriée à cet égard. Au Canada, le rôle dominant des intérêts économiques a contribué à influencer l'évolution des rapports de force entre Ottawa et les provinces. Plus précisément, l'existence d'une économie largement basée sur les ressources premières, doublée des compétences provinciales en matière d'exploitation des ressources, explique le rôle clé des provinces.

En d'autres termes, certains intérêts économiques ont contribué à renforcer l'État provincial vis-à-vis Ottawa et ont ainsi permis aux provinces de bénéficier des revenus et de l'accumulation du capital résultant de l'exploitation des ressources. Cela a mené à une transformation de l'économie politique pancanadienne et a accentué une tendance à la décentralisation à l'intérieur de la fédération, puisque les intérêts en jeu ne nécessitaient plus l'existence d'un gouvernement central fort. Comme le constate le politologue Garth Stevenson, les groupes d'intérêts capitalistes et corporatistes ont vu à ce que les conflits économiques deviennent institutionnalisés suivant un clivage fédéral/provincial. En somme, les tendances centralisatrice et décentralisatrice dans un État fédéral peuvent se construire en s'alignant sur l'économie politique du pays[7]. Formulé différemment, cela confirme que le fédéralisme peut être pensé en termes d'intérêts, de bénéfices et de bénéficiaires. Autant la diversité que le conflit peuvent être conceptualisés en termes de pouvoir, de ressources de pouvoir et de relations de pouvoir dans les États fédéraux capitalistes.

UNITÉ ET DIVERSITÉ DANS LES ÉTATS FÉDÉRAUX

La gestion de la diversité et la régulation des conflits dans les États fédéraux semblent pouvoir aller de concert avec la poursuite de l'unité. Mais qu'entendons-nous par unité fédérale ? Quel type d'unité est implicite dans cet énoncé ? Elazar soumet que l'unité et la diversité ne sont pas en opposition : « l'unité devrait être différenciée de l'absence d'unité et la diversité de l'homogénéité, en mettant l'accent sur les implications et les dimensions politiques de chacune[8] ». Il distingue aussi entre ce qu'il nomme « l'unité consolidée » et « l'unité fédérale », la première se rapportant aux *polités* qui tendent à dépolitiser ou à limiter prudemment les effets politiques de la diversité, reléguant ainsi les manifestations de la diversité vers d'autres sphères ; la seconde servant alors à justifier son existence même en accommodant et en légitimant la diversité[9]. Mais qu'est-ce que cela nous apprend sur les fédérations – comme celle de l'Inde ou celle du Nigeria – qui tendent à gérer la diversité en la subdivisant par la création de nouvelles unités territoriales qui sont homogènes linguistiquement, communautairement et culturellement ? Ces exemples correspondent-ils à la catégorie de l'unité fédérale ou de l'unité consolidée ?

Autant que faire se peut, la distinction que fait Elazar est défendable. Toutefois, il est important de mesurer les limites de ce type d'unité. Un des plus grands défis que doivent relever les démocraties fédérales aujourd'hui est d'essayer de persuader les citoyens qui pensent largement en termes d'identités ethniques, tribales ou linguistiques particulières, de sortir de ce cadre de référence, fondé uniquement sur le soi collectif culturel, pour les brancher directement sur un espace public sur les plans national et supranational. Bien sûr, la question se pose de savoir si tous les systèmes fédéraux fonctionnent de cette manière. Est-ce que les procédures, institutions et pratiques mises en place pour accommoder la diversité fonctionnent pour permettre aux identités de se déterminer elles-mêmes ? Elazar suggère, faussement de notre point de vue, que l'Autriche et l'Allemagne ne reflètent pas l'existence d'une diversité politique significative et que leurs systèmes fédéraux doivent constamment faire face aux « pressions consolidationnistes basées sur des arguments relevant de l'homogénéité[10] ».

Cet argument pourrait tout aussi bien s'appliquer au cas québécois au sein de la fédération canadienne. Il pourrait aussi y avoir des raisons légitimes pour faire la distinction entre, d'une part, les principes fédéraux et les arrangements qui ont été utilisés principalement pour créer et maintenir une unité où la survie même de l'État pouvait être remise en question (Elazar se réfère d'ailleurs au Canada et à la Belgique dans son étude) et, d'autre part, les moyens et les principes qui sont utilisés principalement pour préserver et promouvoir la diversité où l'État lui-même n'est pas menacé (ici Elazar se réfère à la Suisse). Toutefois, la question la plus difficile à laquelle il faut répondre consiste à établir jusqu'où les valeurs fédérales sont soutenues avec succès dans les systèmes fédéraux. En observant alors un État fédéral en particulier, il faudrait pouvoir dire jusqu'à quel point une fédération est fédérale. Encore une fois, on peut uniquement répondre à cette question en faisant référence au contexte et au moment d'origine qui sont tous les deux inscrits historiquement.

Au terme de ce chapitre, nous nous retrouvons avec plus de questions que de réponses. Gérer la diversité dans un État fédéral doit nous inciter à revisiter le passé pour expliquer et comprendre le présent. L'existence des valeurs fédérales nous oblige à promouvoir simultanément l'unité et la diversité malgré le fait que leurs limites ne sont pas claires. Comme Elazar le concède, « les questions à savoir quels types de combinaison de la diversité sont compatibles avec l'unité fédérale et quels types ne le sont pas demeurent ouvertes[11] ». Il semble que nous soyons contraints d'utiliser l'approche historique pour comprendre « comment » et « pourquoi » certains types de diversité évoluent comme ils le font. Cela nous amène à conclure qu'une partie du programme de recherche dans le domaine des études fédérales comparées devrait s'arrêter non seulement aux origines, mais aussi à la formation des fédérations. Nous devons comprendre précisément, plus clairement que nous le cernons maintenant, comment et pourquoi les fédérations ont été formées historiquement. Plus simplement, nous avons besoin d'un plus grand nombre d'études de cas détaillés en histoire comparée. Ce n'est que de cette manière que nous pourrons détecter, discerner, établir et rétablir d'importantes variables historiques qui ont pu avoir une signification théorique, révélant par exemple l'existence de modèles récurrents de comportement, des variables qui pourraient être perçues comme des causes circonstancielles par une interprétation historique[12].

Ceci est naturellement un terrain déjà bien couvert par la recherche historique, mais c'est une tâche qui requiert une attention nouvelle de la part des politologues. L'héritage de William Riker continue de survivre comme cadre de référence et joue le rôle, dans nos cadres conceptuels, d'un boulet au pied lorsque vient le temps d'expliquer l'unité et la diversité au sein des fédérations. Aussi, après une revue approfondie de la littérature, il est plutôt surprenant de constater jusqu'à quel point les études sur le fédéralisme en politique comparée s'inspirent encore énormément des travaux de Riker qui remontent à 1964 et 1975 – travaux qui sont déficients empiriquement et analytiquement (même en tenant compte de la période pendant laquelle ils ont été rédigés) – et ces travaux continuent d'exercer une influence intellectuelle sans bornes sur les écrits contemporains sur le fédéralisme, malgré leurs argumentaires et leurs énoncés historiques superficiels et souvent erronés. Bien que la position théorique de base de Riker portant sur la notion du «marchandage» politique reste largement défendable, son travail empirique comparatif requiert une chirurgie radicale devant prendre la forme d'une réinterprétation et d'une réévaluation historique en profondeur, rien de moins.

Les fédérations bougent et changent, comme a pu l'observer Preston King, et on ne peut aspirer à comprendre et à expliquer l'unité et la diversité contemporaines seulement en s'inscrivant dans la trame des événements et des tendances historiques. Par contre, on ne peut complètement ignorer la perspective et l'interprétation historiques, comme on ne peut non plus prendre ces éléments comme des absolus ainsi que Riker l'a fait. Naturellement, la diversité d'origine qui a contribué à la création d'une fédération particulière continue d'évoluer et peut même changer de nature, ce qui n'empêche pas les diversités contemporaines d'être essentiellement des phénomènes historiques. Clairement, il s'agit d'un projet énorme à explorer, mais on ne peut se permettre de l'ignorer. Cela ne relève pas tant des usages et des abus du fédéralisme, mais de l'utilité contemporaine du sens à donner à l'histoire.

En dernière analyse, la gestion de la diversité dans les États fédéraux peut se comprendre seulement si nous prenons en considération les études de cas comparés qui incorporent les spécificités historiques, les expériences conceptuelles et les points de départ respectifs nous permettant à la fois d'expliquer l'origine et la formation des fédérations.

NOTES ET RÉFÉRENCES

*   Ce texte a été traduit de l'anglais par Olivier Dickson, étudiant de 2ᵉ cycle au département de science politique de l'Université du Québec à Montréal dans le cadre des travaux de la Chaire de recherche du Canada en études québécoises et canadiennes, <www.creqc.uqam.ca>.

1. Dans le contexte canadien, l'expression *constitutional minoritarianism* a été utilisée pour la première fois par Alan C. Cairns en référence à l'ère post-lac Meech. Voir *Disruptions: Constitutional Struggles, from the Charter to Meech Lake*, Toronto, McClelland and Stewart, 1991 et *Charter* versus *Federalism*, Montréal et Kingston, McGill-Queen's University Press, 1992.

2. Ici, nous utilisons la distinction conceptuelle introduite par Preston King dans *Federalism and Federation*, Beckenham, Croom Helm, 1982.

3. Daniel J. Elazar, *Exploring Federalism*, Tuscaloosa (AL), University of Alabama, 1987, p. 66.

4. Voir Charles Taylor, « Shared and Divergent Values », dans Ronald L. Watts et Douglas M. Brown (dir.), *Options for a New Canada*, Toronto, University of Toronto Press, 1991, chap. 4, p. 53-76 ; Charles Taylor, « The Deep Challenge of Dualism », dans Alain-G. Gagnon (dir.), *Quebec: State and Society*, 2ᵉ édition, Scarborough, Nelson Canada, 1993, chap. 5, p. 81-95 ; et son essai « Why do nations have to become states ? », *in* Charles Taylor (avec une introduction de Guy Laforest), *Reconciling the Solitudes: Essays on Canadian Federalism and Nationalism*, Kingston et Montréal, McGill-Queen's University Press, 1993, p. 40-58.

5. William S. Livingston, « A Note on the Nature of Federalism », *Political Science Quarterly*, vol. 67, 1952, p. 81-95.

6. Pour une étude détaillée de cette approche, voir Alain-G. Gagnon et Mary Beth Montcalm, *Québec: au-delà de la Révolution tranquille*, Montréal, VLB éditeur, 1992.

7. Voir Garth Stevenson, « Federalism and the Political Economy of the Canadian State », dans Leo Panitch (dir.), *The Canadian State: Political Economy and Political Power*, Toronto, University of Toronto Press, 1977, p. 71-100.

8. Daniel Elazar, p. 64.

9. *Ibid.*, p. 66.

10. *Ibid.*

11. *Ibid.* p. 67.

12. Nous avons cherché à fournir ici les bases d'une explication comparative de la formation des fédérations en présentant une théorie de causalités circonstancielles dans le but de déterminer et de situer un ensemble de variables présentes à différents degrés dans toutes les fédérations modernes. Pour une discussion plus étoffée, voir mon ouvrage *Comparative Federalism ; Theory and Practice*, Londres, Routledge, chap. 3, 2006.

17

LES MODÈLES ASYMÉTRIQUES AU CANADA ET EN ESPAGNE

Kenneth McRoberts[*]

Par sa nature même, un concept comme l'asymétrie se prête à une myriade d'applications. Évidemment, un certain nombre d'étudiants qui s'intéressent aux institutions politiques connaissent bien cette notion : le fédéralisme asymétrique a fait l'objet d'une littérature florissante[1]. On pourrait tout aussi bien imaginer une asymétrie entre des identités nationales antagonistes. Par ailleurs, les asymétries sociales sont facilement identifiables au sein de groupes ou de collectivités, peu importe qu'elles relèvent du poids démographique ou des pouvoirs économique et politique.

Ce chapitre analysera les interrelations qui unissent ces trois formes d'asymétrie (au sein des institutions fédérales, des identités nationales et, enfin, des communautés et des groupes sociaux). Il cherchera à savoir, en particulier, si certains des conflits qui découlent d'asymétries liées à la structure sociale ou identitaire peuvent être résolus par l'asymétrie des institutions politiques ou alors si, dans les faits, ces conflits excluent toute asymétrie institutionnelle étendue. Cette exploration s'appuiera avant tout sur un examen des asymétries au Canada et en Espagne.

LES FORMES D'ASYMÉTRIE

En ce qui a trait à la première forme d'asymétrie, celle des institutions poli-tiques, le paradigme asymétrie/symétrie cherche à savoir si les unités de base qui composent la communauté politique, qu'elles aient ou non une assise ter-ritoriale, sont traitées à partir des mêmes critères. Ainsi défini, le paradigme s'applique à la fois aux systèmes politiques unitaires et fédéraux. Par exemple, est-ce qu'on accorde, au sein des institutions politiques, une reconnaissance formelle à une ou plusieurs langues ? Cette reconnaissance des langues est-elle en soi symétrique, ou alors accorde-t-elle un privilège à une ou deux d'entre elles ? La représentation des différents territoires ou collectivités au sein des législatures est-elle proportionnelle à la population, ou alors les plus petites unités sont-elles volontairement surreprésentées ? Il arrive souvent, bien sûr, que cette surreprésentation découle d'une forme différente de symé-trie : par exemple lorsque tous les membres doivent avoir le même nombre de représentants. Au-delà de la représentation numérique, il faut se deman-der si le processus électoral réserve à certaines minorités un droit de veto ou d'autres mécanismes de nature consociationnelle[2].

Néanmoins, et cela est largement dû à un article publié en 1965 par Charles Tarlton, on a plutôt associé le terme « asymétrie » aux systèmes fédéraux[3]. Le fédéralisme asymétrique implique d'abord et avant tout l'exis-tence d'un rapport entre les états membres et le gouvernement central. L'asy-métrie se présente lorsqu'au moins un des États membres exerce des pouvoirs qui, ailleurs dans le système, sont exercés par le gouvernement central. Cela peut être le résultat d'un accord intergouvernemental, qu'il soit formel ou tacite. Pourtant, l'asymétrie peut aussi comporter une assise constitution-nelle : l'autorité fédérale peut déroger de la norme à l'égard de certains États membres ; ces derniers peuvent jouir de pouvoirs exclusifs ; ou encore, tous les États membres peuvent choisir d'exercer ou non certains pouvoirs. Toute-fois, au-delà des rapports avec le gouvernement central, l'asymétrie peut être le résultat de dispositions prévues dans une charte des droits qui per-mettrait une application modulée ainsi que d'une formule d'amendement constitutionnel qui accorderait un veto seulement à certains des États mem-bres. Enfin, des asymétries peuvent apparaître au sein de systèmes partisans lorsque les partis « nationaux » ne sont effectivement présents que dans certains États membres, mais pas chez les autres[4].

La deuxième forme d'asymétrie touche les identités asymétriques. L'asymétrie entre les identités nationales majoritaires et minoritaires implique un attachement à l'égard des différentes collectivités regroupées au sein d'un même État, l'une d'entre elles étant plus importante en nombre. Il est toutefois plus probable qu'une asymétrie plus profonde s'ensuive, dans laquelle l'identité nationale « majoritaire » considère le régime comme un tout et adopte le discours d'un État-nation. Alors, par définition, le nationalisme d'une « nation » minoritaire au sein de l'État est vu comme étant illégitime, et cela, même si elle rejette la sécession avec fermeté. Il n'y a que l'État central qui puisse se réclamer d'une identité « nationale ». L'asymétrie devient alors l'expression de deux identités qui s'excluent mutuellement.

Enfin, la troisième forme d'asymétrie, celle qui se rapporte aux structures sociales, est un phénomène assez connu. Elle traduit, en partie du moins, *des rapports démographiques*. L'asymétrie sociale est particulièrement marquée lorsqu'un groupe peut se réclamer d'un statut « majoritaire », par opposition à un ou plusieurs groupes « minoritaires ». Les disparités quant au pouvoir économique peuvent servir à atténuer cette asymétrie ou, au contraire, servir à l'accentuer. Bien entendu, ces asymétries sociales peuvent interagir avec les asymétries de nature identitaire, soit en alimentant, soit en atténuant le nationalisme majoritaire dans ses efforts visant à éliminer toute concurrence.

LE CANADA ET L'ESPAGNE

Il peut sembler étrange de choisir de comparer le Canada et l'Espagne, étant donné certaines de leurs différences manifestes[5]. Or, le thème de l'asymétrie, en particulier celui du fédéralisme asymétrique, revient fréquemment dans la vie politique de ces deux pays.

Au Canada, l'un des principaux arguments soutenus par les nationalistes québécois au cours des années 1960 était que leur province devait jouir de pouvoirs et même d'un statut différent de ceux des autres provinces. Sous Jean Lesage, cette attitude devint la politique officielle du Parti libéral du Québec. D'ailleurs, pendant les années 1960, le fédéralisme asymétrique trouva un certain appui auprès des élites politiques canadiennes-anglaises. Ces dernières années, à la suite des reculs répétés de la cause du fédéralisme asymétrique, les nationalistes québécois ont pour la plupart abandonné cet objectif, quoiqu'il soit demeuré central pour le Parti libéral du Québec[6]. De plus, il est encore préconisé par certaines élites intellectuelles et politiques canadiennes-anglaises, toujours à la recherche d'un compromis en vue de répondre aux revendications sous-tendant le nationalisme québécois[7]. Simultanément, de nombreux chefs autochtones du Canada se sont fait les promoteurs ces dernières années d'ententes asymétriques conclues pour répondre aux besoins des Premières Nations[8].

Pour ce qui est de l'Espagne, le sujet du fédéralisme asymétrique jouit d'un appui considérable chez les nationalistes « minoritaires ». Cela est clairement exprimé en Catalogne, où tous les partis politiques l'ont adopté sous une forme ou une autre, à l'exception des branches catalanes des deux principaux partis nationaux espagnols[9]. L'ancien chef de l'Iniciativa per Catalunya (IC) a employé précisément l'expression « fédéralisme asymétrique » pour définir la position de son parti[10]. D'autres partis ont utilisé des termes différents pour qualifier des programmes qui s'apparentent au fédéralisme asymétrique. Ce fut le cas de l'Esquerra Republicana de Catalunya (ERC) pendant les élections catalanes de 1995[11]. Le parti Convergència Democràtica de Catalunya (CDC), parti gouvernemental, a mené des discussions autour d'un manifeste qui propose un ensemble d'ententes, notamment : un système judiciaire catalan spécifique, l'élimination des bureaux administratifs espagnols en Catalogne et une représentation catalane au sein de la Communauté européenne, de même que des ententes fiscales semblables à celles en vigueur pour les Pays basques. De plus, les propositions à l'étude prônent la reconnaissance du caractère « plurinational » de l'Espagne en proposant la création d'un Conseil espagnol de la culture des nations historiques, ainsi que l'usage du catalan, du basque, du galicien et du castillan pour tous les papiers d'identité espagnols[12]. Le partenaire de la coalition de la CDC, l'Unió Democràtica de Catalunya, a également débattu d'un ensemble de propositions de même nature[13].

Du même coup, les intellectuels catalans ont été vigilants en faisant la promotion du fédéralisme asymétrique[14]. En plus d'élaborer des propositions formelles, ils ont tenté d'en analyser les fondements philosophiques.

Par exemple, une étude de Ferran Requejo explore les répercussions de la plurinationalité. Il y montre d'abord qu'on ne peut la limiter en invoquant les seules notions de pluralisme culturel et de multiculturalisme et qu'elle échappe aux notions traditionnelles de la citoyenneté démocratique libérale. Enfin, Requejo esquisse un modèle de l'État espagnol plurinational dans lequel l'asymétrie occupe une place de première importance[15].

LES MODÈLES ASYMÉTRIQUES AU CANADA ET EN ESPAGNE

Si le fédéralisme asymétrique a suscité un grand intérêt au Canada et en Espagne, c'est que les deux pays sont caractérisés par les deux autres formes d'asymétrie, soit les asymétries identitaires et sociales.

Dans le cas du Canada, l'asymétrie entre les identités nationales est présente depuis sa création en 1867. Pendant plusieurs décennies, il y avait une asymétrie entre la volonté d'adhésion des francophones à une nation canadienne-française ou *canadienne* distincte qui, sans tout à fait coïncider avec le Canada, existait au-delà du Québec et on notait aussi la volonté d'adhésion des anglophones à une entité qui transcendait le Canada, soit l'Empire britannique. Les termes de l'asymétrie ont changé. De nos jours, la plupart des anglophones perçoivent le Canada comme leur nation et Ottawa comme le siège du gouvernement national, tandis que la plupart des francophones, du moins au Québec, ont remplacé le concept de la nation *canadienne* par leur attachement à une nation explicitement québécoise, représentée par le gouvernement du Québec.

Pourtant, chez les francophones du Québec, seulement une minorité considère la souveraineté complète comme le statut le plus désirable pour la nation québécoise. La plupart des francophones du Québec continuent de considérer leur nation comme faisant partie de l'État canadien et se perçoivent comme des Canadiens, bien que ce soit souvent pour des raisons politiques limitées[16]. Après tout, l'apport des francophones au Canada, à l'extérieur du Québec, a une longue histoire. Les premiers explorateurs blancs à parcourir le territoire qui constitue le Canada actuel étaient des francophones. Les francophones se sont établis dans la plupart des régions du Canada, bien qu'à l'extérieur du Québec et du Nouveau-Brunswick, l'assimilation ait diminué leur nombre de façon importante. Il n'est pas sans intérêt de noter que le nom « Canada » a été adopté sous le régime français. Toutefois, la façon particulière des francophones de se sentir canadiens ressemble assez peu à l'identité nationale que partagent la plupart des anglophones.

Bref, il est vrai que les termes de l'asymétrie ont changé, mais son existence perdure. En effet, tout au cours des années 1970 jusqu'au début des années 1980, le gouvernement fédéral de Pierre Elliott Trudeau a cherché à éliminer cette asymétrie une fois pour toutes en incitant les francophones du Québec à se percevoir d'abord et avant tout comme des Canadiens. Or, cette stratégie a échoué. Dans les faits, à terme, celle-ci a contribué à mener à la consolidation de l'asymétrie au chapitre des identités nationales[17].

En Espagne, les termes de l'asymétrie identitaire sont demeurés les mêmes à travers le temps. En effet, l'asymétrie prend racine dans une histoire longue, avec les Catalans, les Basques et les Galiciens se réclamant de leur identité nationale respective alors que les autres Espagnols considèrent l'Espagne comme leur nation. Juan Linz a décrit cette asymétrie en des termes qui pourraient tout aussi bien convenir au Canada : l'Espagne représente « un État pour tous les Espagnols, un État-nation pour une grande proportion de la population et, pour les minorités importantes, un simple État sans pour autant être une nation »[18].

Par ailleurs, sous le régime de Franco, l'État espagnol lança une attaque particulièrement virulente contre les identités nationales minoritaires, supprimant carrément les langues sur lesquelles les identités prenaient assise.

Bien entendu, à la base de cette asymétrie identitaire, il y a l'asymétrie sociale, et ce dans les deux pays. Au Canada, les trois quarts de la population utilisent l'anglais comme principale langue ; l'autre quart parle le français. De plus, la connaissance de l'autre langue est également asymétrique : en 1991, à peine 7,6 % des Canadiens dont la langue maternelle était l'anglais avançaient qu'ils maîtrisaient le français, alors que 38,9 % des francophones disaient connaître l'anglais[19].

Par ailleurs, la répartition des deux groupes dans l'ensemble du Canada est fortement asymétrique. Historiquement, la population francophone s'est toujours principalement concentrée sur le territoire formant le Québec actuel[20]. Parmi les quatre colonies qui ont créé le Canada, seul le Québec avait une majorité francophone (78 %). Les francophones du Nouveau-Brunswick, deuxième groupe en proportion, à cette époque, ne constituaient que 16 % de la population[21]. Au cours des premières décennies de la Confédération, la présence francophone s'est accrue dans d'autres régions du nouveau Dominion. Les territoires de l'Ouest canadien acquis par le Canada en 1870 comptaient bon nombre de Métis, d'origine amérindienne et française. Des francophones du Québec se sont établis tant en Ontario que dans certaines régions de la Saskatchewan et de l'Alberta. Quant à la proportion de francophones de la population du Nouveau-Brunswick, elle a aussi substantiellement augmenté au cours des ans.

Cependant, à l'extérieur du Québec, les pressions assimilationnistes ont toujours été fortes. Au cours de la période 1971-2001, tant le nombre absolu de francophones que leur proportion dans chaque province ont décliné dans toutes les provinces, sauf au Québec, au Nouveau-Brunswick et en Colombie-Britannique (où la proportion a décliné, mais pas leur nombre)[22]. Ainsi, selon le recensement de 2001, 90,9 % des francophones du Canada vivent au Québec[23]. Au même moment, la proportion des anglophones vivant au Québec a continué son déclin au cours des dernières décennies. Les démographes s'attendent à ce que cette asymétrie dans la répartition des francophones et des anglophones s'accentue encore davantage au cours des prochaines années.

En Espagne, la situation est différente, car presque tous les citoyens parlent une langue commune : l'espagnol. Cela dit, malgré tout, 25 % d'entre eux ont une autre langue que l'espagnol comme première ou deuxième langue, que ce soit le catalan, le basque ou le galicien[24]. Comme au Canada, l'usage des langues est étroitement lié au territoire. Chez les Espagnols, la connaissance du basque est strictement limitée à la Communauté autonome d'Euskidi, où la langue est parlée par environ 25 % de la population[25]. De même, l'usage du galicien est limité à la Galicie, où la langue est parlée par environ 80 % de la population[26]. D'autre part, la connaissance du catalan déborde la Communauté autonome de Catalogne, où la langue est parlée par environ 90 % de la population, et s'étend aux territoires limitrophes d'Aragon, des îles Baléares et d'une grande partie de la région de Valence (quoique les nationalistes valenciens avancent que leur langue se distingue du catalan)[27]. Par opposition à la situation du français au Canada, on remarque qu'aucune des communautés parlant l'une ou l'autre de ces trois langues n'est représentée de manière significative dans les autres régions espagnoles.

D'une perspective purement géographique, ce sont des langues « régionales ».

En ce qui concerne le Canada, historiquement, la faiblesse démographique du français a été accentuée par le phénomène de l'infériorité économique. Jusqu'à tout récemment, il y avait à l'intérieur même du Québec une division du travail de nature culturelle entre les francophones et les anglophones. Cette division a disparu en grande partie, notamment grâce aux efforts concertés du gouvernement du Québec. Néanmoins, la capacité économique du Québec demeure substantiellement inférieure à la moyenne canadienne.

La situation est nettement différente en Espagne. Historiquement, les Catalans et les Basques ont été au premier plan dans le développement du commerce et de l'industrie en Espagne. En Catalogne, les locuteurs catalans jouissent d'une situation économique et sociale supérieure à celle des hispanophones. Selon la plupart des indicateurs économiques, tant la Catalogne que les Pays basques se situent au-dessus de la moyenne nationale[28]. Au cours des dernières décennies, l'importance économique de Madrid s'est accrue grâce à l'expansion des sociétés d'État et à l'arrivée d'un plus grand nombre de sièges sociaux et d'autres importants centres de prise de décision économique. Cependant, l'asymétrie caractérisant les pouvoirs économiques interrégionaux continue d'atténuer les effets de l'asymétrie démographique.

Enfin, cette asymétrie au chapitre des identités nationales et du dynamisme démographique (voire économique) des populations se reflète fidèlement dans la structure territoriale des deux systèmes politiques. Dans les deux cas, les nations minoritaires sont prédominantes dans une seule entité territoriale. Comme nous l'avons vu, au Canada, les anglophones forment une majorité écrasante dans 9 provinces sur 10, le Québec demeurant le seul territoire doté d'une majorité francophone. En Espagne, les Basques et les Galiciens forment respectivement le groupe majoritaire d'une seule Communauté autonome ; le catalan est parlé dans deux régions (la Catalogne et les îles Baléares) et le valencien est parlé dans la région de Valence. Les 12 autres Communautés autonomes sont composées principalement de locuteurs hispanophones[29]. En effet, parmi les systèmes fédéraux (ou « quasi fédéraux ») contemporains, le Canada et l'Espagne figurent parmi les quelques endroits qui, aux côtés de la Malaisie et de la Russie, font preuve d'une asymétrie aussi prononcée[30].

LE FÉDÉRALISME ASYMÉTRIQUE AU CANADA ET EN ESPAGNE

En résumé, les arguments pour l'asymétrie des institutions politiques semblent particulièrement convaincants dans les cas canadien et espagnol. D'ailleurs, dans ces deux pays, on a été témoins de campagnes de soutien populaire. Pourtant, dans les faits, malgré la force historique des asymétries au chapitre de l'identité et de la structure sociale, l'asymétrie institutionnelle reste très faiblement développée dans les deux pays – du moins en tant que moyen d'établir des formules d'accommodement pour les nations minoritaires.

Au Canada, des ententes de nature asymétrique ont été adoptées pour prendre en compte certains aspects du caractère distinct du Québec. Cependant, au cours des dernières décennies, le traitement asymétrique prévu à l'occasion pour le Québec, en particulier les éléments enchâssés *de jure*, a été de plus en plus perçu comme illégitime ailleurs au pays.

En ce qui concerne les institutions centrales, l'Acte constitutionnel de 1867 reconnaissait sur une base symétrique les deux langues principales, l'anglais et le français, faisant d'elles les langues du Parlement et des cours fédérales. Par l'entremise de la Loi sur les langues officielles, adoptée en 1969, le gouvernement fédéral a tenté de rendre accessibles partout au pays les services fédéraux bilingues, avec encore une fois un traitement identique pour tous. Néanmoins, de l'avis général, les pratiques linguistiques au travail au sein même de la bureaucratie fédérale demeurent asymétriques, l'anglais dominant largement. Au Sénat, le Québec est assuré de presque le quart des sièges, tout comme l'Ontario[31]. Parmi les ententes asymétriques adoptées pour intégrer le Québec aux institutions centrales, l'exemple le plus patent concerne la Cour suprême, dont trois des neuf juges doivent provenir de la magistrature du Québec[32]. Toutefois, en tant que juges, ils ne peuvent représenter activement le Québec ou le Canada français. Ainsi, il n'existe aucune asymétrie *de jure* quant à la représentation francophone ou québécoise dans les institutions centrales. Au fil des ans, certains observateurs ont prétendu que les membres québécois des cabinets fédéraux ont exercé *de facto* un droit de veto, mais cela est loin d'être vérifiable.

L'accord de Charlottetown, proposé aux Canadiens en 1992, aurait ajouté une asymétrie *de jure* à la représentation du Québec et des francophones au sein des institutions fédérales. Dans un sénat réformé, les sénateurs francophones auraient formellement joui d'un droit de veto contre tout projet de loi « touchant de façon appréciable la langue ou la culture française » au Canada[33] ; pareil recours ne fut pas proposé pour les sénateurs anglophones. De plus, à la Chambre des communes, on garantissait au Québec 25 % des sièges, faisant ainsi abstraction de la possibilité que son importance par rapport à la population canadienne descende sous ce niveau[34]. Cette mesure a soulevé une forte opposition au Canada anglais, participant sans doute à l'échec de l'accord, tout en ayant peu d'impact auprès des francophones du Québec[35].

Par ailleurs, l'Acte constitutionnel de 1867 donna aux langues un statut asymétrique dans les provinces. Dans une seule province, au Québec, l'égalité formelle entre l'anglais et le français fut instituée. Évidemment, l'objectif poursuivi était celui de protéger les acquis de la minorité anglophone établie au Québec. Dans les trois autres provinces créées au moment de la confédération, aucune disposition ne concernait le statut des langues. Au moment de sa création en 1870, le Manitoba reconnaissait un statut égalitaire limité aux deux langues, mais cette pratique fut révoquée en 1890. En 1979, les dispositions initiales furent rétablies à la suite d'un jugement rendu par la Cour suprême du Canada. Subséquemment, le Manitoba a renoncé à une tentative visant à déclarer officiel le statut du français et de l'anglais. En outre, le Nouveau-Brunswick s'est déclaré officiellement bilingue en 1969, ce qui fut enchâssé dans la Loi constitutionnelle de 1982. Toutes les autres provinces accordent un statut prioritaire à l'anglais, que ce soit de manière législative ou en pratique. De son côté, en adoptant la Loi sur la langue officielle, aussi appelée Loi 22, en 1974, le Québec déclara le français seule langue officielle sur son territoire. Cette position fut renforcée en 1977 avec la ratification de la Charte de la langue française, connue aussi sous le vocable de Loi 101. En somme, l'asymétrie demeure la règle sur le plan provincial, puisqu'une seule langue jouit d'un statut prioritaire dans toutes les provinces, sauf dans un cas.

En ce qui a trait au partage des pouvoirs, l'Acte constitutionnel de 1867 prévoyait un traitement particulier pour le Québec en matière de droit civil :

par respect pour le Code civil en application au Québec, on n'obligea pas la province à uniformiser son code en se joignant aux autres provinces au sein de la fédération[36]. Cela ne conféra toutefois aucune responsabilité additionnelle ni aucun nouveau pouvoir au Québec.

Au fil des ans, l'asymétrie *de facto* s'est grandement développée. Au cours des années 1950, le gouvernement du Québec a refusé de participer à de nombreux programmes fédéraux-provinciaux, renonçant par le fait même aux fonds fédéraux. Cependant, pendant les années 1960, le gouvernement fédéral a adopté des politiques qui permettaient au Québec de recevoir des compensations financières lorsqu'il se retirait de tels programmes. Alors que cette option était offerte à toutes les provinces, le Québec fut invariablement la seule province à exercer ce droit. Au cours des années 1960 et au début des années 1970, toutefois, le premier ministre Pierre Elliott Trudeau fit un effort concerté afin d'éliminer ces formes d'asymétrie. Tant les projets d'accord du lac Meech (1987-1990) que celui de Chartottetown (1992) auraient entériné *de jure* le droit des provinces de « se retirer » de certains programmes fédéraux, mais ces dispositions ont suscité de vives oppositions au Canada anglais.

L'opposition grandissante des Canadiens anglais aux ententes asymétriques a également façonné le débat public portant sur la formule d'amendement constitutionnel. En 1971, les premiers ministres canadiens-anglais ont tous accepté une formule qui, dans les faits, accordait un droit de veto au Québec et à l'Ontario, en ce qu'elle exigeait l'approbation des provinces avec au moins 25 % de la population canadienne. Au cours des années suivantes, l'Ouest canadien s'opposa fermement à de telles ententes si bien que la formule adoptée en 1982 n'accorde de veto à aucune province[37].

Toutefois, la question de savoir si on devait recourir à l'asymétrie pour accommoder l'identité nationale spécifique des Québécois fut abordée de front dans les débats entourant l'accord du lac Meech. La « clause nonobstant » de la Loi constitutionnelle de 1982 avait créé une asymétrie potentielle quant à l'application de la nouvelle Charte canadienne des droits et libertés. Cependant, l'accord du lac Meech souleva la possibilité d'une asymétrie quant à l'application de la Charte qui ne s'appliquerait qu'au Québec ; cela aurait fait en sorte que l'application asymétrique de la Charte n'aurait été en usage qu'au Québec. Les tribunaux auraient été obligés de tenir compte du fait que le Québec constituait une « société distincte » et qu'il incombait à son gouvernement et à sa législature la responsabilité particulière de préserver l'« identité distincte » de cet État membre de la fédération. Une reconnaissance *de jure* aussi explicite du caractère distinct du Québec est rapidement apparue comme étant inacceptable pour la plupart des Canadiens anglais et ce fut le principal facteur qui motiva leur opposition à l'accord dans son ensemble[38].

En somme, alors que le fédéralisme canadien se révèle considérablement asymétrique lorsqu'il s'agit d'ententes entre Ottawa et les provinces, le recours à l'asymétrie pour satisfaire exclusivement le Québec reste plutôt limité, en particulier lorsque les propositions avancées ont un ancrage juridique. En effet, ces dernières années, on a constaté au Canada anglais une forte opposition à toute mesure qui semble traiter le Québec d'une manière différente des autres provinces.

En même temps, il faut noter que l'accord de Charlottetown comportait une asymétrie considérable dans ses dispositions concernant les peuples autochtones. Tout en ne reconnaissant pas formellement les langues autochtones, l'accord prévoyait l'autonomie gouvernementale des Autochtones sur la base d'ententes encore à négocier entre les Premières Nations et les gouvernements fédéral et provinciaux. Étant donné l'importante variété des situations et des besoins des Premières Nations, il y aurait évidemment eu une forte dose d'asymétrie dans les conditions menant à l'autonomie gouvernementale. De plus, les ententes se seraient soldées par la création d'un « troisième palier de gouvernement » qui n'aurait pas eu autant de force que les provinces[39]. Ces nouvelles formes d'asymétrie semblent avoir soulevé moins d'opposition publique que les ententes concernant le Québec.

Pour revenir au cas de l'Espagne, la Constitution qui fut adoptée en 1978 ne reconnaît les trois « nations historiques » qu'en des termes très limitatifs. L'article 2 reconnaît le droit à l'autonomie des « nationalités » (et non des nations) et des régions, accordant à chacune le même titre de Communauté autonome, mais cette reconnaissance est précédée de l'affirmation de « l'unité indissoluble de la nation espagnole, pays commun et indivisible de tous les Espagnols[40] ». De plus, tout en reconnaissant le fait que, dans certaines Communautés autonomes, d'autres langues puissent s'ajouter au castillan (l'espagnol) en tant que langues officielles, l'article 3 déclare que le castillan est « la langue espagnole officielle de l'État » et que tous les Espagnols « ont le devoir de le maîtriser et le droit de l'employer[41] ». Ainsi, si on compare la situation à celle du bilinguisme officiel dans les institutions fédérales canadiennes, les langues des trois « nationalités » ne jouent aucun rôle officiel au moment des délibérations du parlement espagnol, encore moins dans le fonctionnement du gouvernement espagnol. La seule brèche dans ce régime unilingue se résume à une pratique adoptée récemment par le Sénat espagnol qui consiste à permettre, une fois l'an, la tenue de discours dans les langues des nationalités. De même, la représentation au Sénat, comme celle au Congrès, n'est pas basée sur les Communautés autonomes, mais sur les entités plus petites que sont les provinces. En même temps, toutefois, les Communautés autonomes peuvent nommer quelques sénateurs supplémentaires (47 sur 255)[42].

En ce qui concerne la relation entre les dix-sept Communautés autonomes et l'État espagnol, il y a lieu de se demander si elle est purement fédérale, symétrique ou asymétrique. Par rapport aux normes communes du fédéralisme, le système comporte quelques lacunes. Les Communautés autonomes ont le droit d'accorder à une langue un statut officiel, bien qu'elles soient toujours tenues de reconnaître le castillan comme langue officielle[43]. D'ailleurs, six d'entre elles se sont prévalues de ce droit[44]. Toutefois, les pouvoirs législatifs dont disposent les Communautés autonomes demeurent relativement modestes et, plutôt que de leur conférer le contrôle exclusif de l'une des sphères d'activité de l'État, ils ne consistent, de toute évidence, qu'à agir en respectant les modalités inscrites dans une loi organique établie par le Parlement espagnol[45]. Fait encore plus important, à l'exception des Pays basques et de la Navarre, aucune des Communautés autonomes n'a de pouvoir d'imposition indépendant important[46]. Enfin, le rôle des Communautés autonomes n'est pas garanti dans le processus de révision de la Constitution[47]. C'est pourquoi les universitaires ont tendance à qualifier ce système de « fédéralisme émergent », ou encore de « fédéralisme imparfait », plutôt que de système fédéral à part entière[48]. Mais même ces affirmations peuvent sembler excessives[49].

Néanmoins, la question qui nous préoccupe est de savoir s'il existe des zones d'asymétrie significatives dans la relation prévalant entre les Communautés autonomes et l'État espagnol, peu importe comment on définit ce dernier. Or, il y en a. Dans certains cas, elles figurent même au nombre des caractéristiques permanentes du système espagnol. La plus frappante d'entre elles est probablement l'entente fiscale de type confédéral qui lie l'État espagnol aux Pays basques et à la Navarre. En effet, ces deux Communautés autonomes ont le pouvoir exclusif de percevoir des impôts sur leur territoire et Madrid doit négocier le remboursement des services qu'elle leur fournit. Toutefois, la justification de ces ententes s'appuie davantage sur la notion médiévale, connue sous l'appellation de *fueros*, que sur l'adoption du principe de reconnaissance nationale. Ainsi, ce pouvoir n'a pas été accordé aux autres « nations historiques », malgré les demandes répétées de la Catalogne.

Aussi, la plupart des asymétries présentes dans les relations entre les Communautés autonomes et Madrid sont apparues par pure nécessité et sont essentiellement perçues par l'État espagnol et la majorité des Espagnols comme un phénomène de transition[50]. En 1978, le système des Communautés autonomes lui-même a d'abord été adopté en réponse aux pressions en provenance des Pays basques et de la Catalogne. Dans les autres territoires, peu avaient revendiqué le pouvoir d'assumer des responsabilités de façon autonome. Par conséquent, il a été décidé que les Communautés autonomes assumeraient des responsabilités nouvelles à leur propre rythme par le biais de statuts d'autonomie distincts et, au demeurant, il fut aussi décidé que les trois « nations historiques », soit les Pays basques, la Catalogne et la Galice, auraient droit de le faire plus rapidement que les autres. Néanmoins, afin de ne pas donner l'impression de favoriser les Pays basques et la Catalogne, qui avaient demandé cette concession, on donna l'occasion aux autres régions d'atteindre le même degré d'autonomie par le biais d'un système compliqué de référendums locaux (dans chaque province). Ce que fit l'Andalousie. On concéda également à la Navarre un régime particulier, puisqu'elle ne voulait pas faire partie des Pays basques. Les autres régions, celles qui ne devaient pas obtenir le même degré d'autonomie, ont acquis ces nouveaux pouvoirs par une voie beaucoup moins rapide. C'est ainsi que quatorze Communautés autonomes ont vu le jour sur cette nouvelle base[51].

En outre, au moment où la Catalogne, les Pays basques et la Galice commencèrent à tirer parti des possibilités qui s'offraient à eux, les dirigeants espagnols (motivés en partie par le mécontentement de l'armée) affichèrent rapidement un certain malaise vis-à-vis la situation qui se profilait. En 1982, le gouvernement de Suarez, appuyé par les chefs du Parti socialiste ouvrier espagnol, le PSOE, chercha à atténuer les asymétries naissantes au sein des Communautés autonomes en adoptant une loi organique portant sur l'harmonisation du processus d'autonomie (LOAPA). Cette loi se traduisait par une reprise des pouvoirs et obligeait les parlements régionaux à faire ratifier leurs lois par le gouvernement central[52]. Seul un jugement rendu par le Tribunal constitutionnel a permis d'éviter l'entrée en vigueur de cette mesure. Néanmoins, certaines clauses de la LOAPA ont survécu au jugement du Tribunal constitutionnel et ont servi à normaliser les pouvoirs des Communautés autonomes[53]. De plus, l'État espagnol s'est servi d'autres tactiques similaires pour réduire le niveau d'asymétrie au sein des Communautés autonomes. D'abord, il a encouragé d'autres Communautés autonomes, comme la région de Valence et les îles Canaries, à assumer les mêmes responsabilités que la Catalogne et les Pays basques. En 1982, des lois spéciales permirent à la région de Valence et aux îles Canaries de jouir de pouvoirs équivalents à ceux des Communautés autonomes qui avaient profité de la « voie rapide » de reconnaissance. Ainsi, au lieu des trois « nations historiques », six Communautés autonomes sont maintenant responsables des secteurs de l'éducation et de la santé. Ensuite, l'État espagnol a fait preuve de vigueur dans l'utilisation de ses pouvoirs afin de superviser parfois même d'intervenir dans les champs de compétence des Communautés autonomes, y compris ceux de la santé et de l'éducation. Enfin, l'État espagnol a élargi la participation des Communautés dans le cadre des relations intergouvernementales par l'entremise de forums publics et de commissions politiques[54]. Malgré ces efforts, des différences subsistent : les Pays basques et la Catalogne demeurent les seuls à être responsables des services de police non municipaux. La Catalogne a des lois distinctives, particulièrement en ce qui concerne le droit de la famille, datant du début de son existence en tant que royaume indépendant. Quant à la Galice, elle a ses propres lois en matière de gestion du territoire qui découlent de son héritage juridique[55]. Cependant, il n'y a pas que le passage du temps et les efforts délibérés de l'État espagnol qui ont contribué à la diminution de l'asymétrie au sein des Communautés autonomes[56]. En effet, quatre autres communautés autonomes (les régions d'Andalousie, de Valence, d'Aragon et les îles Canaries) se sont autoproclamées « nationalités » par le truchement des statuts d'autonomie[57].

Depuis 1993, on assiste à l'émergence de nouvelles formes d'asymétrie, puisque la Catalogne et les Pays basques ont assumé de nouvelles compétences. Or, plutôt que de refléter la conversion de l'État espagnol au concept d'asymétrie ou la reconnaissance du caractère distinctif des nations historiques, cette nouvelle phase d'asymétrie n'est que le résultat de l'équilibre des pouvoirs entre les partis politiques au sein du Parlement espagnol (en fait, elle semble dépendre de la persistance de cet équilibre).

Contrairement au Parlement canadien, des membres issus de partis nationalistes, principalement basques et catalans, siégeaient au nouveau Parlement espagnol à compter de la transition démocratique. Après que le parti socialiste au pouvoir eut perdu la majorité parlementaire en 1993, les partis nationalistes disposèrent de nouveaux moyens de négociation. Au cours des quatre années qui suivirent, ces derniers appuyèrent le gouvernement PSOE de manière *ad hoc* en retour de certaines concessions. En 1996, le nouveau gouvernement du Parti populaire, le PP, qui, lui non plus, ne disposait pas de la majorité parlementaire, conclut des ententes formelles avec les partis nationalistes basque et catalan. Ces ententes, il faut le souligner, se négocièrent entre partis plutôt qu'entre Madrid et les gouvernements basque et catalan. Pour plus de sécurité, le président de la Catalogne, Jordi Pujol, transigea directement avec le président Aznar, tout comme le fit son homologue basque. Il s'agit donc d'une entente entre le PP et le CiU. Les parlements basque et catalan n'ont pas débattu officiellement des conditions de cette entente et les ont encore moins approuvées. Ainsi, elles n'ont aucun fondement juridique, si ce n'est qu'elles reflètent le succès des partis au sein du Parlement espagnol.

Tout comme les éléments initiaux de l'asymétrie de 1978, cette nouvelle phase découle de la nécessité, cette fois-ci parlementaire, et non de l'acceptation du principe sous-jacent ; ces ententes ne supposent certainement pas que l'on admettre les revendications des Basques et des Catalans en ce qui concerne la reconnaissance de leur nation respective. Compte tenu de son passé ancré dans le nationalisme espagnol conservateur et le discours hautement unitaire qu'il a adopté avant les élections de 1997, il apparaît fort improbable que le PP soit d'accord avec pareille reconnaissance. Ainsi, cette entente avec les nationalistes catalans évite totalement la question du statut national. Le pacte se justifie par la création d'emplois et, en outre, permettrait à l'Espagne de remplir les conditions nécessaires à sa participation à l'Union économique européenne. En fait, la plupart des dispositions s'appliquent à toutes les Communautés autonomes, non pas seulement à la Catalogne, et portent davantage sur la réforme des ententes fiscales qui garantissait à celles-ci une plus grande part des revenus[58]. En plus, alors qu'il était au pouvoir, le PP ne s'est pas préoccupé outre mesure des sensibilités nationalistes basque et catalane.

LES LIMITES DU FÉDÉRALISME ASYMÉTRIQUE

Le développement limité du fédéralisme asymétrique au Canada et en Espagne s'explique en partie par des questions liées à des considérations institutionnelles. Elles sont même devenues monnaie courante dans les débats au Canada. Des analystes ont affirmé que, si le Québec refusait de participer à un nombre important de programmes, il y aurait lieu de se demander s'il est toujours approprié que les députés du Québec votent sur des mesures qui ne s'appliquent pas à leur province. En théorie, il serait inapproprié que les députés du Québec soient responsables des portefeuilles ministériels des programmes dont le Québec s'est retiré. Un argument semblable a été avancé dans le cadre des transferts de compétence en Écosse.

Cela dit, il ne faut pas exagérer l'importance de ce problème. Au Canada, les députés en provenance du Québec ont voté au moment d'apporter des changements au régime de retraite du Canada, lequel, rappelons-le, ne s'applique pas au Québec ; en outre, trois parlementaires en provenance du Québec ont eu à gérer le portefeuille ministériel dont relève ce régime, sans que cela ne soulève d'objections. Advenant le cas d'une asymétrie substantielle, différentes mesures peuvent toutefois être adoptées. Par exemple, on pourrait exiger que les députés du Québec ne votent pas sur les mesures qui ne s'appliquent pas à leur province ou on pourrait choisir de pondérer leur vote d'une manière différente. Ces votes pourraient ne pas être pris en compte lors d'un vote de défiance afin d'éviter la chute du gouvernement dans de telles circonstances[59].

Un autre ensemble de contraintes porte sur le souci typique des fonctionnaires de normaliser et d'uniformiser le déroulement des opérations. Cela explique pourquoi, au cours des années 1960, les hauts fonctionnaires du gouvernement fédéral au Canada étaient farouchement opposés aux ententes asymétriques en matière de politique sociale, lesquelles avaient été négociées avec le Québec par leurs supérieurs politiques. Ils se réjouirent de la nomination de Mitchell Sharp au poste de ministre des Finances, car ce dernier s'était officiellement opposé à ces ententes, et ils l'appuyèrent dans son opposition à ces mesures[60].

Dans un système fédéral, les ententes asymétriques peuvent également être compromises par les autres gouvernements, en admettant que ceux-ci réclament les mêmes prérogatives. En effet, on est en droit de se demander s'il est plus facile d'établir l'asymétrie dans un système unitaire qu'il le serait dans un système fédéral comprenant un ensemble d'entités territoriales déjà établies et susceptibles d'exiger un traitement identique. Néanmoins, la pratique canadienne au cours des années 1960 visait à ménager pareilles sensibilités en offrant à *tous les* gouvernements la possibilité de se retirer des programmes fédéraux. Bien sûr, tous savaient dès le début que le gouvernement du Québec serait le seul à le faire.

Par la suite, sous le régime de Pierre Elliott Trudeau, le gouvernement fédéral opta cependant pour une tout autre tactique. S'il n'élimina pas la possibilité de refuser un programme, il encouragea activement les autres gouvernements à suivre l'exemple du Québec. Par exemple, après avoir ratifié une entente sur l'immigration avec le Québec en 1978, le gouvernement Trudeau incita les autres provinces à mettre en place de pareilles ententes pour éviter de donner l'impression que le Québec jouissait d'un traitement particulier[61]. Dans le même ordre d'idées, nous avons vu comment le gouvernement espagnol avait encouragé la région de Valence et les îles Canaries à assumer des responsabilités semblables à celles accordées aux trois « nations historiques ». Autrement dit, la généralisation de l'offre d'ententes spéciales à d'autres entités territoriales semble refléter à la fois le malaise des gouvernements centraux à l'égard de l'asymétrie et le ressentiment entre ces mêmes entités territoriales.

Les arguments relatifs au fonctionnement des législatures ou aux penchants normalisateurs des bureaucraties centrales ne s'appliquent en aucun cas à l'asymétrie au sein des entités territoriales au chapitre de l'application des chartes de droits, comme dans le cas d'une clause de « société distincte ». Or, au Canada, c'est dans ces circonstances que l'opposition à l'asymétrie s'est fait sentir avec le plus de vigueur[62]. Ce constat laisse supposer que la principale résistance à l'asymétrie trouve ses origines ailleurs, c'est-à-dire dans l'asymétrie entre les identités nationales. Après tout, l'argument avancé contre la clause de « société distincte » disait qu'elle remettait en question le principe d'un Canada formé d'une seule nation. C'est ainsi qu'une fois que le nationalisme majoritaire est identifié aux institutions politiques centrales et à l'ensemble du territoire de l'État, le nationalisme minoritaire et sa gestion par l'asymétrie deviennent illégitimes[63].

De façon générale, dans l'histoire du Canada, les effets les plus néfastes de l'asymétrie entre les identités nationales ont pu être évités. Tant et aussi longtemps que l'identité canadienne-anglaise se définissait avant tout par rapport à l'Empire britannique, et non par rapport à l'État canadien, il n'y eut pas de conflit direct avec le concept francophone de *nation canadienne* au sein du pays. Certes, la question des obligations militaires envers l'Empire posa un problème lorsque les Canadiens français s'opposèrent à la participation du Dominion à la guerre des Boers et à l'imposition d'une conscription pour le service outre-mer au moment des deux guerres mondiales. Autrement, il se révéla possible de gérer l'asymétrie entre les identités. En effet, les élites canadiennes-françaises en provenance des sphères politiques et juridiques tendaient à voir dans le lien impérial une zone tampon les protégeant de leurs compatriotes canadiens-anglais. C'est en se fondant sur ce principe qu'elles appuyèrent le maintien du Comité judiciaire du Conseil privé, plutôt que la Cour suprême du Canada, comme cour d'appel de dernière instance.

Malgré la montée du nationalisme canadien au Canada anglais, les élites intellectuelles et politiques canadiennes-anglaises étaient, tout au cours des années 1960, encore disposées à satisfaire le nationalisme québécois par l'asymétrie. En pensant au Québec, le Parti libéral et le Nouveau Parti démocratique acceptèrent officiellement la notion selon laquelle les provinces pouvaient se retirer, avec une compensation fiscale, des programmes fédéraux et fédéraux-provinciaux. En effet, le Parti libéral de Lester B. Pearson offrit cette possibilité dans une variété de domaines et Robert Stanfield, élu chef des progressistes-conservateurs en 1967, se prononça de façon générale pour ce concept. De même, ces trois partis adoptèrent d'une manière ou d'une autre le terme de « nation » pour désigner le Québec ou le Canada français[64].

Cela dit, au cours des années 1970 et 1980, l'État fédéral et de nombreux Canadiens anglais embrassèrent petit à petit l'idée d'un nationalisme pan-canadien. En outre, sous le leadership de Pierre Elliott Trudeau, cette version du nationalisme canadien excluait explicitement le recours au fédéralisme asymétrique, de même que toute autre approche pouvant satisfaire le natio-nalisme québécois. Selon cette vision, le Québec et l'ensemble des provinces bénéficiaient exactement du même statut et exerçaient essentiellement les mêmes rôles. Trudeau recueillit de nombreux appuis au Canada anglais en affirmant que la « non-participation aux programmes » ou un « statut spécial » ne ferait qu'accroître la possibilité que le Québec se sépare, tout comme le ferait selon lui une clause de « société distincte ». De même, il chercha à faire du gouvernement fédéral le gouvernement « national » de tous les Cana-diens. Ainsi, l'asymétrie au chapitre des *identités* n'était plus légitime, car la nation devait être le Canada. En fait, on peut toujours avancer qu'en cher-chant à embrigader toutes les provinces dans une politique de bilinguisme officiel et à fustiger le Québec pour avoir adopté le français comme seule langue officielle, le gouvernement Trudeau niait l'importance des asymé-tries *sociales* au Canada, soit la répartition très inégale des francophones sur le territoire canadien, de même que le déséquilibre entre le pouvoir et les possibilités économiques au Québec. Inscrite dans la Constitution par le rapatriement de 1982, cette vision du Canada répondait néanmoins à une multitude de forces sociales hors Québec et gagna la faveur d'un grand nom-bre de Canadiens anglais.

La situation en Espagne est beaucoup plus simple. Le concept d'une nation unique et unitaire existe depuis beaucoup plus longtemps qu'au Canada. Elle a certainement acquis sa pleine expression pendant les quatre décen-nies du régime du général Franco. Le discours nationaliste dominant ne cherche pas vraiment à intégrer les « nations historiques » dans sa vision de l'Espagne. Il tend plutôt à définir la nation espagnole en des termes pure-ment castillans et considère les autres nations comme *illégitimes*.

De surcroît, comme nous l'avons fait remarquer, la reconnaissance des « nationalités » dans la Constitution de 1978 est fondée sur « l'indissoluble unité de la nation espagnole ». Au cours des deux dernières décennies, les principaux partis politiques espagnols, c'est-à-dire le PSOE, le Partido popular et l'Izquierda Unida, ont tous régulièrement évoqué le concept d'une nation espagnole unique. Ajoutons à cela qu'ils n'affichaient aucun enthousiasme à l'égard de l'asymétrie comme moyen de satisfaire les « nations historiques ». De toute évidence, il n'y a jamais eu de période comparable à celle ayant eu cours dans les années 1960 au Canada, période où les élites politiques espagnoles se seraient montrées ouvertes à pareille possibilité. Le nationalisme espagnol a toujours exclu cette éventualité.

Le Canada et l'Espagne confirment l'idée de départ de Charles Tarlton, selon laquelle les systèmes fédéraux ne sont jamais complètement symétriques. Les asymétries sociales et économiques entre les États membres font en sorte qu'il subsiste toujours des différences dans les rôles exercés par les gouvernements.

Le nationalisme majoritaire pourrait permettre une certaine application de l'asymétrie *de facto* dans les relations intergouvernementales. En effet, le fonctionnement du système fédéral pourrait l'exiger. Donc, au Canada, les ententes intergouvernementales entre Ottawa et les provinces continuent de varier énormément. Par exemple, la Gendarmerie royale du Canada, qui relève du gouvernement fédéral, assume des fonctions de police provinciale dans toutes les provinces, sauf dans les deux plus populeuses. En effet, le Québec et l'Ontario conservent leurs propres corps policiers. Les ententes relatives à l'immigration (compétence partagée) qu'Ottawa a négociées avec chacune des dix provinces diffèrent également.

Toutefois, le nationalisme majoritaire constitue une contrainte beaucoup plus forte sur les formes d'asymétrie dans les cas suivants :

1. Elles sont *de jure*, tout particulièrement lorsqu'elles s'inscrivent dans un texte constitutionnel. Pour être plus précis, lors du renouveau constitutionnel de 1982, les premiers ministres fédéral et provinciaux, à l'exception du premier ministre du Québec, avaient convenu d'une application asymétrique de la Charte lorsqu'ils ont adhéré à la clause dérogatoire. Au cours des années, l'utilisation de cette clause a été perçue par un nombre de plus en plus grand de personnes comme étant illégitime.

2. Elles sont définies en fonction des nations minoritaires ou des réponses à leurs demandes de reconnaissance de leur statut en tant que « nation ». C'est ainsi que la clause de « société distincte » de l'accord du Lac Meech a été rejetée par une forte majorité de Canadiens qui se définissent d'abord et avant tout en tant que tant Canadiens.

3. Elles relèvent de ce qui est perçu comme étant des pouvoirs ou des prérogatives de l'État central. Le cas le plus clair ici est fourni par le champ des relations internationales.

Au Canada, ces contraintes découlant du nationalisme majoritaire se sont renforcées au fur et à mesure que le nationalisme majoritaire s'affirmait lui-même. En Espagne, ces contraintes ont toujours été fortes.

LES EXPÉRIENCES ASYMÉTRIQUES RÉCENTES

Ainsi que nous l'avons vu, les gouvernements centraux ont parfois été contraints d'accepter des arrangements asymétriques lorsqu'ils se sont trouvés en situation minoritaire au parlement. En pareil cas, ces gouvernements sentent bien l'impact de ces contraintes. Les récents événements vécus par le gouvernement libéral de Paul Martin sont fort révélateurs.

C'est ainsi qu'en septembre 2004, en situation de gouvernement minoritaire, le gouvernement de Paul Martin a signé une entente fédérale-provinciale en matière de santé où la notion de « fédéralisme asymétrique » est employée ouvertement. C'est d'ailleurs au nom de ce principe qu'une annexe s'appliquant uniquement au Québec a été ajoutée à l'entente.

Précisons que le domaine de la santé est une compétence provinciale exclusive et que, dans le cas qui nous incombe, l'entente stipule les conditions à partir desquelles Ottawa peut faire des transferts dans ce champ. Bien qu'il en soit ainsi, cette reconnaissance du principe d'asymétrie a provoqué de fortes réactions négatives chez les tenants du nationalisme canadien et héritiers de Trudeau. Dans les pages de *Walrus*, le sondeur et analyste politique Alan Gregg y voit « un principe qui a été endossé et qui met en place la possibilité d'une souveraineté-association, pas seulement pour le Québec mais pour toutes les dix provinces[65] ».

Le gouvernement Martin s'est fait beaucoup moins accommodant lorsque le gouvernement du Québec a fait des représentations pour que le principe d'asymétrie puisse s'étendre au domaine des relations internationales. S'appuyant sur la doctrine Gérin-Lajoie, du nom d'un ministre important au sein du gouvernement identifié à l'avènement de la Révolution tranquille au Québec au cours des années 1960, le Québec a déclaré avoir le droit d'agir sur la scène internationale dans ses propres champs de compétence exclusive, comme ceux de l'éducation et de la santé. Le ministre canadien responsable des affaires étrangères, Pierre Pettigrew, est rapidement intervenu pour signifier qu'« il est important et même essentiel que le Canada parle d'une seule voix sur la scène internationale[66] ».

Quant au Parti conservateur, alors dans l'opposition, il a appuyé une application limitée de l'asymétrie dans le domaine des relations internationales, par exemple au chapitre de la présence de délégations dans certaines structures internationales. Au cours de la récente campagne électorale en décembre 2005-janvier 2006, le chef conservateur Stephen Harper a évoqué l'idée d'étendre à d'autres domaines une formule employée précédemment par le premier ministre conservateur Brian Mulroney en 1986 lorsqu'il a permis au Québec d'agir à titre de gouvernement participant dans le cadre du Sommet de la francophonie qui s'est tenu à Paris. Dans son *Discours de Québec*, qui a d'ailleurs eu bonne presse au Québec, Harper a proposer de donner au Québec un statut semblable dans le cadre des activités de l'UNESCO[67]. De son côté, le chef libéral Paul Martin a dénoncé cette idée qui, selon lui, affaiblirait le rôle du gouvernement fédéral dans les affaires internationales.

Bien que le nouveau premier ministre Harper soit allé de l'avant avec sa proposition, celle-ci permettra tout au plus au Québec d'intervenir à l'UNESCO au sein de la délégation canadienne. Cela sera loin de permettre au Québec d'agir d'une manière indépendante sur la scène internationale et de signer des ententes avec des gouvernements étrangers. De son côté, la Generalitat catalane a eu peu de succès malgré ses efforts soutenus en vue d'obtenir une représentation formelle stable au sein des institutions de l'Union européenne[68].

Un dossier intrigant est peut-être celui qui touche les efforts récents de la Generalitat de faire reconnaître un nouveau Statut d'autonomie pour la Catalogne. S'appuyant sur une procédure inhérente à la Constitution espagnole, le gouvernement socialiste de Maragall a pris les devants en rédigeant un nouveau Statut. En fin de parcours, tous les partis politiques représentés au Parlement catalan, sauf le Parti populaire, se sont ralliés au texte qui inclut : une déclaration établissant que la Catalogne forme une nation plutôt qu'une nationalité ; l'obligation pour tous les résidants d'apprendre le catalan ; des limites plus fortes à l'application des lois fondamentales espagnoles sur le territoire catalan ; et de nouveaux arrangements de nature fiscale.

Ce projet d'entente a été déposé au début de février 2006 pour étude devant une commission spéciale composée d'un nombre égal de représentants des gouvernements espagnol et catalan. Cette commission doit faire rapport à l'intérieur d'une période de deux mois[69]. Il est loin d'être assuré que les deux groupes représentés au sein de la commission seront en mesure de s'entendre sur une version refondue de l'entente. Il est loin d'être certain que des aspects comme ceux de la reconnaissance de la Catalogne en tant que nation survivront à l'exercice. En fait, l'idée de cette reconnaissance a soulevé une vive opposition dans l'opinion publique espagnole qui, elle, se réclame d'une nation espagnole. Cela a même conduit à un boycottage des produits catalans.

En résumé, l'asymétrie représente un trait caractéristique de la plupart des États fédéraux. Sur le plan théorique, l'asymétrie revêt un sens profond pour les fédérations construites sur des fondements multinationaux, en offrant une façon originale d'en arriver à des formules d'accommodement afin de répondre aux besoins spécifiques et aux aspirations des nations minoritaires. C'est justement pour cette raison que l'asymétrie continue d'être perçue comme posant des problèmes majeurs pour la population en général qui, elle, s'identifie et est rattachée à un nationalisme majoritaire.

NOTES ET RÉFÉRENCES

*   Ce texte a été traduit de l'anglais par Lise Couillard et Sébastien Côté.
1. Par exemple, le fédéralisme asymétrique a fait l'objet de débats au sein du Comité de recherche Fédération et fédéralisme comparés au Congrès mondial de l'Association internationale de science politique, Berlin, 21-25 août 1994.
2. Arend Lijphart, *Democracy in Plural Societies : A Comparative Exploration*, New Haven, Yale University Press, 1977.

3. Charles D. Tarlton, « Symmetry and Asymmetry as Elements of Federalism : A Theoretical Speculation », *Journal of Politics*, vol. 27, n° 4, 1965, p. 861-874.

4. Voir la distinction des formes du fédéralisme asymétrique chez Ronald L. Watts, « The Theoretical and Practical Implications of Asymmetrical Federalism : The Canadian Experience in Comparative Perspective », conférence présentée aux rencontres de l'Association internationale de science politique, Berlin, 21-24 août 1995. Enric Fossas Espadaler distingue également d'autres formes d'asymétrie dans « Autonomia y Asimetria », dans Fundació Carles Pi I Sunyer, *Informe Pi I Sunyer sobre Comunidas Autónomas, 1994*, Barcelone, 1995, p. 897-900.

5. Le fédéralisme asymétrique a déjà fait l'objet d'une analyse comparative d'Enric Fossas dans « L'assimetria federale : il Canada e la Spagna », *Scienza & Politica*, n° 17, 1997.

6. Le Parti libéral du Québec, *Reconnaissance et interdépendance*.

7. Voir notamment Gordon Laxer, « Distinct Status for Quebec : A Benefit to English Canada », *Constitutional Forum constitutionnel*, vol. 3, n° 3, hiver 1992, p. 62-66 ; Philip Resnick, « Toward a Multinational Federation : Asymmetrical and Confederal Alternatives », dans F. Leslie Seidle (dir.), *Seeking A New Canadian Partnership : Asymmetrical and Confederal Options*, Montréal, Institut de recherche en politiques publiques, 1994, p. 71-90 ; Jeremy Webber, *Reimagining Canada : Language, Culture, Community and the Canadian Constitution*, Montréal et Kingston, McGill-Queen's University Press, 1994 ; Kenneth McRoberts, *Misconceiving Canada : The Struggle for National Unity*, Toronto, Oxford University Press, 1997.

8. Mary Ellen Turpel, « The Charlottetown Discord and Aboriginal Peoples' Struggle for Fundamental Political Change », dans Kenneth McRoberts et Patrick J. Monahan (dir.), *The Charlottetown Accord, the Referendum and the Future of Canada*, Toronto, University of Toronto Press, 1993, p. 117-151.

9. Le Partit dels Socialistes de Catalunya s'est rallié au fédéralisme, mais dans sa version symétrique, et s'est assuré de l'appui du Parti socialiste ouvrier espagnol (PSOE). Voir Audrey Brassloff, « Spain : The State of the Autonomies », dans Murray Forsyth (dir.), *Federalism and Nationalism*, Leicester, Leicester University Press, p. 41. Quant au Partido Popular, il ne s'est rallié à aucune forme de fédéralisme.

10. Entre autres : « *La única traducción posible de aquella definición, la de la plurinacionalidad, se puede dar a través de la profundización de lo que académicamente se ha venido a denominar "federalismo asimétrico"*. » Voir Rafael Ribó, « Nacionalismos, Investiduras y Partidismos », *Témas Para El Debate*, n° 30, 1997, p. 37.

11. Bien que l'ERC préconise formellement l'indépendance, les éléments essentiels d'un modèle fédéral asymétrique apparaissent dans la manière qu'a l'ERC de concevoir un *Pacte per la democràcia catalana I cap a la sobirania*, qu'elle aurait présenté comme la base d'un consensus public si elle avait pris le contrôle du gouvernement catalan en 1995 (*ERC, Força ! Cap a la independència*, 1995, p. 21).

12. CDC, *Per un nou horitzó per a Catalunya*, 1997.

13. Uniò, *La Sobirania de Catalunya I L'Estat Plurinacional*, 1997. Le document décrit le tout comme un modèle confédéral dépassant les arrangements fiscaux que l'on retrouve dans l'entente avec le Pays basque. La proposition se rapproche d'un système fédéral dans lequel la Catalogne pourrait bénéficier de droits et de pouvoirs spéciaux, dont la reconnaissance de son statut national.

14. Le politologue Enric Fossas et le professeur de droit Ferran Requejo travaillent à l'édition d'un ouvrage traitant du fédéralisme asymétrique, afin de mieux faire connaître ce concept en Catalogne.

15. Ferran Requejo, « Cultural Pluralism, Nationalism and Federalism : A Revision of Democratic Citizenship in Plurinational States », conférence non publiée.

16. En 1995, durant la dernière semaine de la campagne référendaire portant sur la souveraineté, seulement 29 % des francophones du Québec ont dit n'être « que des Québécois » (McRoberts, *Misconceiving Canada*, p. 246).

17. *Ibid.*, chapitre 7.

18. Juan Linz, « Early State-Building and Late Peripheral Nationalisms Against the State : The Case of Spain », dans S. N. Eisenstadt et Stein Rokkan (dir.), *Building States and Nations*, Beverly Hills et Londres, Sage, 1973, p. 99.

19. B. R. Harrison et L. Marmen, *Languages in Canada*, Scarborough, Prentice-Hall, 1994, tableau 4.4.

20. Des francophones du Québec se sont établis en Ontario, ainsi que dans certaines régions de la Saskatchewan et de l'Alberta.

21. Selon la population d'origine française en 1871. Les pourcentages de l'Ontario et de la Nouvelle-Écosse étaient respectivement 4,7 % et 8,5 % (McRoberts, *Misconceiving Canada*, p. 85).

22. Selon la langue parlée à la maison (*ibid.*, p. 105).

23. Selon la langue parlée à la maison (calcul de Statistique Canada « Langue parlée le plus souvent à la maison ».

24. Cette statistique est basée sur les pourcentages qui suivent.

25. Daniele Conversi, *The Basques, The Catalans and Spain : Alternative Routes to Nationalist Mobilisation*, Londres, Hurst, 1997, p. 163.

26. *Ibid.*

27. Voir la carte dans *ibid.*, p. xix.

28. Par exemple, au début de 1997, la Catalogne (où vit 15,5 % de la population espagnole) accueillait 473 806 entreprises, c'est-à-dire 19 % de l'ensemble des entreprises espagnoles. Elle comptait 58 273 entreprises industrielles, soit 23,4 % du total en Espagne. Dans chacun des cas, la Catalogne comptait plus d'entreprises que toute autre Communauté autonome. Par ailleurs, les Pays basques (où vit 5,4 % de la population espagnole) comptait 133 707 entreprises et 14 100 entreprises industrielles. Primo González, « Cataluña es la autonomía con más empresas, con un 19 % de total », *La Vanguardia*, 31 octobre 1997.

29. Le fait que le catalan soit parlé dans deux autres Communautés autonomes s'écarte du critère énoncé dans la prochaine note. Cet écart serait encore plus considérable si le valencien était considéré comme une langue d'expression catalane, ce que la plupart des Catalans s'accordent à dire.

30. Nos deux critères sont : 1) est-ce que la majorité contrôle plus de la moitié des États membres ? et 2) est-ce que les minorités ne contrôlent qu'un seul État membre ? En restreignant notre analyse aux fédérations marquées par des différences « nationales », nous avons éliminé par nos critères les pays suivants : la Belgique, l'Éthiopie, l'Inde, le Nigeria, l'Afrique du Sud, la Suisse et la Yougoslavie (qui se compose maintenant de deux entités).

31. Le Québec et l'Ontario ont tous deux 24 sièges, ce qui représentait cumulativement près de la moitié du Sénat avant l'ajout de 6 sièges pour Terre-Neuve en 1949 et de 1 siège chacun pour le Yukon et les Territoires du Nord-Ouest en 1975 (Watts, « Asymmetrical Federalism », p. 19).

32. Cela découle d'une loi fédérale de 1875 qui instaurait la Cour suprême. À l'origine, l'acte ne prévoyait que deux juges de la magistrature québécoise.

33. Rapport du consensus sur la constitution [accord de Charlottetown], section 36 (1), 28 août 1992, <http://www.pco-bcp.gc.ca/aia/default.asp?Language=F&Page=consfile &doc=charlottetwn_f.htm>, 11 (2).

34. *Ibid.*, Section 51A(2)b).

35. McRoberts, *Misconceiving Canada*, p. 217.

36. En outre, une disposition autorisait le gouvernement fédéral à protéger les droits des écoles confessionnelles au Québec et en Ontario.

37. Les amendements se classent en deux catégories : la première exige l'unanimité et la seconde exige l'approbation par les deux tiers des législatures représentant 50 % de la population canadienne.

38. McRoberts, *Misconceiving Canada*, p. 197-203.

39. Turpel, « Charlottetown Discord ».

40. *Constitution espagnole* (Presidencia del Gobierno, 1982), Article 2.

41. *Ibid.*, article 3 (section 1).

42. Au sujet des faiblesses du Sénat en tant que forum représentatif des Communautés autonomes, voir Joaquim Tornos, « L'organisation territoriale de l'Espagne : l'État des autonomies », dans Thomas Fleiner-Gerster *et al.*, *Le Fédéralisme en Europe*, Barcelone, ICPS, 1992, p. 108-109. Voir également Requejo, « Cultural Pluralism, Nationalism and Federalism », p. 25-26.

43. *Constitution espagnole*, article 3 (section 2). Non seulement la Constitution donne-t-elle à l'État espagnol le pouvoir d'instaurer la législation et les normes élémentaires qui balisent la marge de manœuvre des Communautés autonomes, mais les décisions de la Cour constitutionnelle tendent à confirmer les exigences de Madrid quant aux pouvoirs de régulation et de supervision exercés sur les activités de ces mêmes communautés. Voir Josep Ma Valles et Montserrat Cuchillo Foix, « Decentralisation in Spain : a review », *European Journal of Political Research*, n° 16, 1988, p. 400.

44. Le Pays basque, la Navarre, la Galice, la Catalogne, la région de Valence et les îles Baléares. Cinq d'entre elles ont adopté des lois régissant l'usage de la langue (Agranoff, « Asymmetrical Federalism in Spain », p. 10).

45. À n'en pas douter lorsque le temps est venu d'agir selon ces paramètres étroits, l'autonomie des Communautés autonomes a été protégée par la Cour. Par exemple, le Pays basque et la Catalogne ont été en mesure de se défendre en cour contre des mesures prises par Madrid concernant, par exemple, le rôle dévolu aux langues basque et catalane à l'école publique.

46. « Elles peuvent percevoir des impôts [133.2], mais seulement dans la mesure où ce pouvoir leur a été délégué par l'État central. La *LOFCA* ne délègue presque aucun pouvoir d'imposition, seulement la perception et l'utilisation de points d'impôt cédés » (Brassloff, « Spain », p. 35). Ainsi, les Communautés autonomes dépendent presque entièrement de transferts de paiement, souvent conditionnels, de l'État espagnol (Tornos, « L'organisation territoriale de l'Espagne », p. 117). Le seul impôt que la

Catalogne a créé concerne le jeu (Enric Fossas Espadaler, « The Autonomy of Catalonia », dans *Political Parties and Institutions in Catalonia*, Barcelone, ICPS, 1993, p. 33).

47. Les amendements sont simplement approuvés par les deux chambres du Parlement espagnol (*Cortes Generales*) avec un possible référendum (*Constitution espagnole*, article 167).

48. Luis Moreno, *La federalización de España : Poder político y territorio*, Madrid, Siglo Veintiúno de España Editiones, 1997, p. 123. Enric Fossas Espadaler fait remarquer que le système espagnol n'est pas fondé sur « une répartition matérielle fixe, mais que l'État et les Communautés autonomes ont compétence sur les mêmes domaines (législatif/exécutif) la plupart du temps ou que ces domaines sont répartis sur la base de certains critères (par exemple eaux ou transports) » (Espadaler, « The Autonomy of Catalonia », p. 21). Il reconnaît également qu'il est extrêmement difficile de délimiter les pouvoirs de la Catalogne et de Madrid et indique que le budget de la Catalogne dépend des transferts de l'État. Il insiste néanmoins sur le fait que la Catalogne jouit vraiment d'une autonomie et que ses relations avec Madrid ne sont pas des « relations de contrôle comme il en existe dans les systèmes décentralisateurs purement administratifs » (*ibid.*, p. 29).

49. Néanmoins, les autres arguments avancés pour réfuter que l'Espagne est un système fédéral semblent inexacts. Certains spécialistes affirment que l'Espagne ne satisfait pas aux exigences nécessaires puisque les rédacteurs de la Constitution de 1978 ne se sont pas explicitement entendus sur le fait que le nouveau système devait être fédéral (en fait, la plupart s'y seraient opposés) ou que les 17 Communautés autonomes n'existaient pas auparavant et n'avaient pas établi le nouveau système comme un contrat entre elles (voir Brassloff, « Spain », p. 38-39 ; et Montserrat Guibernau, « Spain : A Federation in the Making », p. 248). Or, il semble que ce jugement devrait plutôt être fondé sur les institutions mises en place et leur fonctionnement. Un autre argument consiste à dire que, en vertu de l'article 2, les Communautés autonomes n'ont pas le droit de se séparer de l'Espagne (Guibernau, « Spain », p. 248). Cependant, il va de soi que les États fédéraux tentent d'empêcher la sécession d'un de leurs membres. En fin de compte, l'argument le plus probant pour démontrer que l'Espagne n'est pas une fédération réside dans le fait que les Communautés autonomes n'ont pas d'accès garanti à des sources de revenus indépendantes. On peut imaginer que la présente initiative en vue de réviser le Statut d'autonomie pourrait permettre à la Catalogne d'obtenir ce pouvoir. Toutefois, il est loin d'être évident que ce gain en termes de pouvoir sera étendu aux autres Communautés autonomes.

50. Requejo, « Cultural Pluralism, Nationalism and Federalism », note 33.

51. Voir le résumé des faits dans Brassloff, « Spain », p. 32-32.

52. *Ibid.*, p. 34.

53. Robert Agranoff, « Asymmetrical Federalism in Spain : Design and Outcomes », communication présentée au Congrès mondial de l'Association internationale de science politique, Berlin, 21-25 août 1994, p. 12.

54. Ces discussions autour des stratégies de Madrid sont tirées de *ibid.*, p. 12-15.

55. Agranoff, « Asymmetrical Federalism in Spain », p. 11.

56. En principe, il n'y a pas d'asymétrie dans les moyens offerts aux Communautés autonomes pour assumer les mêmes responsabilités et jouir des mêmes pouvoirs (Brassloff, « Spain », p. 35).

57. Moreno, *La federalización de España*, p. 142 ; Brassloff, « Spain », note 20.

58. « Acuerdo de investidura y gobernabilidad », *El País*, 29 avril 1996.

59. Voir Laxer, « Distinct Society for Quebec » et Resnick « Toward a Multinational Federation ». Le fait d'empêcher les députés de voter des mesures qui ne s'appliquent pas à leur territoire figurait dans la version initiale de la loi irlandaise d'autonomie politique (*Home Rule Bill*), mais cette disposition « d'exclusion » fut abandonnée par crainte de ses répercussions sur la majorité parlementaire. La Loi d'autonomie politique de 1912 réduisait simplement le nombre de députés de 103 à 42. Voir Michael Keating, « Asymmetrical Territorial Devolution. Principles and Practice », texte non publié, juillet 1997, p. 15).

60. McRoberts, *Misconceiving Canada*, p. 42-44.

61. *Ibid.*, p. 153.

62. Par définition, de telles ententes ne peuvent s'appliquer à tous les membres. Au Canada, les débats ont mené à la proposition selon laquelle toutes les provinces devraient être considérées comme des « sociétés distinctes » ou alors que les tribunaux devraient tenir compte des caractéristiques particulières de chaque province. Cette proposition a pour effet de nier la reconnaissance des identités nationales minoritaires que la clause de « société distincte » cherchait justement à faire confirmer.

63. Un tel sentiment peut susciter un autre argument communément invoqué contre le fédéralisme asymétrique, soit l'argument de la « pente glissante », qui veut que de pareilles ententes ne fassent que renforcer le nationalisme minoritaire et faciliter la tâche des nationalistes à réaliser leur projet en vue d'une souveraineté complète. Cet argument n'a pas été rigoureusement éprouvé. En ce qui a trait au Canada, on peut cependant affirmer que la montée du séparatisme est demeurée somme toute limitée au cours des années 1960, au moment où le gouvernement fédéral explorait les avenues de l'asymétrie. Cette montée s'intensifia au cours des décennies qui suivirent, alors que le gouvernement Trudeau s'écartait de l'asymétrie et que l'opinion publique canadienne-anglaise la désapprouvait en rejetant l'accord du lac Meech. On peut supposer, mais seulement supposer, qu'il en aurait été autrement si le gouvernement fédéral avait maintenu ou renforcé ses politiques asymétriques. Quoi qu'il en soit, l'argument de la « pente glissante » ne comprend pas la fluidité des relations interétatiques dans des environnements comme l'Europe de l'Ouest (Requejo, « Cultural Pluralism, Nationalism and Federalism », p. 23).

64. McRoberts, *Misconceiving Canada*, chapitre 2.

65. Allan Gregg, « Quebec's Final Victory », *The Walrus*, février 2005, p. 51.

66. Robert Dutrisac, « Le Canada doit parler d'une seule voix », *Le Devoir*, 2 septembre 2005.

67. Parti conservateur du Canada, « Harper annonce le programme conservateur pour le Québec », 19 décembre 2005.

68. Kenneth McRoberts, *Catalonia : Nation Building Without a State*, Toronto, Oxford University Press, 2001, p. 79-84

69. « El Congreso inicia el debate del Estatut sin un acuerdo total y con la opisicion del PP », *La Vanguardia*, 2 février 2006.

ANNEXE

Pour le ministre Benoît Pelletier, trois notions résument bien la vision à la base de la politique du gouvernement du Québec concernant ses rapports fédératifs : affirmation, autonomie et leadership. Benoît Pelletier fait aussi état dans son texte du rôle central exercé par le Québec dans la création du Conseil de la fédération. Même si le Québec est un acteur engagé au sein de la fédération canadienne, sa participation à la fédération doit toutefois s'inscrire en conformité avec certains paramètres, dont le respect de sa spécificité et de son autonomie. Selon le ministre Pelletier, le déséquilibre fiscal, le fédéralisme asymétrique et le rôle du Québec sur la scène internationale font partie des grands enjeux qui marquent actuellement les relations intergouvernementales canadiennes.

L'AVENIR DU QUÉBEC AU SEIN DE LA FÉDÉRATION CANADIENNE

Benoît Pelletier

Dans ce texte, j'essaierai d'esquisser la vision du gouvernement du Québec en ce qui a trait aux rapports fédératifs. En d'autres termes, j'essaierai de définir les principes de base qui guident le Québec dans son cheminement au sein de la fédération canadienne.

Parmi ces principes de base, figure le droit collectif des Québécoises et des Québécois de choisir leur avenir. C'est un principe fondamental. Vivre en société, c'est faire un choix actif, qui s'actualise jour après jour et qui prend la forme d'une volonté commune, d'un désir commun d'atteindre des objectifs et des idéaux. Comme le disait Ernest Renan, la vie en société est un plébiscite de tous les jours. Toute société, pour être viable, doit être fondée sur un vouloir-vivre collectif. Pour que l'État progresse, il faut un consensus collectif, une cohésion d'ensemble. Rien n'est plus important que le respect des choix démocratiques, dans la mesure où ces choix sont exprimés de façon volontaire et éclairée. Le fédéralisme canadien est un moyen, un tremplin dont disposent les Québécoises et les Québécois pour exprimer leur identité collective, tout en participant à un projet qui les dépasse et qui les transcende.

Le droit de choisir implique, bien sûr, qu'il soit possible pour le Québec d'envisager, en toute légitimité, d'autres voies que celle du fédéralisme. Mais ces autres voies appartiennent, comme vous le savez, à des courants politiques différents de celui dans lequel j'inscris mon engagement.

Le gouvernement dont je fais partie croit au fédéralisme. Il croit aussi en l'affirmation du Québec, et ce, tant dans l'espace canadien que sur la scène internationale. Cette affirmation du Québec est pleinement compatible avec le fédéralisme. Elle est notamment en relation directe avec les motivations historiques liées à la naissance de la fédération canadienne, naissance dans laquelle l'existence de la collectivité québécoise a joué un rôle crucial. En fait, l'affirmation du Québec est tout autant ancrée dans l'histoire de notre fédéralisme qu'elle est essentielle à son avenir.

L'identité du Québec est au centre de mon action politique. Cette identité singulière, fondée sur la langue, la culture, le droit civil, les institutions et le mode de vie en général, donne tout son sens à ces trois mots qui servaient de fondement au rapport du groupe de travail du Parti libéral du Québec que j'ai eu l'honneur de présider en 2001 : affirmation, autonomie et leadership.

Ces trois mots clés constituent encore aujourd'hui l'essence de la position officielle du gouvernement du Québec en matière d'affaires intergouvernementales.

Affirmation... parce que le Québec a toutes les raisons d'être fier de son identité et de vouloir la renforcer et la faire valoir au Canada et dans le monde.

Autonomie... parce qu'être fédéraliste, c'est être autonomiste. En effet, le fédéralisme postule l'autonomie des États fédérés tout autant que celle de l'ordre fédéral de gouvernement. L'État québécois est autonome dans le contexte fédératif canadien. Le gouvernement du Québec est résolu à défendre cette autonomie, et même à l'étendre, en privilégiant la voie non constitutionnelle, c'est-à-dire, par exemple, la conclusion d'accords administratifs. C'est dans cette perspective résolument fédéraliste que, pour l'actuel gouvernement du Québec, le mot « autonomisme » prend tout son sens.

Leadership... parce que le Québec doit redevenir le chef de file qu'il a historiquement été dans l'espace canadien, et ce, tant dans ses relations avec les autres provinces – ce que nous appelons l'« interprovincialisme » – que dans celles qu'il entretient avec Ottawa. Ce nouveau leadership du Québec dans les relations intergouvernementales canadiennes est très bien illustré par le Conseil de la fédération. Voilà, en effet, une nouvelle institution dans le paysage politique canadien créée à l'instigation du Québec. Le Conseil de la fédération est la première institution interprovinciale à voir le jour depuis l'avènement, en 1960, des Conférences annuelles des premiers ministres provinciaux.

Le Conseil de la fédération se veut un lieu permanent d'échanges et de concertation qui réunit les dix provinces et les trois territoires. En moins d'un an, il a déjà donné lieu à quatre réunions des premiers ministres. Son plan de travail est ambitieux et touche à des questions ou secteurs prioritaires comme la santé, le déséquilibre fiscal, la péréquation, les évaluations environnementales, les nominations au Sénat et à la Cour suprême du Canada, la participation des provinces et territoires aux négociations internationales et aux accords qui touchent à leurs domaines de compétence, les relations avec les États-Unis et le renforcement des échanges commerciaux à l'intérieur du Canada.

Le Conseil vise à favoriser la participation des provinces à la gouverne globale de la fédération, notamment en renforçant leur voix par rapport au gouvernement fédéral, dans l'optique d'un meilleur équilibre dans les rapports fédératifs.

L'Entente fondatrice établissant le Conseil mentionne également comme objectif celui de promouvoir des « relations entre les gouvernements fondées sur le respect de la Constitution et la reconnaissance de la diversité dans la fédération ». À cet objectif s'ajoute, dans le préambule de l'Entente, la reconnaissance de l'importance de « l'existence de différences entre les provinces et les territoires, de sorte que les gouvernements puissent avoir des priorités et des choix différents dans leurs politiques ».

Le Conseil est donc non seulement un lieu d'échanges, de concertation et d'action commune, mais également un lieu de reconnaissance mutuelle et de respect des différences.

Le Québec n'est évidemment pas étranger à l'accent qui est ainsi mis sur la diversité. Il note d'ailleurs avec intérêt que cette dimension de l'Entente fondatrice du Conseil a déjà eu des résonances concrètes – je pense ici en particulier au dossier de la santé, dont on a beaucoup parlé ces dernières semaines et sur lequel je reviendrai un peu plus loin. Cela montre que le leadership du Québec n'est pas seulement une question de fronts communs ou de rapport de force entre le gouvernement fédéral et les provinces. C'est aussi un moyen d'affirmer les principes et les valeurs du fédéralisme qui revêtent une importance particulière pour le peuple québécois dans l'ensemble canadien.

Sur le plan intergouvernemental, la participation active du Québec à la vie fédérative se traduit également par une volonté d'intensifier sa coopération bilatérale avec ses partenaires provinciaux. Le Québec souhaite ainsi réviser et actualiser les accords existants et en conclure de nouveaux. Ainsi, des ententes globales sont en négociation avec les trois provinces frontalières du Québec, c'est-à-dire l'Ontario, le Nouveau-Brunswick et Terre-Neuve-et-Labrador. Avec l'Alberta, le Yukon et la Colombie-Britannique, des négociations sont en cours en vue d'établir une coopération particulière en matière de francophonie. Des accords de cette nature existent déjà avec la Saskatchewan, le Manitoba, l'Île-du-Prince-Édouard et la Nouvelle-Écosse.

La coopération en matière de francophonie est par ailleurs le reflet d'une volonté beaucoup plus large de renouveler et d'approfondir l'engagement du Québec au sein de la francophonie canadienne et nord-américaine.

Nous voyons le Québec comme un acteur *au sein même* de la francophonie canadienne, non pas à l'extérieur de celle-ci. Nous voulons développer un nouveau rapport de solidarité avec les autres francophones. Cette relation nouvelle se traduirait par des liens plus étroits et des efforts communs en vue d'affirmer le fait français en Amérique du Nord, un objectif qui nous concerne tous. Depuis l'arrivée au pouvoir du gouvernement, nous avons progressé dans cette voie. Je suis particulièrement satisfait des résultats concrets qui ont découlé du Forum de la francophonie, organisé au printemps 2005 à Québec par notre gouvernement.

Leadership dans les relations intergouvernementales, coopération, affirmation, autonomie, solidarité en matière de francophonie... comme on le constate, plusieurs volets des politiques québécoises reflètent une volonté de contribuer au projet canadien, tout en respectant certains grands paramètres. Les voici sommairement :

- En premier lieu, en matière intergouvernementale, le Québec favorise la collaboration avec ses partenaires fédératifs *lorsque celle-ci est possible et opportune*. Elle ne l'est pas toujours. En effet, on aurait tort d'ériger le processus intergouvernemental en dogme absolu ; des désaccords peuvent survenir, des consensus peuvent s'avérer impossibles. Il peut même y avoir des cas où la collaboration n'est pas souhaitable. Ce sont les cas où une telle collaboration risque de porter ombrage à l'une ou l'autre des compétences exclusives du Québec. Mais il faut cependant être prêt, lorsqu'une situation favorable se présente, à s'inscrire dans des dynamiques collectives susceptibles de vraiment faire avancer les choses.

- En second lieu, il importe de rappeler que le respect et la reconnaissance de la spécificité et de l'identité propre du Québec au sein de la fédération sont d'une importance fondamentale. Ce respect et cette reconnaissance sont des prémisses essentielles à la participation du Québec au projet canadien.

- Enfin, l'histoire comme l'actualité de notre fédéralisme montrent avec éloquence l'attachement profond du Québec à son autonomie dans le système fédéral. Et cela s'explique aisément. La situation minoritaire du peuple québécois dans l'ensemble canadien donne à la sphère d'autonomie du Québec découlant du partage des compétences une valeur tout à fait particulière.

Certains courants, au sein du fédéralisme canadien, relativisent l'importance d'un tel partage des compétences en invoquant le contexte contemporain de mondialisation et, notamment, des exigences d'efficacité et d'intégration. Dans ces approches, on perd de vue la valeur particulière du partage des compétences en tant que moyen de reconnaître et de mettre en œuvre la sphère d'autonomie essentielle au Québec dans la situation minoritaire qui lui est spécifique. Si l'importance du partage des compétences n'était pas reconnue, nous perdrions un outil formidable pour faire valoir la diversité intrinsèque à la fédération canadienne, diversité que traduit notamment la présence du Québec au sein du Canada. Or, la reconnaissance de la diversité est précisément l'un de ces défis très actuels que tentent de relever maints systèmes politiques qui s'inscrivent dans une réalité multinationale. Pourquoi alors le Canada se tiendrait-il en marge de ce mouvement ?

Déclarer le partage des compétences dépassé, c'est déclarer le fédéralisme dépassé. Car dans une perspective juridique, les notions de fédéralisme et de partage des compétences se confondent dans une large mesure. Du reste, le partage des compétences, qui dessine et garantit une sphère d'autonomie aux entités fédérées, est d'une actualité permanente lorsqu'il existe, au sein de l'État fédéral, une réalité nationale minoritaire comme celle du Québec.

L'autonomie, pour être effective et donner une véritable marge de manœuvre, doit cependant s'accompagner d'un contrôle des leviers financiers nécessaires à son exercice. Sur ce plan, dois-je rappeler que des défis importants se présentent à la fédération canadienne ? Le déséquilibre fiscal, qui favorise le gouvernement fédéral au détriment des provinces, est un problème structurel très préoccupant auquel il faudra trouver des solutions.

Le déséquilibre fiscal vient particulièrement affecter la capacité d'innovation des entités fédérées, dont celle de l'État québécois. Avec les moyens financiers présentement à la disposition du gouvernement fédéral, cette capacité risque de se transférer peu à peu vers Ottawa, ce qui constitue, il va sans dire, une perspective peu favorable à l'affirmation québécoise.

Du côté du gouvernement du Canada, on nie toujours l'existence du déséquilibre fiscal au motif que les provinces ont à peu près les mêmes pouvoirs de taxation que le gouvernement fédéral. Elles n'ont donc – toujours au dire d'Ottawa – qu'à taxer davantage leurs citoyens et mieux gérer leurs finances publiques, si elles veulent avoir de meilleurs revenus. Ce raisonnement est simpliste et réducteur. D'abord, parce que la capacité de payer du contribuable n'est pas sans limites. Ensuite, parce qu'une province qui taxe trop ses citoyens perd vite son caractère concurrentiel en Amérique du Nord. Enfin, parce que ce ne sont pas les pouvoirs de taxation qu'il faut examiner pour déterminer l'existence ou non du déséquilibre fiscal, mais plutôt l'écart qui existe entre, d'une part, les revenus du gouvernement fédéral ou des provinces, et d'autre part, les obligations constitutionnelles incombant à chacun. Or, on le sait, les provinces ont des compétences constitutionnelles particulièrement onéreuses à assumer – on pense à la santé, à l'éducation, aux affaires sociales, et même aux affaires municipales – ce qui les rend plus vulnérables financièrement. Elles sont donc pour la grande majorité d'entre elles tributaires des transferts provenant du gouvernement fédéral, lequel ne se gêne d'ailleurs pas pour assortir ceux-ci de conditions – quand il ne les coupe pas purement et simplement –, ce qui a le triste effet d'assujettir progressivement les provinces aux volontés d'Ottawa et de les amener à revoir leurs priorités en conséquence. Cette dynamique malsaine, et contraire à l'idéal fédératif, est au cœur de cette problématique de plus en plus préoccupante qui est celle de l'exercice du prétendu pouvoir fédéral de dépenser dans le champ de compétence des provinces.

Ainsi, année après année, le gouvernement du Canada sous-estime ses surplus budgétaires – 73 milliards depuis les dix dernières années – et fait preuve d'astuce pour cacher ses revenus réels, cherchant ainsi à les soustraire à l'attention des provinces.

Soyons clairs : l'État québécois ne peut se résumer à l'administration des programmes existants dans une continuelle lutte financière, alors que le gouvernement fédéral, lui, dans les champs de compétence des provinces, aurait toute marge de manœuvre pour se donner les missions d'avenir. Il est essentiel que l'État québécois garde sa capacité d'innovation et reflète cette société québécoise pleinement habitée des grands débats contemporains.

La question du déséquilibre fiscal revêt donc un caractère prioritaire, et l'action intergouvernementale du Québec en témoigne. Nous souhaitons que la Conférence fédérale-provinciale-territoriale, qui aura lieu le 26 octobre 2006 afin de discuter de la péréquation et des pressions financières auxquelles les provinces sont soumises, soit l'occasion d'en arriver à des solutions concrètes à cet égard.

L'équilibre financier et fiscal est, au même titre que le respect du partage des pouvoirs, un objectif essentiel pour assurer l'évolution harmonieuse du fédéralisme canadien et pour permettre au Québec d'exercer pleinement son autonomie constitutionnelle, étant ainsi plus à même de mettre en relief son identité propre. L'asymétrie fédérative est aussi un moyen privilégié permettant de favoriser l'expression de la spécificité québécoise.

Cela m'amène, bien entendu, à discuter de la récente Entente sur la santé, conclue au terme de la Conférence fédérale-provinciale-territoriale des 13, 14, 15 et 16 septembre 2005. Cette entente a été considérée par maints commentateurs de la scène publique comme un geste de très grande importance pour le fédéralisme canadien.

Au Québec, notamment, cet événement a été perçu comme historique par la population en général, qui a d'ailleurs salué la ferme détermination dont a fait preuve le premier ministre Jean Charest. Rien d'étonnant, car en plus de l'obtention d'une entente sur la question du financement, le gouvernement du Québec a défendu avec brio sa compétence exclusive en matière de santé et réussi à faire reconnaître en ces termes, par ses partenaires fédératifs, le principe et la pratique du fédéralisme asymétrique au Canada : *un fédéralisme asymétrique, c'est-à-dire un fédéralisme flexible qui permet notamment l'existence d'ententes et d'arrangements adaptés à la spécificité du Québec.*

En 2001, dans le rapport intitulé *Un projet pour le Québec : affirmation, autonomie et leadership,* j'avais décrit l'asymétrie de la façon suivante :

> La formule fédérale n'exclut aucunement l'asymétrie dans les rapports entre les partenaires fédératifs. En effet, le fédéralisme est un système qui peut être flexible si les partenaires de la fédération sont eux-mêmes capables de flexibilité. L'asymétrie, dans le contexte des relations intergouvernementales, est une façon de parvenir à un aménagement harmonieux des rapports fédéraux-provinciaux [...].

De fait, l'asymétrie est un hommage à la souplesse et à l'adaptabilité de la formule fédérale, dans ce qu'elle a de classique et d'universel. L'asymétrie traduit l'idée voulant que le fédéralisme ne soit pas fait que d'une mise en commun de ressources, de valeurs et d'idéaux, mais qu'il repose aussi sur la diversité de ses composantes, sur la capacité de chacune d'elles de faire valoir son originalité et sur son droit intrinsèque de faire valoir sa différence. Bref, l'asymétrie est non seulement compatible avec le principe fédéral ; elle lui est inhérente dans une bonne mesure.

Les Canadiens et Canadiennes reconnaissent d'emblée que la diversité des composantes et identités formant le tout canadien est une richesse pour le pays plutôt qu'un frein à son développement. La valorisation de cette diversité, celle de la multiplicité des réalités qui composent le Canada et celle de la variété des façons d'atteindre nos objectifs communs constituent l'essence même du fédéralisme et la principale raison du rejet, lors de la naissance du Canada en 1867, du modèle unitaire au profit du modèle fédéral.

L'asymétrie, en tant que véhicule par excellence de la souplesse, fait partie intégrante de la personnalité canadienne et s'impose d'elle-même, ne serait-ce qu'en raison de notre histoire, de notre géographie et de nos aspirations.

Avant même que l'on ait songé à qualifier formellement et officiellement le fédéralisme canadien d'« asymétrique » dans la récente entente sur la santé, celui-ci s'est développé sous le signe de l'asymétrie et de la saine expression de sa diversité profonde. L'important *Rapport mondial sur le développement humain*, publié annuellement par l'Organisation des Nations unies, a d'ailleurs fait état, cette année, de cette caractéristique de notre système fédéral[1].

Il faut comprendre que l'asymétrie, au Canada, se manifeste de plusieurs façons. D'abord, il existe une asymétrie constitutionnelle. Elle s'exprime notamment par l'article 133 de la Loi constitutionnelle de 1867 sur l'usage des langues française et anglaise au Québec et, dans l'ordre fédéral de gouvernement, l'article 93 sur les écoles confessionnelles, et l'article 94 sur l'uniformisation des règles de droit privé pour toutes les provinces sauf le Québec. Elle s'exprime aussi par l'article 23 de la Loi de 1870 sur le Manitoba sur le bilinguisme institutionnel dans cette province, par les paragraphes 16(2) à 20(2) et l'article 16.1 de la Charte canadienne des droits et libertés sur le bilinguisme officiel au Nouveau-Brunswick, ainsi que par la non-application au Québec de l'alinéa 23(1)a) de cette charte en ce qui touche à certaines modalités de l'éducation dans la langue de la minorité. On pourrait ajouter à cette liste de nombreuses autres mesures constitutionnelles ou purement législatives illustrant l'asymétrie, comme le paragraphe 23(6) de la Loi constitutionnelle de 1867 concernant la nomination des sénateurs ou encore l'article 6 de la Loi sur la Cour suprême qui accorde au Québec le tiers des juges de la Cour.

Il existe aussi une asymétrie financière, qui s'exprime dans les transferts aux provinces, lesquels, pour toutes sortes de raisons, ne sont pas nécessairement les mêmes pour toutes les provinces. L'exemple le plus frappant d'asymétrie financière est évidemment la péréquation, que ne reçoivent en ce moment que huit provinces sur dix.

L'asymétrie peut également être de nature législative. Cela a d'ailleurs été confirmé en 1990 par la Cour suprême du Canada dans l'arrêt *Sheldon*, concernant la compétence fédérale sur le droit criminel. Par ailleurs, la clause interprétative figurant au tout dernier paragraphe de l'article 91 de la Loi constitutionnelle de 1867 vient en quelque sorte rappeler qu'une compétence fédérale peut, selon les cas et les contextes, impliquer certaines considérations à caractère local. C'est là un facteur qui peut justifier une intervention législative asymétrique.

Enfin, il existe une asymétrie administrative. Nous pensons ici, entre autres, à la perception des impôts par le Québec (1954), à la création du Régime des rentes du Québec (1964) et de la Caisse de dépôt et placement

(1965), au droit de retrait avec compensation financière – y compris des points d'impôt – de certains programmes fédéraux (1965), aux diverses ententes Ottawa-Québec en matière d'immigration, dont la fameuse entente McDougall-Gagnon-Tremblay (1991), aux relations directes du Québec avec la France (à compter de 1965), à la participation du Québec et du Nouveau-Brunswick à la Francophonie internationale (1971 et 1977), à la perception de la TPS par le Québec (1990-1991), aux ententes sur la formation et l'adaptation de la main-d'œuvre, signées respectivement par le Québec et nombre d'autres provinces (1997), ainsi qu'à l'entente de principe Ottawa-Québec sur les congés parentaux (2004).

La récente entente sur la santé s'inscrit dans cette dernière catégorie. L'asymétrie qui y est exprimée n'a pas de portée constitutionnelle. Du reste, cette asymétrie vaut pour toutes les provinces, quoique seul le Québec s'en soit prévalu en matière de santé.

Comme on le constate à la lumière de ce qui précède, l'asymétrie est une formule qui a été maintes fois utilisée dans le passé et qui témoigne d'une culture de flexibilité et d'adaptabilité nécessaire au bon fonctionnement du Canada. L'un des grands gains de la récente entente sur la santé aura précisément consisté à consacrer ce principe en termes explicites et positifs, et à en faire une clé incontournable pour le développement à plus long terme de tout le Canada.

Certes, nous ne sommes pas sans savoir que les tenants d'une certaine philosophie centralisatrice, toujours présente à Ottawa, voient l'asymétrie comme minant l'égalité des provinces, voire des individus, et comme un sévère accroc au bien commun canadien, dont le gouvernement fédéral est évidemment l'unique gardien à leurs yeux. Ces personnes saisissent mal le sens et l'esprit véritables du fédéralisme. Elles ignorent que l'asymétrie en tant que telle, de même que la flexibilité et la diversité qu'elle postule, sont au contraire des moyens efficaces de promouvoir les valeurs propres au fédéralisme.

La volonté et les besoins des communautés, des régions et des autres entités politiques évoluant en système fédéral peuvent être respectés à la condition que l'on sache faire preuve d'une certaine souplesse. L'Histoire a démontré que, loin de saper l'unité nationale et de favoriser l'éclatement des pays, l'adoption de mesures asymétriques, spéciales, permet aux entités fédérées de coexister harmonieusement avec l'autorité centrale, réduisant ainsi les tensions indues, les affrontements contre-productifs, voire les demandes de sécession. Cela a fonctionné en Belgique et en Suisse, par exemple. Même l'Espagne, l'Italie et le Royaume-Uni empruntent de plus en plus la voie de l'asymétrie, bien que ces pays ne puissent encore être qualifiés d'États fédéraux. À l'inverse, le conflit perpétuel entre partenaires fédératifs, les contraintes exercées par un ordre de gouvernement sur un autre et la répartition inégale du pouvoir politique et des ressources financières ont la plupart du temps entraîné l'éclatement des fédérations, comme ce fut le cas, entre autres, dans l'ex-URSS et l'ex-Yougoslavie. Au Québec, la « ligne dure » fédérale, lorsqu'elle fut appliquée, a grandement contribué à alimenter le sentiment séparatiste. Cette intransigeance a poussé dans le camp sécessionniste des milliers de Québécois et Québécoises qui cherchaient de bonne foi une réforme du fédéralisme canadien qui répondrait mieux à leurs aspirations collectives.

Voilà pourquoi nous estimons que non seulement l'on doit accommoder la différence dans l'espace canadien, mais en plus que l'on doit élever celle-ci au rang de valeur, tout en préservant la cohérence et la cohésion de l'ensemble et l'intégrité du principe fédératif. Car cette asymétrie ne saurait être sans limite. Ainsi, elle ne saurait être d'une ampleur telle qu'elle en vienne à remettre en question le maintien du lien fédératif, qu'elle en favorise le démembrement ou qu'elle prive le Canada de ce ciment, de ce consensus essentiel à son existence comme État viable. Après tout, ce qui importe, c'est de trouver le point d'équilibre entre les intérêts dits centraux et les préoccupations plus particulières des entités fédérées – dont celles du Québec –, grâce à une structure politique et constitutionnelle qui permet et encourage à la fois la collaboration du gouvernement fédéral, des provinces et des territoires, lorsque celle-ci est possible et opportune.

Dans cette veine, nous devons tous être conscients que la bonne foi, la solidarité, la mise en commun des risques et des chances économiques et sociales, le partage de l'information et de l'expertise, ainsi que la participation pleine et entière au développement du Canada, doivent continuer de figurer parmi ce que j'appellerais les nécessités fédératives. En d'autres mots, l'asymétrie comporte sa part de responsabilités, politiques et morales, à l'égard de l'ensemble des Canadiens et Canadiennes.

Quoi qu'il en soit, avec la récente entente Ottawa-Québec en matière de santé, le Québec a obtenu plus qu'un droit de retrait, fût-il accompagné d'une juste compensation financière, et plus qu'un simple astérisque renvoyant au bas d'une page. Il a plutôt obtenu une véritable entente particulière, adaptée à ses besoins propres et à sa spécificité, bien que conclue dans la foulée d'une conférence mettant en cause tous les partenaires fédératifs. Les Québécois et Québécoises ont eu bien raison de voir dans cette reconnaissance du fédéralisme asymétrique un gain majeur pour l'avenir du Québec au sein du Canada. Cette victoire est due en bonne partie à la performance exceptionnelle du premier ministre Jean Charest et à l'ouverture d'esprit du premier ministre Paul Martin et de mon homologue Lucienne Robillard, avec qui j'ai négocié l'entente particulière Ottawa-Québec.

Mais ma conception de l'affirmation du Québec dans le fédéralisme ne se limite pas au contexte canadien. Face aux défis de la mondialisation, il existe un besoin réel pour une contribution spécifiquement québécoise. Le Québec est interpellé au premier chef par des enjeux tels que la diversité culturelle et la diversité linguistique. Sa participation active à de tels débats me semble non seulement acceptable dans notre cadre fédéral, mais elle est aussi nécessaire.

Dans le monde, le Québec est l'un des pionniers en ce qui a trait à l'activité internationale des États non souverains. Il entretient des relations bilatérales directes avec la France, affirme sa capacité à conclure seul des engagements internationaux dans ses champs de compétence, possède un important réseau international de délégations et de bureaux, agit au sein des institutions de la Francophonie internationale en son propre nom, à titre de gouvernement participant, et, enfin, s'intéresse à de nombreux forums internationaux dont les travaux touchent à ses compétences. De façon générale, il possède une politique internationale qui lui est propre et qui constitue l'une des voies servant à la promotion des intérêts des Québécoises et Québécois.

Des discussions sont en cours sur le plan intergouvernemental en ce qui a trait au rôle des provinces dans la négociation de traités internationaux et en ce qui touche aux relations Canada-États-Unis. Le Québec, bien sûr, y participe. Il favorise, par ailleurs – et cela constitue pour lui un enjeu prioritaire – la conclusion d'arrangements bilatéraux avec le gouvernement fédéral lorsque sont en cause des questions ou forums internationaux touchant à ses intérêts spécifiques. Le premier ministre du Québec m'a confié, en ma qualité de ministre des Affaires intergouvernementales canadiennes, la responsabilité de conduire ces diverses négociations au nom du gouvernement du Québec. Je tiens cependant à souligner l'aide, l'expertise et la collaboration qui me sont offertes par ma collègue Monique Gagnon-Tremblay, vice-première ministre et ministre des Relations internationales.

Sur le plan international, la spécificité du Québec s'ouvre sur des dimensions multiples. C'est d'abord une spécificité collective : l'essor de la politique internationale du Québec est en effet souvent considéré comme l'une des manifestations puissantes de son affirmation moderne. C'est aussi une spécificité politique rattachée au rôle particulier du Québec à l'égard du rayonnement de l'identité québécoise. Concrètement, c'est également une spécificité institutionnelle reflétée par l'existence de son ministère des Relations internationales et d'un puissant réseau développé sur le plan international. C'est enfin une spécificité historique, constituée d'une pratique d'arrangements bilatéraux particuliers au Québec.

Le dossier international n'est pas l'unique priorité à moyen terme du gouvernement. J'ai parlé plus tôt du déséquilibre fiscal auquel nous devons nous attaquer. Nous devons aussi mener à terme les discussions sur les congés parentaux, un autre dossier social où le Québec s'affirme en développant ses propres approches innovatrices. Nous considérons aussi comme prioritaire le dossier des télécommunications où une entente administrative pourrait, je le souhaite, mieux cerner les tenants et aboutissants des interventions du Québec et du gouvernement fédéral dans ce secteur névralgique. Toute la question de la nomination des juges à la Cour suprême du Canada nous préoccupe également. Il est grand temps que le Québec et les autres provinces qui le désirent, à titre d'entités fédérées, puissent participer directement au processus de sélection des juges de cette cour de dernière instance où des questions d'importance, souvent de nature constitutionnelle, sont débattues et tranchées. Enfin, nous cherchons à exercer un droit de retrait avec compensation en matière d'aide financière aux étudiants, plus particulièrement à l'égard des mesures annoncées dans le budget fédéral 2004.

En ce qui a trait à de possibles tentatives d'intrusion fédérale dans la compétence du Québec en matière d'affaires municipales, je tiens à rappeler que le gouvernement du Québec entend se faire respecter à titre de seul et unique interlocuteur en la matière auprès d'Ottawa. Permettez-moi de rappeler à cet égard que le Québec possède une compétence exclusive en matière d'affaires municipales et locales, en vertu de la Constitution canadienne. Nous entendons imposer le respect intégral de cette compétence. Le fait qu'Ottawa joue avec la terminologie et parle « d'affaires urbaines » ou de « collectivités » ne change rien à la réalité : c'est la compétence du Québec qui est en cause, et cette compétence, nous la défendrons vigoureusement.

Dans la fédération canadienne, le Québec continue de se construire. La participation du Québec au projet canadien, certes, implique un engagement dans une dynamique plus large. Cette participation doit cependant demeurer fructueuse en ce qui touche l'affirmation de la spécificité et de l'identité du Québec.

Mais, s'il est vrai que le Québec est globalement enrichi par l'expérience canadienne, ce que croient d'ailleurs bon nombre de Québécois, il est aussi vrai que le Canada est enrichi par la présence québécoise. La spécificité du Québec est une richesse non seulement pour les Québécois, mais aussi pour l'ensemble des Canadiens.

Décidément, le Québec n'est pas et ne sera sans doute jamais une province comme les autres !

NOTE ET RÉFÉRENCE

1. Organisation des Nations Unies, *La liberté culturelle dans un monde diversifié. Rapport mondial sur le développement humain*, 2004.

LES AUTEURS

MARIE-JOIE BRADY
Candidate au doctorat à l'École d'études politiques de l'Université d'Ottawa où elle prépare une thèse sur les représentations discursives des penseurs des accords du lac Meech et de Charlottetown et la conception du politique au Canada. Elle détient un diplôme de maîtrise du programme Theory, Culture and Politics de l'Université Trent, pour lequel elle a soutenu un mémoire intitulé : « Accommodating Difference : Canadian Liberal Discourse and the Politics of Linguistic Duality ». Elle est présentement boursière de la Fondation Trudeau.

MICHAEL BURGESS
Spécialiste du domaine des études fédérales et directeur du Center for Federal Studies à la Kent University, Canterbury, Angleterre, il y enseigne aux cycles supérieurs le fédéralisme comparé. Ses principaux intérêts de recherche sont le fédéralisme comparé, la politique constitutionnelle canadienne et l'Union européenne. Son plus récent livre, *Comparative Federalism. Theory and Practice*, a été publié par Routledge en 2006. Il a codirigé avec Hans Vollaard un recueil d'essais, *State Territoriality and European Integration*, dont la publication est prévue chez le même éditeur en 2006.

LINDA CARDINAL
Professeure titulaire à l'École d'études politiques de l'Université d'Ottawa et titulaire d'une chaire de recherche de l'Université sur la francophonie et les politiques publiques. Elle est aussi Honorary Faculty Research Fellow au

University College de Dublin, où elle a occupé la chaire Craig Dobbin en études canadiennes de 2002 à 2004. Elle a codirigé *From Subjects to Citizens: A Hundred Years of Citizenship in Australia and Canada* (Presses de l'Université d'Ottawa, 2004). Elle a aussi publié de nombreux articles sur le débat linguistique canadien et les rapports entre le droit et la politique.

JEAN-FRANÇOIS CARON

Candidat au doctorat en science politique à l'Université Laval, ses recherches portent principalement sur le fédéralisme et la pensée politique. Il a publié *Le caractère moniste des identités nationales dans les fédérations multinationales : analyse du cas canadien* en 2005 aux Presses de l'Institut du fédéralisme de Fribourg (Suisse). Sa thèse de doctorat porte sur les fondements philosophiques du fédéralisme américain et leurs implications sur la gestion de la diversité multinationale dans les fédérations canadienne et espagnole.

MARC CHEVRIER

Professeur au Département de science politique de l'Université du Québec à Montréal depuis 2002. Il y enseigne notamment la politique au Canada et au Québec, les systèmes politiques d'Europe occidentale et le fédéralisme contemporain. Il a publié plusieurs articles et études touchant à l'analyse politique du droit, au fédéralisme canadien et aux politiques linguistiques au Canada, ainsi qu'aux idées politiques au Québec. Il a également contribué à de nombreuses revues comme *Argument*, *Liberté* et *L'Agora*, et a publié un recueil d'essais politiques et philosophiques, *Le temps de l'homme fini*, chez Boréal en 2005.

JOSEPH FACAL

Présentement professeur invité à HEC Montréal, il détient un doctorat en sociologie de l'Université de Paris-Sorbonne (Paris IV). Ses recherches portent principalement sur le modèle québécois de développement. De 1994 à 2003, il fut député à l'Assemblée nationale du Québec. Pendant cette période, il fut notamment président du Conseil du trésor, ministre d'État à l'Administration et à la Fonction publique, ministre des Relations avec les citoyens

et de l'Immigration et ministre délégué aux Affaires intergouvernementales canadiennes.

SARAH FORTIN
Directrice de recherche (politiques sociales) à l'Institut de recherche en politique publique (IRPP), où elle a notamment dirigé le projet *Si je me souviens/
As I Recall : regards sur l'histoire* (1999) et codirigé l'ouvrage *Forging the Canadian Union : SUFA and Beyond*, en 2003. Elle détient une maîtrise en science
politique de l'Université du Québec à Montréal ; son mémoire portait sur
l'accord du lac Meech. Elle a suivi sa scolarité de doctorat en science politique
à l'Université McGill.

ALAIN-G. GAGNON
Professeur titulaire au Département de science politique à l'Université du
Québec à Montréal et titulaire de la chaire de recherche du Canada en Études
québécoises et canadiennes (CREQC). Il est le coordonnateur du Groupe de
recherche sur les sociétés plurinationales (GRSP) et directeur du Centre de
recherche interdisciplinaire sur la diversité au Québec (CRIDAQ). Parmi ses
plus récentes publications, il compte : *Québec : État et société*, tome 2 (Québec
Amérique, 2003) ; avec James Bickerton, *Canadian Politics* (4ᵉ éd., Broadview
Press, 2004) ; avec Bernard Jouve, *Les métropoles au défi de la diversité culturelle* (Presses universitaires de Grenoble, 2006) ; avec Jacques Palard et Bernard
Gagnon, *Diversité et identités au Québec et dans les régions d'Europe* (Presses
de l'Université Laval-PIE, 2006).

DIMITRIOS KARMIS
Professeur agrégé à l'École d'études politiques de l'Université d'Ottawa ; son
enseignement et ses recherches se concentrent en théorie politique et en
politique canadienne. Ses recherches portent plus spécifiquement sur les
aspects normatifs des questions liées à la citoyenneté, à la politique de l'identité, au nationalisme, au fédéralisme, au multiculturalisme et à l'immigration. Il a notamment publié sur ces sujets dans *Ethnic and Racial Studies*,
Politique et Sociétés et la *Revue canadienne de science politique*. Il a aussi

publié en 2005 un ouvrage intitulé *Theories of Federalism* (ce dernier ouvrage est codirigé avec Wayne Norman) et il travaille présentement à un livre sur les théories normatives du fédéralisme et la diversité culturelle.

GUY LAFOREST

Professeur au département de science politique de l'Université Laval, Guy Laforest a été directeur de ce département de 1997 à 2000, et codirecteur de la *Revue canadienne de science politique* de 1993 à 1996. Il a été professeur invité à l'Université Pompeu Fabra de Barcelone et au Colorado College aux États-Unis. Il a récemment publié *Pour la liberté d'une société distincte* (Presses de l'Université Laval, 2004), il a enrichi et supervisé la version française de *Débats sur la fondation du Canada* (Presses de l'Université Laval, 2004), et codirigé avec Roger Gibbins *Sortir de l'impasse. Les voies de la réconciliation* (IRPP, 1998). Il est aussi l'auteur de *Trudeau, la fin d'un rêve canadien* (Septentrion, 1992).

ANDRÉE LAJOIE

Professeure à la faculté de droit de l'Université de Montréal, Andrée Lajoie est aussi membre du Centre de recherche en droit public dont elle a été directrice de 1976 à 1980. Axés d'abord sur le droit constitutionnel et administratif – appliqués à des champs variés traversant le domaine urbain, et celui de la santé et de l'enseignement supérieur –, ses travaux ont porté plus récemment sur la théorie du droit (pluralisme, herméneutique), induite notamment à partir de corpus de droit constitutionnel reliés entre autres au rôle du pouvoir judiciaire dans la production du droit et aux droits des minorités. Ses travaux actuels portent en particulier sur les droits ancestraux des Autochtones au Canada.

KENNETH MCROBERTS

Doyen du Collège universitaire Glendon de l'Université York, il s'est vu décerner un doctorat honorifique par l'Université Laval en septembre 2004. Il est notamment l'auteur de *Quebec : Social Change and Political Crisis* qui en est à sa troisième édition. En 1993, il a codirigé, avec Patrick J. Monahan,

The Charlottetown Accord, the Referendum and the Future of Canada (University of Toronto Press). Il a également dirigé *Beyond Quebec: Taking Stock of Canada* (McGill-Queen's University Press). Plus récemment, il a publié *Misconceiving Canada: The Struggle for National Unity* (Boréal, 1999, sous le titre *Un pays à refaire: l'échec des politiques constitutionnelles canadiennes*) ainsi que *Catalonia: Nation Building Without a State* (Oxford University Press, 2001).

ALAIN NOËL

Professeur titulaire au Département de science politique de l'Université de Montréal, ses recherches portent sur les politiques sociales et sur le fédéralisme en perspective comparée et, plus largement, sur la politique au Canada et au Québec. Parmi ses publications récentes, notons *Labour Market Policy and Federalism: Comparing Different Governance and Employment Strategies* (2004), *Forging a Canadian Social Union: SUFA and Beyond* (2003) et *L'aide au conditionnel* (2003). En 2001-2002, il était membre de la Commission sur le déséquilibre fiscal et, pendant l'année 2004-2005, professeur invité à l'Institut d'études politiques de Grenoble.

MARTIN PAPILLON

Enseigne à l'École d'études politiques de l'Université d'Ottawa ; ses champs d'intérêt en recherche se concentrent surtout autour de questions liées à la théorie et à l'évolution historique de la citoyenneté et du fédéralisme au Canada, aux enjeux entourant l'autonomie gouvernementale des peuples autochtones ainsi qu'aux politiques d'intégration des immigrants. Ses travaux plus récents ont été publiés dans la *Revue internationale d'études canadiennes* et *Politics and Society*.

BENOÎT PELLETIER

Benoît Pelletier est présentement ministre aux Affaires intergouvernementales canadiennes du Gouvernement du Québec et ministre responsable de l'Outaouais depuis avril 2000. Il est le député à l'Assemblée nationale du Québec de la circonscription de Chapleau depuis novembre 1998. Détenteur de deux doctorats en droit (Panthéon-Sorbonne et Aix-Marseille III) et membre du Barreau depuis 1982, il a enseigné le droit constitutionnel ainsi que le droit du travail et le droit administratif à l'Université d'Ottawa, où il a été doyen de la Faculté de droit de 1996 à 1998.

FRANÇOIS ROCHER

Professeur titulaire au Département de science politique à l'Université Carleton, il a écrit de nombreux articles et rédigé plusieurs chapitres d'ouvrages ayant pour thèmes le nationalisme québécois, le fédéralisme canadien et la Constitution, l'impact de l'intégration nord-américaine sur les relations intergouvernementales, l'identité canadienne et les politiques canadienne et québécoise de citoyenneté et d'immigration. Il a également été codirecteur de la *Revue canadienne de science politique*. Il est membre fondateur du Groupe de recherche sur les sociétés plurinationales (GRSP), membre du Centre de recherche interdisciplinaire sur la diversité au Québec (CRIDAQ) et du Centre de recherche sur l'ethnicité, la citoyenneté et l'immigration (CRIEC).

MICHEL SEYMOUR

Professeur titulaire au Département de philosophie à l'Université de Montréal, Michel Seymour est spécialiste en philosophie anglo-américaine, et tout particulièrement la philosophie du langage et la philosophie politique. Il est le directeur de l'axe « Nation, nationalisme et diversité » au sein du Centre de recherche interdisciplinaire sur la diversité au Canada (CRIDAQ). Il s'intéresse à la conception institutionnelle et communautaire du langage, à la théorie des droits collectifs et au nationalisme. Il a également publié *Le pari de la démesure. L'intransigeance canadienne face au Québec* (L'Hexagone, 2001), pour lequel il a obtenu le prix Richard-Arès, et *La nation en question* (L'Hexagone, 1999). Il a dirigé les recueils *Une nation peut-elle se donner la constitution de son choix ?* (Bellarmin, 1995), *Nationalité, citoyenneté et solidarité* (Liber, 1999) et *États-nations, multinations et organisations supranationales* (Liber, 2003).

LUC THÉRIAULT

Professeur de sociologie à l'Université du Nouveau-Brunswick (campus de Fredericton), il détient un doctorat de l'Université de Toronto et a enseigné pendant plusieurs années les politiques sociales à la University of Regina. Spécialisé dans l'étude du tiers secteur, il s'intéresse particulièrement aux interfaces entre l'État et les organismes de l'économie sociale fournisseurs de services sociaux et de santé.

LUC TURGEON

Candidat au doctorat à l'Université de Toronto, sa thèse porte sur le rôle du secteur volontaire et des pouvoirs locaux dans la gestion des problèmes socio-économiques au Canada et en Grande-Bretagne. Ses travaux portent également sur la société civile, le nationalisme et les théories du fédéralisme et du constitutionnalisme. Il a publié des articles dans la *Revue internationale d'études québécoises* et le *Journal of Commonwealth and Comparative Politics* et dans différents ouvrages, dont *Québec : État et société*, tome 2 (Québec Amérique, 2003), *Transnational Democracy in Critical and Comparative Perspectives* (Ashgate, 2003) et *The Conditions of Diversity in Multinational Democracies* (IRPP, 2003).

YVES VAILLANCOURT

Professeur titulaire à l'École de travail social de l'UQAM, il est directeur du Laboratoire de recherche sur les pratiques et les politiques sociales (LAREPPS). Il est responsable scientifique de l'équipe de recherche en partenariat sur la thématique « Économie sociale, santé et bien-être » soutenue par le FQRSC pour les années 2004-2008. Il a fondé et dirigé la revue *Nouvelles pratiques sociales* de 1988 à 2003. Il est membre du Centre de recherche sur les innovations sociales (CRISES) et de l'Alliance de recherche universités-communautés (ARUC) en économie sociale. Il a publié de nombreux ouvrages, articles et documents sur les politiques sociales depuis les années 1970.

CATHERINE VALLIÈRES-ROLAND
Diplômée à la maîtrise en science politique à l'Université Laval, elle s'est intéressée, dans le cadre de son mémoire, au concept d'Europe des régions et à la gouvernance à paliers multiples. Elle étudie à présent les problématiques reliées au fédéralisme multinational, à la sociologie de l'État plurinational et au comparativisme institutionnel fédéral.

JOSÉ WOEHRLING
Professeur à la faculté de droit de l'Université de Montréal, il se spécialise en droit constitutionnel, canadien et comparé, et dans la protection internationale des droits de la personne. Il est l'auteur de nombreux ouvrages et articles en droit constitutionnel, en droit international et en droit comparé, notamment d'un traité de droit constitutionnel en collaboration avec le professeur Jacques-Yvan Morin. José Woehrling est aussi membre du Groupe de recherche sur les sociétés plurinationales (GRSP) ainsi que directeur de l'axe « Droit, institutions et aménagement des rapports intercommunautaires » au sein du Centre de recherche interdisciplinaire sur la diversité au Québec (CRIDAQ).

TABLE DES MATIÈRES

Autres titres disponibles dans la collection Paramètres

La terminologie : principes
et techniques
MARIE-CLAUDE L'HOMME

Traité de criminologie empirique
Troisième édition
Sous la direction de MARC LE BLANC,
MARC OUIMET et DENIS SZABO

L'univers social des adolescents
MICHEL CLAES

Violences au travail
Diagnostic et prévention
Sous la direction
de FRANÇOIS COURCY, ANDRÉ SAVOIE
et LUC BRUNET

Les visages de la police
Pratiques et perceptions
JEAN-PAUL BRODEUR

MEMBRE DU GROUPE SCABRINI

Québec, Canada
2006